큰별쌤 최태성의 별★별 한국사

한국사 읽기책

집필 및 검토

최태성

모두의 별★별 한국사 연구소장
EBS 한국사 대표 강사, ETOOS 한국사 강사
성균관대학교 사학과 졸업
중·고등학교 한국사 교과서 및 역사부도 집필
EBS 평가원 연계 교재 집필 및 검토
2013년 국사편찬위원회 자문위원
2011~2012년 EBS 역사교육 자문위원
MBC <무한도전> '문화재 특강' 진행
KBS 1TV <역사저널 그날> 패널 출연
KBS 라디오 FM 대행진 <별별 히스토리> 코너 진행
EBS 1 <미래교육 플러스> 진행
tvN STORY <벌거벗은 한국사> 진행

모두의 별★별 한국사 연구소 곽승연 이상선 김혜진 권혜성

큰별쌤 최태성의 별★별 한국사 한국사 읽기책

초판 1쇄 발행 2022년 10월 21일 초판 3쇄 발행 2024년 6월 28일

발행인 정선욱
퍼블리싱 총괄 남형주
개발 김태원 김경대 김인겸 정명희 조정연
기획 · 디자인 · 마케팅 조비호 김정인 엄지영
유통 · 제작 서준성 신성철

펴낸곳 이투스에듀㈜
등록번호 제2007-000035호
주소 서울시 서초구 남부순환로 2547
고객센터 1599-3225

ISBN 979-11-389-1101-6 [43910]

큰별쌤 최태성의 별★별 한국사

머리말

여러분은 한국사 전성시대에 살고 있습니다.

수능에서 한국사가 필수 과목이 되었고, 수능이 끝난 뒤에도 공무원 시험, 입사 시험, 임용 시험 등 한국사 공부는 계속됩니다. 그러니 지금 한국사를 제대로 공부해 둔다면 대학에 가도 사회에 나가도 인생을 살아가는 데도 피가 되고 살이 될 것입니다.

그런데 과거의 사실들을 외우고 시험을 잘 치르면 그만일까요? 그렇지 않습니다. 사실은 곧 잊힙니다. **중요한 것은 역사 속 사람들을 만나 이야기를 나누는 것**입니다. 사실 속에 가려진 사람을 만나 이야기를 나누는 것이 진짜 역사를 공부하는 것입니다. 왜 그랬는지 묻고 그들의 대답을 통해 한 번뿐인 인생을 어떻게 살 것인지를 고민하는 것, 그것이 바로 역사를 배우는 이유입니다.

여러분의 할아버지, 할머니, 아버지, 어머니가 더 나은 세상을 만들어 주기 위해 노력한 것처럼 여러분도 다음 세대에 무엇을 남겨 줄 수 있는지 고민하고 실천하는 것, 역사에 무임승차하지 않는 것, 그것이 우리가 해야 할 일입니다.

이 책은 중·고등학교 내신과 수능, 한국사능력검정시험 등 어떤 종류의 한국사 시험을 준비하더라도 기반이 되는 한국사의 흐름을 잡아주고자 만들었습니다. **어려운 역사적 개념들을 쉽고 재미있게 서술해서 누구나 쉽게 이해**할 수 있도록 했습니다. 또 지하철이나 버스 안에서 혹은 자기 전과 같이 편한 장소와 시간에 소설을 읽듯이 제 강의를 읽을 수 있으면 좋겠다는 생각으로 만든 책입니다.

이 책 속에 나오는 많은 사람들과 대화를 나누듯이 편안하게 읽기를 바랍니다. 그러면 자연스럽게 한국사의 흐름이 잡힐 뿐만 아니라 역사가 여러분에게 하고 싶은 이야기도 들을 수 있을 것입니다.

마지막으로 제 강의 시작할 때 보여 드리는 시 한 편 함께 하시죠.

어두운 길을 걷다가
빛나는 별 하나 없다고
절망하지 말아라.
……
가장 빛나는 별은 지금
간절하게 길을 찾는 너에게로
빛의 속도로 달려오고 있으니

– 박노해, 「별은 너에게로」 중에서

지금 가장 빛나는 별 하나가 여러분의 길을 비추기 위해 달려가고 있다는 사실 잊지 마시기 바랍니다. 사랑합니다.

— 큰별쌤이

차례

01

역사는 왜 배우는가

1 역사는 왜 배우는가

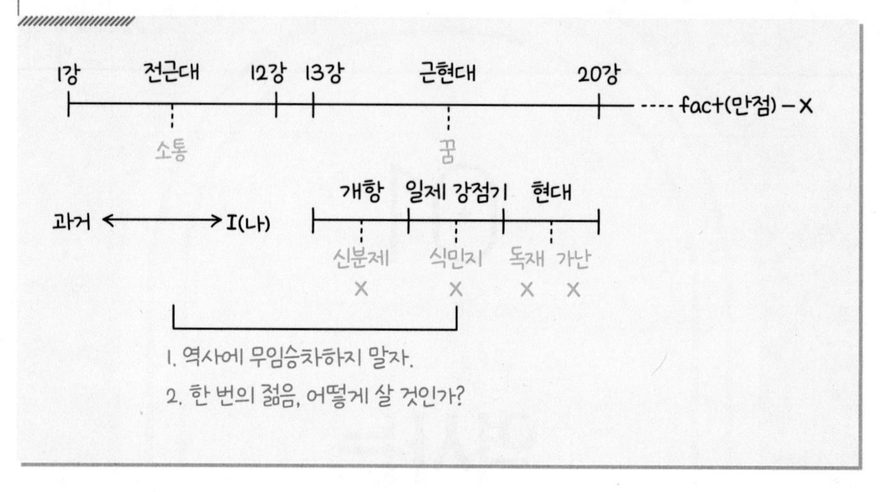

보통 한국사 강의는 구석기 시대부터 시작됩니다. 그런데 저는 '역사는 왜 배우는가'라는 질문으로 시작하겠습니다. 지금의 나를 돌아보고 공부를 왜 해야 하는지를 생각해 보고 시작한다면, 이후의 시간이 훨씬 알찰 것이라고 믿기 때문이에요. 그런 다음 02강부터 12강까지 전근대, 13강부터 20강까지 근현대 파트로 나누어 차근차근 우리 역사를 살펴보겠습니다.

: 역사는 사람을 만나는 것

여러분은 역사가 무엇이라고 생각하나요? 그리고 역사를 왜 공부하나요? 과거의 사실들을 외우고 시험을 잘 치르면 그만일까요? 그렇지 않습니다. 과거의 사실들을 아는 것에 머무르지 않고 그 사실들을 통해서 사람을 만나는 것이 역사예요. 역사 속 사람을 만나고 이해하는 것은 곧 내가 누구인가를 이해하는 과정이고, 역사를 통해서 나는 과연 어떻게 살 것인지를 고민하게 됩니다. 그것이 바로 역사를 배우는 목적입니다. 그렇기에 역사는 인문학에 속합니다.

이제부터 각 시대를 어떤 관점에서 만날지 이야기하겠습니다.

: 시대별 역사를 만나는 방법

전근대 파트에서는 '소통'이라는 키워드를 잡고 다가갈 거예요. 과거의 사람들, 사실들과 끊임없이 만나고 소통하자는 말입니다. 예를 들어 삼국의 역사를 살펴볼 때 '백제는 4세기, 고구려는 5세기, 신라는 6세기에 전성기를 이루었다.'라는 식으로 사실(Fact)만 알고 넘어가면 재미도 없거니와 무엇인가 아쉽잖아요. 그렇다면 이렇게 해보세요. '가장 늦게 발전한 신라가 어떻게 삼국을 통일했을까?'를 당시 상황 속으로 들어가서 이해하고, 지금의 나에게 대입해 보는 거예요.

삼국 가운데 백제와 고구려가 중국과 교류하며 발전하고 있을 때 신라는 경상도 쪽에 고립되어 있는 작은 나라였어요. 그러나 삼국 간 경쟁의 최종 승리자는 신라였어요. 여기서 이 사실과 소통하는 거예요. 후발 주자 신라가 삼국을 통일할 수 있었던 원동력은 무엇이었을까요? 그 이유를 생각해 보면서 지금 나는 어떤 위치에 있는지, 어떤 모습으로 서 있어야 하는지를 생각해 보는 거죠. 이렇게 과거의 사실들과 소통하면서 나를 만나 보는 겁니다.

근현대를 공부하면서는 '꿈'이라는 단어로 여러분을 만나겠습니다. 근현대사는 크게 개항기(개화기)·일제 강점기·현대로 나눌 수 있는데, 각 시대마다 과제가 있었습니다. 개항기는 신분제로부터의 해방, 일제 강점기는 식민 지배로부터의 해방, 민주화·산업화의 시대로 일컬어지는 현대는 독재와 가난으로부터의 해방이 그 시대의 과제였어요. 100여 년이 지난 지금 시점에서 그때를 바라보니 시대별 과제가 정리되고 그 과제를 위해 열심히 살아온 사람들의 이야기를 기록할 수 있는 것이지요. 그것이 바로 역사이고 우리의 근현대입니다.

우리는 신분제 폐지와 해방을 주장한 대표적 사건으로 갑신정변과 동학 농민운동을 만날 겁니다. 갑신정변의 주역을 죽 나열해 볼까요? 김옥균, 홍영식, 박영효, 서광범, 서재필 등 ……. 세상을 바꾸겠다며 신분제 폐지를 지향한 이들의 평균 연령대는 20대, 이들 중 가장 나이 어렸던 서재필은 19세였습니다. 100여 년 전 신세대의 꿈은 바로 신분제 폐지였나 봅니다. 주목해 볼 점은 이들이 신분제의 가장 꼭대기 층으로 당시 혜택을 가장 많이 받고 있던 기득권 세력이라는 것입니다.

그런 그들이 기득권을 내려놓겠다니, 왜 그랬을까요? 꿈이 있었기 때문입니다. 똑같은 인간으로 태어났는데 어떤 사람은 사람대접도 못 받고 양반이 나타났다고 이마가 땅에 닿도록 인사해야 하는 그런 세상 말고 모두가 평등한 사회를 이루겠다는 꿈 말입니다.

동학 농민 운동은 어땠을까요? 2차 봉기 당시에 수만 명의 농민들이 공주 우금치에서 죽창을 들고 적을 향해 달려갔습니다. 총알이 비껴가게 해 준다는 부적 하나를 가슴에 품고 관군과 일본군이 총을 겨누고 있는 곳을 향해서 말입니다. 그들은 왜 그랬을까요? 우리 자식만큼은 신분제의 굴레에서 벗어난 세상에서 살기를 바랐고 외세의 침략과 침탈에 시달리지 않기를 바랐기 때문입니다. 그 꿈 하나로 죽창을 들고 적을 향해 달려간 거예요.

일제 강점기를 볼까요? 수많은 사람들이 일제에 맞서 싸운 역사의 기록을 만날 겁니다. 3·1 운동 이후 만주와 연해주 일대에서 수많은 독립군이 조직됩니다. 이들은 일제의 눈을 피해 깜깜한 밤에 산을 타고, 눈길을 걸었습니다. 이들이 이동한 거리는 수천 킬로미터에 달합니다. 그들은 왜 목숨을 던져 일제에 맞서 싸웠을까요? 꿈이 있었기 때문이에요. 다음 세대만큼은 식민지의 백성으로 살게 하지 않겠노라는 꿈. 그 꿈 하나만으로 매서운 칼바람을 이겨 내며 아무도 가지 않은 눈 위에 발자국을 내며 걸어간 것입니다.

현대로 오면, 1953년에 6·25 전쟁이 중단된 뒤, 세계의 석학들이 한반도에서는 더 이상 희망의 장미꽃이 피지 않을 거라고 말했습니다. 남아 있는 것은 돌과 사람밖에 없는 폐허가 되어 버렸으니까요. 그런데 그곳에서 사람들이 움직였어요. 머나먼 독일(당시 서독)로 건너가 1,000미터 땅속에서 광물을 캔 아버지들, 청계천 좁디좁은 공장 다락방에서 쥐꼬리만 한 월급을 받으며 온종일 재봉틀을 돌린 어머니들. 그들은 왜 그랬을까요? 내 아이들에게 지긋지긋한 가난을 물려주지 않겠노라는 꿈이 있었기 때문입니다. 그 꿈 하나를 바라보며 허리띠를 졸라매고 일했습니다.

그 궁핍했던 시기를 지나 1987년 6월 민주 항쟁으로 대통령 직선제를 쟁취한 역사적 사건을 만날 겁니다. 뙤약볕 내리쬐는 아스팔트 위, 최루탄 가스로 한 치 앞도 보이지 않는 그 속에서 달려가고 있는 이들은 바로 여러분의 아버지, 어머니들입니다. 왜 그들은 고통스러워하면서도 거리에서 달려갔을까요? 꿈이 있었기 때문입니다. 우리 아이들에게 자신이 원하는 대통령을 뽑을 수 있는 사회, 대한민국 헌법 제1조에 있듯이 국가의 주권이 국민에게 있는 대한민국을 물려주고 싶은 꿈이 있었기 때문입니다.

: 놓치지 말아야 할 화두

여러분은 앞선 사람들의 꿈이 낳은 결과물을 역사의 선물로 받아 안고 있는 거예요. 우리는 앞선 사람들의 모습에서 시대별 과제와 그 과제를 이루기 위한 과정 속에서 어떤 사건들이 있었는지를 보았으며, 그 사건 속에 있는 사람들을 만나보았습니다. 지금으로부터 100년 뒤를 사는 사람들은 우리 시대를 돌아보며 어떻게 이야기할까요? 마찬가지로 우리가 살았던 시대에 어떤 과제가 있었고, 그 과제를 위해 사람들은 어떻게 살았다고 이야기하겠지요.

역사를 공부하면서 두 가지 화두를 놓치지 말기를 바랍니다. 첫 번째는 '역사에 무임승차하지 말자.'는 다짐입니다. 여러분의 할아버지, 할머니, 아버지, 어머니가 만들어 준 꿈의 결과물에 안주하지 마세요. 여러분의 선조가 그러했듯이, 여러분도 여러분의 후손에게 조금 더 나은 시대를 만들어 주기 위한 무언가를 실천하길 바랍니다.

두 번째는 '한 번뿐인 젊음을 어떻게 살 것인가?' 하는 질문입니다. 살아가면서 어려운 선택의 순간에 놓였을 때 막막하고 두려울 겁니다. 그때, 역사 속 사람들은 어떤 선택을 했는지 들여다보세요. 그러면 나는 어떻게 행동해야 할지 방향이 잡힐 겁니다. 역사 속 사람들의 이야기와 꿈을 접하면서 궁극적으로 한 번뿐인 젊음을 어떻게 살 것인지를 스스로에게 물어보기 바랍니다.

이 두 가지 화두를 놓치지 않는다면 여러분의 삶은 더욱 의미 있게 될 거예요.

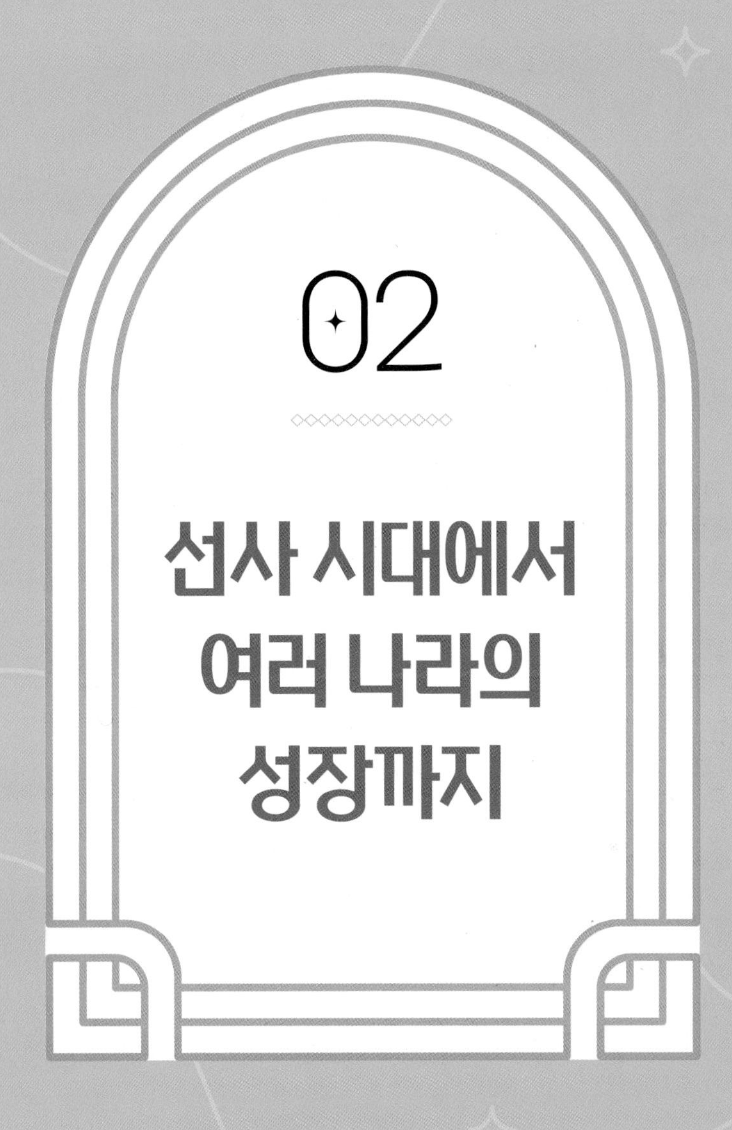

02

선사 시대에서 여러 나라의 성장까지

한반도와 만주 지역에 사람이 살기 시작한 것은

구석기 시대부터이지만

우리 민족의 기틀이 형성된 것은

신석기 시대에서 청동기 시대를 거치는 시기입니다.

여기에서는 선사 시대부터

우리 역사 최초의 국가인 고조선,

철기 문화를 배경으로 여러 나라가 등장한 시기까지의

머나먼 역사 속으로 여행을 떠나겠습니다.

1 구석기 시대

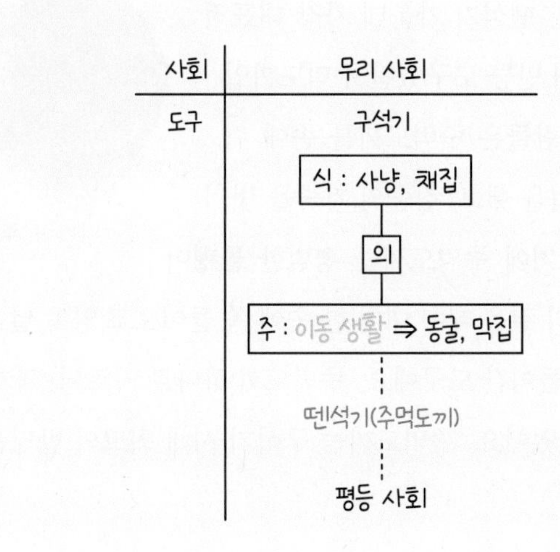

: 구석기 시대 사람들의 식 · 의 · 주

사람이 살아가는 데 가장 기본이 되는 것은 의식주를 해결하는 일이죠. 구석기 시대에도 마찬가지였어요. 구석기 시대 사람들은 짐승을 사냥하거나 나무 열매를 채집하여 식량을 마련했고, 짐승을 사냥하여 얻은 가죽을 몸에 걸쳐 추위를 피했어요. 또 먹을 것을 찾아 이동 생활을 하면서 주변에 있는 동굴이나 바위 그늘에서 머물거나 나뭇가지 등을 모아 임시로 지은 막집에서 살았습니다.

구석기 시대의 동굴 주거 유적(단양 금굴)

막집 모형(공주 석장리 유적)

: 만능 도구, 주먹도끼를 사용하다

구석기 시대 사람들이 생활하면서 사용한 도구는 뗀석기였어요. 뗀석기는 말 그대로 돌을 깨뜨리거나 떼어 내서 만든 도구이지요. 뗀석기 가운데 가장 대표적인 것이 구석기 시대의 만능 도구였던 주먹도끼입니다. 구석기 시대 사람들은 주먹도끼를 손에 쥐고 자르거나 찍는 작업을 했고, 짐승의 가죽을 벗기기도 했어요. 언뜻 보기에 주먹도끼는 평범한 돌멩이 같아 보이지만, 큰 돌의 결을 떼어 내어 한 손에 쏙 들어오고 양쪽 날을 모두 사용할 수 있도록 '설계'가 들어간 도구예요. 주먹도끼 하나로 자르기, 찍기, 벗기기 등 여러 일을 다 할 수 있었어요. 주먹도끼는 구석기 시대 최고의 발명품이라 할 수 있지요.

주먹도끼

: 배고픈 평등 사회를 이루다

구석기 시대는 열 명 남짓한 사람들이 무리를 지어 생활했으며, 계급이 존재하지 않는 평등한 사회였어요. 만주와 한반도에서 사람이 살기 시작한 것은 약 70만 년 전부터로, 이 시기에는 매우 추운 빙하기와 따뜻한 간빙기가 반복되었어요. 당시의 거친 자연환경 속에서 살아남으려면 적은 음식이라도 서로 나누면서 버텨야 했을 겁니다.

또 매머드처럼 크고 사나운 짐승을 혼자 사냥하는 것은 불가능했어요. 여럿이 뭉쳐야 겨우겨우 사냥에 성공할 수 있었지요. 무리를 이룬 사람들이 힘을 합치고 도와야 살 수 있는 시대였어요. 그래서 적은 양의 먹을 것이라도 함께 나누며 살아가는 평등한 사회가 될 수밖에 없었을 겁니다.

2 신석기 시대

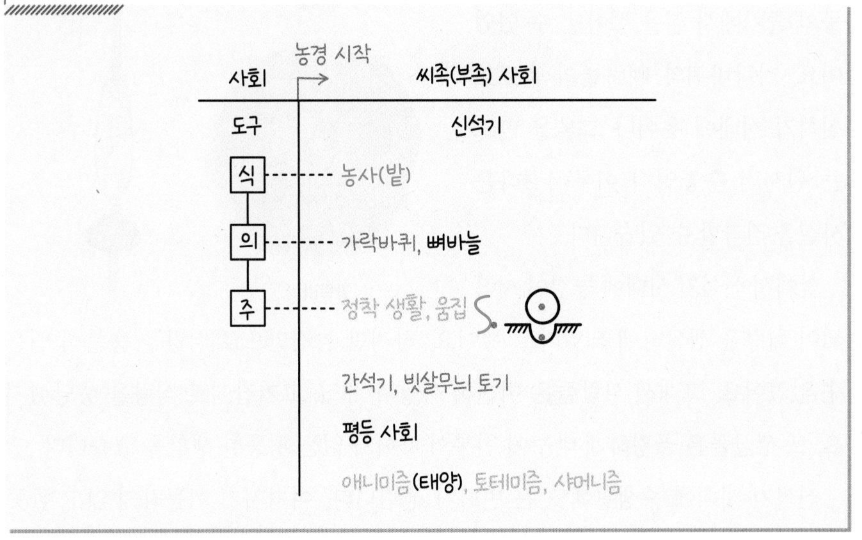

: 신석기 시대 사람들의 식 · 의 · 주

만주와 한반도에서는 지금으로부터 약 1만 년 전에 신석기 시대가 시작되었어요. 신석기 시대 사람들은 혈연 집단인 씨족을 단위로 모여 살았고 더 나아가 여러 씨족이 모여 부족 사회를 이루어 생활했습니다. 구석기 시대보다 많은 사람들이 한곳에 모여 살았어요.

본격적으로 구석기 시대와 다른 신석기 시대의 모습을 살펴볼까요? 신석기 시대에 나타난 가장 큰 변화는 뭐니 뭐니 해도 농경을 시작했다는 점입니다. 지금까지 자연에서 얻을 수 있는 것만을 먹었던 사람들이 자연을 이용하여 식량을 '생산'하기 시작했는데, 주로 조, 수수 등 잡곡을 얻을 수 있는 밭농사를 했어요.

의생활에도 큰 변화가 나타났어요. 구석기 시대 사람들이 짐승의 가죽을 벗겨서 이를 걸쳤던 것과 달리 신석기 시대 사람들은 가락바퀴를 이용하여 식물에서 실을 뽑고 뼈바늘로 가죽을 꿰매어 옷을 만들어 입었지요. 뼈바늘은 무엇인지 감이 잡히는데, 가락바퀴로 어떻게 실을 뽑았는지는 상상이 잘 안 되죠?

가락바퀴 가운데 뚫린 구멍에 기다란 막대를 끼워 축을 만들고 밑에서 무게 중심을 잡아 돌리면 삼 같은 식물의 줄기에서 실을 뽑아낼 수 있었어요. 가락바퀴와 뼈바늘의 출토로 신석기 시대에 옷이나 그물을 만드는 원시적 수공업이 이루어졌다는 사실을 짐작할 수 있습니다.

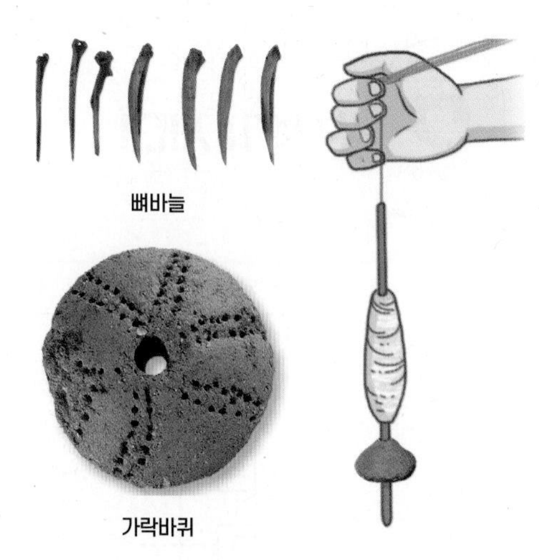
뼈바늘

가락바퀴

앞에서 신석기 시대에 농경이 시작되어 식량을 생산하게 되었다고 했어요. 하지만 농경만으로 식량을 충분히 얻을 수 없었어요. 그래서 사람들은 여전히 사냥과 채집, 고기잡이로 식량을 충당했지요. 또 생산물은 공평하게 나누어 빈부의 차이가 없는 평등한 생활을 했습니다.

신석기 시대에 주생활에도 큰 변화가 생깁니다. 여기저기 이동하지 않고 한곳에 정착하여 생활하게 된 것이죠. 사람들은 강가나 바닷가에 모여 살았으며 땅을 파서 만든 반지하 형태의 움집에서 살았어요. 움집의 중앙에는 화덕을 두었는데, 이는 음식을 조리하거나 난방용으로 사용되었습니다.

신석기 시대 움집터(서울 암사동 유적)

신석기 시대 움집 모형
(서울 암사동 유적)

: 빗살무늬 토기에 음식을 저장하다

빗살무늬 토기

구석기 시대 사람들이 뗀석기를 사용했다는 사실 기억하지요? 신석기 시대에 사람들은 돌을 갈아서 만든 간석기를 사용했습니다.

갈돌과 갈판은 신석기 시대의 대표적인 간석기로 나무 열매나 곡식의 껍질을 벗기거나 가루로 만드는 데 사용되었어요. 또 사람들은 씨앗을 저장하고 음식을 보관할 수 있는 토기를 만들기 시작했습니다. 신석기 시대의 대표적인 토기로 빗살무늬 토기가 있어요. 토기 표면에 빗살무늬가 새겨져 있어 붙여진 이름이지요. 빗살무늬 토기는 대체로 밑이 뾰족한 모양인데, 이 시기에 사람들이 주로 강가나 바닷가에 살았기 때문에 흙이나 모래에 꽂아 쓰기 편하게 고안된 것으로 보입니다.

갈돌과 갈판

: 원시 신앙과 예술이 발달하다

신석기 시대 사람들은 농사를 지으면서 자연에 대해 더 깊이 생각하게 되었어요. 그 결과 태양이나 물 등 자연물에도 영혼이 있다고 믿어 숭배하는 애니미즘, 곰이나 호랑이 같이 특정 동식물을 부족의 수호신으로 믿는 토테미즘, 초자연적인 존재와 직접 소통하는 무당과 그 주술을 믿는 샤머니즘 등의 원시 신앙이 생겨났어요. 샤머니즘은 무당을 통해서 하늘과 인간 세계를 연결하고자 하는 거예요. 하늘에 소원을 전달해 주는 역할을 샤먼, 곧 무당이 담당한 거지요. 또 사람들은 영혼과 조상을 숭배하기도 했습니다.

신석기 시대에는 얼굴 모양의 토제품, 동물의 뼈나 이빨로 만든 치레걸이, 동물 모양의 조각 등 다양한 예술품이 만들어졌어요.

3 청동기·철기 시대

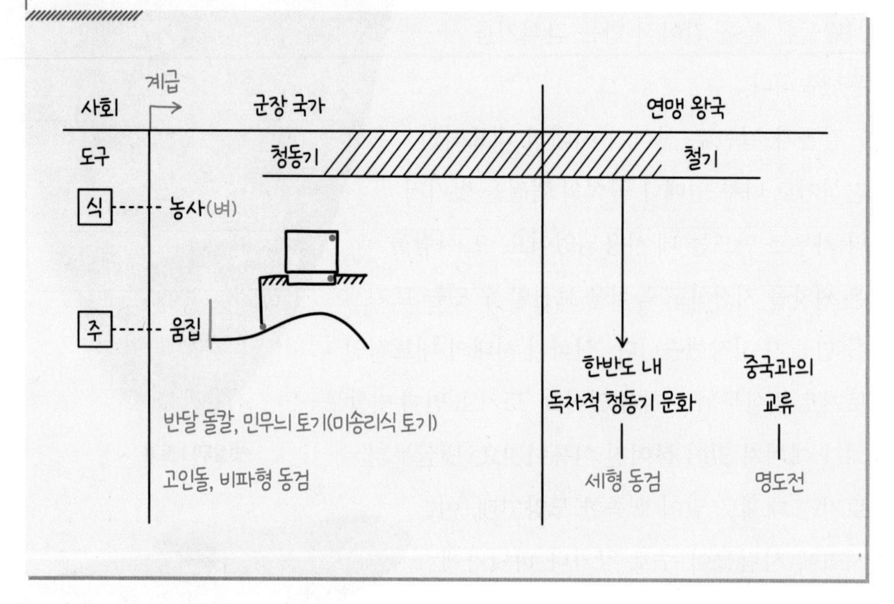

: 계급이 발생하다

만주와 한반도에서는 기원전 2000~1500년 무렵에 청동기 시대가 시작되었습니다. 돌 도구를 사용한 시대가 저물고 바야흐로 금속 도구를 이용하는 시대가 개막된 것이지요. 이 시기에는 농업 생산력이 발전하여 먹고 남는 잉여 생산물이 생겨났어요. 사람들은 잉여 생산물을 차지하기 위해 싸움을 벌였고, 싸움의 승패가 갈리면서 빈부 격차와 계급이 발생했습니다. 이제 불평등 사회로 접어들게 된 것이지요.

: 청동기 시대 사람들의 식·의·주

청동기 시대에는 신석기 시대에 시작된 농경이 더 발전하여 조, 기장, 수수 등 다양한 잡곡이 생산되었고, 한반도 남부 지역에서는 벼농사도 지어졌어요. 청동기 시대 사람들도 신석기 시대와 마찬가지로 움집에서 살았지만 그 위치와 형태에 변화가 나타났어요. 신석기 시대에는 움집이 주로 강가나 바닷가에 위치했지만, 청동기 시대에는 강을 끼고 있는 구릉에 위치하는 경우가 많았어요. 또 신석기 시대 움집의 형태는 반지하형에 집터가 대체로 둥근 모양이었지만, 청동기 시대에는 점차 지상 가옥화되고 집터도 사각형 모양으로 바뀌었어요. 움집 한가운데에 있었던 화덕도 한쪽 벽면으로 옮겨졌습니다.

: 비파형 동검을 만들다

청동기 시대는 사람들이 금속으로 도구를 만들어 사용하기 시작한 시기입니다. 처음으로 청동이라는 금속을 사용했지요. 합금인 청동은 그 재료가 되는 금속을 구하는 데 어려움이 컸고, 청동으로 도구를 만드는 작업도 까다로웠어요. 그래서 이 시기에 청동은 주로 지배자의 무기나 제사용 의기를 만드는 데 쓰였고, 농기구 등 생활 도구는 여전히 돌이나 나무로 만들어졌습니다. 청동기 시대의 대표적인 농기구에는 곡식의 이삭을 베는 데 쓰였던 반달 돌칼이 있어요. 모양이 반달처럼 생겨서 붙여진 이름이지요.

이제 토기를 살펴볼게요. 청동기 시대에는 주로 표면에 무늬가 없는 민무늬 토기가 사용되었어요. 그 가운데 가장 주목할 것이 몸체의 양쪽에 손잡이가 달려 있고 목이 넓게 올라간 미송리식 토기예요. 손잡이가 달려 있어 사용하기 편리했겠지요?

민무늬 토기 미송리식 토기 반달 돌칼

앞에서 청동기 시대의 사회 변화 가운데 가장 중요한 것이 계급의 출현이라고 강조했는데, 그러한 사실을 어떻게 알 수 있을까요? 이 시기에 계급이 출현했음을 뒷받침하는 근거 중 하나가 바로 고인돌이에요. 고인돌은 청동기 시대 지배자의 무덤으로 알려져 있는데, 큰 것은 덮개돌의 무게가 50톤에 달하기도 해요. 중장비가 없던 당시에 이렇게 거대한 돌을 옮기려면 얼마나 많은 사람이 필요했을까요? 아마도 상상하기 어려울 거예요. 여기서 우리는 무덤을 만들기 위해 수많은 사람을 동원할 수 있는 힘을 가진 사람, 바로 군장이 출현했다는 사실을 추정할 수 있지요. 우리나라 전역에서 고인돌을 볼 수 있지만, 특히 강화 지역, 고창과 화순 지역에는 수백 기 이상의 고인돌이 집중 분포되어 있어요. 이는 청동기 시대의 사회 구조와 모습을 연구하는 데 매우 중요한 사료가 되고 있습니다.

청동기 시대에 농업 생산력이 발전하면서 생겨난 잉여 생산물을 차지하기 위해 싸움이 자주 일어났어요. 사람들은 청동으로 만든 칼 등을 무기로 사용하기도 했지요. 이 시기에 제작된 대표적인 청동 무기로 비파형 동검이 있는데, 칼의 형태가 비파라는 악기를 닮아 붙여진 이름이에요. 앞에서 말한 미송리식 토기와 고인돌, 그리고 비파형 동검이 청동기 시대를 대표하는 유물과 유적이라는 사실을 반드시 기억해 두세요.

탁자식 고인돌

: 철기 시대, 독자적 청동기 문화를 이루다

기원전 5세기 무렵에 전해지기 시작한 철기가 기원전 1세기 무렵에는 한반도 전역에 보급되었어요. 철은 청동보다 구하기 쉽고 단단해서 무기는 물론 농기구 등 일상생활에 필요한 도구로도 만들어졌어요. 철기가 사용되면서 청동기가 싹 사라졌느냐면 그렇지 않아요. 철기 시대 초기에 여전히 청동기가 제작되었는데, 주로 장식용이나 제사 등에 사용되는 의례용 도구였어요. 이 시기에 제작된 대표적인 청동기에 세형 동검이 있어요.

세형 동검은 검의 몸체 부분이 가늘고 긴 모양의 청동 칼이에요. 주로 청천강 이남 한반도 전역에서 발견되어 한반도 내에서 독자적인 청동기 문화가 발전했다는 사실을 보여 주는 유물이지요. 세형 동검과 같은 청동기를 제작하는 데 거푸집이 이용되었어요. 거푸집은 금속을 녹여 부어 물건을 만들 수 있게 제작된 틀이에요. 한반도 전역에서 거푸집이 발견되는데, 이 또한 한반도 내에서 독자적인 청동기 문화가 발전했다는 사실을 뒷받침하는 근거입니다.

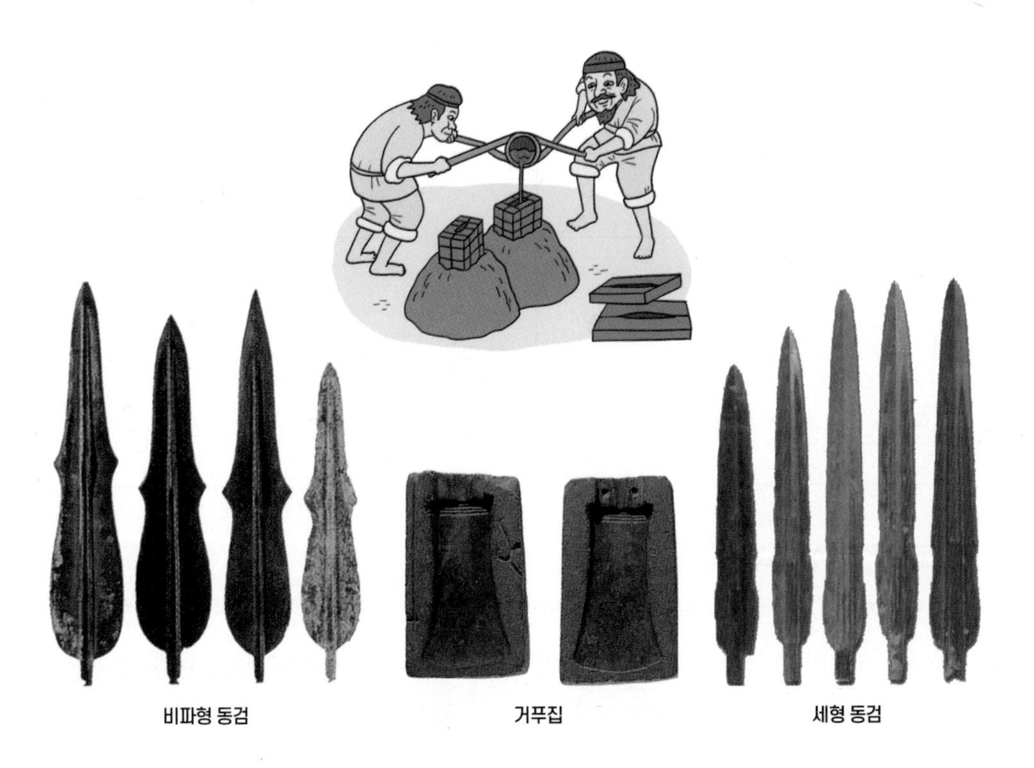

비파형 동검 거푸집 세형 동검

철기 시대에 한반도는 중국과 활발하게 교류했습니다. 이 같은 사실은 한반도 철기 시대의 유적에서 중국 화폐인 명도전, 반량전, 오수전 등이 발견되고 있다는 점에서 알 수 있어요. 명도전은 한자인 밝을 '明(명)'과 비슷한 글자가 새겨져 있는 칼(도) 모양의 화폐(전)이며, 주로 중국 전국 시대에 사용되었습니다.

명도전

이 밖에 경상남도 창원 다호리 유적에서는 붓이 발견되어 이 시기에 한자가 사용되었음을 알 수 있습니다.

4 우리 역사상 최초의 국가, 고조선

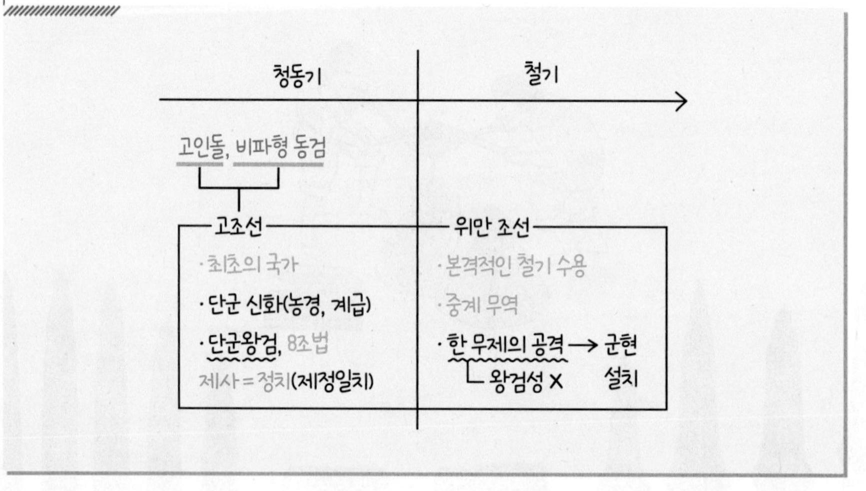

: 고조선의 성립과 변천

청동기 시대에 계급이 발생하면서 권력과 경제력을 가진 군장이 등장했고, 그 가운데 세력이 큰 군장이 주변 부족을 정복·통합하면서 국가가 탄생했습니다. 우리 역사상 최초의 국가는 단군왕검이 세운 고조선입니다.

청동기 문화를 바탕으로 건국된 고조선은 랴오닝 지방과 한반도 서북부 일대를 주 무대로 성장했어요. 청동기 시대를 대표하는 유적과 유물인 탁자식 고인돌과 비파형 동검이 랴오닝 지방과 한반도 서북부에서 집중적으로 발견되는데, 이를 통해 고조선의 문화 범위를 짐작할 수 있지요.

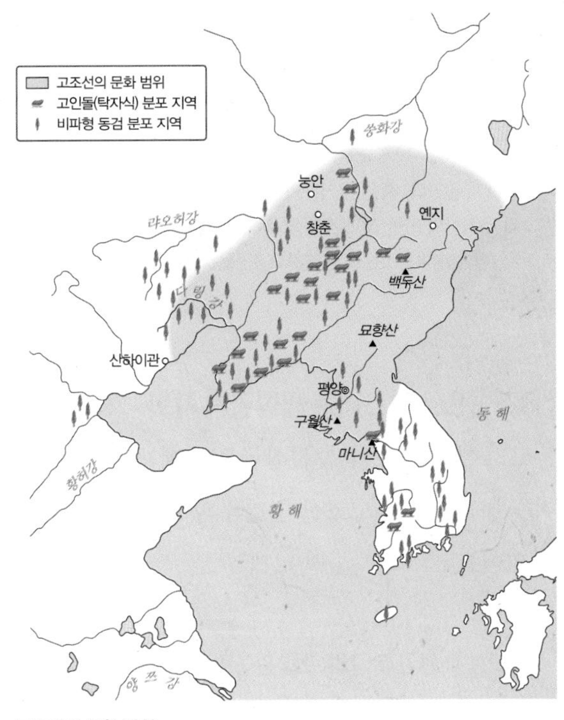

고조선의 문화 범위

기원전 2세기 무렵, 중국의 진·한 교체기에 위만이라는 인물이 중국의 연(燕)에서 무리를 이끌고 고조선으로 들어옵니다. 당시에 고조선을 다스린 준왕은 위만에게 서쪽 변경을 수비하는 임무를 맡겼어요. 이곳에서 세력을 키운 위만은 준왕을 몰아내고 고조선의 왕이 되었습니다. 이때부터를 앞선 고조선과 구분하여 위만 조선이라고도 합니다. 위만이 집권한 뒤 고조선은 철기 문화를 본격적으로 수용하고 세력을 확장했습니다. 또 중국의 한과 한반도 남쪽의 여러 나라 사이에서 중계 무역으로 큰 이익을 얻었어요.

고조선이 강성해지자 한의 무제가 대규모 군대를 이끌고 고조선을 공격했어요. 고조선은 한의 공격에 맞서 1년여 동안 저항했지만 지배층 사이에 내분이 일어나고 수도인 왕검성이 함락되어 기원전 108년에 멸망합니다.

한은 고조선의 영토에 낙랑군, 진번군, 임둔군, 현도군 등 군현을 설치해 지배했습니다. 얼마 지나지 않아 진번·임둔·현도군은 통합되거나 토착민의 강력한 저항으로 폐지되었고, 낙랑군은 4세기에 고구려의 공격을 받아 축출되었어요.

고조선의 멸망

(기원전 108년) 니계상(尼谿相) 삼이 사람을 시켜 조선 왕 우거를 죽이고 항복하였으나 왕검성은 항복하지 않았다. 죽은 우거왕의 대신 성기가 다시 (한에) 반란을 일으키고 공격하였다. (한의) 좌장군이 우거왕의 아들 장과 조선상(朝鮮相) 노인의 아들 최를 시켜 백성을 달래고 모의하여 성기를 죽이게 하니 마침내 조선을 평정하고 4군을 세웠다. -『사기』, 「조선열전」-

: 8조법으로 다스리는 제정일치 사회

고려 때 편찬된 역사서『삼국유사』에는 고조선의 건국 이야기가 실려 있습니다. 이를 통해 우리는 고조선의 건국 과정 및 사회 모습과 관련된 여러 사실을 짐작할 수 있어요.

옛날에 환인과 그의 아들 환웅이 있었는데, …… 환웅은 무리 3,000명을 이끌고 태백산 꼭대기에 있는 신단수 아래에 내려가 풍백·우사·운사를 거느리고 곡식·생명·형벌 등 인간에게 필요한 360여 가지를 주관하며 사람들을 다스렸다. 그때 곰과 호랑이가 환웅에게 사람이 되기를 빌었다. …… 그중에서 곰은 삼칠일 동안 금기를 지켜 여자의 몸이 될 수 있었다. …… 이에 환웅이 웅녀와 결혼하여 아들을 낳으니 이름을 단군왕검이라 하였다. 단군왕검은 평양성에 도읍을 정하고 나라 이름을 조선이라 하였다. -『삼국유사』-

환웅과 웅녀의 결합을 통해 고조선이 청동기 문화를 가진 우세한 이주민 집단과 곰을 토템으로 숭배하는 토착 세력으로 세워졌다는 사실을 짐작할 수 있습니다. 또 바람·비·구름을 다스리는 풍백·우사·운사를 거느리고 왔다는 내용을 통해 농경 사회였음을, 환웅이 인간 세상을 다스렸다는 내용을 통해 계급이 존재하는 사회였음을 유추할 수 있습니다. 그리고 '단군왕검'이라는 지배자의 호칭에서 고조선이 제정일치 사회였음을 알 수 있어요. '단군'은 하늘에 제사 지내는 제사장을, '왕검'은 정치적 지도자를 뜻하거든요.

고조선에는 사회 질서를 유지하기 위한 8조법이 있었는데, 현재 3개 조항만 전해지고 있어요.

> 사람을 죽인 자는 즉시 죽이고, 남에게 상처를 입힌 자는 곡식으로 배상하게 한다. 남의 물건을 훔친 자는 그 집의 노비로 삼고 용서를 받고자 하는 자는 50만 전을 내게 한다.
>
> –『한서』–

이러한 8조법의 내용을 통해 고조선 사회가 계급 사회였으며 개인의 생명과 노동력 및 사유 재산을 중시하는 사회였음을 알 수 있습니다.

5 여러 나라의 성장

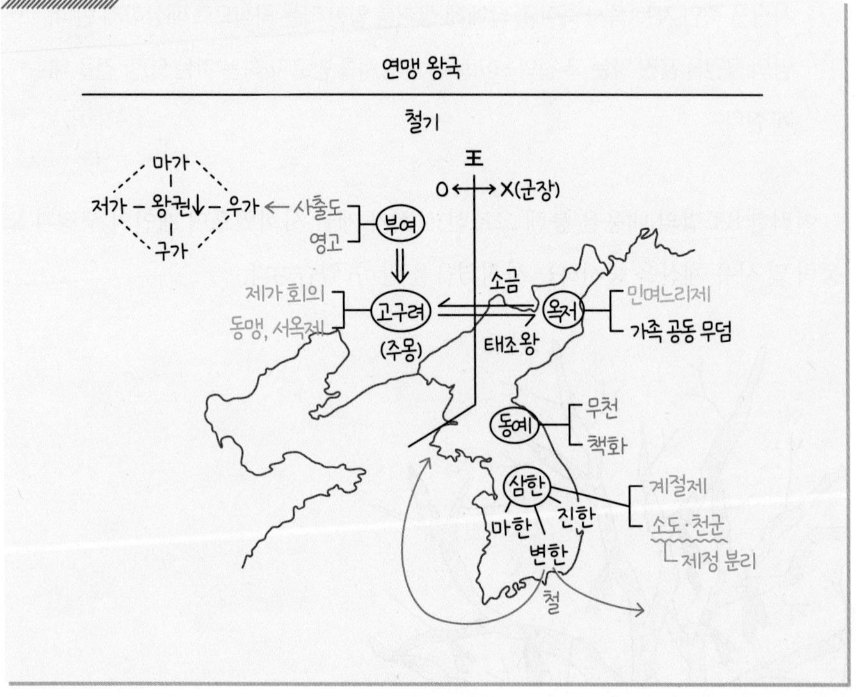

고조선의 멸망을 전후하여 철기 문화를 바탕으로 만주와 한반도 지역에서 여러 나라가 나타났어요. 만주 쑹화강 유역의 평야 지대에서 부여, 압록강 유역에서 고구려가 일어났고, 한반도의 동북쪽 해안 지대에서는 옥저와 동예가 등장했습니다. 옥저는 지금의 함경남도 일대, 동예는 지금의 강원도 북부 동해안 지역에 자리를 잡았지요. 남쪽으로 내려오면 지금의 경상북도 쪽에 진한, 경상남도 쪽에 변한, 경기·충청·전라도에 걸쳐 마한, 즉 삼한이 있었습니다.

그 가운데 부여와 고구려는 여러 부족 또는 소국이 그들 가운데 우두머리가 되는 맹주국의 왕을 중심으로 연합한 연맹 왕국으로 성장했고, 옥저와 동예에서는 왕이 없고 군장이 각 부족을 다스렸어요. 삼한에는 정치적 지배자인 군장 외에 제사장이 따로 있었고요. 지금부터 한 나라씩 살펴볼까요?

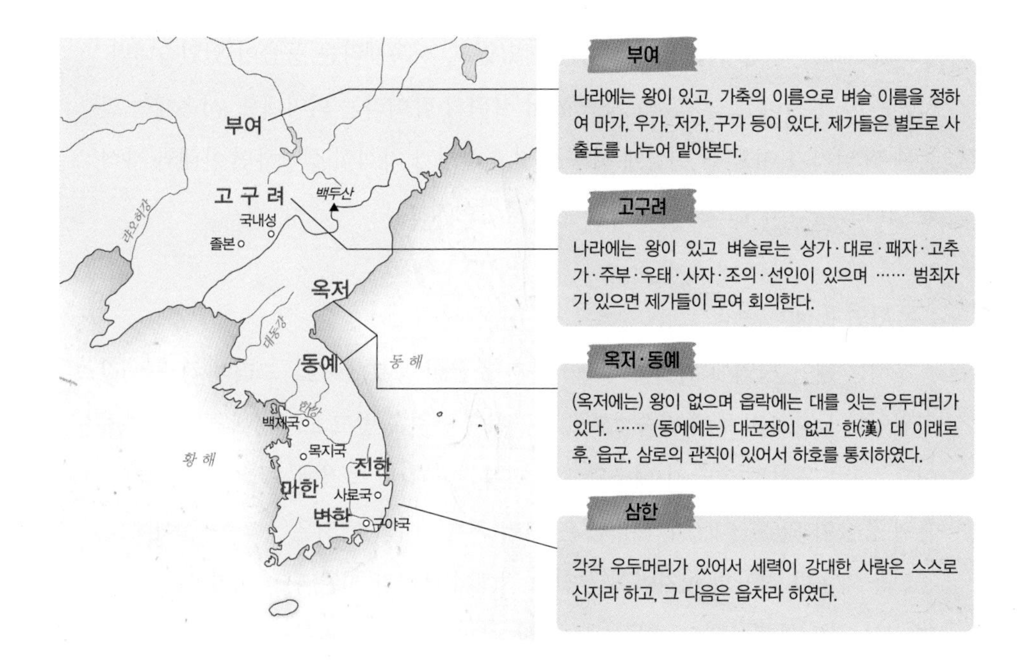

: 부여

부여는 5부족이 연합한 연맹 왕국의 형태로 발전했습니다. 왕 아래 가축 이름을 딴 마가·우가·저가·구가 등으로 불린 가(加)들이 있어 독자적으로 사출도라고 불리는 행정 구역을 다스렸지요. 그렇기 때문에 부여에서는 왕의 힘이 별로 강하지 않았어요. 가(加)들이 모여 왕을 선출했고, 재해나 흉년, 가뭄, 홍수 등이 발생하면 왕에게 책임을 물어 물러나게 하기도 했어요.

부여는 12월에 영고라는 제천 행사를 열어 농사의 풍요와 사냥의 성공을 기원했습니다.

: 고구려

고구려는 부여에서 내려온 주몽이 세웠다고 합니다. 그래서 부여와 고구려는 여러 면에서 비슷한 모습을 보입니다. 고구려는 부여와 마찬가지로 5개의 부족이 연합한 연맹 왕국이었으며, 왕 아래에는 상가, 고추가 등 여러 가(제가)들이 있었어요. 가들은 각자 관리를 거느렸고, 제가 회의를 열어 국가의 중요한 일을 결정했지요.

고구려에는 동맹이라는 제천 행사가 있었고, 서옥제라는 풍습이 있었습니다. 서옥은 사위 '서(壻)', 집 '옥(屋)' 자를 써서 '사위의 집'이라는 의미예요. 서옥제는 결혼한 뒤 남자가 여자 집 뒤꼍에 서옥을 짓고 살다가 자식이 성장하면 아내와 자식을 데리고 자신의 집으로 돌아가는 혼인 풍습이지요.

: 옥저와 동예

옥저는 해안 지역에 위치하여 해산물과 소금이 풍부했어요. 그러나 강력한 정치권력이 성장하지 못해 지속적으로 고구려의 압력을 받고 고구려에 공물을 바쳤어요. 결국 옥저는 고구려 태조왕에게 정복되었지요. 옥저에는 민며느리제라는 혼인 풍습이 있었는데, 여기서 '민'은 '미리 치른', '미리 데려온' 이라는 뜻이에요. 혼인을 약속한 집안의 여자아이를 신랑 집에서 데려와 기른 뒤 아이가 어른이 되면 신부 집에 돌려보내고 예물을 보내 정식으로 혼인하는 풍습이에요. 또 가족이 죽으면 시체를 임시로 매장했다가 나중에 그 뼈를 추려 가족 공동 무덤인 커다란 목곽에 안치하는 풍습도 있었어요.

동예도 해안 지역에 위치하여 해산물이 풍부했으며, 박달나무로 만든 활인 단궁과 키가 작은 말인 과하마, 바다표범의 가죽인 반어피 등의 특산물이 생산되었어요. 옥저와 마찬가지로 고구려에 공물을 바쳤으며 크게 성장하지 못하고 결국 고구려에 통합되었어요. 동예에는 10월에 무천이라는 제천 행사가 있었고, 한 부족이 다른 부족의 영역을 침범했을 때 이에 대해 배상하게 하는 책화라는 풍습이 있었어요.

고구려와 옥저의 혼인 풍습

- **고구려** : 혼인할 때는 미리 약속하고 여자의 집에서 집 뒤편에 작은 별채를 짓는데, 그 집을 서옥이라고 한다. …… 아들을 낳아서 장성하면 남편은 가족을 데리고 자기 집으로 돌아간다.

  – 『삼국지』, 「위서 동이전」 –
- **옥저** : 여자의 나이가 10살이 되면 서로 혼인을 약속하고, 신랑 집에서는 여자를 맞이하여 장성하도록 길러 아내로 삼는다. 여자가 성인이 되면 다시 친정으로 돌아가게 한다. …… 신랑 집에서 돈을 지불한 뒤 다시 신랑 집으로 돌아온다. – 『삼국지』, 「위서 동이전」 –

: 삼한(마한 · 변한 · 진한)

한반도의 중남부에 자리를 잡은 삼한에는 세력의 크기에 따라 신지, 읍차 등으로 불린 군장이 있고, 제사장인 천군과 신성 지역인 소도가 있었어요. 소도는 정치적 지배자의 영향력이 미치지 못하는 신성한 지역이었어요. 그래서 죄인이 소도로 도망가면 잡아가지 못했지요. 천군과 소도의 존재는 삼한이 정치와 종교가 분리된 제정 분리 사회였음을 보여 줍니다.

소도 표시에서 유래된 것으로 보이는 솟대

삼한에서는 벼농사가 발달하여 씨를 뿌리고 난 뒤인 5월과 추수가 끝나는 10월에 계절제를 열어 하늘에 제사를 지냈어요. 삼한 가운데 변한은 철이 많이 생산되어 낙랑이나 왜(일본) 등에 수출하기도 했어요. 이 지역의 철기 문화는 가야로 이어집니다.

천군과 소도

천신에 대한 제사를 주관하는 사람을 천군이라 부른다. 또한 나라마다 각각 별읍(別邑)이 있으니 이를 소도라고 한다. 소도에는 큰 나무를 세우고 방울과 북을 매달아 놓고 귀신을 섬긴다. 그 지역으로 도망쳐 온 사람은 모두 돌려보내지 아니한다. – 『삼국지』, 「위서 동이전」 –

02 선사 시대에서 여러 나라의 성장까지

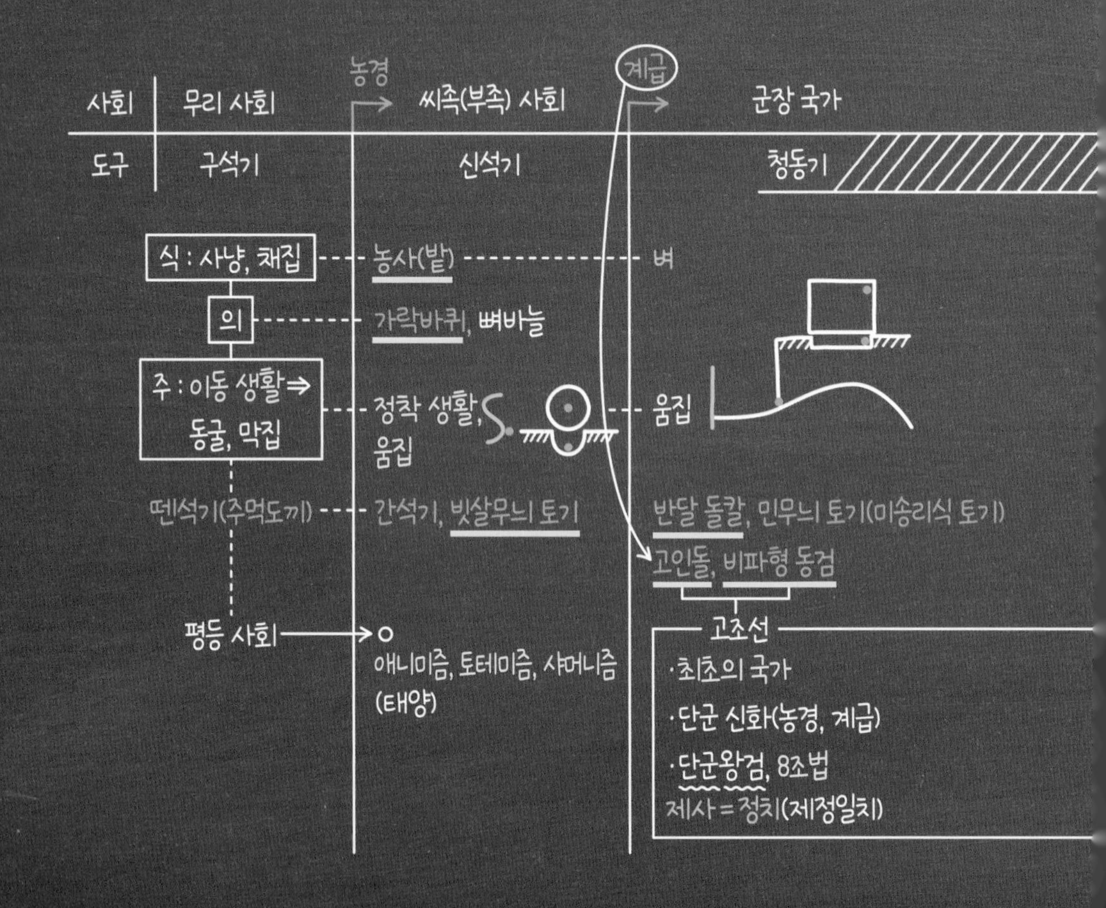

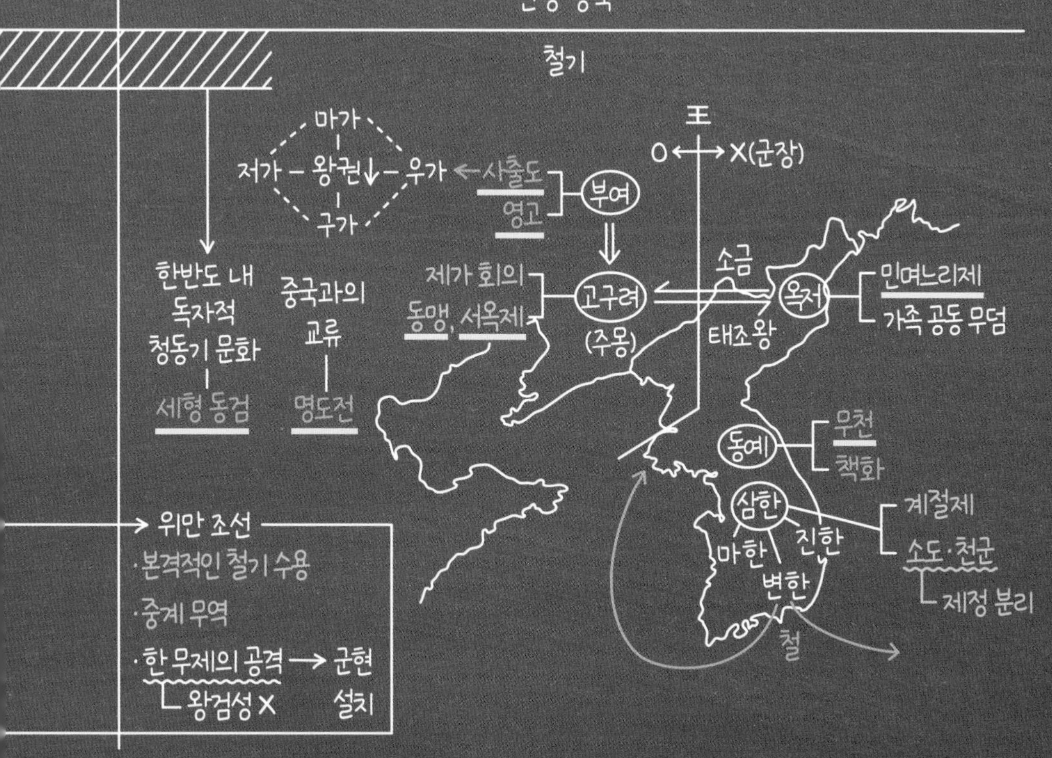

연맹 왕국
철기
마가
저가 – 왕권↓ – 우가
구가
사출도
영고
부여
王
O ↔ X(군장)
한반도 내
독자적
청동기 문화
세형 동검
중국과의
교류
명도전
제가 회의
동맹, 서옥제
고구려
(주몽)
소금
태조왕
옥저
민며느리제
가족 공동 무덤
동예
무천
책화
삼한
마한
진한
변한
계절제
소도·천군
제정 분리
철
위만 조선
·본격적인 철기 수용
·중계 무역
·한 무제의 공격 → 군현
설치
왕검성 X

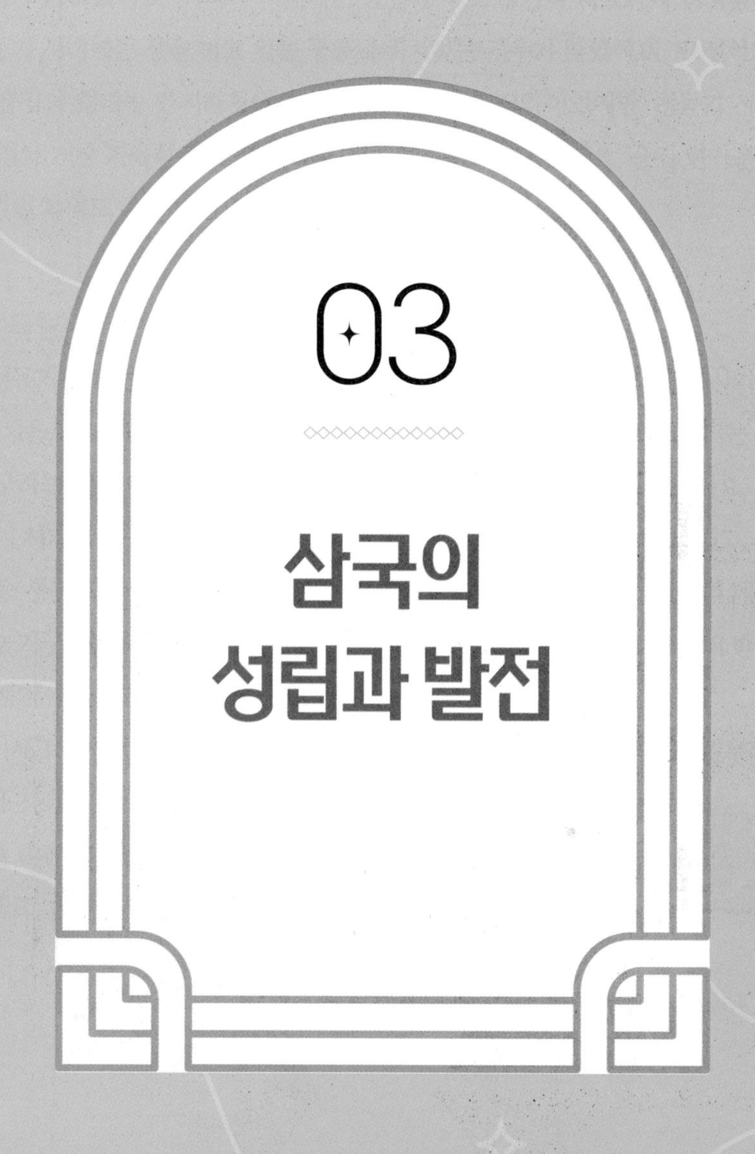

03

삼국의 성립과 발전

1 중앙 집권적 고대 국가의 특징
2 세련된 문화의 나라, 백제
3 동아시아 강국, 고구려
4 삼국 통일을 이끈 나라, 신라
5 또 하나의 나라, 가야

기원후의 우리 역사를 2000년이라고 봤을 때,

반으로 딱 자른 1000년 안에 고대사가 들어옵니다.

고구려·백제·신라·통일 신라·발해 등이지요.

나머지 1000년은 500년의 고려 역사와

500년의 조선 역사로 나뉩니다.

이렇게 해서 2000년이라는 시간이 구성됩니다.

여기에서는 고구려·백제·신라가

한반도의 주도권을 차지하기 위해 어떤 노력을 했는지,

후발 주자인 신라가 어떻게 삼국 통일의 주인공이 되었는지를

살펴보도록 하겠습니다.

중앙 집권적 고대 국가의 특징

중앙 집권적 고대 국가 ┬ 왕권↑
├ 율령 반포
└ 불교 수용

: 중앙 집권적 고대 국가는 어떻게 형성되었나

삼국이 중앙 집권적 고대 국가로 발전하는 과정에서 나타난 특징으로 세 가지가 있습니다. 바로 왕권 강화, 율령 반포, 불교 수용이지요.

삼국이 영토 확장을 위한 정복 전쟁을 치르는 과정에서 각국 내부의 권력이 왕을 중심으로 모여 왕권이 크게 강화되었습니다. 그리고 삼국은 중앙 집권 국가의 형태를 갖추는 데 필요한 법체계인 율령을 반포했지요. 오늘날로 치면 '율'은 형법, '령'은 민법(행정법)에 해당합니다. 또 사람들을 하나로 통합할 수 있는 사상이 필요하여 국가 차원의 종교로 불교를 받아들입니다.

중앙 집권적 고대 국가의 기틀은 고구려 → 백제 → 신라 순으로 마련되었고, 가야는 연맹 왕국 단계에서 중앙 집권적 고대 국가로 발전하지 못한 채 멸망했습니다. 삼국 중 가장 먼저 한반도의 주도권을 차지한 나라는 한강 유역에 자리를 잡고 성장한 백제였어요. 백제는 4세기에, 고구려는 5세기에, 신라는 6세기에 영토를 크게 넓히고 국위를 만방에 떨치며 경쟁의 주도권을 가졌지요.

그런데 역사 공부를 하다 보면 한 나라의 흥망성쇠는 우리 인생과 비슷하다는 생각이 듭니다. 성장하고 발전하는 시기가 이어지더니 어느 순간 주춤하는 시기가 오고, 또 흔들리며 주저앉는 시기도 오지요. 삼국도 마찬가지였어요. 중앙 집권적 고대 국가의 기틀을 갖춘 뒤 변화와 개혁을 통해 도약에 성공하고 전성기를 맞습니다. 하지만 전성기는 그리 오래가지 않습니다. 다르게 생각해 보면 가장 높이 올라간 그 꼭대기는 곧 내려오는 길의 출발점을 의미하는 것이니까요.

이제부터 삼국이 어떻게 성장과 발전을 하고 어떤 모습으로 쇠퇴했는지 그 과정을 백제, 고구려, 신라의 순으로 살펴보도록 하겠습니다.

2 세련된 문화의 나라, 백제

	2C	3C	4C	5C	6C	7C
백제 (한성 ↓ 웅진 ↓ 사비)		고이왕 : 관등, 관복	근초고왕 → 동진, 규슈 칠지도 ↓ 고구려 고국원왕 X	개로왕 X → 웅진 천도 ↑ 고구려 장수왕	·무령왕 : 22담로에 왕족 파견, 벽돌무덤(中, 日) ·성왕 ┌ 사비 천도, 남부여 └ 관산성 전투 X	·무왕 : 익산 미륵사 ⇝ 의자왕 항복, 백제 X ·부흥 운동(흑치상지, 도침, 복신)

: 고이왕, 중앙 집권적 고대 국가의 기틀을 세우다

온조, 비류 등 부여·고구려에서 내려온 세력과 한강 유역 토착 세력의 연합으로 성립된 백제는 마한의 소국 중 하나로 출발했습니다.

백제는 3세기 고이왕 때에 이르러 중앙 집권적 고대 국가의 기틀을 마련했습니다. 율령 체제와 유사한 모습들을 갖추고 관등과 관복도 제정했어요. 왕 아래 관리들을 서열에 따라 등급을 정하고 그 등급마다 관복 색깔을 구분하여 위계질서를 세우고 왕권을 강화하려 한 것이지요.

백제는 이렇게 국가 체제를 정비하며 빠르게 성장해 나갔어요. 백제가 빠르게 성장할 수 있었던 이유는 무엇일까요? 바로 한강 유역에 자리를 잡고 있었기 때문입니다. 한강 유역은 비옥한 평야가 펼쳐져 있어 일찍부터 농경이 발달했고, 황해를 통해 중국의 선진 문물을 받아들이는 데에도 유리한 지역이었어요.

그래서 삼국은 서로 한강 유역을 차지하기 위해 다투었는데, 실제로 한강 유역을 차지한 나라가 전성기를 누리며 경쟁에서 주도권을 장악했습니다. 애초에 한강 유역에 자리 잡은 백제가 빠르게 성장하여 가장 먼저 4세기에 전성기를 누렸고, 5세기에는 고구려가, 6세기에는 신라가 한강 유역을 차지하며 전성기에 이르렀어요.

: 근초고왕, 전성기를 누리다

백제의 전성기를 이룬 왕은 근초고왕입니다. 4세기 근초고왕 때 백제는 마한의 대부분 지역을 정복하고 고구려를 공격하여 황해도 지역까지 영토를 확장했어요. 이때 근초고왕의 평양성 공격으로 고구려의 고국원왕이 전사했지요.

백제의 근초고왕은 이처럼 적극적으로 영토를 확장하는 한편 중국의 동진과 외교 관계를 맺고 왜의 규슈 지방과 활발히 교류했습니다. 특히 백제가 왜와 밀접한 관계를 가졌다는 사실을 보여 주는 유물이 있는데, 바로 백제에서 만들어 왜에 보낸 칠지도입니다. 몸체의 좌우로 3개씩 가지 모양으로 뻗어 나와 있어 일곱 개의 가지가 있는 칼이라는 뜻에서 칠지도라고 불리는 것이지요.

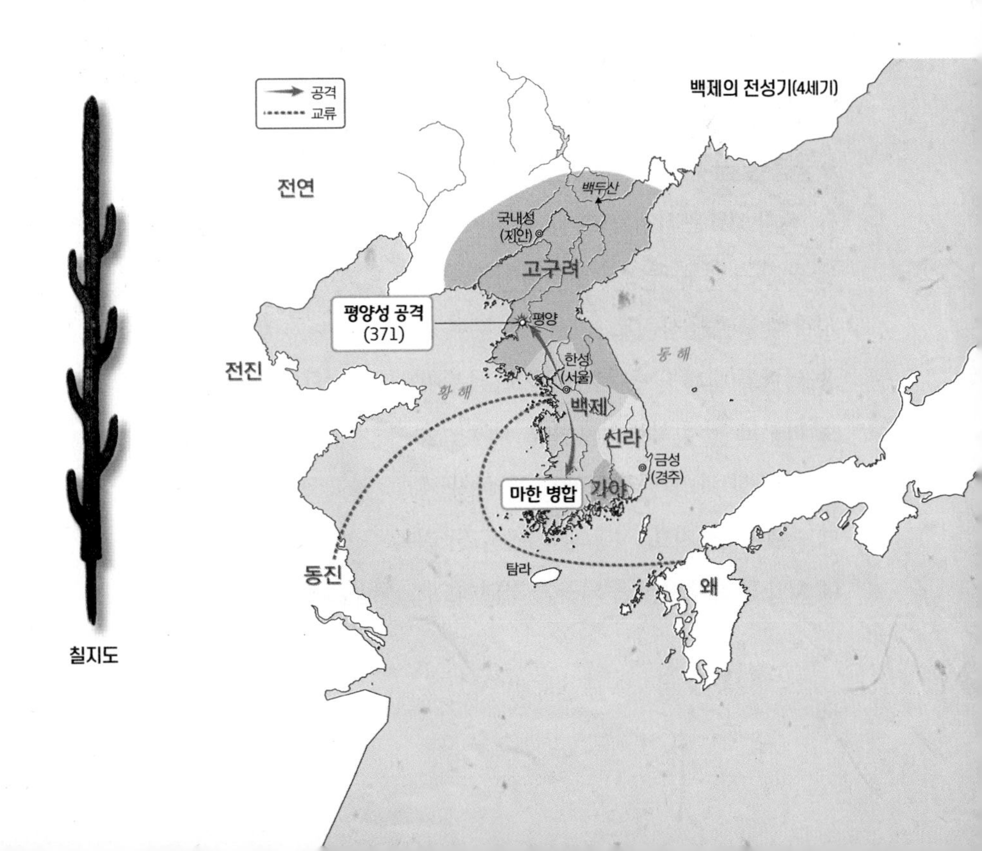

칠지도

근초고왕 때 만들어진 것으로 추정되는 칠지도의 칼 몸체에는 금(金) 상감 기법으로 글자가 새겨져 있는데, 백 번이나 단련한 강철로 만든 칼이며 지금까지 이런 칼은 없었다는 내용입니다. 당시 백제의 자신감이 느껴지지 않나요?

: 한성이 함락되고 웅진으로 천도하다

5세기에 백제는 강력한 상대, 고구려와의 대립으로 위기를 맞습니다. 광개토 태왕의 공격으로 한강 이북 지역을 잃었고, 장수왕의 공격으로 도읍인 한성(지금의 서울)이 함락되고 개로왕이 살해당했지요. 개로왕의 뒤를 이은 문주왕은 도읍을 지금의 공주인 웅진으로 옮겼어요. 비록 수도가 불타고 왕이 죽임을 당했지만, 백제는 무너지지 않았습니다. 혼란을 겪기도 하지만 새로운 도읍인 웅진에서 위기를 극복하기 위해 노력합니다.

무령왕은 지방의 22담로에 왕족을 파견하여 지방 통제를 강화하고 왕권도 강화했습니다. 무령왕 하면 공주에 있는 무령왕릉이 떠오를 겁니다. 무령왕릉은 중국 남조 양식의 영향을 받은 벽돌무덤이에요. 이를 통해 당시 백제가 중국의 남조와 교류했음을 알 수 있겠지요? 또 무덤 안에서 발굴된 유물을 통해 백제가 왜와 교류했다는 사실도 알 수 있어요. 이처럼 무령왕은 지방 통제를 강화하고 주변국과 활발히 교류하며 국력을 키우는 데 힘씁니다.

: 중흥을 꿈꾸며 사비로 천도하다

6세기 성왕은 백제를 다시 일으켜 세우기에 웅진은 너무 좁다고 생각하여 도읍을 지금의 부여인 사비로 옮깁니다. 부여 계승 의식을 내세우며 나라 이름도 '남부여'로 바꾸고 백제 부흥의 깃발을 내걸었습니다. 중앙 관청과 지방 제도 등 국가 체제도 재정비했지요. 성왕의 목표는 고구려에 빼앗긴 한강 유역을 되찾는 거였어요.

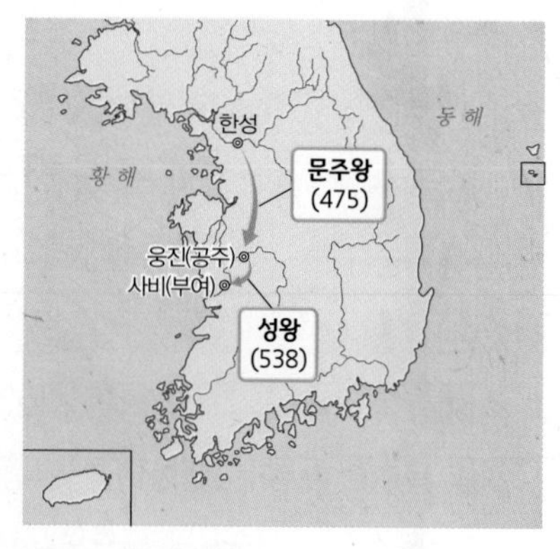

백제의 도읍지 변천

한편 5세기는 고구려가 동아시아의 강국으로 성장한 시기였습니다. 국력이 커진 고구려에 위협을 느낀 신라와 백제가 고구려의 공격에 대비하여 433년에 동맹을 맺습니다. 나·제 동맹이지요. 백제의 웅진 천도 이후에도 나·제 동맹은 유지되었고 성왕 때에도 백제는 신라와 굳건한 관계를 맺고 있었어요. 성왕은 신라의 진흥왕과 함께 고구려를 공격하여 한강 유역을 다시 차지합니다. 하지만 성왕은 진흥왕의 배신으로 한강 하류를 빼앗기는데, 이 이야기는 신라 편에서 이어 가겠습니다.

: 멸망, 그리고 부흥 운동을 벌이다

결과적으로 성왕의 죽음으로 백제는 부흥의 꿈을 이루지 못했지만, 성왕 못지않게 백제의 부흥을 위해 힘을 쏟은 왕이 있었지요. 바로 익산 미륵사를 창건한 무왕입니다. 뒤를 이은 의자왕도 신라의 여러 성을 공격하여 빼앗는 등 다시 일어서기 위해 노력했어요. 하지만 신라와 당의 연합군이 백제를 공격하여 사비성이 함락되고 의자왕이 항복하면서 백제는 멸망합니다. 물밀듯 들어오는 나·당 연합군에 맞서 백제군은 최선을 다했으나 역부족이었던 것이지요.

백제는 여기서 끝나지 않고 부흥 운동을 전개합니다. 백제 부흥 운동을 이끈 인물들은 '흑'치상지, '도'침, '복'신입니다. 이 셋을 외우기 쉽게 앞자를 따서 '흑도복', 곧 검은 도복을 입은 사람들이라고 표현하겠습니다. 당시 백제와 긴밀한 관계를 맺고 있던 왜가 군대를 보내 백제의 부흥 운동을 지원했어요. 그러나 백강 전투에서 백제와 왜의 연합군이 나·당 연합군에 대패하면서 부흥 운동은 실패하고 백제는 역사 속으로 사라지게 됩니다.

이렇게 백제의 흥망성쇠를 훑어보았습니다. 백제의 역사에서 본 것처럼 국가도 사람과 비슷한 성장 곡선을 그립니다. 사람이 태어나서 아장아장 걸음마를 떼고, 청소년기에 급격히 성장하고, 청년기에 인생의 전성기를 맞지요. 그리고 노년으로 접어들어 점점 쇠약해지는 것처럼 국가도 성장기, 개혁기, 전성기, 쇠퇴기를 겪습니다. 정점을 찍었다면 반드시 내려오게 됩니다. 어떻게 올라가느냐의 문제만큼 어떻게 내려오느냐의 문제도 중요합니다. 여러분도 역사 속에서 우리 인생의 모습을 찾아보길 바랍니다.

	1~2C	3C	4C	5C	6C	7C
고구려 (졸본 ↓ 국내성 ↓ 평양)	·태조왕 : 옥저 정복 ·고국천왕 : 5부 행정 성격		·고국원왕 X ← 백제 근초고왕 ·소수림왕 ┌ 불교 ├ 율령 └ 태학	·광개토 태왕 : 비, 호우명 그릇 ·장수왕 : 남하(평양 천도) → 나·제 동맹 → 충주 고구려비		·수 ← 살수 대첩(을지문덕) ·연개소문↑ ·당 ← 안시성 싸움 ·고구려 X ← 나·당 연합군 ·부흥 운동(검모잠, 고연무, 안승)

: 2세기에 중앙 집권적 고대 국가의 기틀을 세우다

부여에서 내려온 주몽 세력이 압록강 유역의 토착 세력과 연합하여 졸본을 도읍으로 고구려를 건국했어요. 고구려는 계루부를 비롯한 소노부, 절노부, 순노부, 관노부의 5부 연맹으로 운영되었어요. 주몽(동명성왕)의 아들 유리왕 때인 1세기 초에는 국내성으로 도읍을 옮겼지요.

고구려는 삼국 중 중앙 집권적 고대 국가의 기틀을 가장 먼저 세운 나라입니다. 1세기 후반에 태조왕은 옥저를 정복하고 요동 지방으로 진출하는 등 활발한 정복 활동을 펼쳤어요. 이를 바탕으로 왕권을 강화해 나가면서 중앙 집권적 고대 국가의 면모를 갖추기 시작합니다.

고국천왕 때에 이르러 고구려는 부족적 성격의 5부를 행정적 성격의 5부로 개편합니다. 앞에서 고구려가 5부 연맹의 국가라고 했지요? 부여에서 가(加)들이 별도로 사출도를 다스리듯이 계루부, 소노부, 절노부, 순노부, 관노부의 우두머리는 각자의 영역을 다스리며 자치권을 인정받았어요. 왕권이 강화되면서 이러한 부족적 성격의 5부가 동·서·남·북·중의 행정 구역으로 바뀌고, 각 부의 우두머리는 중앙의 귀족이 됩니다. 왕경(王京)을 중심으로 한 중앙 집권적인 국가의 틀 안에 부족적 성격의 5부를 흡수하여 왕권 강화를 꾀한 것이지요.

: 소수림왕, 개혁으로 위기를 극복하다

4세기에 고구려는 북방 민족의 침입에 시달리고 백제 근초고왕의 공격으로 고국원왕이 전사하여 위태로운 상황에 빠졌어요. 이때 즉위한 왕이 소수림왕입니다.

소수림왕은 변화와 개혁만이 살 길이라고 생각했어요. 건국 이후 외세 침략으로 왕이 전사한 적이 없었는데, 고국원왕이 전사해서 국운이 휘청했으니까요. 그래서 새로운 고구려를 만들기 위해 중국의 전진으로부터 불교를 수용하고, 인재를 키우기 위해 지금의 국립 대학이라 할 수 있는 태학을 세웁니다. 태학에서는 유학을 가르쳤습니다. 유학은 충성을 강조하므로 유학 교육은 왕권 강화에 안성맞춤이었지요. 또 통치의 기본법인 율령도 반포했습니다. 이러한 소수림왕의 개혁에 힘입어 드디어 고구려의 전성기가 도래합니다.

: 광개토 태왕, 고구려인의 기상을 떨치다

5세기 고구려의 전성기를 이끈 왕은 누구일까요? 여러분도 잘 알고 있는 광개토 태왕입니다. 광개토왕, 광개토 대왕 등으로도 불리지만, 이 책에서는 광개토 태왕이라고 하겠습니다.

광개토 태왕 하면 먼저 영토 확장이 떠오를 거예요. 광개토 태왕은 거란과 후연을 격파하여 요동과 만주 일대를 장악하고 백제를 공격하여 한강 이북 지역을 차지했어요. 또 신라의 요청에 따라 군대를 보내 신라에 침입한 왜를 격퇴하기도 했지요. 이러한 정복 활동을 바탕으로 자신감을 드러내며 '영락'이라는 독자적인 연호를 사용합니다. 그런데 광개토 태왕이 왕위에 올랐을 때 나이가 18세였어요. 만주 지역을 호령하던 청년 왕 광개토 태왕, 멋지지 않나요?

그런 광개토 태왕의 위용을 보여 주는 상징이 있지요. 바로 광개토 태왕릉비입니다. 광개토 태왕릉비는 광개토 태왕의 아들 장수왕이 아버지의 업적을 기려 세운 비석인데, 높이가 무려 6.39m에 달합니다.

광개토 태왕릉비

비문에는 광개토 태왕의 은혜와 혜택이 고구려를 넘어 사해(온 세계)에 떨친다는 내용이 담겨 있습니다. 아파트 3층 높이의 거대한 비석을 바라보고 있으면 이게 바로 고구려구나, 고구려의 힘이구나 하고 감탄하게 되지요. 여러분도 이 웅장한 비석을 마주할 수 있는 기회가 있길 바랍니다. 당시 동아시아에서 고구려가 가졌던 위상을 꼭 느껴 보세요.

광개토 태왕 때 고구려의 국력이 커지고 주변국에 영향력을 행사했음을 보여주는 다른 근거로 호우명 그릇(호우총 청동 그릇)을 들 수 있습니다. 호우명 그릇은 신라의 무덤인 경주 호우총에서 발견되었는데, 그릇 밑바닥에 '광개토지호태왕'이라는 글자가 새겨져 있어요. 무덤 속에 넣어 둔 그릇이면 보통 그릇이 아니었을 텐데, 거기에 광개토 태왕을 뜻하는 글자가 있는 것을 보면 당시 고구려가 신라에 지대한 영향력을 미치고 있었음을 짐작할 수 있지요.

그럼 고구려의 광개토 태왕과 백제의 근초고왕이 같은 시기에 살아 다투었다면 누가 승리했을까요? 광개토 태왕이 태어난 다음 해에 근초고왕이 죽어서 둘의 만남은 이루어지지 못했지만, 그래도 한번 상상해 봐요. 양국의 영토를 크게 넓힌 두 왕이 같은 시기에 살았더라면, 중국 위·촉·오 삼국의 항쟁에 대해 쓴 『삼국지』의 내용보다 더 흥미로운 사건들이 펼쳐지지 않았을까요?

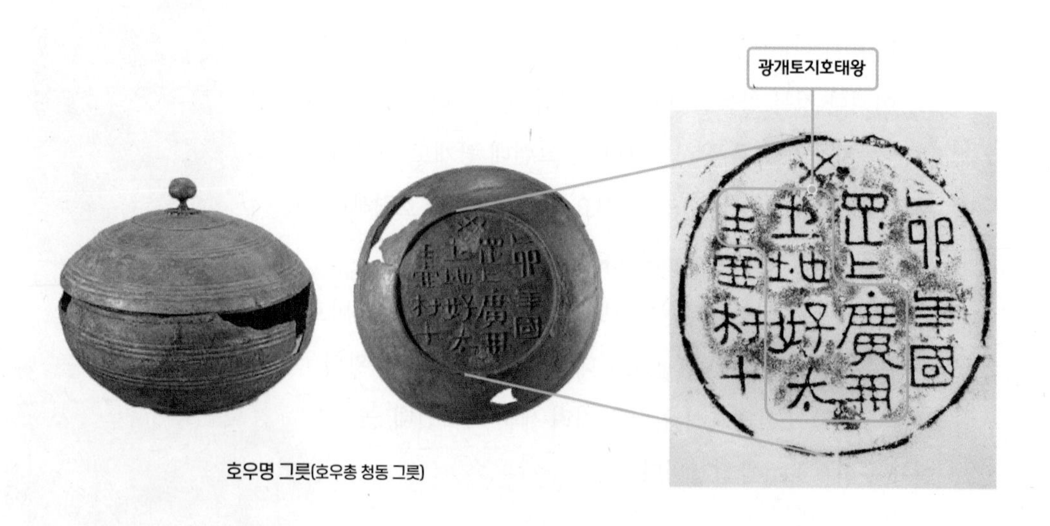

호우명 그릇(호우총 청동 그릇)

이름만 나와도 가슴이 두근두근하는 광개토 태왕. 우리는 보통 광개토 태왕의 영토 확장을 우리 역사의 영광으로 생각하지만, 그 말발굽 아래 쓰러지고 다친 수많은 사람들이 있다는 점도 잊지 않기를 바랍니다. 또 광개토 태왕이 넓힌 영토를 되찾기 위해 나서야 한다고 주장하는 사람들도 있을 텐데, 그건 또 하나의 침략이 될 수 있다는 점도 생각해 봐야 해요. 그보다는 세계 방방곡곡에 우리의 문화로 긍정적인 영향을 주는 대한민국을 꿈꾸어 보는 건 어떨까요? 그게 바로 이 시대 광개토 태왕들의 꿈이어야 하지 않을까 생각합니다.

: 장수왕, 평양으로 천도하고 남쪽으로 영토를 확장하다

광개토 태왕의 뒤를 이어 아들 장수왕이 즉위했어요. 장수왕은 고국원왕의 목숨을 앗아간 백제에 복수를 다짐합니다. 도읍을 국내성에서 평양으로 옮기고 본격적으로 남하 정책을 추진하여 고구려군의 말머리를 남쪽으로 향하게 합니다. 이에 위기를 느낀 신라와 백제가 동맹을 맺어 고구려에 맞섰지만, 장수왕의 고구려군은 백제를 공격하여 수도 한성을 함락하고 개로왕을 죽이지요. 그리고 계속 남하하여 한반도 중부 지역까지 영토를 넓혔는데, 이러한 사실은 충주 고구려비를 통해 알 수 있습니다.

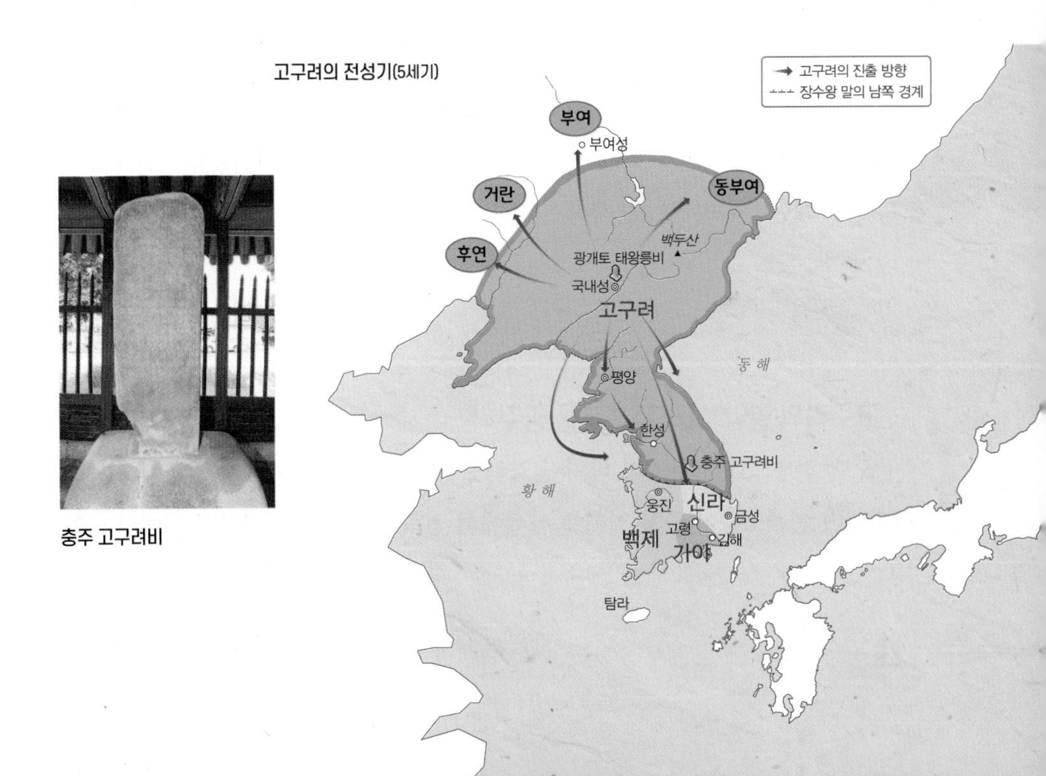

충주 고구려비

: 수·당의 침략을 막아 내다

광개토 태왕부터 장수왕 때에 이르는 고구려의 전성기는 중국의 분열기와 연결되어 있었어요. 사실 중국이 분열되어 있으면 한반도는 중국의 영향을 받지 않고 역량을 발휘할 수 있지만, 중국이 통일되어 있으면 한반도는 중국의 압박과 영향을 받을 수밖에 없었지요. 잘 나가던 고구려에도 위기가 찾아옵니다.

7세기에 중국의 남북조를 통일한 수가 등장하면서 고구려는 위기를 맞았어요. 수 문제가 보낸 30만 군대의 침공을 막아 냈더니 다시 아들 수 양제가 113만 대군을 이끌고 쳐들어왔습니다. 수와 맞서 싸운 대표적인 전투가 바로 을지문덕이 이끈 살수 대첩이지요. 을지문덕은 수의 30만 별동대를 유인하여 지금의 청천강인 살수에서 격퇴했어요.

수는 이 싸움에서 패배한 이후에도 여러 번 고구려를 침략했으나 번번이 패하여 국력이 약해지고 민심까지 잃었어요. 결국 각지에서 반란이 일어나 멸망하지요. 그 뒤를 이어 당이 등장합니다. 초기에는 고구려에 우호적이던 당이 입장을 바꾸어 침략의 야욕을 드러내자 고구려는 북쪽 국경에 천리장성을 쌓아 당의 침략에 대비합니다. 그런데 장성 축조의 책임자였던 연개소문이 세력을 키우고 정변을 일으켜 권력을 장악합니다. 당 태종은 연개소문의 정변을 구실 삼아 고구려를 침략했어요. 고구려는 호락호락한 나라가 아니었어요. 여러 성이 함락되는 위기를 맞기도 했지만, 고구려는 당의 군대를 안시성 싸움에서 물리칩니다. 그 뒤 몇 차례 당의 침입이 이어졌으나 고구려는 모두 막아 냈습니다.

당시 대제국이었던 수·당의 침략에 맞서 끝까지 싸워 한반도를 지켜 낸 고구려는 정말 대단한 나라라는 생각이 듭니다. 온 힘을 다하여 외침을 막아 낸 고구려인에게 박수를!

: 고구려의 멸망, 그리고 부흥을 꿈꾸다

오랜 전쟁으로 고구려의 국력이 약해졌어요. 게다가 과도하게 권력이 집중되어 있던 연개소문이 죽자 지배층 사이에서 권력 다툼까지 치열하게 일어났지요.

이로 인해 고구려 사회는 심하게 흔들리게 됩니다. 이 틈을 타서 나·당 연합군이 고구려를 공격했고 수도 평양성이 함락되어 고구려는 멸망합니다.

백제와 마찬가지로 고구려에서도 부흥 운동이 전개됩니다. 부흥 운동을 전개한 인물로 검모'잠', 고'연'무, 안'승'이 있습니다. 그 셋을 기억하기 쉽게 한 글자씩 따서 '삼(잠)연승'이라고 기억해 둡시다. 그러나 고구려의 부흥 운동은 주도 세력의 내분으로 실패했고, 고구려는 역사의 저편으로 사라지고 맙니다.

4 삼국 통일을 이끈 나라, 신라

	1~3C	4C	5C	6C	7C
신라	박 – 석 – 김	내물마립간 : 김씨의 왕위 세습, 왜 침략 ↑ 고구려 광개토 태왕의 지원		·지증왕 : 왕, 신라, 우산국 X ·법흥왕 : 율령, 불교(이차돈 X) ⇓ ·진흥왕 : 순수비, 당항성, 화랑도↑	나·당 연합 : 백제 X, 고구려 X ↓ 나·당 전쟁 : 매소성·기벌포 전투 ↓ 삼국 통일

: 뒤늦게 중앙 집권적 고대 국가의 기틀을 갖추다

신라는 삼국 가운데 중앙 집권적 고대 국가의 기틀을 가장 늦게 갖추었어요. 한반도 동남쪽에 치우쳐 있고 북쪽에는 고구려가, 서쪽에는 백제가 버티고 있어서 중국의 선진 문물을 받아들이기가 쉽지 않았어요. 2~3세기에도 여전히 왕권이 미약했고 박씨, 석씨, 김씨가 돌아가면서 왕위에 올랐기 때문에 중앙 집권적 고대 국가의 체제를 갖추기가 어려웠어요.

4세기 후반에 내물마립간이 등장하여 김씨가 왕위를 세습하기 시작하면서 중앙 집권적 고대 국가의 기틀을 마련합니다. 내물마립간은 최고 지배자의 칭호를 대군장을 뜻하는 마립간으로 바꾸었어요. 신라에서 최고 지배자의 칭호는 거서간 - 차차웅 - 이사금 - 마립간 - 왕 순으로 바뀝니다. '왕'이라는 칭호는 지증왕 때부터 사용되었어요.

그런데 내물마립간 때 위기가 찾아옵니다. 백제, 가야, 왜가 연합하여 쳐들어와 수도인 금성이 함락 직전 상황에 몰린 겁니다. 다급해진 내물마립간은 고구려에 도움을 요청하고, 동아시아 최강의 부대라고 자부하는 광개토 태왕의 고구려군이 이에 응합니다. 이 사실은 고구려 광개토 태왕릉비에도 새겨져 있어요. 광개토 태왕의 군대는 명성에 걸맞게 싸워 신라에서 왜를 몰아냈어요. 그리고 도망가기 바쁜 왜군을 쫓아 금관가야까지 들어갑니다. 이로 인해 금관가야가 큰 타격을 입고 쇠퇴하지요. 거침없이 밀고 내려와서 왜군을 치는 호방한 고구려 군사들의 모습을 한번 상상해 보세요. 대단한 고구려, 맞죠? 내물마립간과 광개토 태왕을 연결하여 이 시기에 고구려가 신라를 지원하고 신라에 영향력을 행사했다는 내용을 기억하세요.

신라도 마냥 고구려의 영향력 아래에 있을 수는 없었습니다. 기지개를 켜고 백제와 동맹을 맺어 고구려의 영향력에서 벗어났어요. 이후 6세기에 들어서 신라에 변화와 개혁 의지가 충만한 왕들이 등장합니다.

6세기 초에 지증왕은 나라 이름을 '신라'로 정하고 '왕'이라는 칭호를 사용했어요. 또 이사부를 보내 우산국을 정벌하지요. 우산국은 지금의 울릉도에 있던 작은 나라예요. "신라 장군 이사부/지하에서 웃는다/독도는 우리 땅"이라는 노래 알지요? 울릉도와 독도는 신라 지증왕 때 우리 땅이 되었습니다.

개혁의 큰 틀을 잡은 왕이 지증왕이라면, 법흥왕은 그 틀의 세부를 채운 왕입니다. 법흥왕의 '법' 자는 사실 불법(佛法)을 뜻하지만 기억하기 쉽게 법(法)이나 율령이라고 생각하세요. 법흥왕 때 율령이 반포되었거든요. 그리고 불법을 뜻하는 이름이 붙은 왕답게 불교를 공인합니다. 불교 공인 과정에서 일어난 유명한 사건이 이차돈의 순교입니다.

이렇게 지증왕과 법흥왕이 개혁 군주로서 중앙 집권적 고대 국가의 틀을 단단히 잡아 주었고, 그것을 발판으로 삼아 전성기를 이룬 왕이 바로 진흥왕입니다.

: 진흥왕, 마침내 한강 유역을 차지하고 비상하다

진흥왕은 정복 군주의 모습을 보이며 영토를 넓혀 나갑니다. 6세기 신라의 전성기를 나타낸 지도를 보세요. 신라가 한강 유역을 차지하고 있지요? 신라가 한반도의 주도권을 차지하기 위해서는 반드시 한강 유역을 차지해야 했어요. 고구려는 중국과 맞닿아 있고, 백제는 바다를 통해 중국의 선진 문물을 받아들일 수 있었지만 신라는 이들에게 둘러싸여 고립되어 있었거든요. 중국으로 나가려면 백제나 고구려를 통해야 했으니 무척 어려웠겠지요. 한강 유역을 차지해야 중국과 직접 연결되는 길을 확보할 수 있는데, 그 일을 6세기 진흥왕 때 해낸 겁니다.

5세기에 고구려의 압박 속에서 나·제 동맹을 굳건히 다진 신라와 백제는 6세기 중반 진흥왕과 성왕 때 연합하여 고구려를 공격하고 한강 유역을 차지합니다. 원래 백제 땅이었던 한강 유역을 되찾고자 한 성왕과 한강 유역까지 영토를 넓히고자 한 진흥왕의 목표가 맞아 떨어진 것이지요. 성왕과 진흥왕은 되찾은 한강 유역을 나누어 갖기로 했으나 진흥왕이 배신합니다. 신라가 백제를 공격하여 한강 하류 지역까지 차지하지요. 이로써 나·제 동맹은 깨집니다.

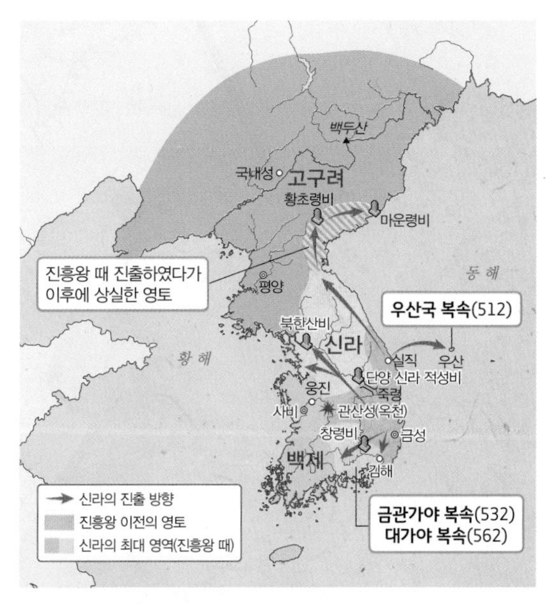

신라의 전성기(6세기)

분노한 성왕은 신라에 전면전을 선포하고 공격에 나섰어요. 두 나라의 싸움은 관산성 전투에서 결판이 납니다. 승리는 당시 20대 초반의 청년이었던 진흥왕에게 돌아갑니다. 성왕은 이 전투에서 매복조에 걸려 죽임을 당했죠.

이렇게 진흥왕이 한강 유역을 전부 차지하면서 신라의 꿈이 이루어집니다. 뿐만 아니라 고령의 대가야를 포함한 가야 연맹을 정복했고, 북쪽으로는 고구려의 영토였던 함흥평야까지 진출했어요. 진흥왕은 새로 차지한 영토를 돌아보고 단양 신라 적성비와 4개의 순수비를 세웠습니다. 그 가운데 가장 의미 있는 비석은 북한산비였을 겁니다. 꿈에 그리던 한강 유역을 차지하고 세운 비석이니까요. 이제 신라는 당항성을 통해 중국과 직접 교류할 수 있게 되었어요.

한편 진흥왕은 화랑도를 국가 조직으로 개편하고 군사력을 강화했어요. 화랑도는 신라의 청소년 조직으로, 귀족 자제인 화랑과 평민도 들어갈 수 있는 낭도를 함께 일컫는 말입니다. 나중에 화랑도는 삼국 통일의 토대가 되니, 진흥왕은 선견지명이 있는 왕이라 할 수 있겠지요.

서울 북한산 신라 진흥왕 순수비

: 신라, 삼국을 통일하다

신라는 한강 유역을 차지한 이후 한동안 백제와 고구려의 공격에 시달립니다. 이러한 상황에서 벗어나기 위해 7세기 중반에 당과 군사 동맹을 맺어 나·당 연합군을 결성합니다. 신라는 당의 군사 지원을 받는 대가로 당이 고구려를 공격할 때 협조하고 대동강 이북 지역을 당에 양보한다는 약속을 합니다.

나·당 연합군은 백제와 고구려를 차례로 멸망시키지요. 그런데 당이 신라와 동맹을 맺을 때 한 약속을 저버리고 한반도 전체를 지배하려는 야욕을 드러냅니다. 이에 신라가 당과 전쟁을 벌이지요. 바로 나·당 전쟁입니다.

나·당 전쟁에서 꼭 기억해야 하는 두 전투가 있습니다. 매소성 전투와 금강 하구에서 벌어진 기벌포 전투입니다. 이 두 전투에서 신라가 승리하면서 7년에 걸친 기나긴 전쟁이 끝나고 비로소 신라가 삼국 통일을 완수합니다. 이제부터 통일 신라의 역사가 열리게 된 것이지요. 신라의 삼국 통일은 비록 그 과정에서 당이라는 외세의 지원을 받았고, 옛 고구려 땅의 대부분을 잃었다는 한계는 있지만, 신라의 끈질긴 항쟁이 가져온 결실임을 기억합시다.

잠시 앞에서 던졌던 질문을 한번 떠올려 봅시다. 가장 뒤처졌던 신라가 삼국을 통일할 수 있었던 까닭은 무엇일까요? 신라는 차근차근 국력을 키워 갔습니다. 지증왕과 법흥왕 시기의 개혁을 거쳐 진흥왕 때에 이르러 영토를 크게 넓히고 삼국 간의 경쟁에서 유리한 위치를 차지했어요. 신라는 당시의 시대적 변화에 발맞추어 나아가면서 마침내 삼국 통일까지 이루어냈지요. 그러니 늦었다고 포기하지 마세요. 우리도 신라가 될 수 있습니다. 아자!

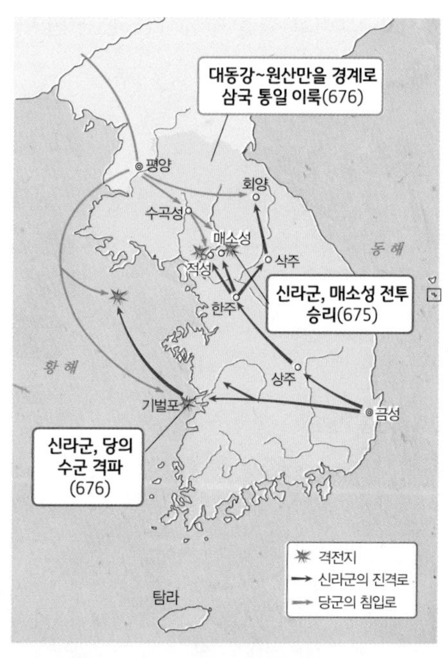

나·당 전쟁

5 또 하나의 나라, 가야

2C	3C	4C	5C	6C	7C
	연맹 왕국 ↓ 금관가야 ——→		대가야	·금관가야 X : 신라 법흥왕 ·대가야 X : 신라 진흥왕	

고구려, 백제, 신라의 삼국 시대라고 하지만 삼국이 끝이 아니지요. 가야가 있습니다. 비록 가야는 중앙 집권적 고대 국가로 성장하지 못하고 연맹 왕국 단계에서 멸망했지만, 이 시기를 삼국 시대가 아니라 사국 시대라고 불러도 무방할 만큼 굉장한 나라였습니다. 풍부한 철과 수준 높은 제철 기술을 가졌던 가야는 갑옷과 투구, 칼 등 철제 무기를 비롯한 어마어마한 철제 제품을 생산하며 화려한 문화를 뽐냈지요. 그리고 철을 수출하는 등 주변 나라들과 활발히 교류했어요.

금동관(지산동 고분군 출토)

철제 판갑옷과 투구
(지산동 고분군 출토)

고령 지산동 고분군

3세기 무렵 전기 가야 연맹의 대표 주자는 김해를 중심으로 성장한 금관가야였어요. 그런데 5세기에 금관가야가 쇠퇴하면서 주도권이 대가야로 넘어갑니다. 앞에서 광개토 태왕의 고구려 군대가 신라에 쳐들어온 왜를 물리치는 과정에서 금관가야까지 공격했다고 한 거 기억하지요? 고구려군의 공격으로 금관가야가 휘청대자 고령을 중심으로 성장한 대가야가 연맹의 주도권을 차지했습니다. 여기서 주의할 점은 고구려 군대의 공격으로 금관가야가 멸망한 것이 아니라는 거예요. 연맹의 주도권이 금관가야에서 대가야로 넘어간 거죠.

가야 연맹은 각 나라가 독자적인 권력을 가지고 있어 힘을 하나로 모으지 못했고, 신라와 백제 사이에 위치해 있어 두 나라로부터 많은 압력을 받았어요. 가야 연맹은 중앙 집권적 고대 국가로 성장하지 못하고 점차 세력이 약화되었죠. 결국 금관가야는 법흥왕 때, 대가야는 진흥왕 때 신라에 병합되었습니다.

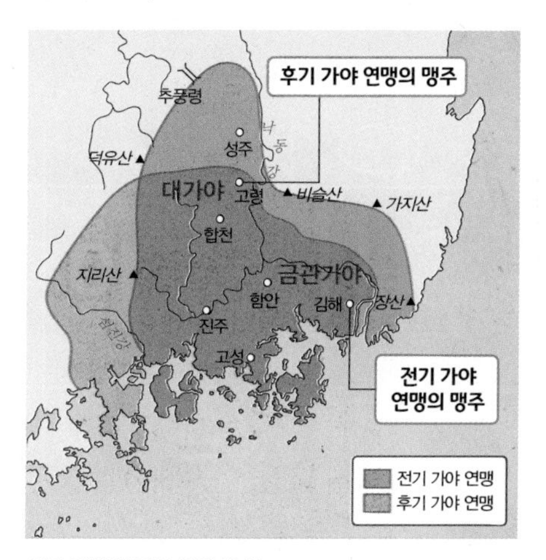

가야 연맹의 중심 세력 변화

중앙 집권적 고대 국가 – 왕권, 율령, 불교↑

(고대 국가) (전성기)	1~2C	3C	4C	
2 백제 1 (한성 → 웅진 → 사비)		고이왕 : 관등, 관복	근초고왕 → 동진, 규슈 칠지도	
1 고구려 2 (졸본 → 국내성 → 평양)	· 태조왕 : 옥저 정복 · 고국천왕 : 5부 행정 성격		· 고국원왕 × · 소수림왕 : 불교, 율령, 태학	
3 신라 3	박 – 석 – 김		내물마립간 : 김씨의 왕위 세습, 왜 침략 ←	
× 가야		연맹 왕국 ↓ 금관가야		

5C	6C	7C
개로왕 X → 웅진 천도	· 무령왕 : 22담로에 왕족 파견, 벽돌무덤(中, 日) · 성왕 : 사비 천도, 남부여	· 무왕 : 익산 미륵사 ⇝ 의자왕 항복, 백제 X · 부흥 운동(흑치상지, 도침, 복신)
· 광개토 태왕 : 비, 호우명 그릇 · 장수왕 : 남하(평양 천도) → 나 · 제 동맹 → 충주 고구려비	⇒ 고구려 공격 ⇝ 관산성 전투	· 수 ← 살수 대첩(을지문덕) · 연개소문 ↑ · 당 ← 안시성 싸움 · 고구려 X · 부흥 운동(검모잠, 고연무, 안승)
	· 지증왕 : 왕, 신라, 우산국 X · 법흥왕 : 율령, 불교(이차돈 X) ⇓ · 진흥왕 : 순수비, 당항성, 화랑도↑	나·당 연합 : 백제 X, 고구려 X ↓ 나·당 전쟁 : 매소성·기벌포 전투 ↓ 삼국 통일
→ 대가야	· 금관가야 X : 법흥왕 · 대가야 X : 진흥왕	

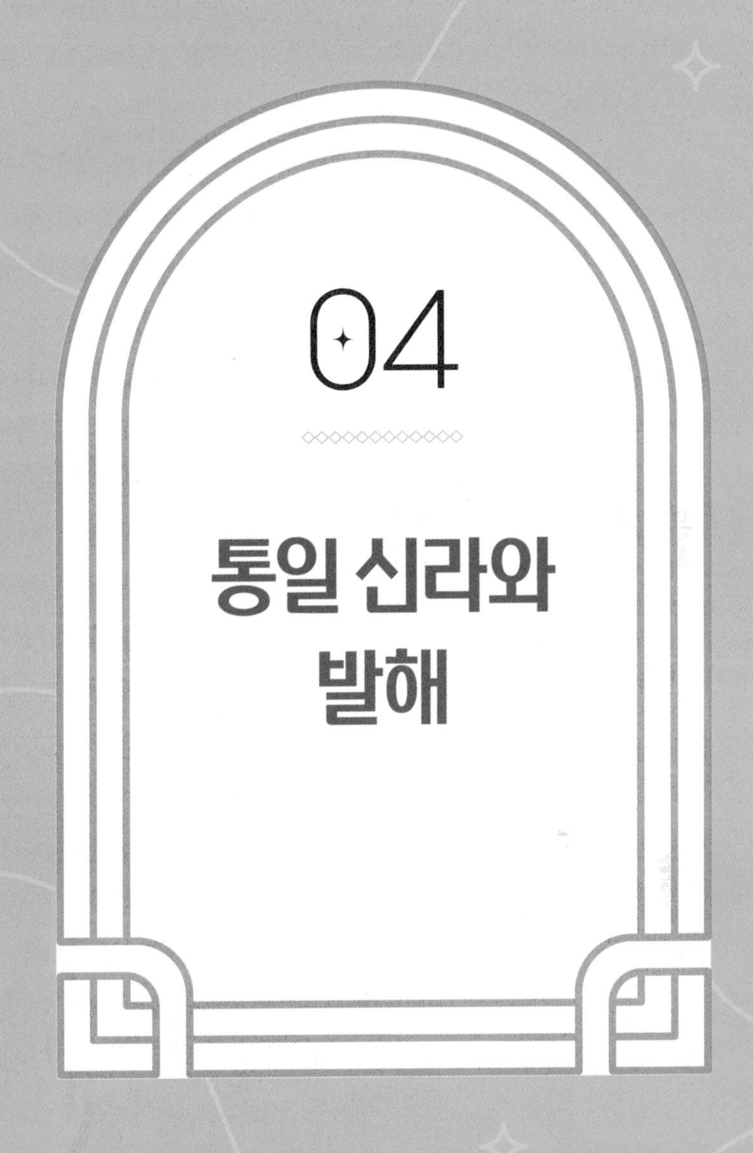

04

통일 신라와 발해

1 해동성국, 발해

2 삼국 통일 이후 왕권을 강화하다

3 신라 말기, 고려로 가는 길

신라가 삼국을 통일했지만 옛 고구려 영토의 대부분을 잃었습니다.

하지만 통일 신라의 북쪽에 고구려를 계승한 발해가 건국됩니다.

남쪽에 통일 신라, 북쪽에 발해가 자리 잡고 있던 이 시기를

남북국 시대라고도 부릅니다.

'남북국'이라는 용어는 조선 후기 실학자 유득공이

『발해고』에서 처음 사용했습니다.

많은 시간이 흐른 뒤에 우리 후손들은

남북으로 나뉜 지금 시대를 어떻게 표현할지 궁금해집니다.

그럼 남국 통일 신라와 북국 발해가

어떤 모습으로 발전했는지 살펴봅시다.

1 해동성국, 발해

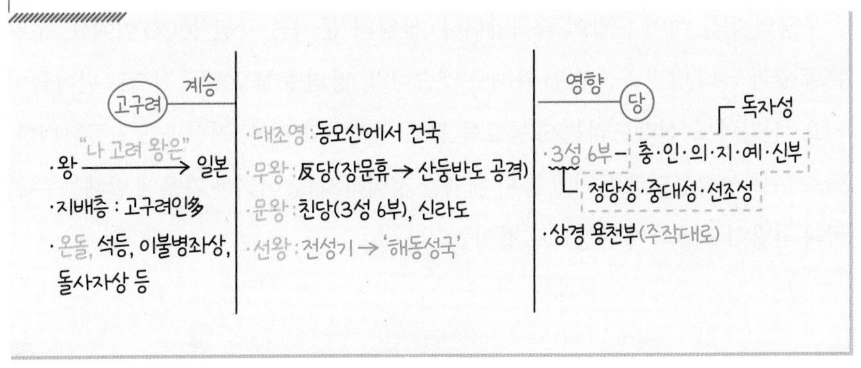

: 동모산에 세운 발해, 해동성국이라 불리다

발해를 세운 사람은 고구려 출신인 대조영입니다. 대조영은 당의 통제가 약해진 틈을 타 고구려 유민과 말갈인을 이끌고 동모산으로 이동하여 698년에 발해를 건국합니다. 이러한 사실을 중국의 역사서『구당서』의 기록에서 살펴볼까요?

> 대조영은 본래 고구려의 별종이다. 고구려가 멸망하자 대조영은 그 무리를 이끌고 영주로 옮겨 와 살았다. …… 대조영은 마침내 그 무리를 이끌고 동모산에 성을 쌓고 살았다.

이를 통해 중국의 당에서도 발해를 고구려의 한 갈래로 생각했음을 알 수 있습니다. 고구려를 계승한 발해 왕족의 성씨는 대씨이고, 발해 귀족의 명단을 보면 고구려 왕족의 성씨인 고씨가 많이 있어요. 여기서 잠깐! 각 나라의 왕족 성씨 정도는 알아 둘 필요가 있어요. 신라는 김씨, 백제는 부여씨, 고려는 왕씨, 조선은 이씨였지요.

대조영에 이어 발해에서 걸출한 왕들이 나오는데, 먼저 대조영의 아들인 무왕을 들 수 있어요. 무왕의 '무' 자는 싸울 '무(武)' 자예요. 이름처럼 무왕은 고구려를 멸망시킨 당을 공격하는 데 적극적이었어요. '반(反)당'적 입장을 취하고 장문휴를 보내 당의 산둥반도를 먼저 공격하기도 했지요.

고구려 유민이 중심이 되어 건국된 발해가 고구려를 멸망시킨 당과 대립하고 긴장 관계를 형성하는 것은 지극히 자연스러운 외교 입장이었지요. 그런데 시간이 흐르면서 긴장 관계가 점점 풀어집니다.

무왕의 뒤를 이어 문왕이 즉위합니다. 문왕의 '문'자는 글월 '문(文)'이에요. 문왕은 무왕과 달리 당과 우호적인 관계를 맺습니다. 당의 문물도 적극적으로 받아들이지요. 신라와도 '신라도'라는 교통로를 통해 왕래하고 일본, 거란과도 교류합니다. 또 수도를 상경성으로 옮기고 통치 체제를 정비하지요. 이러한 가운데 발해는 주변국과 활발히 교류하며 안정기로 접어듭니다.

9세기 선왕 때 발해는 옛 고구려 영토의 대부분을 회복하며 전성기를 맞습니다. 이 무렵에 중국 사람들이 발해를 '해동성국', 즉 바다 동쪽의 강성한 나라라고 부를 정도로 발해는 융성했어요. 삼국의 발전 과정에서 보았듯이, 발해도 체제를 안정시키면서 성장하여 전성기를 누리는데, 그 시기의 왕이 바로 선왕입니다.

그런데 발해는 전성기를 맞은 지 백 년이 채 되지 않아 멸망하고 맙니다. 926년에 거란의 침입으로 무너졌지요. 당시 거란이 막강한 군사력을 가지고 있기는 했지만, '해동성국'이라 불릴 정도로 융성했던 발해가 너무나 빠르게 멸망에 이르게 된 것에 대해 많은 학자들이 의혹을 가지고 있지요.

발해 멸망에 대해 거란이 "마음이 갈라진 것을 틈타서 싸우지 않고 이겼다."라고 기록한 것을 보면 아마도 내부의 분열 역시 발해가 멸망하는 원인의 하나가 된 듯합니다.

: 발해, 고구려를 계승하다

이렇게 발해의 흥망성쇠를 살펴보았습니다. 앞에서 발해는 고구려 출신 대조영이 고구려 유민을 중심으로 세운 나라라고 했습니다. 그러면 발해가 삼국 중에 어떤 나라를 계승했는지 짐작이 되지요? 발해는 고구려 계승 의식을 강하게 가지고 있었어요. 여러 근거를 통해 이를 알 수 있지요.

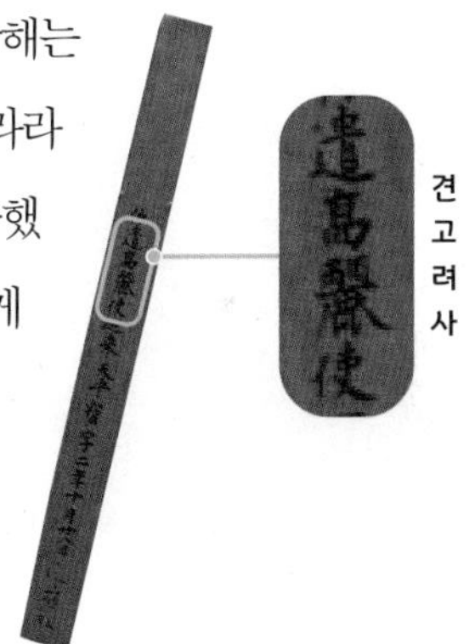

일본에서 발견된 발해 관련 목간

첫 번째는 발해의 왕이 일본에 보낸 국서입니다. 발해의 왕이 일본에 보낸 국서에 스스로 '고려 국왕'이라고 표현했어요. 일본 역시 발해를 '고려(고구려)'라고 불렀죠. 옛날 사람들은 고구려를 고려라고도 불렀으니, 이 문서는 발해가 고구려를 계승한 나라임을 보여 주는 증거가 되지요.

두 번째는 발해의 지배층에 고구려계가 많다는 점입니다. 발해는 고구려 유민이 중심이 되어 말갈인과 함께 세운 나라였어요. 발해의 주민을 지배층과 피지배층으로 나누어 살펴보면, 지배층에는 왕족인 대씨와 고씨 등 고구려계가 많았고 그들이 사회의 핵심이었어요. 피지배층의 대다수는 말갈인이었고요.

발해 온돌 유적(러시아 연해주 콕샤로프카 유적)

세 번째는 고구려의 전통적 난방 방식인 온돌이 발해 유적에서 발견되고 있다는 점입니다. 이를 통해 발해가 고구려의 생활 양식도 계승했음을 알 수 있어요. 우리나라의 전통 가옥 구조를 보면 온돌과 마루가 있지요? 그중 온돌은 추운 북쪽 지역에서 유래했다는 점, 상식으로 기억해 두세요.

네 번째는 발해의 문화유산에서 찾아볼 수 있습니다. 발해의 상경성 절터 유적에서 발견된 석등은 높이가 6.3m로 광개토 태왕릉비와 거의 비슷할 정도로 큽니다. 석등에 새겨진 연꽃무늬에서 고구려 양식의 영향을 느낄 수 있어요. 또 두 부처가 나란히 앉은 모습의 이불병좌상과 기와의 무늬나 제작 기법에서 고구려 양식이 엿보이지요. 문왕의 둘째 딸인 정혜 공주 무덤에서 발견된 돌사자상도 고구려의 웅대하고 강인한 문화적 특징이 반영된 것임을 알 수 있습니다. 이러한 여러 문화유산을 통해 발해의 문화가 고구려 문화를 계승했음을 알 수 있어요.

발해 석등(중국 헤이룽장성)

이불병좌상(중국 지린성)

돌사자상(중국 지린성)

: 발해의 대외 교류

고구려 계승을 내건 발해는 건국 초기에 고구려를 무너뜨린 당, 신라와 친선 관계를 맺지 않았어요. 문왕 때 당과 우호적인 관계를 맺으면서 당의 문화를 받아들이고, 신라와도 교류하기 시작합니다. 신라와는 동해안을 따라 신라의 경주까지 이어진 신라도라는 길을 통해 교류했어요. 또 거란이나 일본과도 교류했는데, 특히 당과 신라를 견제하기 위해 일찍부터 일본과 활발히 교류했습니다. 이처럼 발해는 주변 국가들과 활발한 교류를 통해 나라의 발전을 꾀했지요.

당과 우호 관계를 맺은 이후 발해는 제도적인 면에서 당의 영향을 많이 받았습니다. 먼저 당의 3성 6부제를 받아들여 중앙 정치 조직을 정비했지요. 하지만 그 명칭과 운영 방식은 독자성을 유지했어요. 당과 달리 정책을 집행하는 정당성을 중심으로 조직을 운영했고, 3성의 이름도 당(상서성·문하성·중서성)에서 따오지 않고 정당성·선조성·중대성과 같이 독자적인 이름을 썼어요. 또 실질적인 행정 실무를 담당하는 6부도 당(이·호·예·병·형·공부)과 다르게 충·인·의·지·예·신부라고 했어요. 그래서 발해의 정치 조직은 당의 3성 6부 조직을 차용했지만 독자성을 가졌다고 할 수 있는 겁니다.

발해는 수도 상경성을 건설할 때도 당의 수도인 장안성의 구조를 참고하고 따랐어요. 특히 수도의 북쪽에 건설된 궁성의 남문에서 외성의 남문까지 일직선으로 연결한 큰 도로인 주작대로는 장안성의 도로 모습과 매우 유사합니다.

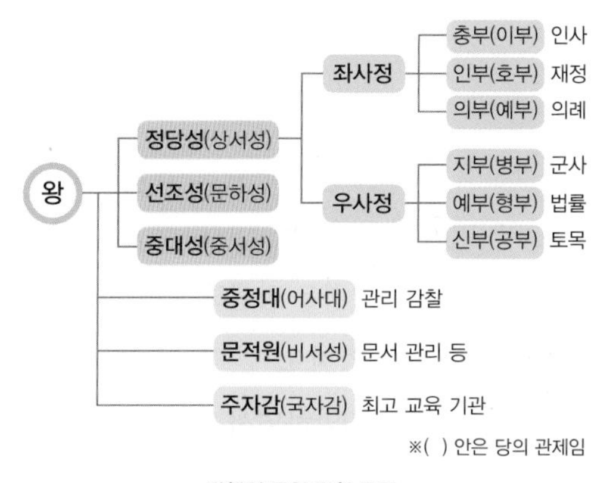

발해의 중앙 정치 조직

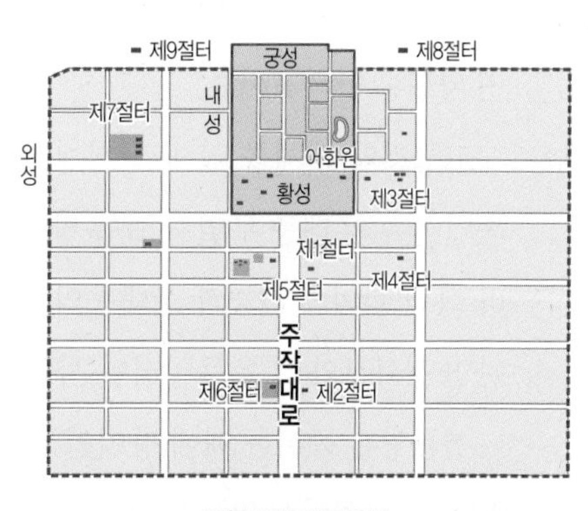

발해 상경성의 구조

삼국 통일 이후 왕권을 강화하다

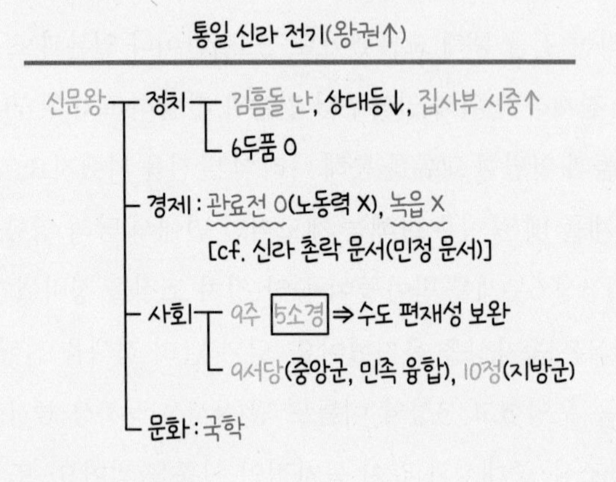

: 신문왕, 왕권을 강화하다

이제 남국인 통일 신라를 살펴보겠습니다. 고구려에 국가의 중대사를 논의한 제가 회의가 있었던 것처럼 신라에도 귀족들이 모인 화백 회의가 있었어요. 화백 회의는 만장일치로 의결하는 것이 원칙이었고, 회의를 주관하는 귀족들의 대표자를 상대등이라 했습니다. 그럼 상대등의 세력이 강해지면 왕권은 약화될까요, 강화될까요? 당연히 약화되겠지요. 고대뿐만 아니라 고려나 조선 시대에도 왕권과 신권은 반비례 관계였습니다. 왕권이 강해지면 신권이 약해지고, 신권이 강해지면 왕권은 약해졌어요.

고구려와 백제를 상대로 전쟁을 치르는 가운데 권력이 왕에게 집중되어 삼국 통일 전후의 태종 무열왕, 문무왕, 신문왕을 거치면서 왕권이 강해집니다. 이에 따라 화백 회의의 기능과 상대등의 세력은 약화되고, 왕의 명령을 집행하는 행정 기관인 집사부와 그 우두머리인 시중(중시)의 역할은 강화되었지요.

신문왕은 즉위한 해에 장인인 김흠돌이 일으킨 반란을 진압하면서 진골 귀족들을 대거 숙청하여 왕권을 한층 더 강화했어요.

신문왕은 진골 귀족의 힘을 약화하기 위해 6두품을 적극적으로 등용합니다. 신라는 폐쇄적인 신분제인 골품제를 운영하고 있었어요. 골품제는 왕족을 대상으로 한 골제와 일반 귀족을 대상으로 한 두품제가 통합된 거예요. 성골과 진골이라는 2개의 골과 6두품에서 1두품에 이르는 6개의 두품, 모두 8개의 신분 계급으로 나누어졌지요. 나중에 3~1두품은 평민화됩니다. 골품제 하에서는 골품에 따라 올라갈 수 있는 관등에 한계가 있었고 옷의 색깔, 집의 크기 등도 골품에 따라 제한을 받았어요. 신문왕은 귀족 세력을 숙청하고 6두품 출신을 대거 기용하여 행정 실무를 담당하고 자신의 정책을 뒷받침하도록 했습니다.

왕권 강화 과정에서 경제적 개혁도 시행됐어요. 경제적 개혁은 큰 반발을 불러일으킬 수도 있는데, 그런 위험에도 불구하고 경제적 개혁을 단행한 왕이 바로 신문왕이에요. 신문왕은 관리에게 관료전을 지급하고 녹읍을 폐지했어요. 지금의 공무원은 통장으로 월급을 받는데, 옛날 관리들은 국가를 위해서 일한 대가, 곧 직역의 대가를 어떻게 받았을까요? 주로 토지에서 세금을 거둘 수 있는 권리인 수조권을 받았어요.

여기서 잠깐, 전근대 사회의 세금 종류에는 토지세인 조세, 특산품을 바치는 공납, 노동력을 제공하는 역이 있음을 기억하세요.

통일 신라의 농민도 국가에 세금을 냈고, 이때에 세금을 거두는 기준을 정하기 위해 촌락 문서(민정 문서)가 작성되었어요.

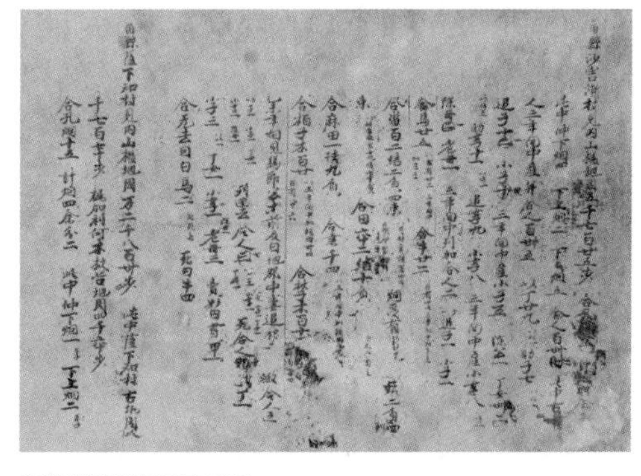

신라 촌락 문서(민정 문서)

신라 촌락 문서는 마을(촌)의 인구수, 토지의 결수, 소와 말의 수, 나무의 수 등을 조사하여 3년마다 기록한 것입니다. 중앙 정부는 이를 토대로 농민에게 세금을 부과했는데, 관리에게 수조권을 준다는 것은 농민들이 내는 세금의 일부를 정부가 받지 않고 관리, 즉 귀족이 걷어 갈 수 있게 한 것이에요.

다시 돌아가서, 관료전과 녹읍은 관리가 세금을 거둘 수 있는 토지이지만 많이 다릅니다. 녹읍은 말 그대로 마을(읍)을 녹봉 형식으로 통째로 관리에게 지급한 겁니다. 관리는 그 마을 사람들의 노동력을 동원할 수 있는 권리도 행사할 수 있었지요. 말하자면 녹읍을 받은 관리는 그 지역의 토지에서 나오는 세금(조세)인 쌀을 가져가고, 사람들의 노동력(역)도 쓸 수 있었으며, 특산물(공납)도 거두어 갈 수 있었던 것으로 보입니다. 노동력은 군사력으로 전환될 수 있었으니, 녹읍은 귀족들의 힘을 강화하는 기반이 되었지요. 그래서 왕권을 강화하고 싶었던 신문왕은 관리에게 조세만 거두어 갈 수 있는 관료전을 지급하고 노동력도 징발할 수 있었던 녹읍을 폐지합니다. 그런데 녹읍을 폐지하고 이어서 관료전을 지급한 것이 아니라 관료전 지급을 먼저 하고 녹읍을 폐지합니다. 귀족들의 반발을 최소화하기 위한 방법이었지요.

: 신문왕, 통치 체제를 정비하다

신문왕은 전국을 9주 5소경 체제로 정비합니다. 지도를 보면, 전국을 9개의 주로 나누고 5소경을 두었지요? 수도 금성(지금의 경주)이 영토의 한쪽에 치우쳐 있는 것을 보완하기 위해서 수도와 비슷한 기능을 할 수 있는 작은 수도(소경) 5곳을 만든 거예요.

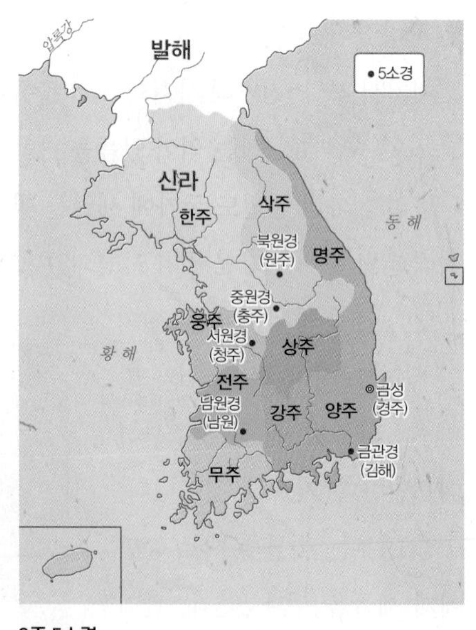

9주 5소경

또 군사 조직을 9서당 10정으로 정비합니다. 9서당은 중앙군이고 10정은 지방군이에요. 9서당에는 신라인뿐 아니라 고구려인, 백제인, 말갈인도 포함되었어요. 민족 통합을 위해 마련한 정책이었지요. 10정은 9주에 각각 1정이 배치되었고, 국경을 접하고 있으며 가장 넓은 한주에는 1정을 더 두었어요.

그리고 신문왕은 자신의 정책을 뒷받침할 인재를 양성하기 위해 유학 교육 기관인 국학을 설립합니다. 유학은 왕에게 충성하는 것을 중요시하는 학문이기 때문이지요. 고구려의 개혁 군주 소수림왕이 유학 교육 기관인 태학을 세워 인재를 양성한 것과 마찬가지입니다. 이처럼 신문왕은 6두품 등용, 관료전 지급과 녹읍 폐지, 국학 설립 등을 통해서 강력한 왕권을 확립합니다.

3 신라 말기, 고려로 가는 길

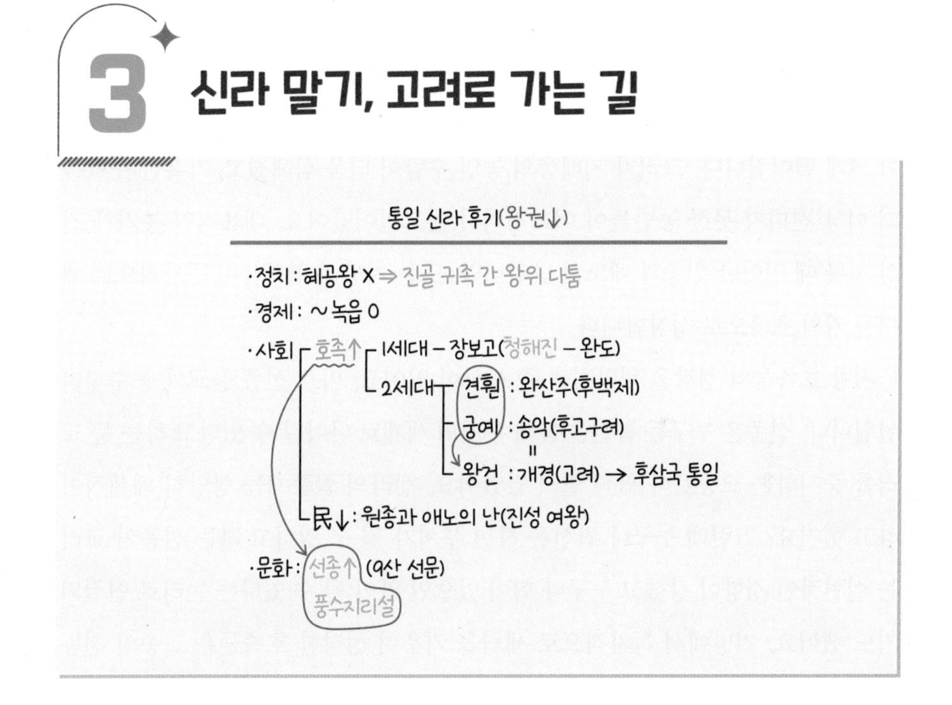

: 왕권이 추락하다

신문왕의 개혁 정치를 통해 강력한 왕권을 확립했지만 신라 말기에 들어서면서 왕권이 급격히 추락합니다. 진골 귀족 간에 왕위 다툼이 치열하게 벌어졌기 때문이지요. 무열왕계 귀족들의 권력 독점에 불만을 품은 귀족들이 대대적으로 들고 일어난 것입니다.

어린 나이에 즉위한 혜공왕은 왕권에 도전하는 귀족들의 반란에 시달리다 끝내 살해되었어요. 이후 신라가 멸망하기까지 150여 년 동안 무려 20명의 왕이 바뀌었으니, 왕권은 당연히 약화될 수밖에 없었지요. 이에 따라 상대등 세력이 강화되었고 집사부 시중의 권한은 약화되었어요.

귀족들의 힘을 약화시켰던 개혁 조치도 무너져 다시 예전 상태로 되돌아갔겠죠? 귀족들의 경제 기반이었던 녹읍이 폐지된 지 70여 년 만에 부활합니다. 또한 왕의 후원을 받던 6두품이 중앙 정치에서 밀려나게 됩니다.

: 지방에서 호족이 성장하다

중앙에서 진골 귀족 간 왕위 다툼이 벌어지는 가운데 중앙 정부의 지방 통제력이 크게 떨어집니다. 그러자 지배층의 농민 수탈이 더욱 심해졌고, 가혹한 수탈을 더 이상 견디지 못한 농민들이 여기저기서 들고일어났어요. 대표적인 봉기가 진성 여왕 때 일어난 원종과 애노의 난입니다. 또한 지방 유력자들이 독자적으로 세력을 키워 호족으로 성장합니다.

지방 호족들의 성장을 뒷받침해 준 사상이 있어요. 바로 선종 불교와 풍수지리설입니다. 선종은 누구든 참선을 통해 부처의 세계로 나아갈 수 있다고 하는 등 교리를 중시하는 교종보다 훨씬 열려 있었어요. 신라의 골품제는 상당히 폐쇄적이라고 했지요? 그런데 누구나 참선을 하면 부처가 될 수 있다고 하는 선종의 교리는 실천적인 경향이 강했고 누구나 힘이 있으면 왕이 될 수 있다는 논리로 연결되기도 했어요. 지방에서 독자적으로 세력을 키우며 성장한 호족들은 교종의 전통적 권위에 도전했던 선종의 사상을 반겼지요.

선종과 함께 풍수지리설도 지방 호족들에게 인기가 많았어요. 풍수지리설을 이용하여 금성(지금의 경주)의 기는 쇠했고, 내가 있는 이 지역에서 왕의 기운이 올라오고 있다고 주장했는데, 이는 백성을 선동하는 데 명분을 제공해 주었거든요. 풍수지리설을 이용하여 세력을 넓힌 각 지방의 호족들은 반신라적 성향을 가진 일부 6두품 세력과 결합하여 새로운 사회를 건설하고자 했어요.

호족을 1세대와 2세대로 나누어 볼 수 있습니다. 1세대 호족의 대표 인물이 장보고입니다. 바다의 신, 해신이라고 불리지요. 장보고는 지금의 완도에 청해진을 설치하여 해적을 소탕하고 해상 무역을 활발히 전개하여 거의 독점하다시피 한 무역 왕입니다. 청해진을 중심으로 중국과 일본을 오가며 무역을 했지요. 아주 파란만장한 인생을 살았던 인물입니다.

2세대 호족의 대표 인물로 후백제를 세운 견훤과 후고구려를 세운 궁예를 들 수 있습니다. 우리는 신라 멸망의 징후가 뚜렷해지고 후백제와 후고구려가 세워진 이 시기를 후삼국 시대라고 부릅니다. 그런데 이 선발 주자들을 밀치고 궁예 휘하에서 활약한 왕건이 새로운 세력으로 떠오릅니다. 결국 후삼국 시대의 최종 승리는 왕건이 차지합니다. 왕건이 세운 고려가 후삼국을 통일하니까요.

후삼국의 성립

시대의 마지막이 되면 항상 왕권은 추락하고 지배 세력은 백성을 수탈하는 데 열을 올립니다. 참다못한 백성은 봉기를 일으키고요. 한쪽에서는 새로운 사상으로 무장한 세력이 성장하고, 그들에 의해서 새로운 비전을 내세우는 나라가 탄생하지요. 이런 현상이 계속 반복되어 역사는 늘 비슷하고 제자리에서 도는 것 같지만 그렇지 않아요. 나선형처럼 돌아 이전 시대보다 한 단계 발전된 모습을 보입니다. 그렇게 조금씩 조금씩 전진합니다. 다음에 등장할 고려는 어떻게 고대 국가보다 한 단계 발전하는지 기대해 볼까요?

04 통일 신라와 발해

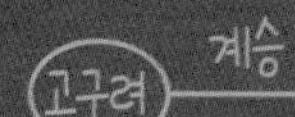

고구려 — 계승

- 왕 —"나 고려 왕은"→ 일본
- 지배층 : 고구려인 多
- 온돌, 석등, 이불병좌상, 돌사자상 등

- 대조영 : 동모산에서 건국
- 무왕 : 反당(장문휴 → 산둥반도 공격)
- 문왕 : 친당(3성 6부), 신라도
- 선왕 : 전성기 → '해동성국'

영향 — 당

- 3성 6부 – 충·인·의·지·예·신부 (독자성)
  - 정당성·중대성·선조성
- 상경 용천부(주작대로)

통일 신라(남국)

전기(왕권↑)	후기(왕권↓)
신문왕 - 정치: 김흠돌 난, 상대등↓, 집사부 시중↑ / 6두품 O - 경제: 관료전 O(노동력 X), 녹읍 X [cf. 신라 촌락 문서(민정 문서)] - 사회: 9주 5소경 ⇒ 수도 편재성 보완 / 9서당(중앙군, 민족 융합), 10정(지방군) - 문화: 국학	· 정치: 혜공왕 X ⇒ 진골 귀족 간 왕위 다툼 · 경제: ~녹읍 O · 사회: 호족↑ — 1세대 – 장보고(청해진 – 완도) / 2세대 — 견훤: 완산주(후백제), 궁예: 송악(후고구려) = 왕건: 개경(고려) → 후삼국 통일 民↓: 원종과 애노의 난(진성 여왕) · 문화: 선종↑ (9산 선문), 풍수지리설

05

고대의 문화

1 고대 문화의 진수, 종교

2 불교 예술품

3 삼국의 고분 문화

4 일본과의 문화 교류

문화 부분은 꽤 방대하지만 큰 흐름을 파악하고 특징을 이해하면
무척 재미있는 이야기가 될 것입니다.
고대 문화의 꽃은 종교라고 할 정도로
불교와 유교, 도교는
당시의 학문과 사상, 예술의 발전에 지대한 영향을 끼쳤어요.
고대의 건축물과 불상, 불탑 등 문화유산을 들여다보며
그 속에 담긴 정신과 특징을 찾아보고,
옛날 무덤 속으로 들어가 고대 사람들의 삶과 소망을 만나 봅시다.

고대 문화의 진수, 종교

	고구려	백제	신라	통일 신라(전기)	통일 신라(후기)
유교	태학(소수림왕)			국학(신문왕)	독서삼품과 △
도교	사신도	산수무늬 벽돌, 금동 대향로			
불교	소수림왕	침류왕	법흥왕(이차돈 순교)	· 원효, 의상 : 불교 대중화 · 혜초 : 『왕오천축국전』	선종 유행(by 호족)

: 유교, 교육의 중심으로

고대의 문화를 살펴볼 차례인데, 먼저 유교부터 볼게요. 앞에서 고구려에서는 인재를 키우기 위해 유학을 가르치는 학교를 세웠다고 했습니다. 변화와 개혁의 군주 소수림왕이 세운 태학이지요.

백제와 신라의 교육 기관은 전해지고 있지 않아요. 그러나 백제에서는 다섯 가지 유교 경전에 능통한 사람에게 오경박사라는 관직을 주었다는 기록이 있어요. 오경박사는 유교 교육을 담당했을 것으로 보입니다.

그리고 "유교 경전을 공부하여 나라에 충성할 것을 다짐한다."는 내용이 새겨진 임신서기석이라는 비석을 통해 신라에서도 유학을 공부했음을 알 수 있지요.

삼국 통일 후에는 신문왕이 국학을 세워 유학을 가르쳤고 이곳에서 왕권을 뒷받침할 인재를 양성했어요. 원성왕 때에는 유학과 관련하여 독서삼품과라는 제도가 마련됩니다. 이는 국학에서 배운 지식, 곧 독서 실력을 3등급으로 나누어 평가하고 그 성적에 따라 관직 등용에 참고하는 제도였어요. 『논어』, 『춘추좌씨전』, 『효경』 등 유학에서 중요하게 여기는 경전으로 시험을 치렀어요. 그런데 이때는 진골 귀족 간 왕위 다툼으로 왕권이 약화된 시기로, 독서삼품과는 귀족들의 반발에 부딪혀 거의 시행되지 않습니다.

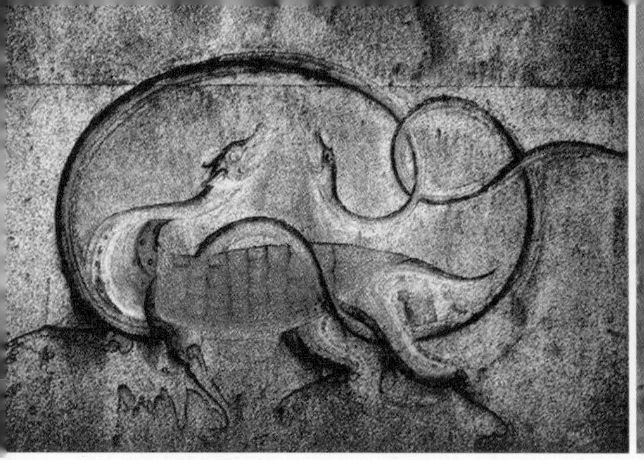
강서 대묘의 현무도

강서 대묘의 백호도

: 도교, 신선을 꿈꾸다

다음으로 도교를 볼까요? 도교 하면 신선을 떠올리고, 신선 하면 불로장생을 떠올리면 됩니다. 그런 것을 보여 주는 문화유산으로 어떤 것이 있는지 살펴봅시다.

먼저 고구려 고분 벽화에 그려져 있는 사신도가 있어요. 사신은 도교의 방위신으로 동서남북 각 방위를 지키는 상상의 동물, 즉 청룡·백호·주작·현무를 말합니다.

백제 산수무늬 벽돌

도교 유행을 알 수 있는 백제의 문화유산도 있는데, 산수무늬 벽돌과 금동 대향로입니다. 산수무늬 벽돌은 벽에 붙이는 타일 같은 것에 산과 물이 어우러진 경치를 표현한 산수무늬를 새긴 것을 말해요. 그런데 그 무늬를 잘 들여다보면 도교에서 말하는 이상 세계, 즉 신선이 사는 세계를 표현하고 있다는 것을 느낄 수 있어요.

다음은 백제의 금동 대향로입니다. 이 금동 대향로는 1993년에 부여 능산리 절터의 서쪽 구덩이에서 진흙 속에 처박혀 있는 상태로 발견되었습니다. 왜 그랬을까 한번 상상해 볼까요? 부여는 백제의 마지막 순간에 수도였던 곳입니다. 나·당 연합군이 밀고 들어오는 위급한 순간, 급히 챙긴 것은 아마도 나라의 귀한 보물이었을 거예요. 이 보물을 들고 도망치다가 나·당 연합군과 딱 마주치게 된 겁니다. 그래서 나중에 찾겠다는 생각으로 얼른 진흙 속에 숨겨 둔 건 아닐까요? 그것이 1500년 뒤에야 발견되고요. 그럴싸한 상상이죠?

어쨌든 이 금동 대향로는 진흙 속에 파묻혀 있었기 때문에 거의 원형 그대로 우리 앞에 나타났습니다.

백제 사비 시대의 예술을 대표하는 금동 대향로, 한번 살펴볼까요? 향로 위쪽을 보면 올록볼록 산이 있는데, 불로장생의 신선이 살고 있다는 도교의 이상 세계를 표현한 거예요. 그리고 악기를 연주하거나 낚시를 하는 사람 등도 표현해 놓은 것을 볼 수 있어요. 아래쪽에는 상상의 동물인 용이 용틀임을 하고 용의 입에서는 연꽃이 피어나고 있어요. 맨 꼭대기에는 신령스러운 새 봉황이 가슴을 쫙 펴고 있습니다. 도교와 불교의 요소가 어우러져 있는 모습입니다. 이 안에다 향을 피우면 산 위로 연기가 모락모락 피어오르겠지요. 한번 상상해 보세요. 멋지지 않나요?

피리를 연주하는 악사

백제 금동 대향로

마지막으로 신라의 화랑도에서도 도교 사상을 엿볼 수 있습니다. 산 좋고 물 좋은 곳을 찾아다니며 심신을 수양하는 그들의 모습이 신선을 떠올리게 합니다.

이처럼 도교는 불교만큼 융성하지는 않았지만 고대 문화의 한 축을 이루며 발전했습니다.

: 불교, 귀족에서 민중으로

이제 진짜 중요한 불교를 살펴보겠습니다. 중앙 집권적 고대 국가의 특징은 불교 수용, 율령 반포, 왕권 강화라고 설명했습니다. 다시 한 번 정리하면, 고구려는 율령을 만든 소수림왕 때, 백제는 근초고왕 뒤에 나오는 침류왕 때 불교를 수용합니다. 그리고 신라는 이차돈의 순교를 계기로 법흥왕 때 불교를 공인합니다.

삼국에 들어온 불교는 왕권 강화에 이용됩니다. '왕이 곧 부처'라는 왕즉불 사상이 대표적이지요. 또 호국 불교로서 나라를 지키는 역할도 합니다. 선덕 여왕 때 주변국의 침략으로부터 신라를 지키기 위해 황룡사 9층 목탑을 세운 것이 그 예입니다. 하지만 삼국 시대에 불교는 왕실과 귀족들의 전유물이었습니다. 불교의 사상과 교리가 어렵기도 했고, 불교를 이해하려면 기본적으로 글을 읽을 줄 알아야 하는데 일반 백성은 한자를 모르기 때문이지요. 그런데 삼국 통일 무렵부터 일반 백성에게 부처의 뜻을 알려 주려고 하는 사람들이 등장합니다. 바로 불교의 대중화를 이끈 신라의 승려, 원효와 의상입니다.

원효는 당으로 유학 가던 중 밤이 늦어 동굴에서 자게 되었어요. 이때 목이 말라 옆에 있던 바가지의 물을 아주 달게 마셨는데, 다음 날 깨어 보니 해골 속에 담긴 물이었다는 사실을 알고 깨달음을 얻었다는 이야기가 전해지고 있어요. 그 깨달음은 '이 세상 진리는 내 안에서 찾아야 하며, 모든 것은 마음에서 비롯한다.'는 것이었다지요. 원효는 헐벗고 힘들게 사는 일반 백성에게 '나무아미타불'만 외면 누구나 극락 세계에 갈 수 있다고 이야기합니다. 이 단순하면서도 명쾌한 이야기는 그들이 불교를 받아들이는 데 큰 역할을 했어요.

원효와 함께 의상도 불교의 대중화에 큰 역할을 합니다. 원효가 퍼뜨린 '나무아미타불'에 '관세음보살'을 붙인 사람이 의상이지요. 의상은 관세음보살을 통해 현세의 고난을 구제받고자 하는 관음 신앙을 전파했어요.

그다음에 기억할 인물은 『왕오천축국전』을 쓴 신라의 승려, 혜초입니다. 『왕오천축국전』은 혜초가 다섯 천축국을 순례한 기록으로, 다섯 천축국은 지금의 인도와 그 주변 지역입니다. 혜초는 불법을 구하기 위해서 그 험하고 먼 거리를 걸어갔어요. 목적한 바 그 하나를 위해서 인생을 던진 멋진 사람이라는 생각이 듭니다.

앞에서 신라 말기에는 진골 귀족 간에 왕위 다툼이 벌어지면서 중앙 정부가 지방을 관리할 힘이 떨어졌고, 그 과정에서 지방 호족이 성장했다고 했습니다. 불교의 한 종파인 선종은 참선을 통해서 누구나 부처가 될 수 있다고 주장했고요. 이러한 선종은 호족들에게 환영을 받았고, 호족의 지원에 힘입어 전국에 선종 사찰이 세워지며 크게 발전했습니다.

2 불교 예술품

	고구려	백제	신라	통일 신라(전기)	통일 신라(후기)
불상	금동 연가 7년명 여래 입상	서산 용현리 마애 여래 삼존상	경주 배동 석조 여래 삼존 입상	경주 석굴암 본존불	
불탑		·익산 미륵사지 석탑 (목탑→ 석탑) ·부여 정림사지 5층 석탑	·경주 분황사 모전 석탑 ·황룡사 9층 목탑 (선덕 여왕)	·경주 불국사 3층 석탑 ↳무구정광대다라니경 ·경주 불국사 다보탑	·승탑 유행 ·양양 진전사지 3층 석탑(조각)

: 불상, 경배하며 소원을 빌다

다음으로 불상에 대해 살펴보겠습니다. 불상은 부처의 모습을 표현한 것이에요. 그런데 부처의 종류가 다양합니다. 아미타불은 극락 세계, 곧 천국을 관장하는 부처입니다. 죽어서 극락에 가고 싶다면 아미타불을 찾아야겠지요. 또 미륵불은 미래의 부처입니다. 석가모니가 열반에 든 뒤에 나타나 중생을 구제해 준다고 해요. 그래서 미륵불은 마치 구세주와 같은 희망의 존재로 여겨졌고, 혼란한 시기에는 미륵 신앙이 널리 퍼졌어요.

고구려의 대표 불상으로 금동 연가 7년명 여래 입상이 있어요. 금동으로 만들어졌고, '연가 7년'이라는 글자가 새겨져 있으며 서 있는 모습의 부처라는 뜻입니다. 살짝 웃고 있는 듯한 모습입니다. 이 불상의 광배 뒷면에 새겨진 '연가 7년' 등의 문구를 통해 불상이 제작된 시기와 만든 나라가 고구려임을 알게 되었지요.

금동 연가 7년명 여래 입상

백제의 대표 불상으로는 서산 용현리 마애 여래 삼존상을 들 수 있습니다. 서산 용현리 지역에 있고, 절벽에 새겨진, 세 부처와 보살이라는 의미예요. 미소를 머금은 표정이 인상적이어서 '백제의 미소'라고도 불립니다. 백제인의 예술적 감각을 잘 드러낸 예술품이라고 할 수 있어요.

신라의 대표 불상으로 경주 배동 석조 여래 삼존 입상을 꼽을 수 있어요. 경주 배동에 있고, 돌로 만들어진, 세 부처와 보살이 서 있는 모습이라는 뜻입니다. 어린아이 같은 표정으로 부처의 자비로움을 표현한 불상입니다.

그런데 불상의 이름이 길지요? 이렇게 긴 이름을 외우느라 스트레스를 받지 마세요. 그냥 사진을 보고 어느 시대의 불상이구나 하고 연결할 수 있으면 됩니다. 고구려의 금동 연가 7년명 여래 입상, 백제의 서산 용현리 마애 여래 삼존상, 신라의 경주 배동 석조 여래 삼존 입상이 삼국 시대에 만들어졌으며, 각 나라를 대표하는 불상이라고 기억하면 되겠습니다.

그다음 통일 신라의 불상으로 경주 석굴암 본존불을 꼽을 수 있습니다. 사람이 만든 인공 석굴인, 경주 석굴암 내부의 중앙에 앉아 있는 근엄한 표정의 본존불을 보면 무언가에 압도되는 느낌을 받습니다. 균형과 조화가 완벽하게 이루어진 불상이기 때문이지요.

서산 용현리 마애 여래 삼존상

경주 석굴암 본존불

삼국 시대 불상이 은근한 미소를 띠고 있어 친근감을 주는 반면, 석굴암 본존불은 가까이하기엔 너무 먼 당신 같은 느낌입니다. 통일 신라 불상인 석굴암 본존불이 이런 모습을 띠는 이유는 무엇일까요? 아마도 그 시대 왕의 모습을 닮았기 때문일 겁니다. 삼국 통일 후 왕권이 굉장히 강화된 시기에 만들어졌거든요. 카리스마 있는 왕의 모습이 불상에도 반영된 것이 아닐까요?

: 불탑은 곧 부처님이다

불탑은 곧 부처를 상징합니다. 부처가 죽고 몸에서 나온 사리를 안치해 놓은 곳이 바로 탑이기 때문입니다. 탑 안에 부처의 신체 일부가 들어 있는 셈이니 탑이 부처와 동일시된 것은 당연하겠죠? 부처의 사리를 '진신 사리'라 하는데, 이를 모신 탑이 세계 도처에 있어요. 우리나라에도 진신 사리를 모신 탑이 있지요.

고구려는 주로 나무로 탑을 만들었는데, 지금까지 전해 내려오는 것이 없습니다. 그럼 백제의 탑을 보겠습니다. 백제의 대표 탑으로 익산 미륵사지 석탑이 있어요. 이 탑이 있었던 미륵사는 백제 무왕 때 세운 절로, 여기에는 서동과 선화 공주 이야기가 전해집니다. 서동이 신라의 선화 공주를 사모하여 「서동요」를 퍼뜨렸고, 이 노래 때문에 궁궐에서 쫓겨난 선화 공주와 서동은 결혼합니다. 서동은 나중에 무왕이 되는데, 선화 공주가 절을 지어 달라고 청해서 지은 절이 미륵사라는 이야기지요.

그런데 『삼국유사』에도 기록된 이 아름다운 사랑 이야기를 대번에 뒤집는 사건이 일어났습니다. 익산 미륵사지 석탑을 보수하기 위해 해체하는 과정에서 사리 봉안기가 나왔는데, 거기에 선화 공주 이야기는 없고 사택적덕의 딸이 미륵사 창건에 기여했다는 내용이 쓰여 있는 것입니다.

익산 미륵사지 석탑

역사학계는 충격에 빠졌고, 유물과 기록까지 나오자 새로운 가설을 내놓았습니다. 선화 공주가 먼저 미륵사 발언을 했는데 돌아가셨고, 그 뒤를 이어 사택적덕의 딸이 이 절을 지은 것이라는 이야기이지요. 이에 대해서는 더 정확한 연구가 필요하다고 봅니다. 아무튼 익산 미륵사지 석탑은 나무로 지은 건물과 많이 닮았어요. 그래서 목탑 형식이 석탑 형식으로 발전하는 과정의 것이라고 보기도 합니다.

또 하나 기억해야 할 백제의 탑은 부여 정림사지 5층 석탑입니다. 제 모습 그대로 제자리를 지키고 있는 유일한 백제의 건축물이지요. 목조 건축물을 흉내 내어 무척 우아하고 예쁘답니다. 그런데 이 탑 표면에는 당의 장수 소정방이 백제를 평정했다는 글이 새겨져 있습니다. 그래서 한때 '평제탑'이라 불리기도 했지요. 부여 정림사지 5층 석탑은 이처럼 백제의 아픔이 서려 있는 탑입니다.

부여 정림사지 5층 석탑

이제 신라의 탑을 볼까요? 먼저 경주 분황사 모전 석탑입니다. 마치 벽돌로 쌓아 올린 것처럼 보이지만 벽돌이 아니고 돌을 깎아 벽돌처럼 만들어 쌓은 것입니다. 그래서 벽돌을 모방해서 쌓았다고 하여 모방할 '모' 자에 벽돌 '전' 자를 써서 모전 석탑이라고 부르지요. 중국의 전탑 양식을 따라한 것인데, 벽돌 대신에 돌을 벽돌처럼 깎아 만들어 쌓은 거예요. 신라인의 우직함이 느껴지는 탑입니다.

신라의 탑으로 황룡사 9층 목탑도 유명한데, 이 탑은 안타깝게도 현재 남아 있지 않아요. 진흥왕 때 지은 황룡사에 9층 목탑을 세운 것은 선덕 여왕 때로, 이 목탑은 거의 아파트 30층 정도의 높이였다고 합니다. 그 어마어마한 탑이 몽골이 고려를 침입했을 때 완전히 불타 없어지고 말았어요.

그래서 황룡사 9층 목탑이 있던 자리에 가면 허허벌판만이 우리를 반기지요.

통일 신라로 넘어오면 완벽한 조형미를 보여 주는 탑을 만나게 됩니다. 바로 석가탑이라고도 불리는 경주 불국사 3층 석탑이에요. 단순하고 소박하지만 완벽한 균형미가 느껴지는 탑입니다. 그 탑 안에서 지금까지 전하는 세계에서 가장 오래된 목판 인쇄물인 무구정광대다라니경이 나왔지요. '무구정광'은 한없이 맑고 깨끗하며 영롱한 빛이라는 뜻이고, '다라니경'은 불교 경전으로 기도문 같은 것입니다.

경주 불국사 3층 석탑과 마주하는 자리에는 섬세하고 화려한 모습의 경주 불국사 다보탑이 서 있습니다. 다보탑을 석가탑에 마주 세운 이유가 있습니다. 옛날에 석가모니가 불법을 알리고 있을 때, 다보여래가 보탑을 솟아나게 하여 석가모니의 말이 맞음을 증명하였다는 이야기를 불국사 마당에 표현해 놓은 것이지요.

신라 말기의 대표 석탑은 양양 진전사지 3층 석탑입니다. 양양 진전사지 3층 석탑은 아래의 기단부에 조각이 새겨져 있다는 점이 특징입니다. 경주 불국사 3층 석탑이 완벽한 균형을 갖춘 데 비해 양양 진전사지 3층 석탑은 균형미가 살짝 깨져 보입니다. 시대가 바뀌고 있는 상황이 반영된 것이지요.

경주 분황사 모전 석탑

경주 불국사 3층 석탑

경주 불국사 다보탑

신라 말기로 오면 선종이 유행했다고 했지요? 선종은 누구나 참선을 통해 부처가 될 수 있다고 이야기하기 때문에, 참선을 지도하는 스승이 무척 중요합니다. 그래서 스승이 돌아가시면 스승을 기리기 위해서 화장을 한 뒤 몸에서 나온 사리나 유골을 탑에 모셨어요. 이렇게 승려의 사리를 담은 탑을 '승탑'이라고 하는데, 대표적인 승탑으로 화순 쌍봉사 철감선사탑이 있어요.

화순 쌍봉사 철감선사탑

신라 말기에 선종이 유행하면서 승탑과 승려의 일대기를 적은 탑비가 많이 만들어졌습니다.

3 삼국의 고분 문화

	고구려	백제	신라
고분	돌무지무덤(장군총) ↓ 굴식 돌방무덤 └ 입구 O, 벽화 O, 도굴 O	돌무지무덤(석촌동 고분), 벽돌무덤 (무령왕릉) ↓ 굴식 돌방무덤	돌무지덧널무덤(천마총) └ 입구 X, 벽화 X, 도굴 X

: 무덤, 지배층의 생활을 담다

이제 고분, 옛날 무덤을 보겠습니다. 고구려와 백제의 무덤은 상당히 비슷했어요. 고구려 초기에는 돌을 쌓아 올린 돌무지무덤이 만들어졌어요. 대표적인 무덤이 바로 장군총입니다. 장군총을 보면 돌을 계단처럼 쌓아 올렸는데, 한국의 피라미드라고 할 정도로 규모가 엄청나지요.

시간이 흐르면서 점차 굴식 돌방무덤이 많이 만들어졌어요. 굴식 돌방무덤의 구조는 입구가 있고 그 입구를 통해 들어가면 널방이 있는데, 거기에 관을 안치하는 겁니다. 굴식 돌방무덤에서는 벽화가 발견되기도 하는데, 입구와 널방을 연결하는 통로와 방의 벽과 천장에 벽화를 그려 놓은 거지요. 고분 벽화는 고구려의 굴식 돌방무덤에서 많이 발견됩니다. 이를 통해 당시 사람들의 옷과 풍속 등 다양한 생활 모습을 알 수 있어요.

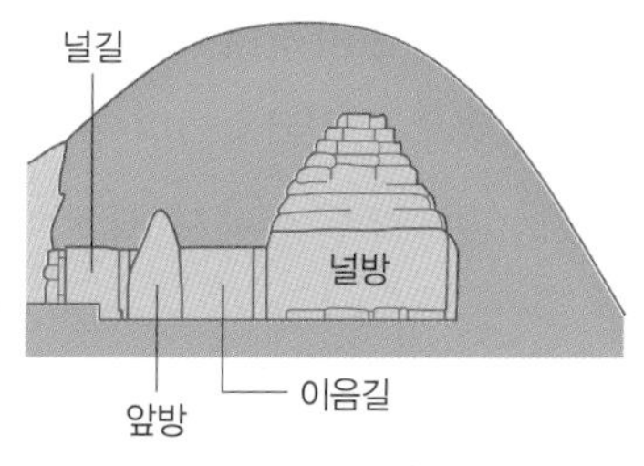

굴식 돌방무덤의 구조

그런데 굴식 돌방무덤은 입구가 있기 때문에 비교적 도굴하기 쉽다는 문제가 있습니다. 실제로 굴식 돌방무덤은 대부분 도굴되어 껴묻거리를 발견하기가 힘들어요.

백제는 고구려에서 내려온 온조가 세운 나라이지요? 그래서 백제 초기에 만들어진 지배층의 무덤은 고구려의 것과 모습이 비슷합니다. 그 예가 서울 석촌동 고분군의 돌무지무덤입니다.

장군총

석촌동 고분군은 근처에 있는 놀이공원에서 놀이 기구를 타고 높이 올라가 위에서 볼 때 가장 잘 보여요. 무섭더라도 반드시 눈을 뜨고 우리나라에 이렇게 큰 무덤이 있다는 걸 확인해 보길 바랍니다. 이처럼 백제는 한성 시기에 고구려와 유사한 형태의 돌무지무덤을 만들었어요. 그러다가 고구려와 마찬가지로 시간이 흐르면서 무덤 양식이 굴식 돌방무덤으로 바뀌어 갑니다.

백제의 무덤 가운데 기억해야 할 무덤이 하나 있습니다. 웅진 시기의 대표적인 무덤인 공주 무령왕릉입니다. 왕이나 왕비의 무덤에는 '릉(능)'을 붙이는데, 무령왕릉의 경우 무덤 안에서 '백제 사마왕' 등이 새겨져 있는 묘지석이 발견되어 무덤의 주인을 정확하게 알 수 있었어요. '사마'는 무령왕의 이름이었어요. 무덤 주인이 누군지 정확히 밝혀진 몇 안 되는 고대 무덤 중 하나입니다. 또 무령왕릉은 도굴되지 않은 채 발견된 유일한 백제 무덤으로, 그 속에서 나온 어마어마한 유물들이 백제 문화의 비밀을 밝혀 주었습니다.

무령왕릉은 중국 남조의 영향을 받은 벽돌무덤이고, 무령왕의 관을 일본에서 가져온 금송으로 만든 것으로 보아 당시 백제가 중국, 일본과 활발히 교류했음을 알 수 있어요. 일본의 역사서에는 일본으로 가던 중 무령왕이 일본 섬에서 태어났다는 기록이 있으며, 여기에서 '사마'라는 이름이 지어졌다는 설이 있으니 무령왕과 일본의 교류는 자연스럽다고 볼 수 있습니다. 이 무령왕릉은 백제의 대외 교류 사실을 보여 준다는 점을 기억해 두세요.

서울 석촌동 고분군의 돌무지무덤(3호분)

공주 무령왕릉 내부

신라는 고구려, 백제와는 좀 다릅니다. 신라의 무덤 양식은 돌무지덧널무덤이었어요. 나무로 덧널을 만든 다음 그 안에 껴묻거리와 시신을 모신 관을 넣고 그 위에 돌무지를 쌓은 다음 다시 흙으로 덮은 형태의 무덤이지요. 돌무지덧널무덤으로 대표적인 것이 경주 천마총입니다. 무덤 주인을 알 수 없으나, 의미 있는 유물이 나왔거나 특징이 확실할 경우에 그 무덤을 '총'이라고 부르지요. 경주 천마총은 주인을 알 수는 없는데 하늘을 나는 말로 추정되는 그림, 곧 천마도가 그려진 말다래(장니)가 나와서 천마총이라고 부릅니다.

돌무지덧널무덤은 입구가 없고 벽화를 그릴 방이 없기 때문에 벽화가 존재하지 않습니다. 대신 도굴이 쉽지 않아 껴묻거리가 많이 남아 있지요. 천마총도 원래 입구가 없는데, 발굴 후에 많은 사람에게 알리기 위해 입구를 만들고 내부를 박물관처럼 만든 것입니다. 천마총에서는 금관, 천마도를 비롯하여 1만여 점의 유물이 발견되었어요. 천마총 옆에는 그보다 네 배는 더 큰 무덤, 황남대총이 있는데, 이것을 발굴하기 전에 시험 삼아 먼저 발굴한 곳이 천마총이라고 합니다. 황남대총은 남분과 북분으로 이루어진 신라 최대의 고분이에요. 이곳에서도 금관을 비롯하여 5만 점이 넘는 유물이 출토되어 신라 왕실의 권위와 신라 문화의 화려함을 보여 주고 있지요.

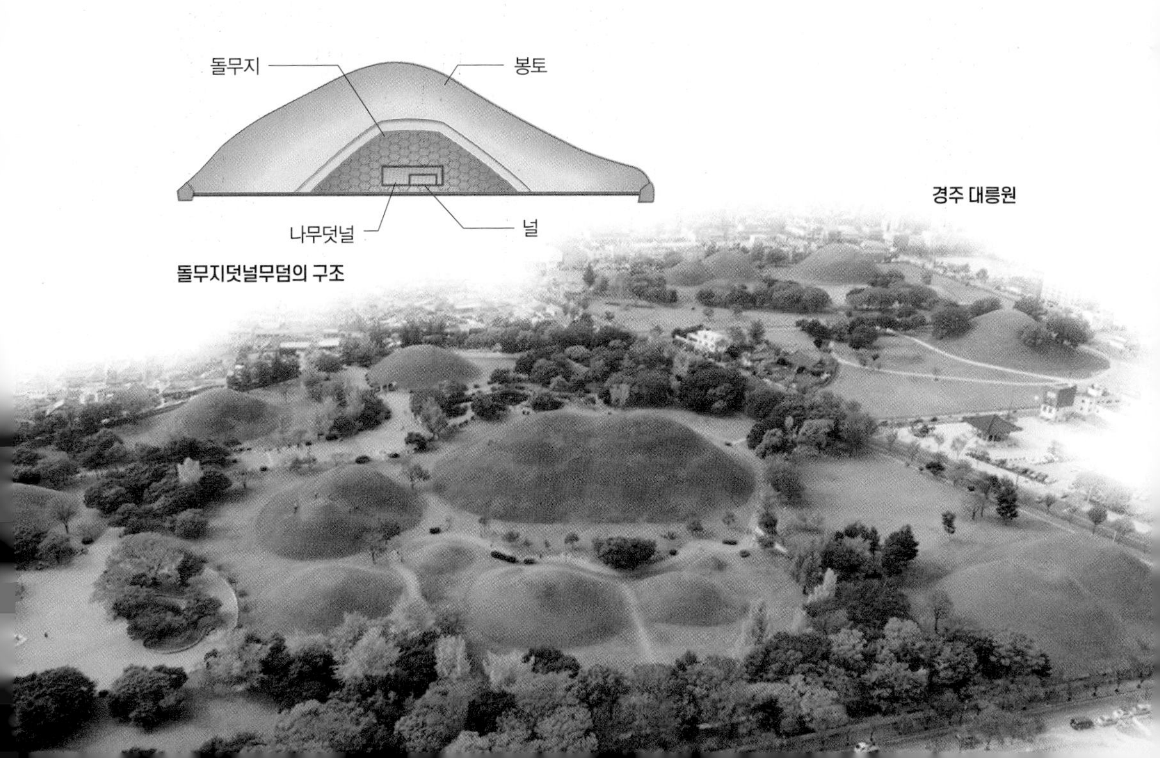

돌무지덧널무덤의 구조

경주 대릉원

4 일본과의 문화 교류

- ·금동 미륵보살 반가 사유상 → 목조 미륵보살 반가 사유상(고류사)
- ·고구려 : 수산리 고분 벽화 → 다카마쓰 고분 벽화
- ·백제 : 불교, 백제 가람
- ·신라 : 축제술 → 한인의 연못
- ·가야 : 스에키에 영향을 줌

마지막으로 일본과의 교류를 살펴보겠습니다. 삼국의 문화는 7세기 일본의 아스카 문화에 지대한 영향을 끼쳤습니다. 아스카 문화는 아스카 지역에서 발달한 문화를 말하는데, 고구려·백제·신라의 영향을 많이 받았어요. 통일 신라는 아스카 문화 이후에 발달한 하쿠호 문화에 많은 영향을 미칩니다.

금동 미륵보살 반가 사유상(국보 제83호)

고류사 목조 미륵보살 반가 사유상

먼저 삼국 시대 최고의 문화유산으로 꼽는 금동 미륵보살 반가 사유상을 살펴볼게요. '금동'은 재료를 말하고, '미륵보살'은 미래의 부처로 이 조각상의 주인공이지요. '반가'란 앉아서 가부좌를 반만 틀고 있다는 말이고, '사유상'은 뭔가를 깊이 생각하고 있는 모습이란 뜻입니다. 금동 미륵보살 반가 사유상은 그윽한 미소가 일품으로, 세상에 내려와 중생들의 고통스러운 삶을 어떻게 구원할 것인지 고민하는 있는 듯한 모습을 하고 있어요. 걸작 중의 걸작입니다.

이 금동 미륵보살 반가 사유상과 꼭 닮은 불상이 일본에 있어요. 일본 고류사의 목조 미륵보살 반가 사유상입니다. 두 불상에서 볼 수 있는 그 유사성이 삼국의 문화가 일본의 고대 문화에 영향을 미쳤음을 보여 주는 대표적인 예입니다.

이제 각국과 일본의 문화 교류에 대해 알아보겠습니다.

수산리 고분 벽화(고구려)

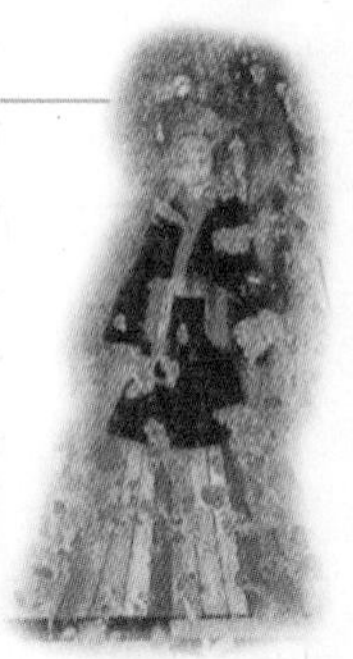

귀족 여인의 모습

다카마쓰 고분 벽화 속 여인들(일본)

고구려의 벽화와 굉장히 유사한 벽화가 일본에 있습니다. 다카마쓰 고분 벽화입니다. 고구려의 수산리 고분 벽화와 다카마쓰 고분 벽화를 비교해 보면, 그림 속 여인의 옷과 치마의 주름, 머리 모양 등이 아주 비슷함을 알 수 있습니다. 고구려의 영향을 짐작할 수 있지요.

삼국 가운데 일본에 가장 큰 영향을 미친 나라는 백제입니다. 일본은 백제 부흥 운동을 지원하기 위해 배 1,000여 척에 4만 2,000명에 달하는 병력을 보내기도 했어요. 그만큼 백제와 일본은 긴밀한 관계였어요. 특히 백제는 일본에 불교를 전파했는데 일본의 가람 양식에서 백제 양식이 많이 보입니다. 가람은 사원이나 사찰, 절과 같은 말이에요. 일본에서는 백제의 사찰 양식으로 지은 절을 아예 '백제 가람'이라고 불렀습니다.

신라는 축제술, 곧 제방을 쌓는 기술을 전했습니다. 일본에서는 우리나라에서 배운 기술로 만든 저수지를 '한인의 연못'이라고 불렀습니다.

가야는 토기 제작 기술을 일본에 전해 스에키에 상당한 영향을 줍니다. '스에키'는 '쇠기'를 일본식으로 발음한 것으로 쇠처럼 단단한 그릇이라는 뜻이라고 해요.

가야의 토기(좌)와 일본의 스에키(우)

기존 일본의 토기는 무른 편이었어요. 가야의 토기 제작 기술을 받아들이면서 일본은 단단한 토기를 만들 수 있게 되었지요.

그렇다고 해서 일방적으로 삼국의 문화가 일본으로 전파된 것은 아니에요. 일본의 문화가 삼국에 전해진 것도 있어요. 예를 들면 무령왕릉에서 발굴된 목관은 일본산 금송을 재료로 만들어진 것입니다. 하지만 문화는 대체로 중국에서 한반도를 거쳐 일본으로 전파되었다고 보면 됩니다.

앞에서도 말했지만 백제와 일본은 긴밀한 관계를 맺고 활발하게 교류했습니다. 지금 한·일 관계를 생각하면 백제와 일본의 긴밀한 관계가 잘 이해가 안 됩니다. 하지만 반대로 당시 백제인들이 지금을 바라보면 어떨까요? 우리의 시각으로 고대를 바라보면 이해가 잘 되지 않는 것처럼 고대인의 시점에서는 지금 우리의 모습도 이해하기 어렵겠다는 생각이 듭니다. 역사를 바라볼 때는 그 시대 사람들의 눈높이에서 바라보는 것이 중요하다는 점을 기억해 두세요.

05 고대의 문화

	고구려	백제	신라
유교	태학(소수림왕)		
도교	사신도	산수무늬 벽돌, 금동 대향로	
불교	소수림왕	침류왕	법흥왕(이차돈 순교)
불상	금동 연가 7년명 여래 입상	서산 용현리 마애 여래 삼존상	경주 배동 석조 여래 삼존 입상
불탑		· 익산 미륵사지 석탑(목탑 → 석탑) · 부여 정림사지 5층 석탑	· 경주 분황사 모전 석탑 · 황룡사 9층 목탑 (선덕 여왕)
고분	돌무지무덤(장군총) ↓ 굴식 돌방무덤 └ 입구 O, 벽화 O, 도굴 O	돌무지무덤(석촌동 고분), 벽돌무덤 ↓ 무령왕릉 굴식 돌방무덤	돌무지덧널무덤(천마총) └ 입구 X, 벽화 X, 도굴 X
日 교류	· 금동 미륵보살 반가 사유상 → 목조 미륵보살 반가 사유상(고류사) · 고구려 : 수산리 고분 벽화 → 다카마쓰 고분 벽화 · 백제 : 불교, 백제 가람 · 신라 : 축제술 → 한인의 연못 · 가야 : 스에키에 영향을 줌		

	통일 신라(전기)	통일 신라(후기)
	국학(신문왕)	독서삼품과 △
	· 원효, 의상 : 불교 대중화 · 혜초 : 『왕오천축국전』	선종 유행(by 호족)
	경주 석굴암 본존불	
	· 경주 불국사 3층 석탑 → 무구정광대다라니경 · 경주 불국사 다보탑	· 승탑 유행 · 양양 진전사지 3층 석탑(조각)

06

고려의 정치

1 고려의 정치 주도 세력

2 고려 건국과 국가의 기틀 확립

3 고려의 통치 체제 정비

4 문벌 사회의 모순

5 무신 정권과 백성의 저항

6 고려 후기의 정치 변동

이제 고려 시대로 들어갑니다.

고려 약 500년의 역사에서 가장 중요한 분기점은

무신 정변이 일어난 1170년이에요.

이때를 기준으로 그 이전을 전기, 이후를 후기로 나누고

전기는 다시 초기와 중기로 나누어

고려 초기·중기·후기로 구분할 수 있지요.

각 시기마다 정치를 이끈 주도 세력이 달라지는데,

그들의 성격을 파악하면 당시의 정치·경제·사회·문화에 대한

맥락을 잡을 수 있다는 점을 염두에 두고

고려 시대로 들어가 봅시다.

1 고려의 정치 주도 세력

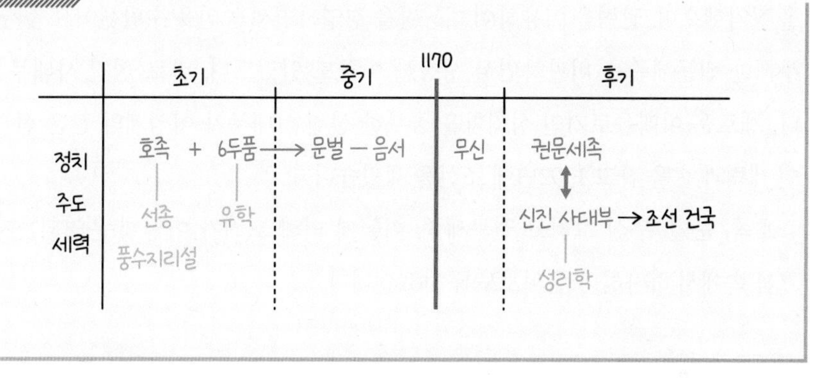

: 고려 전기의 정치 주도 세력

고려 건국을 주도한 사람들이 누구였는지 기억나세요? 바로 호족과 6두품 세력입니다. 지방에서 새롭게 성장한 호족과 골품제에 불만을 가졌던 6두품 세력이 결합하여 고려를 세웠어요. 이들이 고려 초기의 지배층을 형성합니다.

그런데 시간이 흘러 나라의 기틀이 잡히면서 호족과 6두품 출신들이 과거를 통해 중앙 관료로 진출하고 특권 세력이 됩니다. 이들 중 여러 대에 걸쳐 고위 관료를 배출한 가문을 문벌이라고 합니다. 문벌은 왕실이나 다른 문벌과 혼인 관계를 맺어 권력을 키워 나갔으며, 음서 등의 특권을 누렸어요. 특권을 누리고 있으니 변화나 개혁보다는 안정을 추구했겠지요? 따라서 사회는 정체될 수밖에 없었고, 사람들의 불만이 쌓여 갔어요.

: 고려 후기의 정치 주도 세력

문신 위주의 문벌 사회에 불만을 품은 세력이 나타나는데, 바로 1170년에 무신 정변을 일으켜 정권을 잡은 무신 세력이지요. 그런데 이 시기에 몽골이 쳐들어옵니다. 고려는 끈질기게 저항했지만 결국 몽골과 강화를 맺었고 무신 정권도 무너집니다.

원 간섭기에 권문세족이라는 새로운 지배 세력이 형성되었어요. 이들 중에는 고려 전기 이래 이어진 문벌, 무신 집권기에 새로 성장한 가문 등도 있지만, 원에 빌붙어 새로이 성장한 세력도 포함되었지요. 권문세족은 주요 관직을 독점하고 인사권을 장악했으며, 권력을 이용하여 대농장을 경영하면서 농민을 수탈했어요. 한편 이 부패한 권문세족을 비판하면서 성장한 이들도 있었으니, 바로 신진 사대부입니다. 새로운 이데올로기인 성리학을 공부한 신진 사대부가 이성계와 같은 신흥 무인 세력과 손을 잡고 1392년에 조선을 세웠습니다.

호족, 문벌, 무신 그리고 권문세족, 이들에 의해 고려가 어떻게 운영되는지 큰 흐름 속에서 하나하나 살펴보도록 하겠습니다.

2 고려 건국과 국가의 기틀 확립

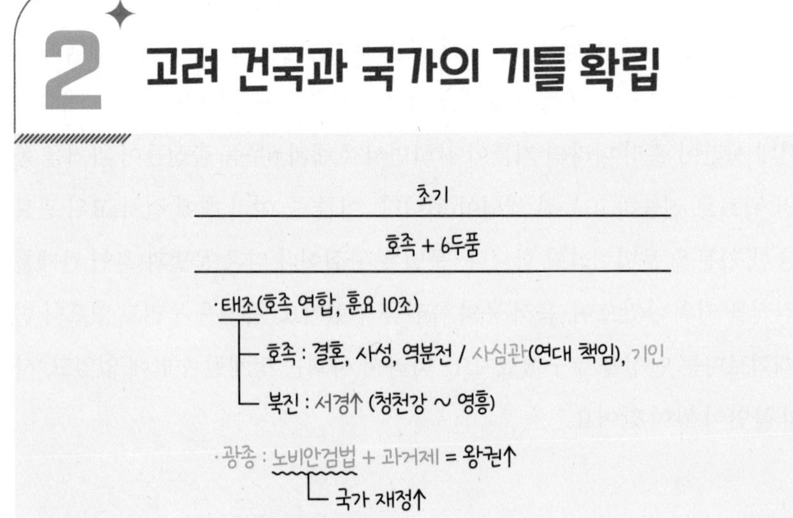

: 고려를 세워 민족을 통합하다

고려는 지금의 안동 지역에서 벌어진 고창 전투에서 후백제에 승리하면서 후삼국 간 경쟁의 주도권을 장악했어요.

힘이 약해질 대로 약해진 신라의 경순왕이 더 이상 버티기 어렵다고 판단하여 고려에 항복해 왔고, 이어 왕위 계승 문제로 아들에 의해 금산사에 갇혀 있던 견훤이 탈출하여 고려에 귀순해 왔어요. 그리고 마침내 왕건의 고려군은 후백제군을 격파하고 후삼국을 통일했습니다. 고려 태조(왕건)는 후삼국 통일 과정에서 발해의 유민까지 받아들여 민족 통합을 이루었어요.

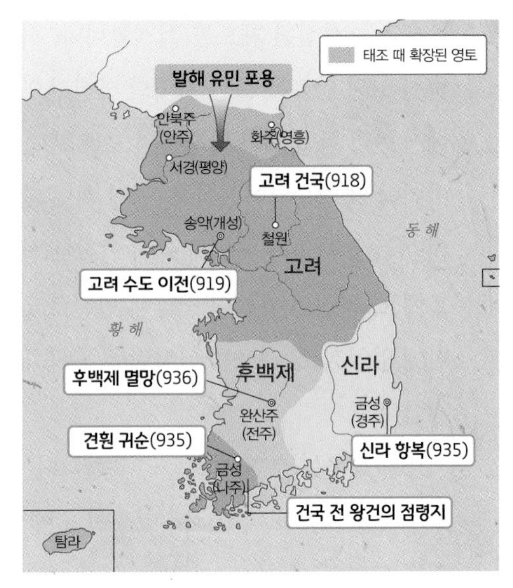

고려의 후삼국 통일

: 태조, 안정과 통합을 위해 노력하다

왕건이 고려를 세웠을 때에는 왕권이 그리 강하지 않았어요. 왕건이 지방에 독자적인 세력을 가지고 있던 호족들의 도움을 받아 나라를 세웠기 때문이지요. 고려 초기 정부는 호족 연합 정권이라고 할 수 있을 정도였어요. 이렇게 왕권이 강하지 않은 상황에서 과연 태조는 어떤 정책을 폈을까요?

먼저 호족과 관련된 정책을 살펴볼게요. 태조는 정략결혼을 통해 호족들을 자기 편으로 끌어들였어요. 유력 호족과 혼인 관계를 맺어 가족으로 단단히 묶어 두었지요. 그 결과 부인이 29명에 아들이 25명, 딸이 9명이나 되었어요. 그러니 태조가 죽으면 어떤 일이 벌어질지 벌써 느낌이 오지요? 예상대로 왕위 다툼이 치열하게 벌어집니다. 다음으로 사성 제도를 실시했어요. 사성이란 성을 내리는 것을 말해요. 내릴 '사(賜)' 자에 성씨 '성(姓)' 자, 곧 자신의 성인 왕씨 성을 주는 거지요. '너는 이제 우리 왕씨 패밀리야. 넌 나를 도와줘야 해.'라는 의미가 담긴 거예요. 또 개국 공신들에게 역분전을 나누어 주었어요.

그런데 이렇게 당근만 주다가는 호족들이 왕을 얕잡아 볼 수 있겠죠? 그래서 채찍도 휘두릅니다. 어떤 정책이었을까요?

태조는 사심관 제도를 실시합니다. 사심관은 둘러보는 관리라는 뜻으로, 호족 출신 고위 관료를 출신 지역의 사심관으로 임명하여 그 지역을 관리하고 그 지역에서 반란 등 문제가 발생하면 모든 책임을 지게 한 제도예요. 첫 사심관은 신라의 마지막 왕 경순왕이었어요. 기인 제도도 실시했어요. 기인은 지방의 힘 있는 호족의 아들을 개경에 머물게 하여 인질로 삼고 고향의 문제에 자문을 담당하게 한 제도예요. 자신의 아들이 중앙에 인질로 있으니 지방의 호족들은 행동을 조심할 수밖에 없었겠죠? 태조는 이처럼 호족에 대해 통합 정책과 견제 정책을 병행하여 실시합니다.

또한 태조는 북진 정책을 추진합니다. 고려라는 이름에서 알 수 있듯이, 고려는 고구려를 계승한 나라로서 고구려의 옛 땅을 회복하고자 했어요. 그래서 고구려의 수도였던 서경(지금의 평양)을 중시하여 북진 정책의 전진 기지로 삼고 청천강에서 영흥만까지 영토를 넓히지요.

어느 나라든지 건국 초기에는 민심을 얻기 위해 노력합니다. 고려 태조 역시 백성의 생활을 안정시키기 위해 조세 감면 정책을 펼치고, 가난한 백성을 구제하기 위해 흑창을 설치했어요. 그런데 태조가 세상을 뜰 때쯤 되니까 고민이 되는 거예요. '부인도 아들도 너무 많아서 내가 죽으면 싸울 텐데. 어렵게 세운 이 나라를 자손들이 잘 다스릴까.' 하는 걱정이 일었어요. 그래서 후대의 왕에게 당부의 말을 남깁니다. 바로 훈요 10조예요.

훈요 10조의 주요 내용

제1조 불교의 힘으로 나라를 세웠으니 사찰을 세우고 주지를 파견하여 불도를 닦도록 할 것
제2조 모든 절을 도선의 풍수 사상에 따라서 세우고 함부로 짓지 말 것
제4조 거란은 짐승과 같은 나라이니 그들의 의관 제도를 본받지 말 것
제5조 서경은 우리나라 지맥의 근본이 되니 1년에 100일 이상 머물러 왕실의 안녕을 이룰 것
제6조 연등회와 팔관회를 소홀히 하지 말고 임금과 신하가 함께 즐길 수 있도록 할 것
제7조 때를 가려 백성을 부리고, 요역과 부세를 가볍게 하여 민심을 얻을 것

– 『고려사』 –

훈요 10조에는 불교를 숭상하고 풍수지리를 따를 것, 거란을 배척하고 서경을 중시할 것, 민심을 얻을 것 등의 내용이 담겨 있어요. 그 외에 "적장자가 왕위를 잇도록 한다."라고 정하는 한편 혹시 적장자가 왕위를 잇기에 적합하지 않으면 다른 왕자가 대를 이을 수 있다고도 덧붙여 놓았어요. 그런데 권력을 차지하고 싶은 사람에게는 이 말이 '너도 왕이 될 수 있다.'는 말로 들렸나 봅니다. 태조가 훈요 10조로 당부를 남겼음에도 태조가 죽은 다음 고려는 치열한 왕위 다툼으로 혼란스러운 시기를 겪게 됩니다.

: 광종, 노비안검법과 과거제를 시행하다

태조가 죽은 뒤 왕권을 둘러싼 다툼이 벌어지는 혼란 가운데 태조의 넷째 아들이 4대 왕이 되었습니다. 바로 광종입니다. 그런데 광종은 정말 무서운 사람이었어요.

광종은 집권 후 7년 동안 본심을 드러내지 않고 당의 정치학 책인 『정관정요』를 읽었답니다. 힘 있는 호족들이 해 달라는 것을 해 주면서 이들을 자극하지 않았지요. 그래서 호족들이 마음을 조금 놓았을 겁니다. 그런데 7년 동안 광종이 아무 것도 하지 않은 게 아니라 호족을 제거하고 왕권을 강화하기 위한 프로젝트를 착착 구상하지 않았나 싶습니다. 드디어 즉위한 지 7년째 되던 해, 광종은 노비안검법을 시행합니다.

노비안검법은 말 그대로 노비들을 상세히 조사하고 살펴서 억울하게 노비가 된 사람들을 다시 양인으로 신분을 회복시켜 주는 제도였어요. 통일 신라 신문왕 때의 녹읍과 관료전이 기억나세요? 녹읍에서 확보된 노동력은 언제든지 군사력으로 전환되어 왕권을 위협하는 수단이 되기 때문에 신문왕은 관료전을 지급하고 노동력을 징발할 수 있는 녹읍을 폐지했잖아요. 같은 이치입니다. 노비는 호족의 군사력으로 전환될 소지가 있기 때문에 호족이 불법적으로 차지한 노비를 양인으로 해방하여 호족 세력을 약화한 거예요. 또한 노비는 세금을 내지 않지만 양인은 세금을 내니까 양인의 수가 늘어나면 세금도 그만큼 늘어날 테니 국가 재정에도 도움이 되겠지요?

광종은 노비안검법에 이어 과거제를 시행합니다. 이제 왕이 직접 나서 유교 지식과 학문 능력을 시험 쳐 관리를 뽑겠다는 의미였지요. 이렇게 선발한 인재들을 왕에게 충성하고 왕권을 뒷받침할 세력으로 키웠어요.

호족들이 광종에게 제대로 뒤통수를 맞은 거예요. 이에 호족들이 들고일어납니다. 광종은 노비안검법으로 이미 호족들의 힘을 약화시키고 때를 기다린 거였어요. 개국 공신인 호족들을 제거하기 위해서는 명분이 필요했으니까요. 광종은 달려드는 호족들을 무자비하게 숙청해 나갑니다. 손에 피를 어마어마하게 묻히지요. 만약에 과거제를 먼저 시행하고 노비안검법을 나중에 시행했다면 얘기가 달라졌을 거예요. 7년 동안 광종은 멀리 보면서 어떤 정책을 어떻게 시행할지 다 계획해 놓고 접근한 겁니다. 혹시 정치가가 되기를 원한다면 광종을 한번 연구해 보세요. 여러 의미에서 정말 무서운 정치인입니다.

광종이 실시한 노비안검법과 과거제는 왕권 강화와 관련 있다는 것을 꼭 기억해 두세요. 특히 노비안검법은 왕권 강화와 더불어 국가 재정을 확보하는 데 목적이 있었다는 점도 기억해 두기 바랍니다.

3 고려의 통치 체제 정비

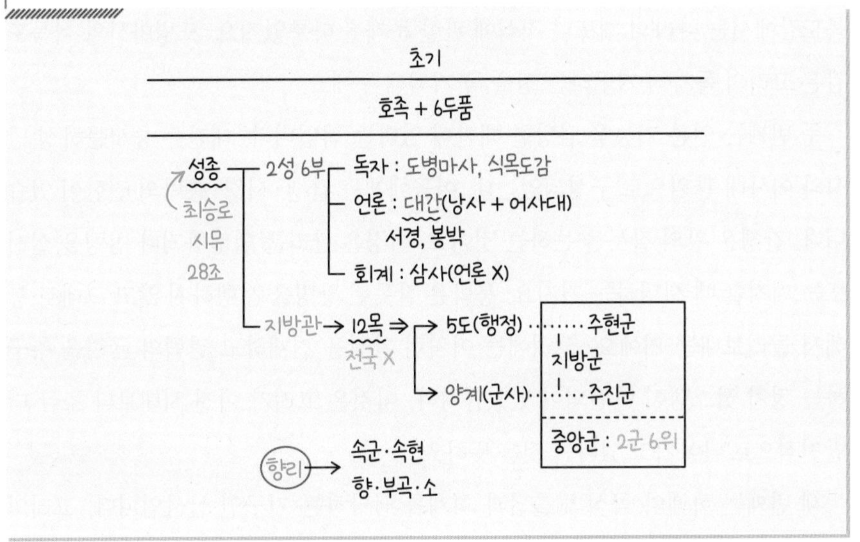

: 중앙 정치 조직을 구축하다

성종은 강화된 왕권을 바탕으로 하나하나 제도를 마련하며 국가를 안정시킵니다. 최승로의 시무 28조를 받아들여 국가 시스템을 정비해 나가지요.

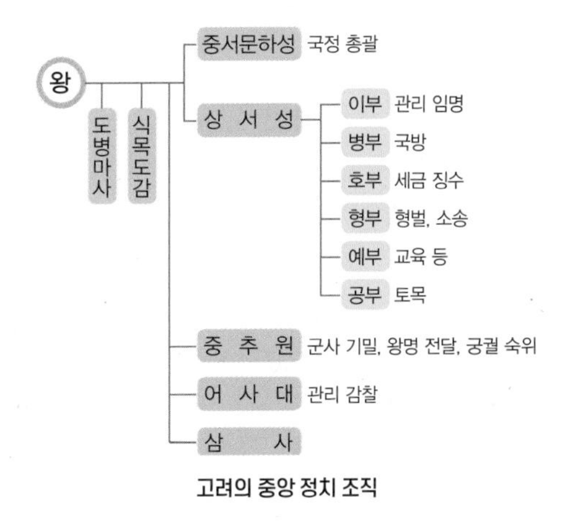

고려의 중앙 정치 조직

중앙 정치 조직으로 2성 6부 체제를 구축합니다. 당의 3성 6부, 기억나지요? 발해도 그 영향을 받아 3성 6부 제도를 도입했잖아요. 고려도 마찬가지예요. 다만 고려는 실정에 맞게 3성을 2성으로 바꿉니다. 중서성과 문하성을 하나로 합친 중서문하성과 상서성을 두었어요. 그리고 행정 실무를 담당하는 6부로 이·병·호·형·예·공부를 갖춥니다. 고려의 중앙 정치 조직을 공부할 때는 세 가지를 기억하시면 됩니다.

첫 번째는 고려만의 독자적 기구인 도병마사와 식목도감이 있다는 점입니다. 도병마사와 식목도감은 고위 관리인 중서문하성 재신과 중추원 추밀의 합의제로 운영된 회의 기구입니다. 도병마사에서는 주로 국방과 군사 문제를 논의했고, 식목도감에서는 나라의 제도나 격식에 관한 문제를 다루었지요. 도병마사와 식목도감은 고려의 독자적 기구라는 점을 꼭 기억해 두세요.

두 번째는 언론 기능을 담당한 대간이 있다는 점입니다. 대간은 중서문하성 낭사와 어사대 관원으로 구성되었는데, 이들에게는 간쟁·서경·봉박의 권한이 있습니다. 간쟁은 왕의 잘못을 논하는 것이고, 서경은 관리를 임명하거나 법령을 실시 또는 폐지할 때 서명하는 거지요. 봉박은 잘못된 왕명을 시행하지 않고 그대로 봉해서 돌려보내는 거예요. 고려에는 이처럼 왕권을 견제하고 권력의 균형을 추구하는 정치 시스템이 마련되어 있었습니다. 이것은 고려가 이전 시대보다 조금 더 발전적으로 나아가고 있다는 것을 뜻하죠.

세 번째는 화폐와 곡식의 출납과 회계를 담당하는 기구인 삼사입니다. 고려의 삼사는 조선의 삼사(3사)와 이름만 같을 뿐 하는 일은 다릅니다. 나중에 배우겠지만, 사헌부·사간원·홍문관으로 이루어진 조선의 삼사는 언론 기능을 담당합니다.

: 지방 행정 조직과 군사 조직을 정비하다

이제 지방 행정을 살펴볼까요? 성종은 전국에 12목을 설치하고 지방관을 파견합니다. 이를 시작으로 지방 행정 조직도 점차 정비되어 현종 때 5도와 양계의 기본 체계가 마련됩니다. 5도는 행정적 성격이, 북방 민족과 경계가 맞닿아 있는 양계(북계와 동계)는 군사적 성격이 강했지요. 성종 때 고려 건국 이래 처음으로 지방관을 파견했다는 사실에는 굉장한 의미가 있습니다. 지방관은 왕이 지방을 통제하기 위해 직접 파견하는 관리입니다. 지방에 상주하는 관리를 파견했다는 것은 그만큼 중앙의 통제력이 강화되었다는 것을 의미합니다.

건국 초기 호족 세력이 강력했을 때는 중앙에서 지방에 관리를 파견하기 어려웠어요. 광종 때 왕권을 강화하고 호족 세력을 약화하면서 지방관 파견이 가능해진 것이지요. 그렇다고 전국에 지방관이 다 파견된 것은 아니었으니 여전히 호족의 영향력이 남아 있다는 걸 알 수 있지요. 전국 곳곳에 지방관을 파견하는 일은 조선 시대에 와서야 가능해집니다. 고려 시대에는 지방관이 파견된 주군과 주현 외에 지방관이 파견되지 않은 속군과 속현이 있고 특수 행정 구역인 향·부곡·소가 있었어요. 속군과 속현, 향·부곡·소의 수가 더 많았지요. 이 지역에서는 향리가 행정의 실무를 자치적으로 시행했어요. 주변에 파견된 지방관의 지도는 받지만요.

군사 제도도 살펴볼게요. 중앙군은 2군 6위로 구성되었어요. 2군은 국왕의 친위 부대였고, 6위는 수도 경비와 국경 방어를 담당했지요. 일반 군현인 5도에는 예비군 성격의 주현군, 군사 행정 구역인 양계에는 상비군으로 주진군이 주둔했어요.

4 문벌 사회의 모순

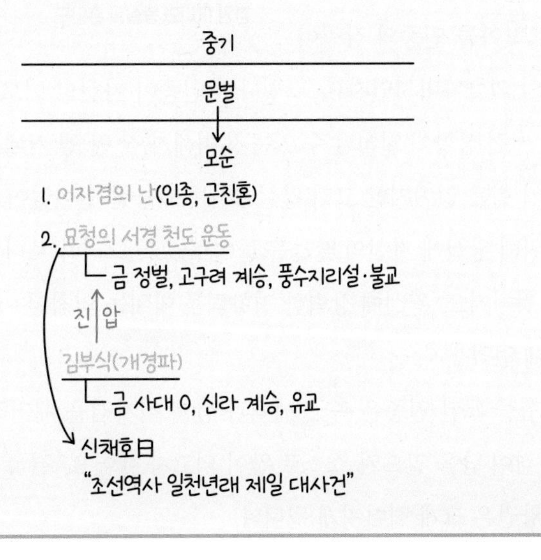

: 이자겸, 왕이 되려 난을 일으키다

성종 때 중앙과 지방의 통치 시스템이 자리를 잡아가면서 고려는 안정기로 들어갑니다. 이러한 가운데 몇몇 가문이 대대로 고위 관리를 배출하며 특권층을 형성하게 되는데, 이들을 문벌이라고 합니다.

문벌은 정치적으로는 음서, 사회적으로는 폐쇄적인 혼인 등을 통해 권력을 강화하지요. 또한 권력을 이용해 넓은 토지를 차지했어요. 이렇게 권력이 일부에 집중되다 보니 많은 문제점과 모순이 발생합니다. 이런 상황을 그대로 보여 준 사건이 이자겸의 난이에요.

이자겸은 경원 이씨 가문의 일원입니다. 경원 이씨 가문은 오랫동안 왕실과 중첩된 혼인 관계를 맺었어요. 옆의 도표에 잘 나타나 있지요?

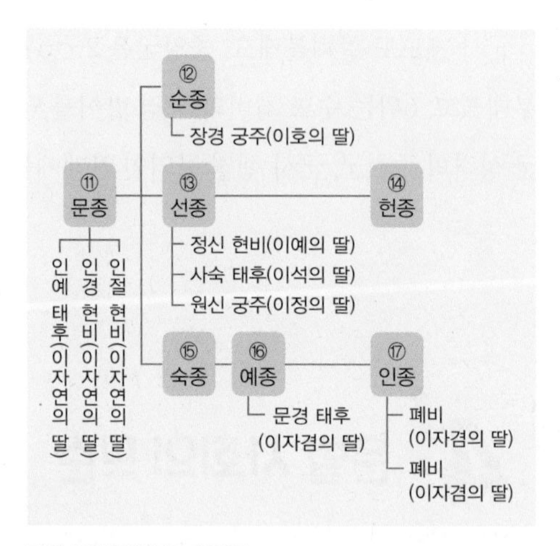

경원 이씨와 왕실의 혼인도

이자연이 문종에게 세 딸을 시집보내면서 이들은 왕실의 외척으로서 막강한 권력을 행사하기 시작했어요. 이자연의 손자 이자겸은 예종과 그 아들 인종의 장인이면서 인종의 외할아버지였지요. 그렇다면 인종이 자신의 이모와 혼인했다는 것인데, 어떻게 이런 상황이 일어날 수 있는지 이해가 잘 안 될 거예요. 지금으로서는 상상조차 하기 힘든 일이지만 고려 왕실에서는 가능한 일이었어요. 이자겸은 권력을 유지하기 위해 왕실에 자신의 딸들을 들여보냈고, 그러다 보니 인종은 이모들과 결혼하게 된 것이지요. 왕실에 강력한 영향력을 미치는 외척인 이자겸에게 권력이 집중될 수밖에 없었겠지요?

이에 위협을 느낀 인종은 측근 세력과 함께 이자겸을 제거하려 했지만 이를 눈치 챈 이자겸이 난을 일으켜 스스로 왕이 되고자 했어요. 결국 이자겸의 난은 진압되었지만 왕권은 크게 떨어지게 됩니다.

: 묘청, 서경 천도를 주장하다

이자겸의 난으로 문벌 사회가 요동치고 분열했어요. 그런데 이를 더욱 심화시키는 사건이 일어납니다. 바로 묘청의 서경 천도 운동이지요. 이자겸이 집권하고 있을 때 여진이 세운 금이 고려에 사대를 요구해 오자 이자겸 등은 정권을 유지하고 전쟁을 피하기 위해 이를 받아들였어요.

이자겸의 난이 진압된 뒤 인종은 정치 안정과 개혁을 위해 승려 묘청과 정지상 등 서경 세력을 등용했어요. 이들은 황제를 칭하고 연호를 사용할 것을 건의했으며, 우리는 고구려를 계승한 나라이니 싸워야 한다며 금 정벌을 주장했습니다. 또 풍수지리설을 이용하여 '개경의 기운이 쇠했으니 서경으로 천도해야 한다.'고 주장하며 서경 천도 운동을 펼쳤습니다.

묘청의 서경 천도 운동은 당시 집권층인 개경 세력에 서경 세력이 정면으로 도전한 사건이었어요. 개경 세력이 안정을 위해 금에 대한 사대를 받아들이고 신라 계승 의식과 유교 사상을 바탕으로 삼았다면, 서경 세력은 금 정벌과 고구려 계승을 주장하고 불교와 풍수지리설을 중시했지요.

서경 천도를 둘러싼 대립

• 묘청의 주장

서경 임원역의 땅은 풍수가들이 말하는 대화세(기운이 크게 꽃피우는 형세)입니다. 만약 이곳에 궁궐을 세우고 전하께서 옮기시면 천하를 합칠 수 있습니다. 금이 조공을 바치고 스스로 항복할 것이요, 주변의 36나라가 모두 머리를 조아릴 것입니다.

–『고려사』–

• 김부식의 주장

금년 여름 서경 대화궁의 30여 개소에 벼락이 떨어졌습니다. 만약 서경이 길한 땅이라면 하늘이 이렇게 하였을 리 없습니다. 또 서경은 아직 추수가 끝나지 않았습니다. 지금 거둥하시면 농작물을 짓밟을 것입니다. 이는 백성을 사랑하고 물건을 아끼는 뜻과 어긋납니다.

–『고려사』–

개경 세력의 반대로 서경 천도가 무산되자 묘청 등은 나라 이름을 '대위', 연호를 '천개'라고 하면서 서경에서 난을 일으켰습니다. 그러나 개경 세력인 김부식이 이끄는 관군에게 진압되었지요.

근대 역사학자 신채호는『조선사연구초』에서 묘청의 난을 '조선 역사 1000년 안에 있었던 사건 중 가장 큰 사건(조선 역사 일천년래 제일 대사건)'이라고 평가했어요. 묘청의 난은 낭가 사상 및 불교 대 유교, 진취 사상 대 보수 사상의 싸움으로, 이 싸움에서 서경 세력이 패하고 개경 세력이 승리함으로써 사회는 보수적인 유교에 정복되었으며, 그 뒤 유교 사상에 바탕을 둔 조선이 건국되어 사대주의와 보수주의로 전락하고 낭가 사상은 완전히 없어졌다고 주장했습니다.

앞서 살펴본 것과 같이 이자겸의 난과 묘청의 서경 천도 운동으로 왕권은 약화되고 문벌 사회는 더욱 흔들렸습니다.

5 무신 정권과 백성의 저항

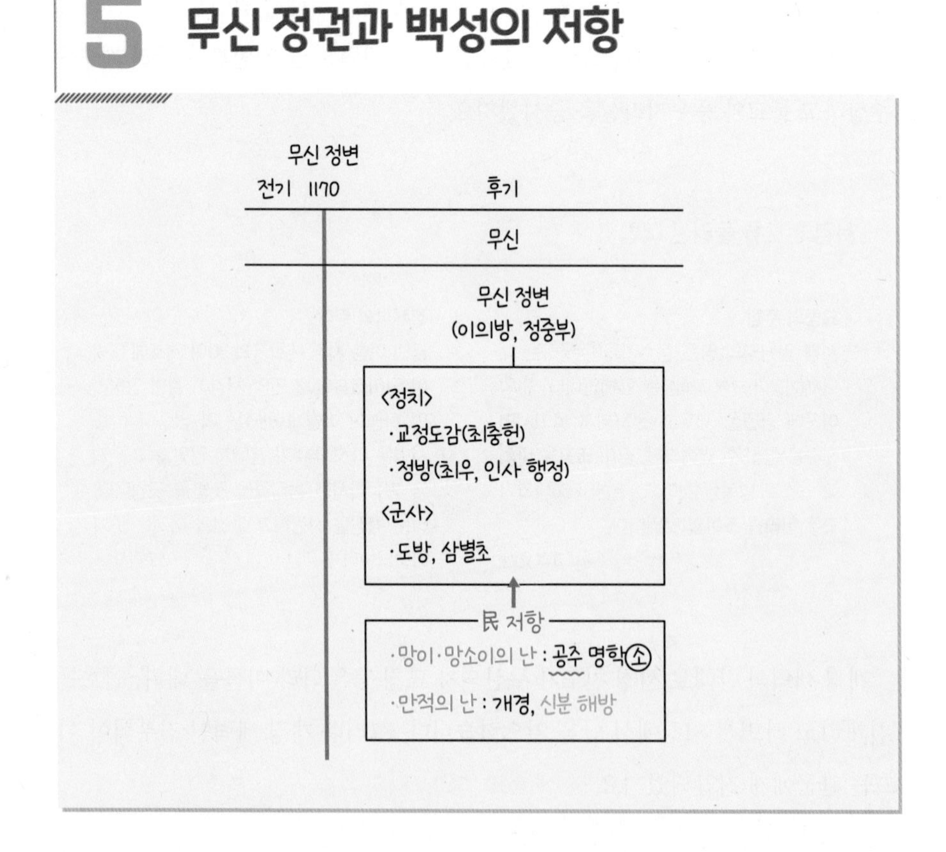

: 무신 정권이 들어서다

고려는 문신 위주의 사회였어요. 과거 시험에서 무과가 거의 실시되지 않았어요. 무신은 승진 등에서 차별을 받았고 하급 군인은 토지를 제대로 지급받지 못하고 잡역에 시달려야 했죠. 문벌의 권력 독점과 부패가 계속되자 무신에 대한 차별은 더욱 심해졌습니다. 불만이 쌓이고 쌓인 무신들이 결국 칼을 꺼내 듭니다. 고려 시대를 전기와 후기로 나누는 기준이 되는 무신 정변이 일어난 것이지요. 정중부, 이의방 등이 주도하여 정변을 일으켜 많은 문신을 제거하고 권력을 잡았으나, 이후 무신 간 권력 쟁탈전이 벌어져 혼란한 상황이 이어집니다. 이러한 상황을 수습한 사람이 최충헌입니다. 최충헌은 집권 후 교정도감을 설치하여 권력을 독점하지요. 그가 죽고 뒤이어 집권자가 된 아들 최우는 인사 행정 기구인 정방을 설치하여 인사권도 장악했어요.

최씨 무신 정권을 뒷받침한 군사 기구에는 도방과 삼별초가 있습니다. 도방은 무신 정권이 신변 보호를 위해 조직한 사병 집단이고, 삼별초는 최우가 치안 유지를 위해 조직한 야별초에서 비롯되었지요. 야별초는 좌별초와 우별초로 나뉘었는데 이후 몽골에 포로로 잡혔다가 탈출한 병사들로 구성된 신의군이 합쳐져 삼별초로 재편되었어요. 삼별초는 몽골과의 전쟁에서 끝까지 항전하는 모습을 보였어요.

: 농민과 천민들, 신분 해방을 부르짖다

무신 정권 초기에는 무신 내부의 권력 다툼으로 최고 권력자가 계속 바뀌었어요. 중앙에서 이런 정치 혼란이 계속되면서 지배층의 수탈이 심해져 백성의 삶은 피폐해졌고, 하층민 출신으로 최고 집권자가 되는 경우도 생겨 신분 질서에 대한 인식에도 변화가 나타납니다. 그래서 백성들의 저항이 곳곳에서 일어났고, 그 기세가 만만치 않았어요.

이 시기에 일어난 봉기로 망이·망소이의 난이 있습니다. 공주 명학소의 주민들이 일으킨 봉기입니다. 앞에서 고려에는 특수 행정 구역으로 향·부곡·소가 있다고 했잖아요. 그런데 향·부곡·소의 주민은 일반 군현에 사는 주민보다 많은 세금을 내야 하고 거주지를 자기 뜻대로 옮기지 못하는 등 차별을 받았어요. 명학소의 주민도 마찬가지였어요. 그래서 그곳의 망이와 망소이 형제가 중심이 되어 들고일어난 겁니다.

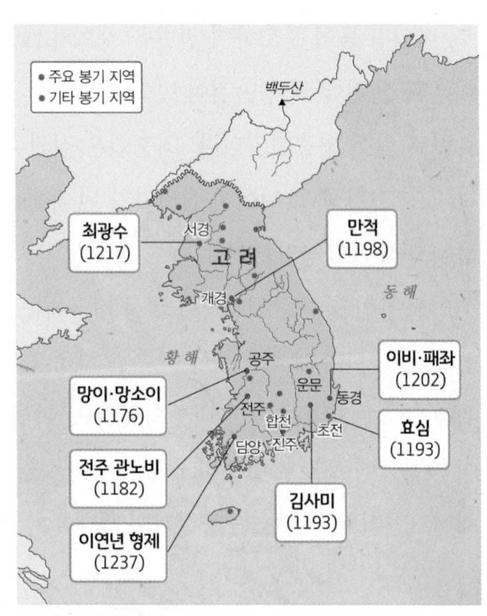

무신 집권기 하층민의 봉기

다음으로 만적의 난이 있습니다. 노비였던 만적이 개경에서 신분 해방을 도모한 사건입니다. 그런데 만적이라는 사람은 정말 대단하다는 생각이 들어요. 만적이 개경의 노비들을 모아 놓고 "무신의 난 이후에 높은 관직에 오른 사람들 중 천민 출신도 많이 있다. 장군과 재상의 종자가 따로 있겠는가."라고 말했거든요. 이게 쉽게 할 수 있는 말이 아니에요. 신분제 사회에서는 노비로 태어났으면 노비로 사는 걸 그냥 운명이라고 생각하지요. 그게 당연한 질서니까요. 그런데 만적은 모두가 당연하다고 여긴 당시 사회 질서가 당연하지 않다고 용감하고 당당하게 소리친 겁니다.

어떻게 저 시대에, 엄격한 신분제 사회에서 저런 이야기를 할 수 있었을까요? 우리도 어쩌면 우리 시대의 틀 속에 갇혀 있는 것은 아닐까요? 그 틀을 깨고 나와야 새로운 세상을 만날 수 있습니다. 여러분도 그 틀 너머의 세상을 보려고 노력하면 좋겠습니다.

6 고려 후기의 정치 변동

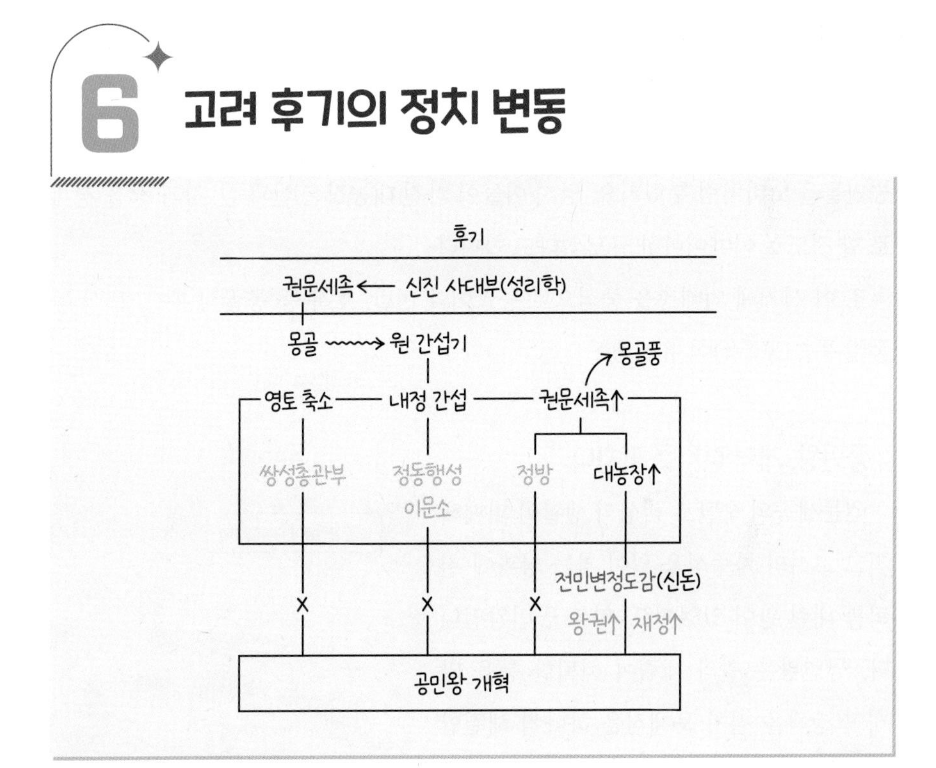

: 원 간섭기가 시작되다

무신 집권기에 몽골이 쳐들어옵니다. 고려 정부는 급히 강화도로 천도하고 몽골에 맞섰지만 결국 몽골(원)에 항복했고 무신 정권도 막을 내리지요. 그리고 개경으로 돌아온 고려 정부는 본격적으로 원의 간섭을 받게 됩니다.

이제부터 원 간섭기에 나타난 여러 모습을 살펴보겠습니다.

고려의 영토가 축소되고 정치적으로 원의 간섭을 받았습니다. 강화를 맺기 전에 철령 이북 지역을 차지한 원(몽골)은 화주에 쌍성총관부를 설치하여 이 지역을 직접 지배했습니다. 또 정동행성을 설치하여 이를 통해 내정 간섭을 합니다. 정동행성은 원이 일본 정벌을 준비하기 위해 만든 기구입니다. 원은 고려군까지 동원하여 일본 원정에 나섰지만, 태풍이 몰아쳐 엄청난 피해를 입고 물러납니다. 일본인은 이것을 신이 일으킨 바람이라고 하여 신풍(일본말로 가미카제)이라고 하지요. 원은 두 번째 원정에도 실패하여 일본 정벌의 야심을 접었지만 정동행성을 없애지 않고 고려의 내정을 간섭하는 데 활용했지요.

원의 세력을 등에 업은 권문세족이 득세합니다. 권문세족은 인사 행정 기구인 정방을 장악하고 국정을 좌지우지했어요. 또 권력을 이용하여 대농장을 소유하고 농민들을 노비처럼 부렸지요. 당시 이들이 가진 대농장은 산과 산, 강과 강을 경계로 할 정도로 어마어마한 규모였다고 합니다.

또 이 시기에 지배층을 중심으로 몽골어와 변발, 호복 등 몽골식 복장, 음식 등 몽골 풍습(몽골풍)이 유행했어요.

: 공민왕, 개혁 정치를 펼치다

권문세족의 수탈로 백성의 생활이 피폐해지고 고려의 자주성을 잃어 가는 상황에 철퇴를 내린 왕이 있었어요. 바로 공민왕입니다. 공민왕은 원의 세력이 쇠퇴한 틈을 타 개혁 정책을 펼쳐 문제점을 하나씩 해결합니다.

공민왕 때의 북방 영토 회복

공민왕은 몽골풍을 폐지하고, 정동행성 이문소를 없애 내정 간섭을 하던 정동행성의 권한을 제한합니다. 또 쌍성총관부를 공격하여 철령 이북 지역을 탈환합니다. 공민왕이 수복한 영토가 상당히 넓지요?

내정에서는 권문세족이 득시글한 정방을 폐지합니다. 그리고 신돈을 등용하여 전민변정도감을 설치합니다. 전민변정도감은 여러 사회 폐단과 불법·부정을 바로잡는 개혁 기구였어요. 공민왕은 신돈을 전민변정도감의 책임자로 삼고 권문세족이 불법으로 차지한 토지와 노비를 원래대로 되돌렸어요. 이를 통해 권문세족의 힘을 약화시켜 왕권을 강화하고 국가 재정도 확보할 수 있었지요. 하지만 공민왕의 개혁은 큰 성과를 거두지는 못합니다. 권문세족의 힘이 아직은 강했거든요.

그런데 공민왕의 전민변정도감 설치는 고려 전기에 광종이 실시한 노비안검법과 비슷하지 않나요? 두 개혁은 왕권 강화와 국가 재정 확보라는 목적으로 시행되었다는 공통점이 있음을 꼭 기억하세요.

공민왕은 원의 간섭에서 벗어나 자주적인 고려를 만들기 위해 개혁 정책을 폈지만, 안타깝게도 실패하고 말았어요. 이제 고려의 국운은 되돌릴 수 없을 만큼 기울지요. 그런데 고려가 쇠퇴의 길로 접어드는 가운데 새로운 세력이 나타납니다. 그 새로운 세력은 어떤 비전을 가지고 새로운 시대를 열지 보도록 합시다.

06
고려의 정치

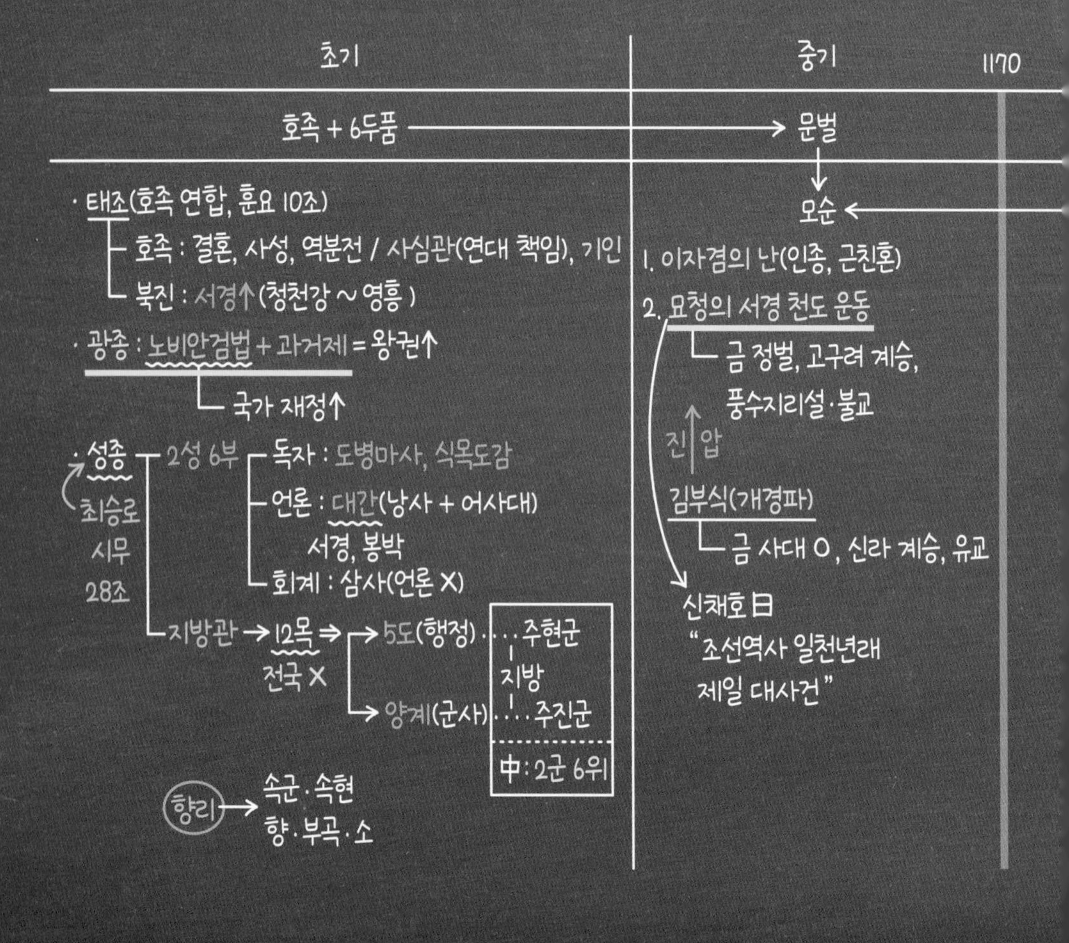
초기
중기
1170
호족 + 6두품
문벌
모순
· 태조(호족 연합, 훈요 10조)
호족 : 결혼, 사성, 역분전 / 사심관(연대 책임), 기인
북진 : 서경↑(청천강 ~ 영흥)
· 광종 : 노비안검법 + 과거제 = 왕권↑
국가 재정↑
· 성종
최승로
시무
28조
2성 6부
독자 : 도병마사, 식목도감
언론 : 대간(낭사 + 어사대)
서경, 봉박
회계 : 삼사(언론 X)
지방관 → 12목 ⇒
전국 X
5도(행정)
양계(군사)
주현군
지방
주진군
中 : 2군 6위
향리
속군 · 속현
향 · 부곡 · 소
1. 이자겸의 난(인종, 근친혼)
2. 묘청의 서경 천도 운동
금 정벌, 고구려 계승,
풍수지리설 · 불교
진압
김부식(개경파)
금 사대 O, 신라 계승, 유교
신채호 曰
"조선역사 일천년래
제일 대사건"

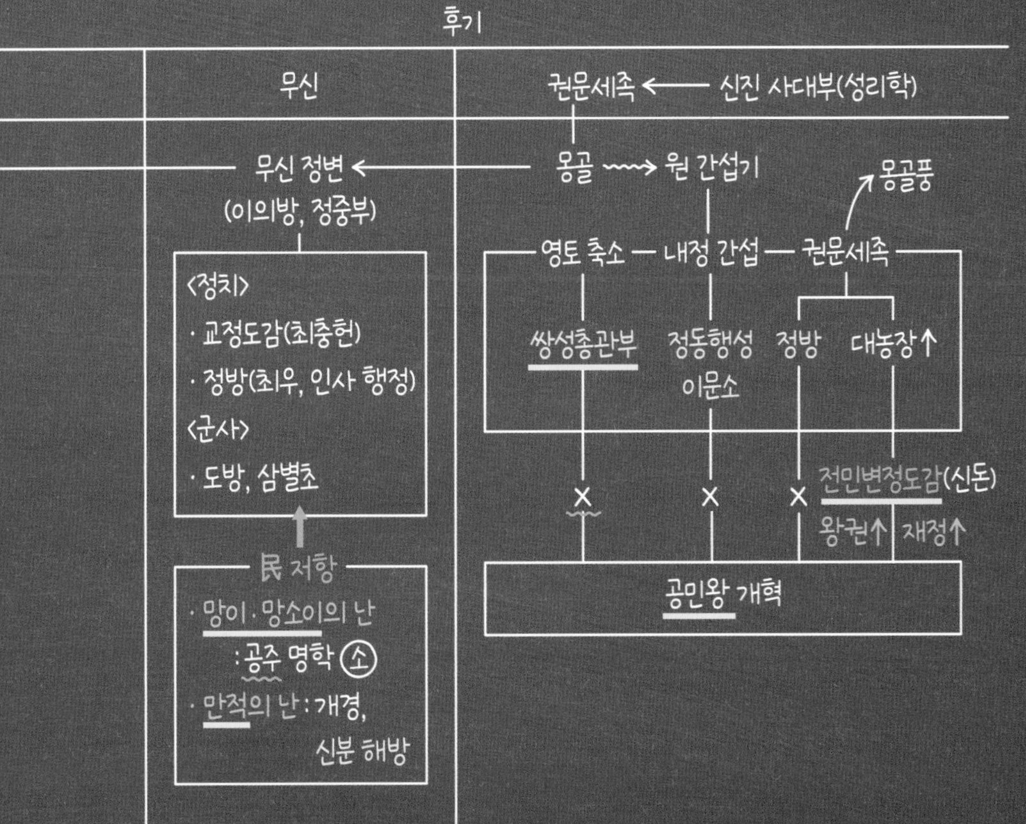

후기
무신
권문세족
신진 사대부(성리학)
무신 정변
(이의방, 정중부)
몽골
원 간섭기
몽골풍
<정치>
· 교정도감(최충헌)
· 정방(최우, 인사 행정)
<군사>
· 도방, 삼별초
영토 축소
내정 간섭
권문세족
쌍성총관부
정동행성 이문소
정방
대농장↑
전민변정도감(신돈)
왕권↑
재정↑
民 저항
· 망이·망소이의 난
:공주 명학 소
· 만적의 난 : 개경, 신분 해방
공민왕 개혁

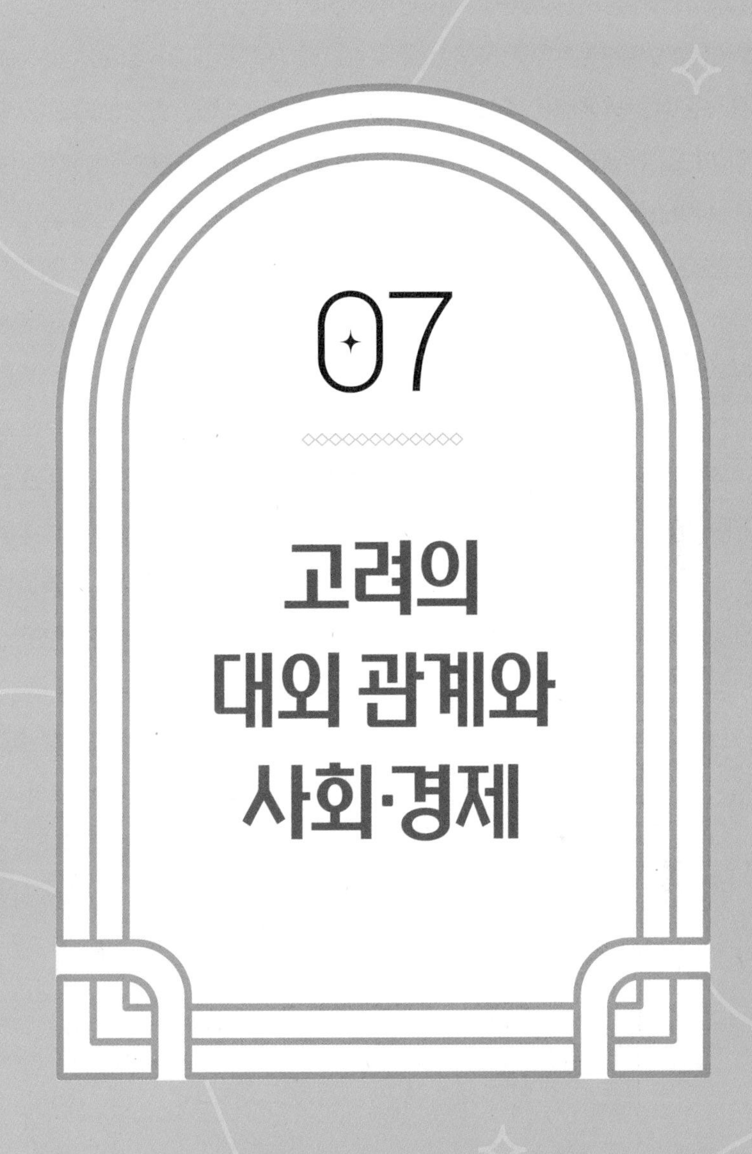

07 고려의 대외 관계와 사회·경제

고려는 잦은 외침에 시달렸어요.

10~11세기에는 거란이,

12세기에는 여진이,

13세기에는 몽골이 쳐들어오고,

14세기에는 홍건적과 왜구가 괴롭히지요.

동아시아 최강자들의 침탈에도

고려라는 깃발이 꺾이지 않았으니,

고려인의 강인함을 느낄 수 있습니다.

고려는 국제 무역항 벽란도를 통해 외국과 문물을 교류하고

COREA(고려)라는 이름으로 세계에 알려지기도 하지요.

이렇듯 개방적이고 역동적이었던

고려 사회에 대해 자세히 알아보겠습니다.

1 고려의 대외 관계

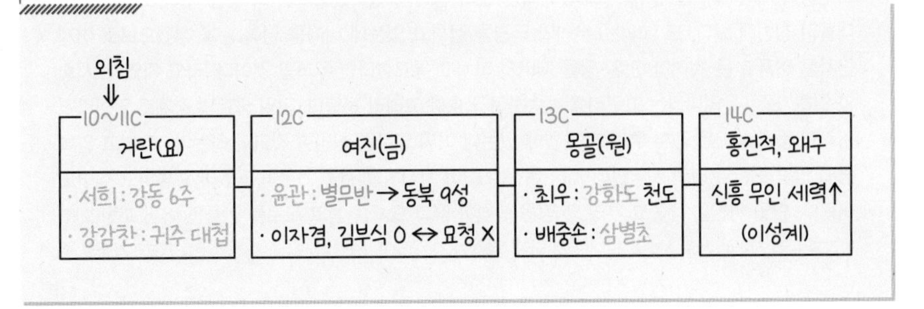

: 거란과의 관계

10~11세기에 거란이 거듭하여 쳐들어옵니다. '요'라는 이름의 나라를 세운 거란은 발해를 멸망시키고 영토를 확장하면서 중국 대륙의 주도권을 두고 송과 대립했지요. 거란은 송을 공격하기에 앞서 후방을 안정시키고자 고려를 공격합니다. 송과 친선 관계에 있었던 고려가 송과 연합하여 거란을 치게 되면 곤란해지니까요.

거란이 쳐들어오자(1차 침입) 서희가 당당하게 협상에 나섭니다. 거란 장수 소손녕이 '너희는 신라를 계승한 거 아니야? 그러니 고구려 땅은 우리 것이다. 너희가 차지한 고구려 땅 내놔!' 이렇게 요구하자, 서희는 '무슨 소리냐. 우리는 고구려를 계승한 나라다. 오히려 너희가 우리 땅을 침범하고 있는 거야!' 하고 받았지요. 거란 장수는 무척 당황했겠죠? 당시 서희는 국제 정세를 잘 파악하고 있었기 때문에 거란이 고려에 침입한 의도를 꿰뚫어 보고 담판을 벌인 거예요.

결국 서희는 송과의 관계를 끊고 거란(요)과 교류하는 조건으로 거란군을 물러나게 하고 압록강 유역의 강동 6주까지 확보합니다. 협상으로 거란을 물러나게 했을 뿐만 아니라 오히려 땅까지 얻어내다니, 서희가 벌인 외교 담판은 역사에 빛날 명장면입니다. 상대방의 패를 정확하게 읽어 내는 서희의 외교력, 정말 대단하지요? 서희는 우리 역사를 빛낸 외교관으로 평가받고 있어요. 그래서 외교관을 양성하는 국립외교원에는 서희의 흉상이 있답니다.

서희의 외교 담판

소손녕이 서희에게 말하기를, "그대 나라는 신라 땅에서 일어났고 고구려 땅은 우리 소유인데 그대들이 침범해 왔다. 또 (고려는) 우리와 국경을 접하고 있는데 바다를 넘어 송을 섬겼으므로 이제 군사를 이끌고 온 것이다. 만일 땅을 떼어서 바치고 통교한다면 무사할 것이다."라고 하였다. 서희가 말하기를, "우리나라는 고구려를 계승하여 국호를 고려라 하였다. 만일 국토의 경계로 말한다면 거란의 동경(東京)은 전부 우리 지역 안에 있는데 어찌 영토를 침범한 것이라 하는가? 그리고 압록강의 안팎 또한 우리의 지역인데 지금 여진(女眞)이 차지하고 길을 가로막고 있어 교류하고 싶어도 어렵다. 만일 여진을 내쫓고 우리 옛 땅을 되찾아 성과 요새를 쌓고 도로를 만들면 어찌 교빙(交聘, 나라와 나라 사이에 서로 사신을 보내는 것)하지 않겠는가?"라고 하였다. -『고려사절요』-

그런데 고려가 송과 계속 교류하자 거란은 강조의 정변을 구실로 다시 쳐들어옵니다(2차 침입). 강조의 정변은 강조가 목종을 끌어내리고 현종을 즉위시킨 사건입니다. 강조는 결국 목종을 죽이지요. 거란은 감히 신하가 왕을 시해하다니 이를 벌하여야 한다며 고려에 침입합니다. 하지만 이것은 명분일 뿐이고 전략적 요충지인 강동 6주의 중요성을 뒤늦게 깨닫고 이를 빼앗으려는 의도도 있었지요. 이때에 고려는 개경이 함락되는 위기를 맞았으나 외교적 노력과 양규 등의 활약으로 거란의 침입을 막아 냅니다.

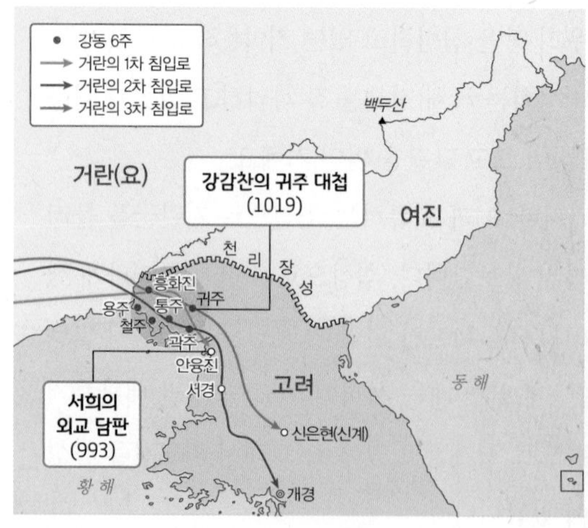

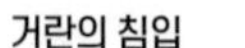
거란의 침입

강감찬 동상

이후 거란은 고려의 왕이 거란에 와서 인사를 올릴 것과 강동 6주의 반환을 요구했어요. 고려가 이에 응하지 않자 거란이 10만 군사를 이끌고 또 쳐들어왔어요(3차 침입). 이때에 크게 한판 붙어 고려의 승리를 이끌어 낸 인물이 강감찬입니다. 이 전투가 귀주 대첩이고요. 귀주는 강동 6주 가운데 하나예요. 서희의 외교 담판으로 강동 6주라는 전략적으로 굉장히 중요한 지역을 확보했기 때문에, 그곳에서 싸워 승리할 수 있었던 것입니다.

고려가 거란의 침입을 막아 내면서 거란, 송, 고려 세 나라 간에 세력 균형이 이루어집니다. 하지만 고려는 언제 일어날지 모르는 북방 민족의 침입에 대비하여 압록강 입구부터 동해안의 도련포까지 천리장성을 쌓았지요.

: 여진과의 관계

12세기에 들어서 여진이 고려의 국경 지역에 자주 침입했습니다. 여진은 일찍이 말갈이라 불렸던 북방 민족이에요. 당시 여진은 세력이 크지 않았으나 끊임없이 말을 타고 고려 국경을 넘어와 식량을 약탈해 가곤 했어요.

이때 여진을 혼내 준 인물이 바로 윤관입니다. 윤관은 말타기에 능한 여진의 침입에 대응하기 위해 기병 중심의 특수 부대인 별무반의 창설을 왕에게 건의합니다. 그리고 별무반을 이끌고 가서 여진을 몰아낸 뒤 동북 지역에 9성을 축조하지요. 그러나 고려 정부는 여진이 끈질기게 반환을 요청하고 지속적인 방어도 어렵다고 판단하여 여진으로부터 조공을 바치겠다는 약속을 받고 1년 만에 9성을 돌려줍니다. 이 동북 9성의 위치는 설이 많아서 꼭 집어 말할 수는 없답니다.

그런데 여진이 점점 힘을 키워 금을 세우더니 고려에 사대를 요구합니다. 당시 정권을 장악하고 있던 이자겸은 금과의 전쟁을 피하고 정권을 유지하기 위해 금의 요구를 받아들이지요. 여진에 사대하는 것에 반발하여 묘청 등 서경 세력이 서경 천도 운동을 벌입니다. 앞에서 배운 거 기억하지요?

: 몽골과의 관계

13세기에 몽골이 쳐들어옵니다. 몽골은 칭기즈 칸이라는 영웅이 등장하여 흩어져 있던 여러 부족을 통일한 이후 막강한 기병을 바탕으로 정복 활동에 적극적으로 나섭니다. 몽골은 고려에 무리한 공물을 요구하여 고려와 갈등을 빚었지요.

몽골은 고려에 보낸 몽골 사신이 귀국하는 길에 압록강가에서 살해되는 사건이 일어나자, 이를 빌미로 고려를 침략합니다. 고려의 관군과 백성은 귀주성을 비롯한 여러 성에서 몽골군에 맞서 싸웠어요. 그러나 많은 성이 함락되고 고려군이 잇달아 패하자 당시 최고 집권자였던 최우는 몽골과 강화를 맺었어요. 그러면서 몽골의 간섭에 맞서 장기 항전을 결심하고, 왕을 설득하여 강화도로 천도합니다. 고려가 강경한 태도를 보이자 몽골 군대가 고려 영토로 마구 밀고 들어옵니다. 약 30년 동안 여러 차례 고려를 침입했지요. 육지의 고려군과 일반 백성은 가족과 고향을 지키기 위해 몽골군과 맞서 싸웠어요.

전쟁이 길어져 땅은 황폐해지고 백성의 고통은 매우 커졌습니다. 결국 고려 조정은 몽골과 강화를 맺고 다시 개경으로 돌아가지요. 그리고 무신의 집권도 끝이 납니다.

이때 고려 정부의 개경 환도에 반대하고 몽골과 끝까지 싸워야 한다는 주장이 터져 나옵니다. 바로 배중손이 이끄는 삼별초였어요. 삼별초는 강화도에서 진도로 거점을 옮겨 반몽 정권을 세우고 몽골군에 맞서 싸웁니다. 고려와 몽골 연합군에 진도가 함락되자, 이번에는 제주도로 거점을 옮겨 항쟁을 이어 나갔지만 결국 고려와 몽골 연합군의 공격에 진압되고 맙니다.

삼별초의 항쟁

지금도 진도와 제주도에는 이때 삼별초가 대몽 항쟁을 위해 쌓은 성과 방어 시설의 일부가 남아 있습니다. 기회가 된다면 그곳에 가 둘러보며 삼별초가 벌인 항쟁의 의미를 되새겨 보는 것은 어떨까요?

진도 용장성

제주 항파두리 항몽 유적

: 홍건적과 왜구의 침입

14세기에는 홍건적과 왜구가 쳐들어옵니다. 홍건적의 침입으로 수도 개경이 함락되기도 했고, 왜구의 침입으로 해안 지역의 피해가 컸어요. 이들을 물리치는 과정에서 신흥 무인 세력이 성장하여 백성의 신망을 얻는데, 대표적인 인물이 바로 이성계와 최영입니다. 이성계는 나중에 신진 사대부와 손을 잡고 고려를 무너뜨리고 조선을 세웁니다.

2 고려의 신분 구성

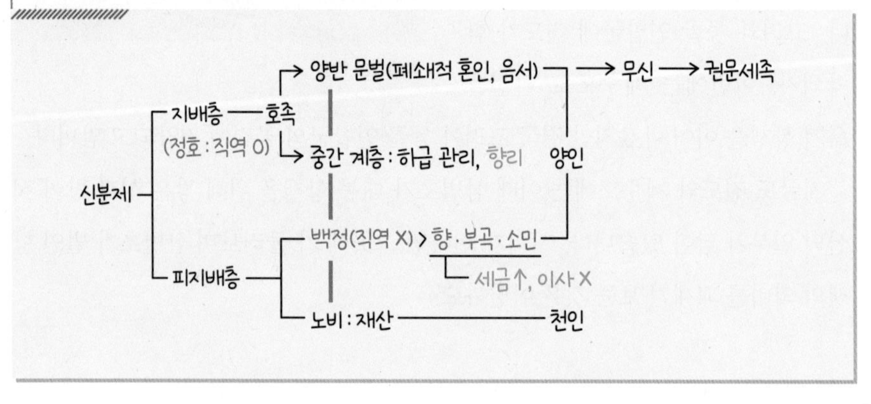

이제 고려의 신분 구성을 살펴보겠습니다. 고려 시대의 신분은 크게 양인과 천인으로 나눌 수 있습니다. 양인은 다시 정호와 백정 등으로 나뉘지요.

정호는 문무 양반과 중간 계층인 남반, 서리, 향리, 하급 장교(군인) 등 나라로부터 일정한 직역을 부여받은 사람들입니다.

백정은 주로 농민층을 말하는데, 백정의 '백(白)'은 '없다, 아니다'라는 뜻이고 '정(丁)'은 정호를 의미합니다. 즉 정호가 아닌 사람, 직역을 가지고 있지 않은 사람을 백정이라고 했어요. 백정과 함께 상인, 수공업자, 향·부곡·소의 주민도 양인에 속했습니다.

천인에는 공·사노비가 속했지요. 공노비는 궁궐이나 관청에서 생산 활동을 하거나 자질구레한 일을 처리했고, 사노비는 대개 주인집에 살면서 잡일을 했어요.

문무 양반, 향리 등의 정호는 지배층을, 백정, 상인, 수공업자, 향·부곡·소의 주민과 노비는 피지배층을 이루었어요.

: 문벌, 최고 지배층이 되다

지배층부터 살펴볼게요. 지배층의 상위에 있는 문무 양반 중 일부는 여러 대에 걸쳐 고위 관리를 배출하며 문벌을 형성했는데, 이들이 고려 지배층의 맨 꼭대기를 차지합니다.

문벌은 과거와 음서를 통해 관직에 올라 주요 관직을 독차지했어요. 음서의 '음(陰)'은 조상의 음덕을 뜻합니다. '서(敍)'는 차례, 순서를 뜻하지요. 즉 음서는 조상의 음덕에 의해 서열을 부여받는다는 의미로, 왕족이나 공신, 5품 이상 고위 관리의 자손은 과거를 보지 않아도 관직에 나갈 수 있게 한 제도입니다.

문벌은 나라로부터 직역에 따른 토지와 공음전 등의 토지를 지급받았으며, 권력을 이용하여 넓은 토지를 차지하기도 했어요. 또한 같은 문벌이나 왕실과 혼인을 맺어 권력을 강화했어요.

: 중간 계층, 행정 실무를 담당하다

중간 계층은 대부분 관청에서 행정 실무를 담당하는 하급 관리이며 직역이 자식에게 세습되었어요.

이 중 향리는 수령을 보좌하며 조세 및 공물 징수, 노역 징발 등 고을의 행정 실무를 담당했어요. 고려 시대에는 지방관이 파견된 주현보다 지방관이 파견되지 않은 속현의 수가 많았어요. 주현의 지방관이 속현을 감독하긴 했지만 속현의 경우 호장, 부호장으로 불린 상층 향리가 행정을 장악하고 실질적으로 다스렸어요. 상층 향리 중에는 과거를 통해 중앙 관직에 진출한 사람도 있었고, 고려 말에 성장한 신진 사대부도 향리 출신이 많았어요.

: 양민과 천인, 지배층을 떠받들다

피지배층인 백정과 향·부곡·소의 주민, 상인과 수공업자 등이 양민에 속합니다. 앞에서 말했듯이 백정은 일반 농민이에요. 여기서 잠깐, 조선 시대에는 소나 돼지 등의 가축을 잡는 사람을 백정이라고 했고, 이들은 천민이었음을 기억하세요. 고려 시대 양민의 다수를 이룬 백정은 조세, 특산물을 내는 공납, 노동력을 제공하는 역의 의무를 담당했습니다. 양민이지만 차별을 받는 사람들이 있었는데, 향·부곡·소의 주민이에요. 향·부곡의 주민은 주로 농업에, 소의 주민은 수공업에 종사했어요. 이들은 일반 군현의 주민보다 세금을 더 냈고 거주 이전의 자유도 없었으며, 과거에도 응시할 수 없었어요.

사회의 최하층인 천민의 대다수는 노비였습니다. 개인에 속한 사노비와 국가에 속한 공노비가 있었지요. 노비는 주인에게 소속된 재산으로 취급되어 상속·증여·매매의 대상이 되었고, 부모 중 한 명이 노비이면 자식도 노비가 되었어요.

고려의 사회 정책과 여성의 지위

향도와 사회 제도
- 향도 : 불교 신앙 조직 → 마을 공동 조직(상장제례)
- 흑창(태조) → 의창(성종)
- 제위보(빈민 구제 재단)

여성 지위↑
- 균분 상속
- 호적 : 나이순 기재
- 딸 제사 O
- 음서 : 외가 O

: 향도와 사회 정책

고려 시대에 향도라는 조직이 있었어요. 본래 향도는 '매향 활동을 하는 무리'라는 뜻으로, 대규모 사원 조성이나 매향 등 불교 신앙 활동을 하는 조직이었지요.

매향은 향나무를 바닷가에 묻고 극락왕생이나 국태민안(나라와 백성의 평안)을 기원한 행사였어요. 이런 활동을 하던 향도가 점차 마을의 상장제례와 같은 행사를 주도하는 농민 공동체 조직으로 바뀌었고 조선 시대까지 쭉 이어집니다. 마을에서 어려운 일이 있을 때 서로 도와주는 공동체 조직으로 변모된 거지요.

농민들이 가장 지내기 힘든 시기가 봄이에요. 봄에는 지난해 수확한 곡물이 거의 떨어지는 시기거든요. 게다가 봄에 가뭄까지 들면 더 힘들었어요. 그래서 보릿고개라는 말도 생겼지요. 이에 태조는 구휼 기관인 흑창을 설치하여 봄에 곡식을 빌려주고 수확 후에 갚도록 합니다. 흑창은 성종 때 의창으로 바뀝니다.

또 고려 시대에 일종의 재단이라 할 수 있는 보가 만들어졌어요. 예를 들어 제위보는 위급한 상황에 빠진 사람들을 구제하기 위해서 만든 빈민 구휼 재단인데, 기금을 쌓아 두었다가 필요한 일이 생기면 그 이자로 여러 사업을 벌였지요. 고려는 이러한 사회 제도를 운영하여 백성의 생활을 안정시키고자 했습니다.

: 고려 시대 여성의 지위

고려 시대의 가족 제도에서는 여성의 지위에 주목해야 합니다. 고려 시대에 여성의 사회 활동에는 제약이 있었지만 가정 내에서 만큼은 여성과 남성의 지위가 거의 동등했습니다. 혼인은 일부일처제가 일반적이었고, 사위가 처가에 들어가 사는 것이 흔했어요. 또 음서의 혜택이 사위나 외손자에게도 적용되었지요. 자녀는 태어난 순서대로 호적에 기재되었고, 재산 상속도 아들, 딸의 구분 없이 균분 상속되었어요. 그리고 아들뿐만 아니라 딸도 부모를 봉양하고 제사를 지냈어요.

고려 시대의 상속

어머니가 일찍이 재산을 나누어 줄 때 나익희에게는 따로 노비 40구를 남겨 주었다. 나익희가 "제가 6남매 가운데 외아들이라 해서 어찌 사소한 것을 더 차지하여 여러 자녀들과 화목하게 살게 하려 한 어머니의 거룩한 뜻을 더럽히겠습니까." 하고 사양하자, 어머니는 옳게 여기고 그 말을 따랐다.

–『고려사』–

원 간섭기에 이런 일도 있었어요. 어떤 관리가 전쟁 중에 장정들이 많이 죽자 인구 증가를 위해 일부다처제가 필요하다고 건의합니다. 그 소식을 들은 도성의 여성들이 그 관리를 비난했고, 건의는 정책으로 이어지지 못했지요.

가정 내에서 여성을 남성에 종속된 존재로 인식한 것은 성리학 이념이 자리를 잡은 조선 중기 이후라고 생각하면 됩니다. 특히 가부장적 가족 제도가 강화되는 조선 후기에 들어서 여성의 지위는 더욱 하락하죠.

4 고려의 경제

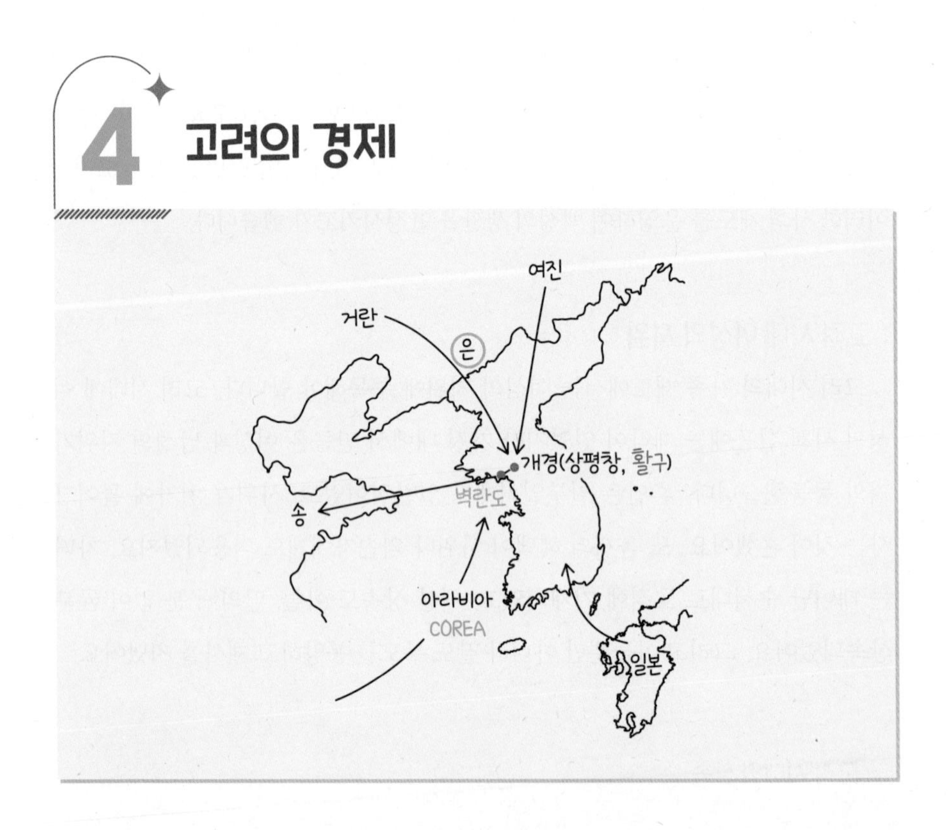

고려를 건국한 왕건은 본래 무역으로 막대한 부를 쌓은 가문 출신입니다. 예성강 일대와 황해를 중심으로 해상 무역을 펼치면서 세력 기반을 구축했지요. 고려가 건국 초부터 상업을 장려하고 무역 활동에도 적극 나섰을 거라고 쉽게 짐작할 수 있겠지요? 그럼 고려의 경제 활동에 대해 살펴볼까요?

: 국제 무역항으로 번성한 벽란도

고려 시대에 벽란도가 국제 무역항으로 번성했습니다. 지도에서 벽란도의 위치를 살펴볼까요? 예성강 하구, 수도 개경에서 가까운 곳에 위치하고 있어요. 이 벽란도에서 송과 일본 등 주변국은 물론 아라비아 상인과의 교역이 이루어졌어요.

고려는 송과 공식적인 외교 관계를 맺고 가장 활발하게 교류했어요. 주로 금, 은, 인삼, 나전 칠기 등을 송에 수출하고 비단, 서적, 자기 등을 수입했어요. 이러한 교역 외에 유학생과 유학승을 파견하여 선진 문물을 받아들였지요.

또 고려는 거란, 여진 등 북방 민족의 침입을 경계하면서도 이들과 교류했어요. 주로 은, 모피, 말 등을 수입하고 곡식과 농기구 등을 수출했지요. 일본 상인은 유황과 수은을 가져와 곡식과 인삼 등을 사 갔고, 아라비아 상인은 수은, 향료, 산호 등을 고려에 팔고 금과 비단 등을 사 갔어요.

고려의 대외 무역

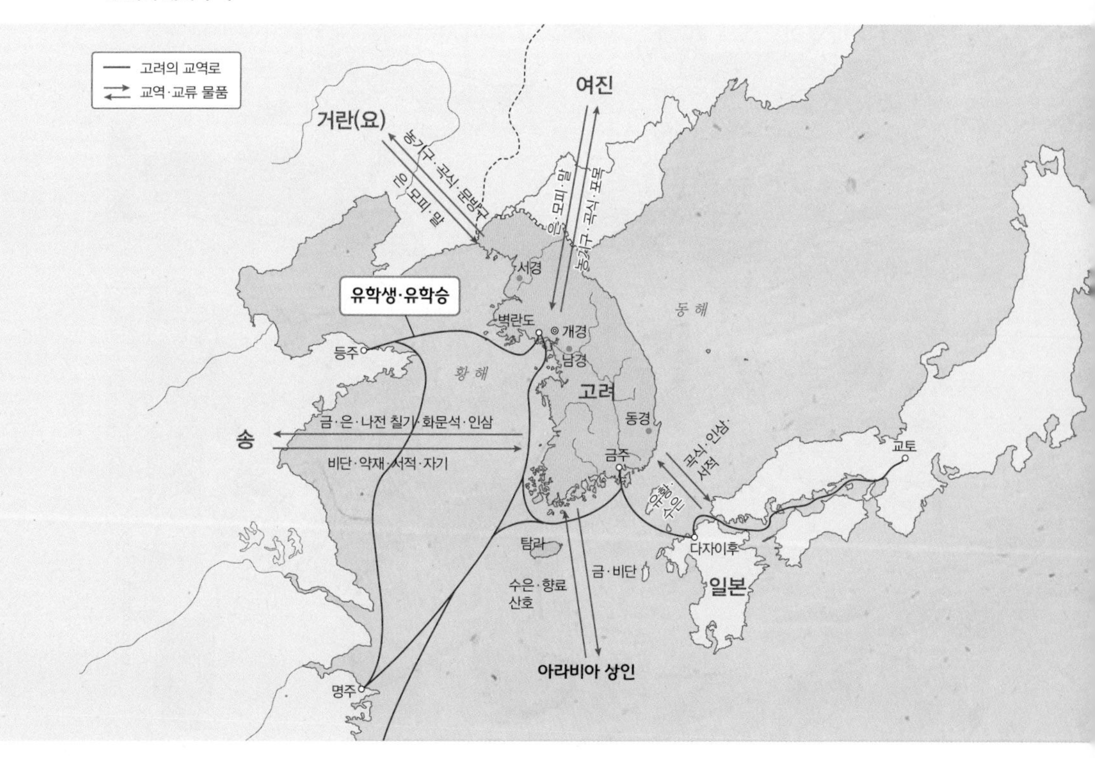

당시의 무역을 이해하기 위해서는 은이 어느 쪽으로 이동하는지 살펴보는 것이 필요합니다. 은은 항상 선진국으로 흘러갔거든요. 거란은 고려에 은을 가져다주고 필요한 물품을 사 갔습니다. 여진도 마찬가지로 고려에 은을 주고 필요한 것을 사 갔고요. 이렇게 고려로 들어온 은은 다시 송으로 흘러들어 갑니다. 고려 사람들이 송의 선진 문물을 받아들이려 했으니까요. 은의 이동 경로를 보면 어느 나라가 선진국인지 알 수 있습니다.

: 널리 유통되지 못한 고려의 금속 화폐

개경과 서경, 12목에는 물가 안정을 위해 상평창이라는 기구가 설치됩니다. 상평창은 물가를 일정하게 조절하는 창고라는 뜻입니다. 풍년으로 곡식이 흔해 가격이 떨어지면 적정량을 사들이고, 반대로 흉년으로 곡식이 부족해져 가격이 오르면 비축해 놓은 곡식을 풀어 가격 폭등을 막아 곡물 가격을 조절했지요.

또 고려 정부는 금속 화폐를 유통시키기 위해 노력했어요. 성종 때 우리나라 최초의 금속 화폐인 건원중보가 만들어졌으나 널리 사용되지는 못했어요. 100여 년 뒤 이번에는 은으로 화폐를 만들었어요. 활구라고도 불린 은병이지요. 이것은 은 한 근으로 우리나라의 지형을 본떠 만든 병 모양의 은화로, 고액 화폐였어요. 한반도 모양과 살짝 비슷하다고 느껴지나요? 은병 외에도 해동통보와 같은 동전 등이 만들어졌지만 모두 널리 유통되지는 못했습니다.

은병(활구)

건원중보

해동통보

고려의 대외 관계와 사회·경제

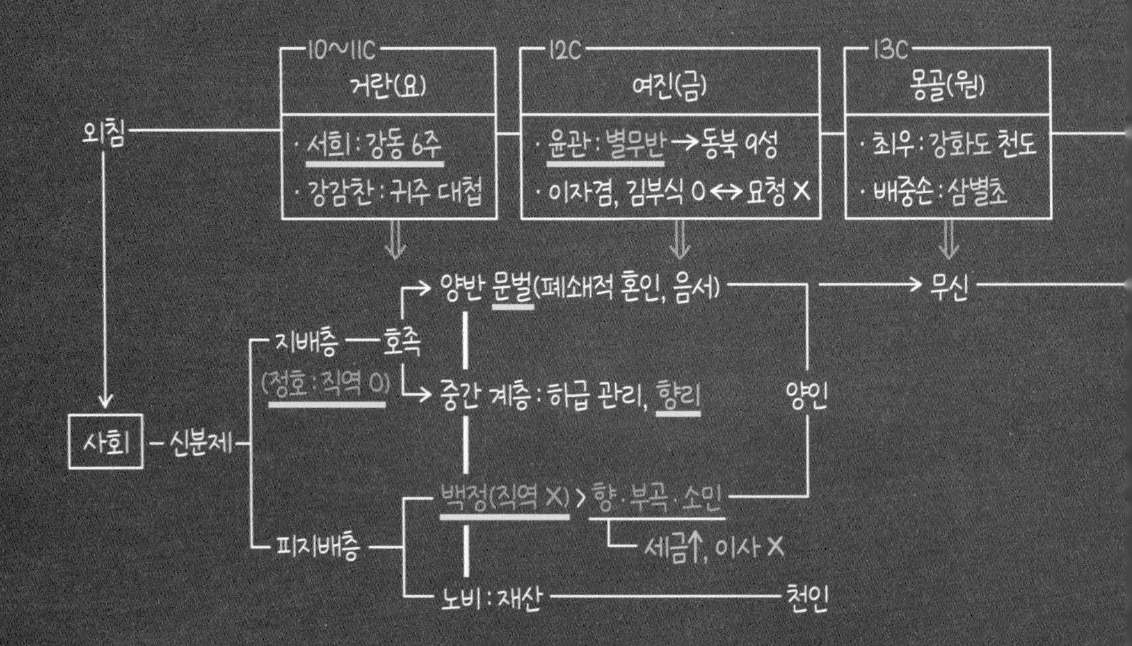

14C

홍건적, 왜구

신흥 무인 세력↑

(이성계)

⇓

→ 권문세족

향도와 사회 제도

· 향도 : 불교 신앙 조직 →
마을 공동 조직(상장제례)

· 흑창(태조) → 의창(성종)

· 제위보(빈민 구제 재단)

여성 지위↑

· 균분 상속

· 호적 : 나이순 기재

· 딸 제사 O

· 음서 : 외가 O

경제

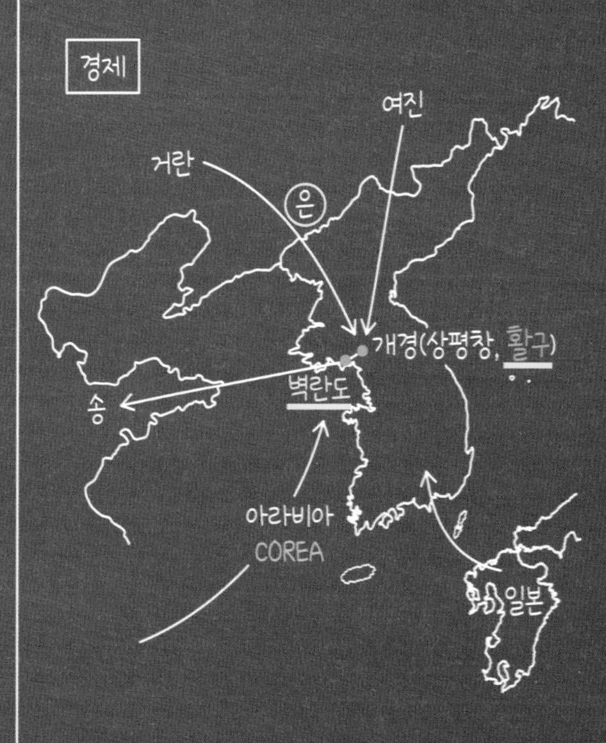

08 고려의 사상과 문화

고려의 사상과 문화를 이해하기 위해서는

유교와 불교, 풍수지리설이

고려 사회에 끼친 영향을 파악해야 합니다.

유교가 통치 이념으로서 정치의 밑바탕이 되었다면,

불교는 국가와 사회를 통합하는 역할을 맡았고

풍수지리설은 지방 세력의 성장에 영향을 끼치며

백성의 생활 깊숙이 자리를 잡았지요.

하지만 무엇보다도 불교의 나라라고 할 수 있을 만큼

고려에서는 불교문화가 크게 발전합니다.

의천과 지눌이 불교 사상을 발전시키고

건축·탑·불상 등 불교 예술은 개성 있는 모습을 보입니다.

1 유학의 발달과 역사서 편찬

유학	역사
· 관학 : 국자감, 향교 ↑ └ 양현고, 7재 · 사학 12도 : 문헌공도 등 └ 최충	·『삼국사기』 – 현존 최고(最古) 역사서 – 김부식 – 기전체 본㉠, 열㉡
1170	
성리학 소개 by 안향 ↓ 신진 사대부 수용	·「동명왕편」 └ 고구려 주몽 ·『삼국유사』 | 단군 | ·『제왕운기』

: 유학, 새로운 시대의 비전

기본적으로 국가가 세워 관리하는 국립 교육 기관을 관학이라고 합니다. 고려 시대에 국자감과 향교가 이에 속하지요. 국자(國子), 곧 나라의 자식들을 살피는 교육 기관이라는 뜻을 가진 국자감은 수도 개경에 있었고, 향촌에 있는 학교라는 뜻인 향교는 지방의 국립 교육 기관이에요. 하지만 고려 시대의 관학이라고 하면, 대체로 국자감을 의미한다고 보면 됩니다. 국자감에서는 나라의 정치 이념인 유학 교육이 주로 이루어졌지만, 기술 교육도 일부 이루어졌어요.

나라별로 국립 교육 기관으로 어떤 것이 있는지 한번 확인해 볼까요? 고구려에는 소수림왕 때 설립된 태학, 통일 신라에는 신문왕 때 설립된 국학, 발해에는 주자감이 있었지요. 그리고 고려에는 국자감과 향교가 있고요. 앞으로 배울 조선에는 성균관과 향교가 있었어요.

그런데 고려 시대에는 국가가 관리하는 관학보다 민간이 세우고 운영한 사학, 즉 사립 학교가 더 인기가 많았습니다. 사학 출신 학생들이 과거에서 더 좋은 성적을 냈기 때문이에요. 유명한 사립 학교 12개가 있었는데, 이를 사학 12도라고 부르지요. 그 가운데 가장 유명한 사학은 해동공자라고 불린 최충이 세운 9재 학당이었습니다. 최충의 시호인 '문헌'을 따서 문헌공도라고도 하지요.

사학이 압도적으로 인기를 끌자, 나라에서는 관학을 진흥하기 위해 대책을 마련합니다. 국자감에 7재라는 수준 높은 전문 강좌를 개설하고 양현고라는 장학재단을 운영하여 장학금을 지급했지요. 고려 시대에 관학과 사학의 경쟁 속에서 유학의 학문적 깊이가 더해졌습니다.

고려 후기에는 원으로부터 성리학이 들어옵니다. 성리학은 우주의 질서를 고민하는 철학적인 학문으로, 정통과 명분을 중시했어요. 안향이 고려에 처음으로 소개했지요. 이제현 등은 만권당에서 원의 유학자와 교류하며 성리학에 대한 이해를 심화시켰어요. 만권당은 충선왕이 원의 연경에 있는 자신의 집에 세운 독서당이지요.

성리학을 수용하여 개혁 사상으로 삼은 이들이 있었으니 바로 신진 사대부입니다. 새로운 시대를 여는 사람들은 힘뿐만 아니라 새로운 시대를 열 수 있는 비전이 있어야 합니다. 신라 말에 새롭게 성장한 세력인 호족도 비전이 있었잖아요. 선종과 풍수지리설을 사상적 배경으로 삼아 지금보다 나은 세상을 만들어 보겠다는 꿈을 꾸었으니까요. 마찬가지로 신진 사대부도 새로운 사상인 성리학을 통해 새로운 시스템이 갖춰진 세상을 만들겠다는 꿈을 가지게 되었지요.

문벌 사회의 모순과 무신에 대한 차별에 항거하여 등장한 무신 정권은 왜 새로운 시대를 열지 못하고 몰락했을까요? 그들은 힘은 있었지만 새로운 시대를 열 수 있는 비전이 없었기 때문에 오래가지 못했던 거예요.

안향

인생도 마찬가지입니다. 단순히 실력만 키운다고 되는 게 아니라 어떻게 살 것인가, 세상을 어떻게 바라볼 것인가 하는 비전을 함께 고민해야 또 다른 세상으로 나아갈 동력이 생기는 법이지요.

김부식과 삼국사기

: 역사서에 정체성을 담다

고려 전기의 대표적인 역사서는 김부식 등이 왕명을 받아 편찬한 『삼국사기』입니다. 우리나라에서 현존하는 가장 오래된 역사서로 유교적 합리주의 사관에 따라 서술되었으며 신라 계승 의식이 반영되었어요. 『삼국사기』는 기전체 방식으로 쓰였습니다.

기전체란 왕의 정치 관련 기사인 본기, 인물의 전기를 기록한 열전, 통치 제도·문물·경제·자연 현상 등을 내용별로 분류해 쓴 지와 연표 등으로 역사를 기록하는 방식입니다. 본기의 '기(紀)' 자와 열전의 '전(傳)' 자를 따서 기전체라고 하지요.

무신 집권기에는 이규보가 쓴 「동명왕편」이 편찬됩니다. 동명왕, 즉 고구려를 세운 주몽의 일대기를 적은 서사시로 고구려 계승 의식이 반영되었어요. 나라가 혼란한 상황에서 고려가 강대했던 고구려의 강인한 기상을 물려받은 나라라는 것을 상기시켜 주체성을 찾고 위기를 극복하려고 한 마음이 담긴 것이지요.

원 간섭기에는 승려 일연이 쓴 『삼국유사』와 이승휴가 쓴 『제왕운기』라는 역사서가 편찬됩니다. 두 책 모두 단군의 고조선 건국 이야기를 담고 있으며 우리 역사의 독자성과 자주성을 강조했어요. 『삼국유사』는 신비로운 이야기, 재미있는 일화 등 불교사를 중심으로 고대 설화와 야사를 모아 쓴 역사서입니다.

이처럼 고려 후기에는 고구려 역사, 나아가 고조선의 단군 이야기를 통해 우리 역사의 정체성과 자부심을 찾고 몽골 침략의 위기 상황을 이겨 내고자 했음을 엿볼 수 있습니다. 역사를 통해서 난국을 돌파할 방법을 찾으려 한 것이지요. 이게 바로 역사의 힘이자 역사를 공부해야 하는 이유입니다.

2 불교와 풍수지리설의 발달

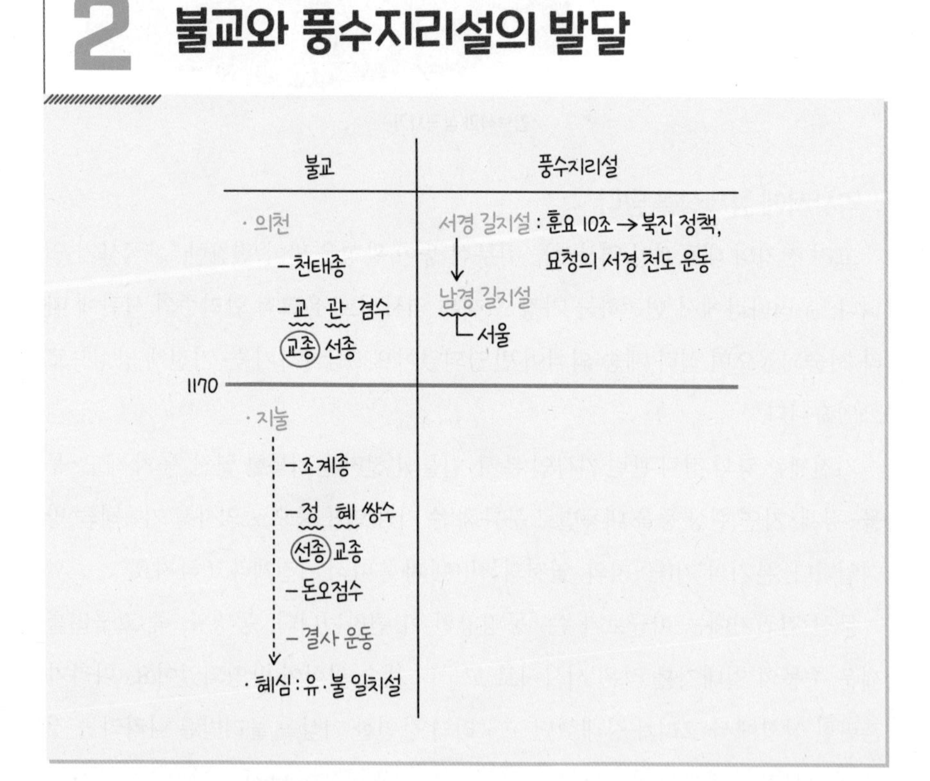

: 불교 통합 운동이 일어나다

고려는 '불교의 나라'라고 할 정도로 불교가 건국 초부터 국가의 지원을 받으며 발전했습니다. 고려의 불교 발전을 살펴볼 때 주목해야 할 두 명의 승려가 있어요. 바로 대각국사 의천과 보조국사 지눌입니다.

의천

지눌

고려 전기에 활동한 대각국사 의천은 문종의 아들로 왕자 출신이에요. 11살 되던 해에 스스로 원해서 승려가 되었고, 송에 유학을 가 화엄학과 천태학 등을 공부하며 견문을 넓혔습니다. 고려에 돌아온 의천은 천태종을 창시하고 중심 교리로 교관겸수(教觀兼修)를 주장합니다. 교관겸수에서 '교'는 부처님 말씀인 경전을, '관'은 선종의 실천 수행법인 직관, 곧 문득 깨달음을 말해요. 이는 교리를 알고 깨달음을 얻음과 동시에 수행을 해야 한다는 뜻으로, 교종 중심으로 선종을 통합하려고 한 수행 방법입니다.

신라 말에는 호족의 지원에 힘입어 선종이 유행했지요? 고려 시대에 들어서 문벌이 주도하는 사회가 형성되면서 다시 교종의 시대가 열립니다. 그러면서 선종과 교종 사이에 다툼이 일어나 점점 심해졌어요. 이에 교종과 선종을 통합하려는 움직임이 나타났는데, 의천이 그 일을 합니다. 의천은 교종을 중심으로 선종을 통합했지요. 그러나 의천이 죽으면서 교종과 선종은 다시 분열합니다. 왕자인 의천의 힘에 기댄 물리적이고 불완전한 통합이었기 때문에, 그의 죽음 이후 다시 흩어진 것이지요. 그러다가 고려 후기에 교종과 선종의 통합을 시도하는 인물이 등장하는데 바로 보조국사 지눌입니다. 지눌은 조계종을 발전시키지요.

송광사(정혜사, 수선사) 전경

지눌은 교종과 선종을 통합하기 위해 정혜쌍수와 돈오점수라는 수행 방법을 제시합니다. 정혜쌍수(定慧雙修)에서 '정'은 선정을, '혜'는 지혜를 의미합니다. 선정과 참선을 통해 깨달음을 얻되 지혜를 얻는 교리 공부를 같이 해야 한다는 뜻이지요. 결국 선종과 교종을 함께(쌍) 얻어야(수) 된다는 말인데, 지눌은 선종에 방점을 찍어 선종 중심의 교종 통합을 주장한 것입니다. 이것이 교종 중심의 선종 통합을 말한 의천과 다른 점입니다. 또 의천의 교선 통합은 물리적 통합이었지만 지눌은 화학적 통합을 이루어 냈지요.

지눌이 정혜쌍수와 더불어 제시한 수행 방법인 돈오점수(頓悟漸修)에서 돈오는 갑자기 '돈'에 깨달을 '오' 자로 문득 단번에 깨우치는 것을 말합니다. 그리고 점수란 점차 '점'에 닦을 '수' 자로 점진적으로 수행을 계속해야 한다는 뜻이지요. 그러므로 돈오점수란 깨달은 후에도 점진적으로 계속 수행해야 한다는 말입니다.

이와 함께 지눌은 불교계의 타락상을 비판하며 결사 운동을 주장합니다. 승려들이 파벌을 형성하고 재산을 축적하는 등 타락한 모습을 보이자, 불교 본연의 정신을 확립하자는 불교 개혁 운동인 수선사 결사를 벌이지요. 이는 승려들이 모여 함께 수행하면서 부처의 가르침을 깨우치자는 운동입니다.

한편 지눌의 제자 혜심은 유·불 일치설을 주장합니다. 유교와 불교는 뿌리가 하나라는 주장인데, 나중에 불교가 성리학을 포용하는 이론적 토대가 됩니다.

: 풍수지리설, 정치에 영향을 끼치다

신라 말에 풍수지리설이 호족 세력의 환영을 받았다고 했지요? 고려 건국에 크게 영향을 끼쳤다고 했고요. 고려 시대에 풍수지리설은 매우 중요시되었어요. 고려의 창업자 왕건도 후대에게 남긴 훈요 10조에서 지덕이 중요하니 아무 데나 절을 세우지 말라고 할 정도로 풍수지리설을 매우 중요하게 생각했지요.

건국 초기부터 끊임없이 풍수지리설을 바탕으로 서경의 중요성이 대두되었어요. 풍수지리로 볼 때 서경은 길한 땅, 곧 명당이라는 거지요. 훈요 10조에도 서경에 대한 중요성이 언급되었고요. 이러한 서경 길지설을 바탕으로 북진 정책이 추진되었어요. 묘청의 서경 천도 운동 역시 서경 길지설에 바탕을 두고 있습니다.

개국 초의 혼란이 안정되고 문벌 중심의 사회가 되면서 북진 정책 추진에 부담감이 생겼습니다. 아무래도 북진 정책을 추진하면 북방 민족과 부딪힐 수밖에 없으니까요. 그래서 아래쪽을 바라보게 됩니다. 남경 길지설이 등장한 것이지요. 남경은 한양, 지금의 서울입니다. 이에 근거하여 한양이 남경으로 승격되었어요. 남경 길지설은 이후 조선의 수도가 한양으로 결정되는 데 영향을 줍니다.

3 고려의 불교 예술

	불상	불탑
	· 하남 하사창동 철조 석가여래 좌상(철불) · 논산 관촉사 석조 미륵보살 입상(거대 불상) · 영주 부석사 소조 여래 좌상(신라 양식 계승)	평창 월정사 8각 9층 석탑 ↓ 다각 다층
1170		개성 경천사지 10층 석탑 └ 원 영향

: 불상, 지방마다 개성이 넘치다

삼국 시대에는 서산 용현리 마애 여래 삼존상처럼 소박하고 그윽한 미소를 가진 불상이 주로 만들어졌어요. 통일 신라 시기에는 경주 석굴암 본존불처럼 근엄한 모습에 정제된 아름다움을 갖춘 불상이 만들어졌고요.

고려 초기에 호족의 영향을 받아 대형 철불과 개성 있는 불상이 많이 만들어집니다. 하남 하사창동 철조 석가여래 좌상과 논산 관촉사 석조 미륵보살 입상이 대표적이지요. 여기에 통일 신라의 불상 양식을 계승한 영주 부석사 소조 여래 좌상을 더해 고려를 대표하는 불상으로 꼽을 수 있어요.

먼저 하남 하사창동 철조 석가여래 좌상을 보겠습니다. 이 불상은 경기 하남 하사창동 절터에서 출토된 대형 철불입니다. 고려 초기에는 지방 호족의 후원을 받아 이 불상과 같은 대형 철불이 많이 제작되었어요. 그 이유로 다음과 같은 이야기가 전해집니다. 후삼국을 통일한 태조 왕건은 이제 평화의 시대를 열어야 한다고 강조하면서 전국의 무기를 모아 불상을 만들게 합니다. 그런데 이러한 조치에 대형 철불 제작을 통해 호족이 가진 군사력을 약화시키고 왕권을 강화하려 한 태조 왕건의 의도가 숨어 있었다는 것이지요.

다음으로 논산 관촉사 석조 미륵보살 입상입니다. 충청남도 논산의 관촉사에 있는, 우리나라 석조 불상 가운데 가장 큰 불상이에요. 이 거대한 불상은 전체적으로 비례가 잘 맞지 않아요. 관을 쓴 머리 부분이 전체 높이의 반 정도를 차지하고 몸에 비해 손발이 큽니다. 귀도 어마어마하게 크죠. 통일 신라 시기에 만들어진 불상과는 분위기가 완전히 다르지요.

고려 초기에는 호족의 영향으로 대형 철불과 더불어 지방색이 강한 거대 불상이 제작되었는데, 불상을 만들어 자신의 힘을 보여 주고 지역민의 마음을 모으고자 했던 것으로 보입니다.

마지막으로 영주 부석사 소조 여래 좌상입니다. 소조는 진흙으로 만든 것을 말합니다. 나무로 뼈대를 만든 다음 진흙을 붙이고 색을 칠한 불상이지요. 사진을 보세요. 이걸 흙으로 만들었다니 정말 놀랍지 않나요? 영주 부석사 무량수전에서 볼 수 있는 이 불상은 앞의 두 불상과 비교하면 통일 신라의 불상과 꽤 닮았습니다. 상당히 정제되고 균형 잡힌 모습으로, 신라의 양식을 계승한 불상이지요. 그리고 우리나라 소조 불상 가운데 가장 큰 불상이라고 합니다.

앞에서 이야기했듯이 이러한 불상들은 이름을 외우기보다는 특징을 기억하여 사진을 보고 어느 시대 불상인지 알면 됩니다. 제작 연도나 이름 같은 세세한 것보다는 전체적인 흐름 속에서 내용을 이해하면 충분합니다.

하남 하사창동 철조 석가여래 좌상

영주 부석사 소조 여래 좌상

논산 관촉사 석조 미륵보살 입상

: 불탑, 다각 다층탑이 유행하다

고려 시대에는 다각 다층탑이 많이 만들어집니다. 고려 전기를 대표하는 불탑으로 평창 월정사 8각 9층 석탑이 있고, 고려 후기를 대표하는 불탑으로 개성 경천사지 10층 석탑이 있습니다.

평창 월정사 8각 9층 석탑은 상승감이 두드러져 불안한 느낌이 들지만 나름대로 매력이 넘치는 탑입니다. 탑 지붕에 풍경이 달려 있는데, 바람이 불면 마치 천상에서 들려오는 듯한 아름다운 풍경 소리를 들을 수 있습니다.

고려 후기를 대표하는 개성 경천사지 10층 석탑은 원의 영향을 받은 것으로, 매우 화려한 조각들로 장식된 탑입니다. 또 우리나라 석탑의 대부분은 화강암으로 만들어진 반면에 이 탑은 대리석으로 만들어졌어요. 지금은 보존을 위해서 국립중앙박물관 실내에 전시되어 있습니다.

평창 월정사 8각 9층 석탑

개성 경천사지 10층 석탑

4 인쇄술 발달과 자기, 건축

	인쇄술	자기	건축
	〈목판〉 거란 ⇐ 『초조대장경』 ×	순청자	주심포 양식 유행 포 배흘림기둥
1170	몽골 ⇐ 『팔만대장경』 〈활판〉 『직지심체요절』 └ 현존 최고(最古) 금속 활자 인쇄본	상감 청자	· 안동 봉정사 극락전 · 예산 수덕사 대웅전 · 영주 부석사 무량수전

: 대장경을 간행하다

고려의 인쇄술은 정말 대단했습니다. 먼저 목판 인쇄부터 살펴볼게요. 통일 신라 시기에 만들어진 경주 불국사 3층 석탑에서 세계에서 가장 오래된 목판 인쇄물인 무구정광대다라니경이 발견된 거 기억하지요? 신라인의 뛰어난 인쇄술은 고려 시대로 이어져 더욱 발전했습니다. 특히 거란이 쳐들어왔을 때, 부처의 힘을 빌려 이들의 침입을 이겨 내고자 하는 염원을 담아 만든 문화유산이 있습니다. 바로 처음 만든 대장경이라는 뜻의 『초조대장경』이에요. 대장경은 부처의 가르침과 교리를 모두 모아 수록한 책이지요. 그런데 몽골이 쳐들어왔을 때 『초조대장경』의 목판이 불타 버리지요.

그래서 부처의 힘을 빌려 몽골의 침입을 이겨 내고자 다시 만든 것이 『팔만대장경』입니다. 경판 수가 8만 개가 넘는다고 하여 붙여진 이름이지요. 다시 만든 대장경이라고 해서 『재조대장경』이라고도 하죠.

나라를 지키고자 하는 간절한 염원을 담아 나무 판에 글자를 하나하나 새기는 모습을 상상해 보세요. 무려 8만 장이 넘는 목판에 불교 경전을 가득 새길 수 있었던 것은 부처에 대한 깊은 신앙심이 없었다면 불가능했겠지요. 게다가 틀린 글자도 거의 없다니 정말 대단합니다.

뿐만 아니라 습기와 해충에 약한 목판이 천 년 넘게 보존되어 왔다는 점 역시 매우 대단한 일입니다. 목판 제작에 엄청난 공을 들였다는 것을 알 수 있지요. 이렇게 만들어진 팔만대장경판은 유네스코 세계 기록 유산으로 지정되었고, 유네스코 세계 유산인 합천 해인사 장경판전에 보관되어 있습니다.

통풍과 습기 조절 등을 위해 과학적으로 설계된 합천 해인사 장경판전 내부

: 세계 최초의 금속 활자본을 만들다

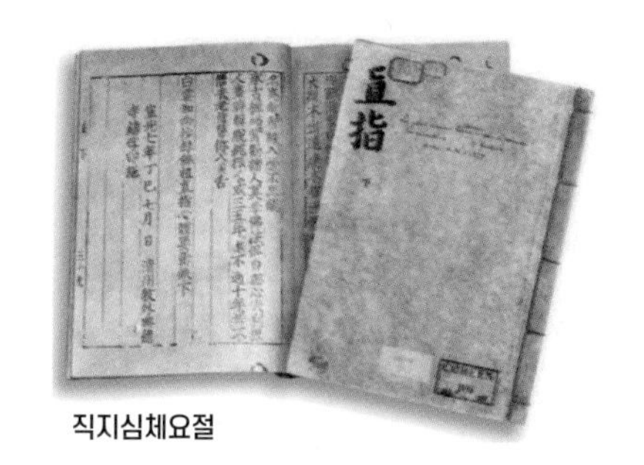

직지심체요절

고려에서는 금속 활자가 발명되어 이를 이용한 활판 인쇄가 이루어졌습니다. 활판 인쇄는 한 글자 한 글자 만들어 놓고 이것을 문장으로 조합한 다음 종이에 찍어 내는 방식인데, 여기에 쓰이는 활자를 구리, 철 등 금속으로 만들어 금속 활자라고 합니다. 현존하는 금속 활자 인쇄본 가운데 세계에서 가장 오래된 것이 바로 1377년에 청주 흥덕사에서 간행된 『직지심체요절』입니다.

현존하는 세계에서 가장 오래된 목판 인쇄물이 무구정광대다라니경이라 했지요? 현존하는 세계에서 가장 오래된 금속 활자 인쇄본 역시 우리나라에서 만든 것입니다. 그만큼 우리나라가 수준 높은 인쇄술을 가지고 있었음을 알 수 있습니다.

: 자기, 순청자에서 상감 청자로

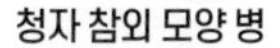
청자 참외 모양 병

청자 상감 운학무늬 매병

고려의 공예품 하면 뭐니 뭐니 해도 고려청자가 떠오르지요? 고려청자의 아름다움은 당시 주변국에도 널리 알려졌어요. 송에서 사신으로 고려에 왔던 서긍이 자신이 본 고려 사회의 모습을 기록한 『고려도경』에서 고려청자의 아름다움, 특히 그 빛깔의 아름다움을 엄청 칭찬했어요.

전기에는 무늬나 장식이 없는 비색의 순청자가, 후기에는 상감 기법을 활용하여 화려한 무늬를 넣은 상감 청자가 유행합니다. 상감 기법은 그릇 표면에 무늬를 새기고 그 자리를 백토나 흑토로 채워 무늬를 만들어 내는 것으로, 고려에서 개발된 독창적인 기법이지요.

: 건축, 주심포 양식이 발달하다

고려 전기부터 유행하는 건축 양식으로 주심포 양식이 있습니다. 지붕을 받치는 기둥 맨 위를 보면 화려하게 나무를 짜서 끼운 것이 있는데, 그것을 '포(공포)'라고 합니다. 그 포를 기둥 위에만 얹는 형식을 주심포 양식, 기둥과 기둥 사이에도 얹는 형식을 다포 양식이라고 합니다.

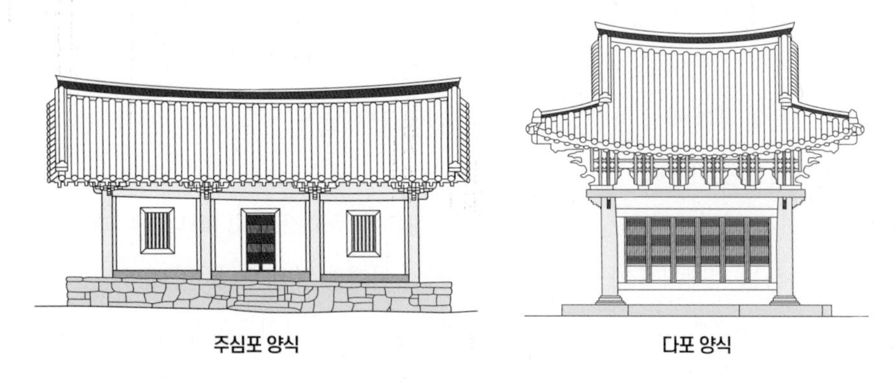

주심포 양식　　　다포 양식

주심포 양식의 건축은 고려 후기에도 지어져 안동 봉정사 극락전, 예산 수덕사 대웅전, 영주 부석사 무량수전이 지금까지 남아 있습니다. 그 이전에 지어진 목조 건축물은 대부분 불타 없어지고 지금까지 남아 있는 것은 13세기 이후에 지은 건축물입니다.

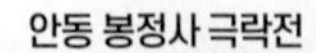

안동 봉정사 극락전

예산 수덕사 대웅전

영주 부석사 무량수전

앞의 세 건물은 모두 주심포 양식에 배흘림기둥으로 지어졌어요. 배흘림기둥은 기둥 가운데 부분이 불룩하고 위와 아래로 갈수록 점점 얇아지는 형태입니다. 바라보는 사람에게 안정감을 주지요.

영주 부석사는 봉황산에 자리 잡은 아름다운 절이에요. 그 가운데 중심 건물로 세워진 무량수전 안에는 영주 부석사 소조 여래 좌상이 앉아 있어요. 아름다운 절에 아름다운 불상, 잘 어울린다는 생각이 듭니다. 기회가 되면 꼭 한번 그 아름다움을 직접 느껴 보길 바랄게요.

한편 고려 후기에는 원의 영향을 받아 다포 양식의 건물도 지어졌어요. 크고 화려한 건물을 지을 때 다포 양식을 많이 쓰는데, 다포 양식은 조선 시대 건축에 영향을 미쳤지요.

08 고려의 사상과 문화

유학	역사	불교	풍수지리설
· 관학: 국자감, 향교 ↑ 양현고, 7재 · 사학 12도 : 문헌공도 등 └ 최충	·『삼국사기』 – 현존 최고(最古) 역사서 – 김부식 – 기전체 본기, 열전	· 의천 – 천태종 – 교 관 겸수 교종 선종	서경 길지설 : 훈요 10조 → 북진 정책, 묘청의 서경 천도 운동 남경 길지설 └ 서울
1170			
성리학 소개 by 안향 ↓ 신진 사대부 수용	·「동명왕편」 └ 고구려 주몽 ·『삼국유사』 단군 ·『제왕운기』	· 지눌 – 조계종 – 정 혜 쌍수 선종 교종 – 돈오점수 – 결사 운동 · 혜심: 유·불 일치설	

	불상	불탑	인쇄술	자기	건축
	· 하남 하사창동 철조 석가여래 좌상(철불) · 논산 관촉사 석조 미륵 보살 입상(거대 불상) · 영주 부석사 소조 여래 좌상(신라 양식 계승)	평창 월정사 8각 9층 석탑 ↓ 다각 다층	〈목판〉 거란 ⇐ 『초조대장경』 ×	순청자	주심포 양식 유행 포 배흘림기둥 ↓
		개성 경천사지 10층 석탑 └ 원 영향	몽골 ⇐ 『팔만대장경』 〈활판〉 『직지심체요절』 – 현존 최고(最古) 금속 활자 인쇄본	상감 청자	· 안동 봉정사 극락전 · 예산 수덕사 대웅전 · 영주 부석사 무량수전

09

조선 전기의 정치

1392년에 건국된 조선의 역사는 500여 년 동안 이어졌어요.

조선의 역사는 1592년에 일어난 임진왜란을 기준으로

크게 전기와 후기로 나뉩니다.

조선 전기는 다시 그 시대를 이끈 주도 세력에 따라

15세기와 16세기로 나누어 살펴보아야 합니다.

15세기에는 훈구 세력이, 16세기에는 사림 세력이 정치를 주도하는데

주도 세력의 성격에 따라 조선 사회가 어떤 모습을 보이는지

차근차근히 따라가 봅시다.

1 조선의 건국

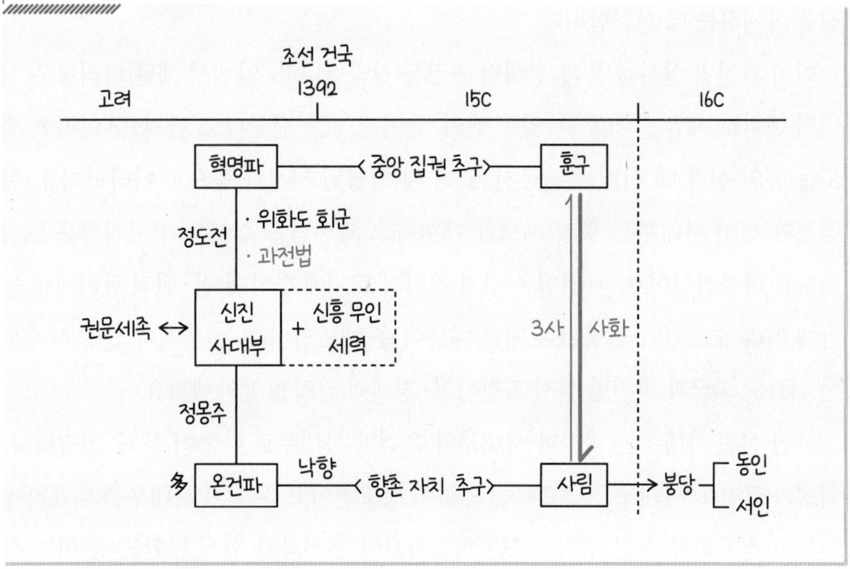

조선 건국
1392
고려
15C
16C
혁명파
〈중앙 집권 추구〉
훈구
정도전
· 위화도 회군
· 과전법
권문세족 ↔
신진 사대부
+
신흥 무인 세력
3사
사화
정몽주
多
온건파
낙향
〈향촌 자치 추구〉
사림
→ 붕당
동인
서인

: 신진 사대부, 온건파와 혁명파로 갈리다

고려 말에 성리학을 사상적 기반으로 삼은 신진 사대부와 이성계 등 신흥 무인 세력이 손을 잡고 힘을 키웁니다. 이들은 새로운 나라, 새로운 사회를 만들기 위해 필요한 정치적·경제적 권력을 장악해 나갑니다.

먼저 이성계의 위화도 회군을 계기로 정치적 권력을 장악합니다. 중국 대륙의 새로운 강자로 등장한 명이 고려가 원으로부터 되찾은 철령 이북의 땅을 요구했지요. 우왕과 당시 권력자인 최영은 이를 거부하고 더 나아가 요동 정벌을 추진합니다. 요동 정벌에 부정적이었던 이성계는 "작은 나라가 큰 나라를 치는 것은 좋지 않다. 여름철에 군사를 일으키는 것은 좋지 않다. 왜구가 빈틈을 노려 쳐들어올 염려가 있다. 장마가 들면 아교가 녹아 활이 풀리고 전염병이 돌 수 있다."는 네 가지 이유(4불가론)를 내세워 우왕에게 요동 정벌에 대한 명령을 거두어 달라고 요청합니다.

하지만 우왕과 최영이 이를 받아들이지 않고 출정 명령을 내리자 이성계는 압록강 하류의 위화도에서 군대를 돌려 개경으로 돌아와 우왕을 폐위하고 최영을 유배 보내지요. 위화도 회군을 통해 이성계 그리고 그와 손잡은 신진 사대부가 정권을 차지하는 데 성공합니다.

이어 과전법 실시를 통해 경제적 실권을 장악합니다. 앞에서 옛날 관리들은 직역의 대가로 세금을 거둘 수 있는 권리, 곧 수조권을 받았다고 했지요? 이러한 제도는 통일 신라 때 시행된 관료전, 고려 때 시행된 전시과 등으로 나타났어요. 이성계와 신진 사대부는 토지 제도를 개혁하고 과전법을 실시하여 어지러운 토지 제도를 바로잡았어요. 과전법은 경기 지역의 토지에 한하여 전·현직 관리에게 등급에 따라 수조권이 설정된 토지를 나누어 준 제도입니다. 이성계와 신진 사대부는 위화도 회군과 과전법 실시로 정치적·경제적 권력을 장악했지요.

한편 신진 사대부는 혁명파 사대부와 온건파 사대부로 나누어 볼 수 있습니다. 혁명파(급진파) 사대부를 대표하는 인물이 정도전이고, 온건파 사대부를 대표하는 인물이 정몽주입니다. 수적으로는 혁명파보다 온건파가 훨씬 많았는데, 이는 혁명파 세력이 역성 혁명, 곧 고려를 무너뜨리고 새로운 나라를 세우자는 급진적인 주장을 했기 때문이지요. 다수의 신진 사대부는 개혁이 필요하지만 새 왕조를 열자는 주장에는 동의하지 않았던 거예요. 하지만 이성계와 혁명파 사대부는 온건파 사대부 등 반대 세력을 제거하고 새 나라, 조선을 세웁니다.

중앙 집권 체제 강화

태조	정도전 → 재상↑
태종 왕권↑	· 6조 직계제 · 호패법, 사병 X
세종	· 의정부 서사제 · 집현전, 4군 6진, 대마도 정벌
세조 왕권↑	· 6조 직계제 · 경국대전 .... △
성종	경국대전 .... O

: 태종, 왕권을 강화하다

조선을 세운 태조 이성계가 통치한 시기에는 왕권이 그리 강하지 못했습니다. 고려 태조 때 그랬던 것처럼 말이죠. 나라를 세우는 데 공을 세운 사람들과 권력을 나누어야 했지요.

조선 건국을 이끈 신진 사대부는 성리학을 통치 이념으로 삼아 나라의 제도와 문물을 정비했습니다. 특히 조선 왕조의 설계자였던 정도전은 현명한 재상이 정치를 이끌어야 한다며 재상 중심 정치를 주장했어요.

그런데 재상 중심의 정치에 불만을 가진 태조의 아들이 있었으니, 바로 이방원입니다. 이방원은 왕자의 난을 일으켜 정도전 등 반대 세력을 제거하고 권력을 장악한 뒤 왕위를 넘겨받았는데, 그가 태종입니다. 태종은 먼저 공신과 왕족이 거느린 사병을 혁파하여 군권을 장악합니다. 사병을 없애야 왕권이 강화될 테니까요. 왕자 시절에 자신이 사병을 가장 많이 소유했고 이를 기반으로 권력을 장악할 수 있었기 때문에 그런 사실을 잘 알았던 것이지요. 그러고는 왕권 강화를 위한 대대적인 숙청 작업에 들어갑니다.

또 왕권 강화라는 핵심 목표를 달성하기 위해 6조 직계제를 시행합니다. 6조는 이·호·예·병·형·공조로 정책을 실행하는 중앙 행정 조직이에요. 6조의 각 수장이 의정부를 거치지 않고 왕에게 직접 업무를 보고하여 재가를 받아 정책을 집행하게 한 제도가 6조 직계제입니다.

태종은 호패법도 시행합니다. 호패는 이름(호), 태어난 연도(나이), 신분 등을 새긴 패로, 지금의 주민 등록증과 비슷합니다. 16세 이상 모든 남성에게 호패를 차고 다니게 하는 호패법을 실시하여 전국의 인구를 파악하고 세금 징수와 군역 동원에 활용하게 했어요.

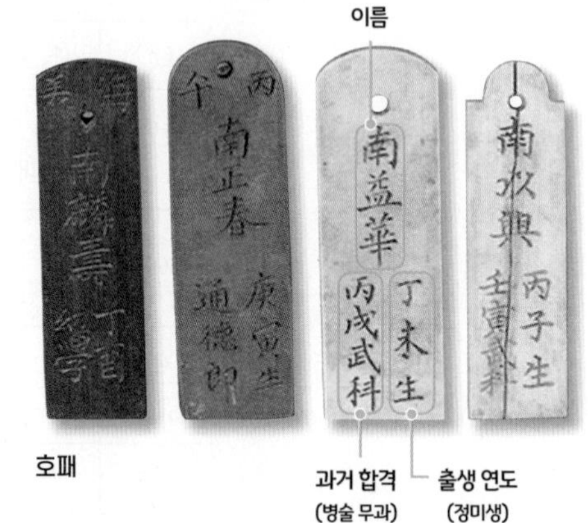

호패

: 세종, 의정부 서사제를 도입하다

태종의 뒤를 이어 세종이 등극합니다. 세종은 아버지 태종이 실시한 왕권 강화 정책으로 이룬 정치적 안정을 바탕으로 유교적 이상 정치를 추구하여 의정부 서사제를 실시합니다.

> 6조는 각기 모든 직무를 의정부에 품의하고, 의정부는 가부를 헤아린 뒤 왕에게 아뢰어 (왕의) 전지를 받아 6조에 내려보내 시행한다. 다만 이조·병조의 제수, 병조의 군사 업무, 형조의 사형수를 제외한 판결 등은 종래와 같이 각 조에서 직접 아뢰어 시행하고 곧바로 의정부에 보고한다. 만약 타당하지 않으면 의정부가 맡아 심의·논박하고 다시 아뢰어 시행하도록 한다.
>
> –『세종실록』–

의정부 서사제는 6조가 의정부에 업무 보고를 하면 의정부에서 심의한 후 왕에게 보고하도록 한 제도로 의정부의 역할을 강화한 것이지요. 세종은 이를 통해 왕권과 신권의 조화를 이루고자 했어요.

독서를 좋아하고 여러 방면에 관심이 많았던 세종은 학문과 정책 연구를 위해

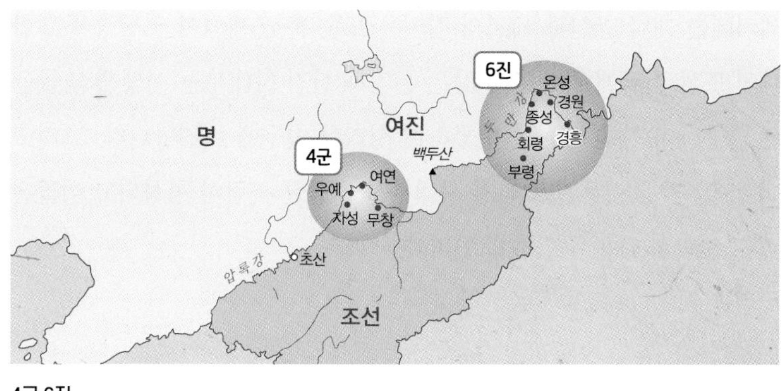

4군 6진

궁궐 안에 집현전을 설치하고 왕과 신하들이 모여 학문과 정책을 토론하는 경연을 활성화합니다. 또 우리 고유의 글자인 훈민정음을 창제하여 반포하지요.

대외적으로는 북쪽의 여진을 토벌하고 압록강과 두만강 유역 일대에 4군 6진을 설치했어요. 이로써 오늘날과 비슷한 국경선이 확정되었어요. 왜구의 근거지인 대마도(쓰시마섬)도 정벌합니다. 그 밖에도 세종은 과학과 기술의 발전에 힘쓰고 정치·경제·사회·문화 등 여러 면에서 많은 업적을 남겼지요.

: 세조와 성종, 경국대전을 만들다

세종에 이어 왕위에 오른 문종이 일찍 죽어 나이 어린 단종이 즉위하자 왕의 삼촌인 수양 대군이 단종을 보좌하는 대신들을 제거하는 정변을 일으켰어요. 이를 계유정난이라고 합니다. 수양 대군은 이를 통해 권력을 장악하고 단종을 핍박하여 왕위를 넘겨받은 뒤 상왕인 단종마저 죽입니다. 이 때문에 정통성이 부족했던 세조는 강력한 왕권이 필요했지요. 그래서 6조 직계제를 다시 시행하고 자신을 비판할 수 있는 집현전과 경연 제도를 없앴어요. 그리고 왕을 중심으로 한 완벽한 질서를 만들기 위해 법전 편찬을 추진했지요. 바로 『경국대전』 편찬 사업입니다. 세조 때 시작된 『경국대전』 편찬은 성종 때 완성되었어요.

성종은 『경국대전』을 반포했으며, 집현전을 계승한 홍문관을 설치하고 경연을 되살려 왕과 신하가 토론을 통해 합리적인 정책을 결정할 수 있도록 합니다.

15세기에는 개국 공신과 세조의 집권을 도운 훈구 세력이 역사를 주도합니다. 그렇다면 조선 건국에 참여하지 않은 온건파 신진 사대부는 어떻게 되었을까요? 이들은 낙향하여 향촌 자치를 추구하며 성리학 연구에 매진합니다. 그리고 인재 양성에 힘을 쏟지요. 온건파 신진 사대부를 계승한 사림이 형성되고 이들은 16세기 이후 조선의 역사를 주도하게 됩니다.

3 통치 체제 정비

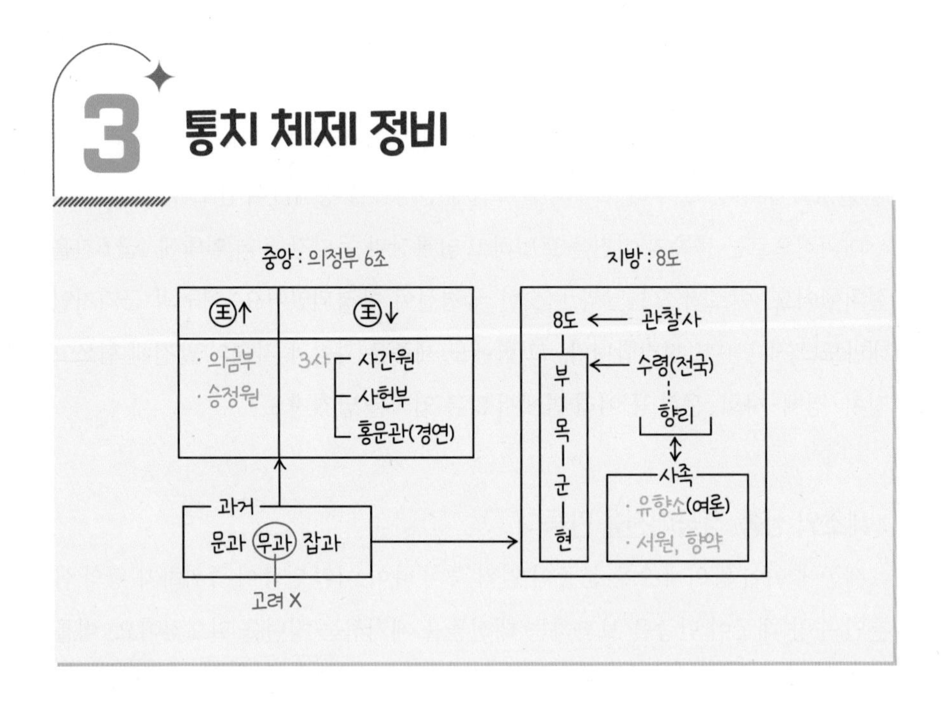

: 중앙, 의정부 6조 체제를 갖추다

조선 시대 중앙 정치 조직의 핵심은 의정부와 6조입니다. 중앙 정치 조직의 운영은 고려에 비하면 단순합니다.

고려의 중앙 정치 조직은 중서문하성과 상서성의 2성과 행정 실무를 담당하는 6부 외에도 중서문하성과 중추원의 고위 관료들이 모여 합의제로 운영하는 도병마사와 식목도감 등이 있어 구성과 기능이 복잡하게 얽혀 있었어요. 반면 조선의 중앙 정치 조직은 의정부와 6조를 중심으로 운영되었지요.

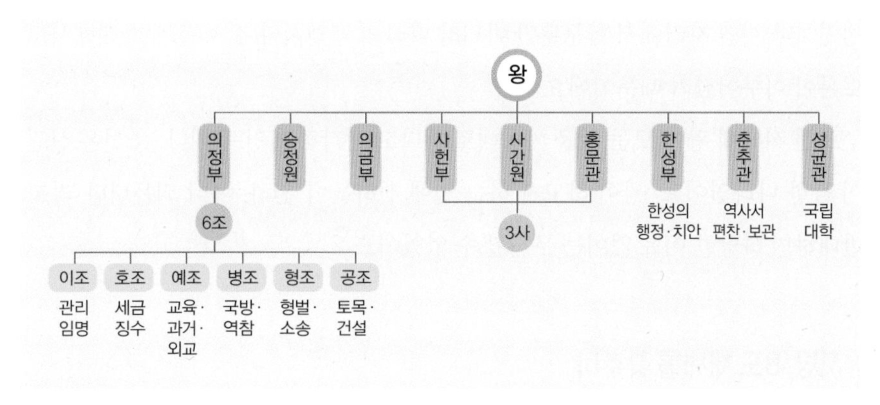

조선의 중앙 정치 조직

조선의 중앙 정치 조직을 살펴볼 때 어떤 조직이 왕권을 뒷받침하고 어떤 조직이 왕권을 견제하는 역할을 했는지 파악하는 것이 중요합니다. 조선은 유교 이념에 따라 건국되었기 때문에 왕권과 신권의 조화를 중시했어요. 그리하여 원칙적으로 국정을 총괄하는 최고 기구인 의정부의 재상과 행정 실무를 담당하는 6조의 판서가 의논한 뒤 왕의 재가를 받아 처리하도록 했어요.

중앙 정치 조직 중에는 왕권 강화와 관련된 기구가 있는데, 바로 의금부와 승정원이 그것입니다. 의금부는 반역을 꾀한 국가의 중죄인을 조사·감시하는 사법 기관으로 왕이 직접 컨트롤할 수 있었어요. 다음으로 승정원이 있습니다. '승'은 받든다는 뜻으로 승정원은 왕명을 출납하는 국왕의 비서실 역할을 했어요. 의금부와 승정원은 왕권을 뒷받침하는 데 중요한 역할을 했습니다.

반면 왕권을 견제하는 언론 기능을 담당한 기구가 있는데, 바로 사간원, 사헌부, 홍문관입니다. 세 기구를 합쳐 3사라고 하지요. 사간원은 말 그대로 왕의 잘못을 논하는 간쟁 역할을 담당한 곳이고, 사헌부는 관리의 부정과 비리를 감시하는 역할을 담당했어요. 홍문관은 국왕의 자문 기관이자 왕실의 각종 문서를 보관하는 도서관과 같은 역할을 했으며 경연과 서연을 담당했습니다. 경연은 왕과 학식이 높은 신하들이 모여 유학 경전을 공부하고 학문과 정책을 토론하는 자리입니다. 조선 시대에 왕은 경연, 세자는 서연을 통해 신하들과 함께 공부하고 논의했습니다. 이러한 역할을 담당한 홍문관이 언론 기능을 맡은 3사에 포함된 이유는 무엇일까요?

경연이나 서연 자리에서 학문뿐만 아니라 나라의 정책이나 정치 문제에 대해서도 토론이 이루어졌기 때문이에요.

조선 시대에 왕이 모든 것을 마음대로 했다고 생각하면 안 됩니다. 조선은 신권이 강한 나라였어요. 왕이 하고자 하는 일에 신하들이 '전하, 아니 되옵니다.'라고 반대하면 타당한 이유 없이는 무시할 수 없었어요.

: 지방, 8도 체제를 갖추다

조선의 지방 행정 조직은 8도 체제였습니다. 지금 우리가 사용하는 경기도, 충청도 등의 이름이 이때 만들어진 거예요.

8도 아래 인구와 지역의 중요도에 따라 부·목·군·현을 두고, 군·현 아래에는 면·리를 두었습니다. 중앙에서 8도에 파견하는 지방관을 관찰사라고 하고, 부·목·군·현에 파견하는 지방관을 수령이라고 했어요. 중앙에서는 현까지만 지방관을 파견했고, 면·리에서는 그 지역에 사는 사족이 대표자의 역할을 했습니다. 고려 시대와 달리 조선은 모든 군·현에 지방관을 파견했어요. 이는 국가의 통치권이 지방 구석구석에 미쳤음을 보여 주는 것으로 그만큼 중앙 집권이 강화되었다는 것을 알 수 있지요.

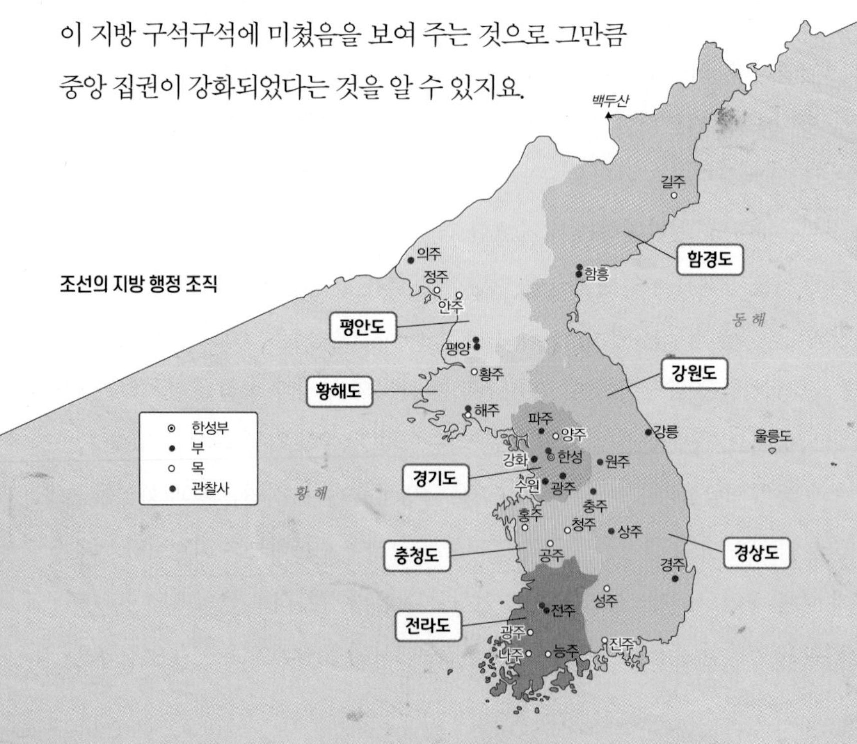

조선의 지방 행정 조직

수령 아래에는 향리가 있는데, 이들은 지역의 토착 세력이었어요. 그런데 실질적으로 그 지역의 지배 세력이었던 고려 시대의 향리와 달리 조선 시대의 향리는 지방 관아에서 수령을 보좌하는 역할로 지위가 낮아졌습니다.

한편 향촌에는 유향소와 서원이 있어 지방 사족의 지위를 뒷받침했어요. 유향소는 그 지방의 유력한 사족들이 구성한 자치 기구로 수령을 보좌하는 한편 수령과 향리의 부정을 감시하는 역할을 했어요. 서원은 사림의 정치적 진출이 활발해지면서 각 지방에 세워진 일종의 사립 학교입니다. 이곳에서는 이름 있는 유학자를 제사 지내고 성리학 연구와 교육이 이루어졌어요. 서원은 공론을 모으는 역할을 하여 정치 여론을 형성하는 데 크게 영향을 끼쳤어요.

또 향촌에는 마을 자치 규약인 향약이 있어 지방 사족들이 농민을 통제하는 수단으로 이용했어요.

이렇게 살펴보니 조선 전기에는 중앙 정치 조직에서도 왕권을 강화하는 기능과 견제하는 기능이 조화를 이루고 있고, 지방에서도 수령과 지방 세력들이 서로 견제하며 한쪽으로 권력이 쏠리지 않게 균형을 맞춰 나가는 모습이 보입니다. 또한 관찰사나 수령의 임기를 정해 두어 그 지역에 계속 있을 수 없게 했고, 그 지역 출신을 수령으로 보내지도 않았어요(상피제). 지방관의 권력 독점은 물론 비리와 부정부패를 막기 위해 임기제와 상피제 등이 마련된 것이지요.

그렇다면 조선의 관리는 어떻게 뽑았을까요? 바로 과거 시험을 통해서였지요. 과거에는 문과, 무과, 잡과가 있었습니다. 이이는 문과 출신이고 이순신은 무과 출신이지요. 잡과는 관청에서 일하는 실무층을 뽑는 시험으로 주로 중인이 응시했습니다. 고려 시대에는 무과가 거의 시행되지 않았지요? 외침을 많이 받아 전쟁이 잦았기 때문에 전쟁에서 공을 세운 사람들이 승진하는 식이었지요. 하지만 조선 시대에는 무과 시험이 있었습니다.

과거제 말고도 문음, 천거 같은 관리 등용 제도가 있었지만 고위직으로 올라가기 위해서는 과거를 꼭 거쳐야 했습니다. 신분보다 실력을 더 중요하게 보았던 것이지요. 여기에서 조선이 고려보다 정치·사회적으로 한층 더 발전했다는 사실을 알 수 있어요.

조선은 500여 년의 역사를 가진 나라였으며, 결코 약하고 허술한 나라가 아니였어요. 세계적으로 500여 년 동안 단일 왕조를 유지한 나라는 찾아보기 어려워요. 중국에서도 한 왕조가 길어야 200년 정도 지속되었지요. 그만큼 조선이라는 나라가 치밀하고 철저한 시스템을 갖춘 나라였다는 것이지요.

4 사화로 얼룩진 조선

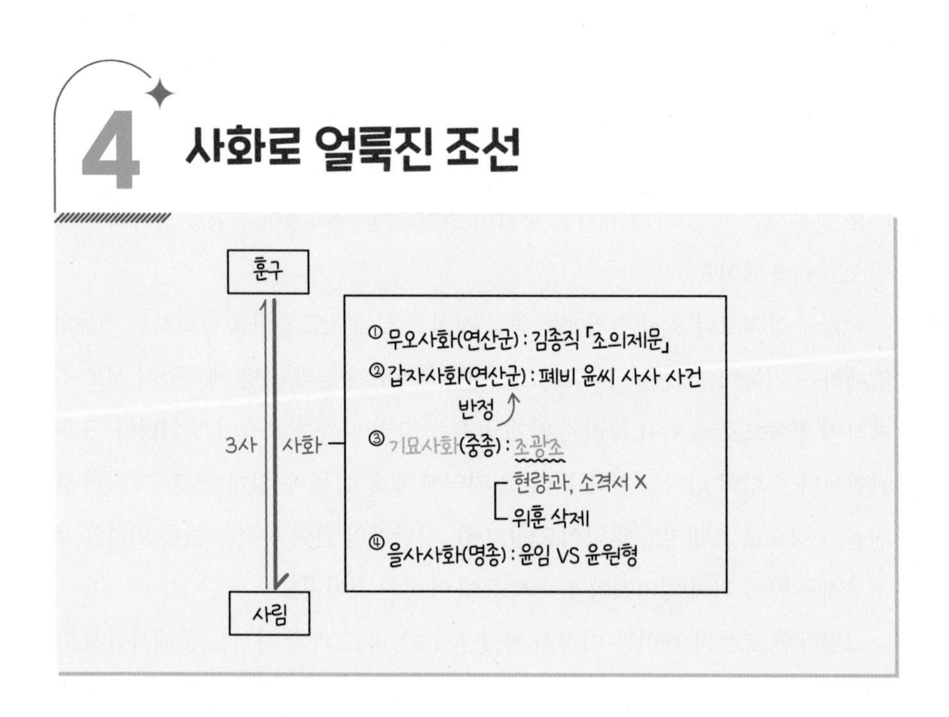

: 향촌의 사림들, 중앙으로 올라오다

권력은 영원하지도 오래가지도 않습니다. 변화와 개혁을 하지 않으면 결국 누군가에게 그 권력을 내줄 수밖에 없습니다. 조선을 건국한 혁명파 신진 사대부는 건국 초기에 많은 개혁을 실시했지만, 100년 넘게 권력을 유지하면서 기득권 세력이 됩니다. 변화나 개혁과는 점점 멀어지지요. 특히 세조가 계유정난을 일으켜 왕위에 오르는 데 공을 세운 공신들은 고위 관직을 독점하고 국가로부터 많은 땅과 노비를 받아 막대한 재산을 소유했어요. 이들이 중앙 정치를 주도하며 훈구 세력을 형성했습니다.

이들을 비판하며 중앙 정치에 뛰어든 세력이 있었으니, 바로 향촌에서 학문을 연구하고 인재를 양성하며 때를 기다리던 사림입니다. 훈구 세력을 견제하고자 한 성종이 이들을 적극 등용했지요. 이들은 3사에 진출하여 훈구 세력의 부정과 비리를 신랄하게 비판합니다. 훈구 세력이 가만히 있을 리 없겠지요? 사림에게 강력한 역공을 퍼붓습니다. 그 결과가 사화로, 사림이 큰 화를 입은 사건이 발생하지요.

: 무오사화와 갑자사화

무오사화는 연산군 때 김종직이 쓴 「조의제문」을 그의 제자인 김일손이 사초에 기록한 일이 발단이 되어 일어납니다. 「조의제문」이란 의제를 조문한다는 뜻이에요. 의제는 중국 초의 왕인데, 김종직이 나이 어린 왕 의제를 죽인 항우를 비판한 글을 쓴 것이지요. 훈구 세력은 「조의제문」이 세조가 어린 단종을 죽이고 왕위에 오른 사건을 비판한 것이라고 공격했고, 이로 인해 김일손 등 많은 사림이 처형되었어요.

연산군 때 또다시 사화가 일어납니다. 갑사사화라고 부르는 이 사건은 연산군의 생모 윤씨의 폐위 및 죽음과 관련 있지요. 연산군의 어머니 윤씨는 남편인 성종의 얼굴에 상처를 낸 사건을 계기로 폐비가 되어 결국 사약을 받고 죽습니다. 이 사실을 알게 된 연산군은 어머니 윤씨의 죽음과 관련된 인물들을 향해 칼부림합니다. 이로 인해 사림뿐만 아니라 훈구 세력도 해를 입었지요.

: 조광조의 개혁과 기묘사화

중종 때 있었던 개혁의 중심에는 바로 조광조가 있었습니다. 많은 사람이 조선의 3대 개혁가로 조광조, 김육, 흥선 대원군을 꼽을 정도로, 조광조는 개혁의 화신으로 기억되는 인물이지요. 조광조는 어떤 개혁을 추진했기에 조선을 대표하는 개혁가로 꼽힐까요?

조광조는 소격서의 폐지를 주장했습니다. 성리학을 절대적으로 따르는 유학자이며 원칙론자인 조광조가 보기에 하늘과 땅, 별에 제사 지내는 도교 행사는 미신이고 이를 주관하는 소격서는 없애 버려야 할 대상이었지요.

또 학문과 덕행이 뛰어나고 어진 사람을 추천받아서 간단한 시험을 치러 관리를 선발하는 제도인 현량과의 실시를 주장합니다. 현량과는 신진 사림이 정계에 진출하는 데 도움이 되었어요.

이제 조광조와 신진 사림들은 훈구 세력 타도를 위해 나섭니다. 중종반정으로 연산군이 폐위되고 중종이 왕위에 오른 뒤 반정에 참여한 많은 사람이 공신이 되었어요. 조광조는 공신이 된 사람이 너무 많다며 거짓으로 공을 세웠다고 하여 부당하게 공신이 된 사람들의 공로 인정을 취소하라고 중종에게 건의합니다. 위훈(거짓 공훈) 삭제를 건의한 것이지요. 위훈 삭제의 대상은 대부분 훈구 세력이었어요. 그러니 조광조의 개혁은 훈구 세력에게 어마어마한 위협으로 느껴졌겠지요.

조광조가 훈구 세력을 공격하고 그들과 대립하는 가운데 기묘한 일이 벌어집니다. 궁궐 정원에서 글자 모양으로 구멍이 뚫린 나뭇잎이 발견된 거예요. '주초위왕(走肖爲王)'이라는 글자였어요. 이에 훈구 세력은 '주초'를 합치면 '조(趙)' 자가 되며

'주초위왕'은 '조씨가 왕이 된다.'는 것을 암시한 역모라고 주장하면서 조광조와 그를 따르는 사림을 공격합니다. 사실은 훈구 세력이 조광조를 몰아내기 위해 나뭇잎에 '주초위왕'이라는 글자를 써 그 위에 꿀을 바른 뒤 벌레가 먹게 하여 글씨가 새겨진 것처럼 만든 거였어요.

결국 조광조를 포함한 많은 사림이 죽임을 당하거나 유배되었지요. 이것이 바로 기묘년(1519)에 일어난 기묘사화입니다.

: 을사사화

마지막으로 을사사화는 명종 때 외척 간의 권력 다툼으로 일어납니다. 명종이 12살에 왕위에 오르자, 어머니인 문정 왕후가 왕을 대신하여 발을 치고 그 뒤에서 나랏일을 대신 처리하는 수렴청정을 합니다. 그런데 문정 왕후는 동생 윤원형과 함께 선왕인 인종의 외삼촌 윤임과 그를 따르는 무리를 몰아냅니다. 이 과정에서 윤임 일파에 가담한 많은 사림들이 피해를 입게 되었지요.

개혁을 주장했던 사림 세력은 거듭된 사화로 많은 피해를 입었어요. 하지만 사림은 그 정신을 잃지 않고 견디어 다시 정치 주도 세력으로 떠오릅니다. 조광조의 개혁은 비록 실패했지만, 그 에너지가 계속 이어진 것이지요. 사림 세력은 서원을 통해 끊임없이 제2, 제3의 조광조를 배출하여 훈구 세력을 압박했고, 시대 정신에 부합하여 이후 정치의 주역이 됩니다.

그리고 선조 때인 16세기 후반에 붕당 정치라는 정치 현상이 나타납니다. '붕(朋)'은 '벗'이라는 뜻으로, 마음이 맞는 벗끼리 뭉쳐서 만든 당이란 뜻이지요. 최초의 붕당으로 동인과 서인이 형성됩니다. 15세기에 개혁과 변화를 주장하며 등장한 사림 세력. 그들이 주도한 붕당 정치는 과연 어떤 모습일까요?

09 조선 전기의 정치

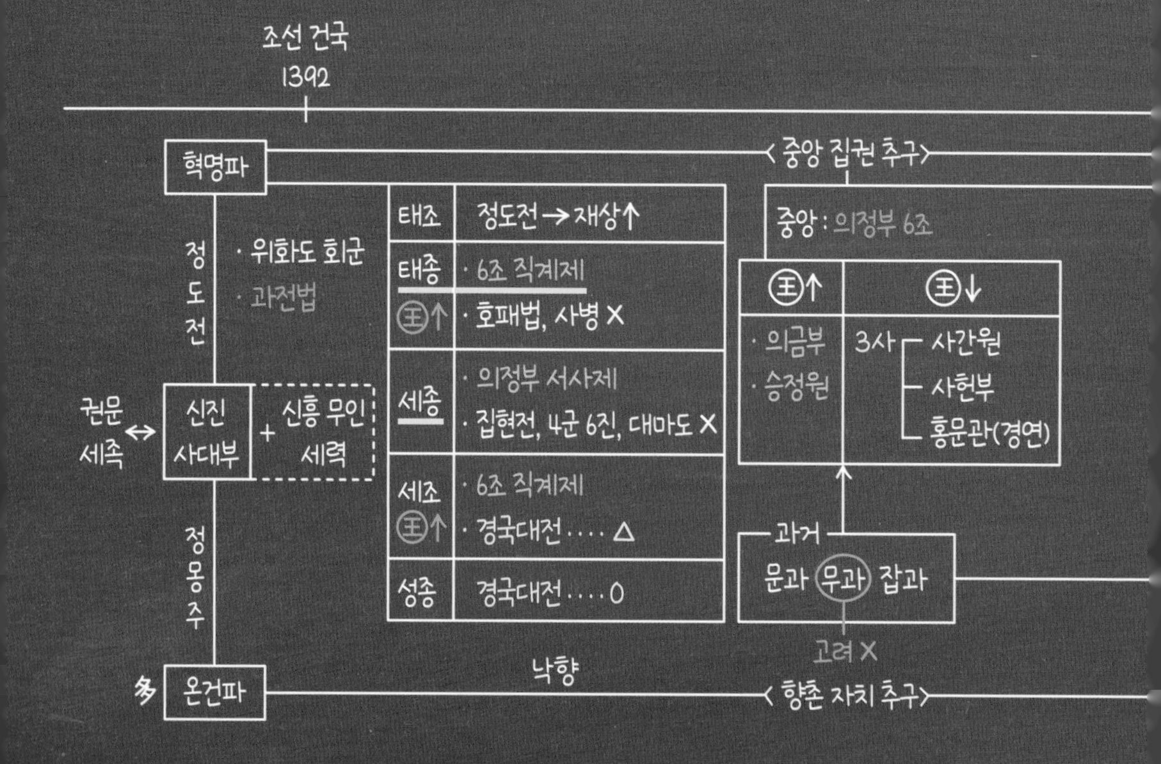

조선 건국
1392
혁명파
<중앙 집권 추구>
정도전
· 위화도 회군
· 과전법
권문 세족
신진 사대부
신흥 무인 세력
정몽주
多 온건파
낙향
<향촌 자치 추구>
태조
정도전 → 재상↑
태종
· 6조 직계제
王↑
· 호패법, 사병 X
세종
· 의정부 서사제
· 집현전, 4군 6진, 대마도 X
세조
王↑
· 6조 직계제
· 경국대전 .... △
성종
경국대전 .... O
중앙 : 의정부 6조
王↑
王↓
· 의금부
· 승정원
3사
사간원
사헌부
홍문관(경연)
과거
문과 무과 잡과
고려 X

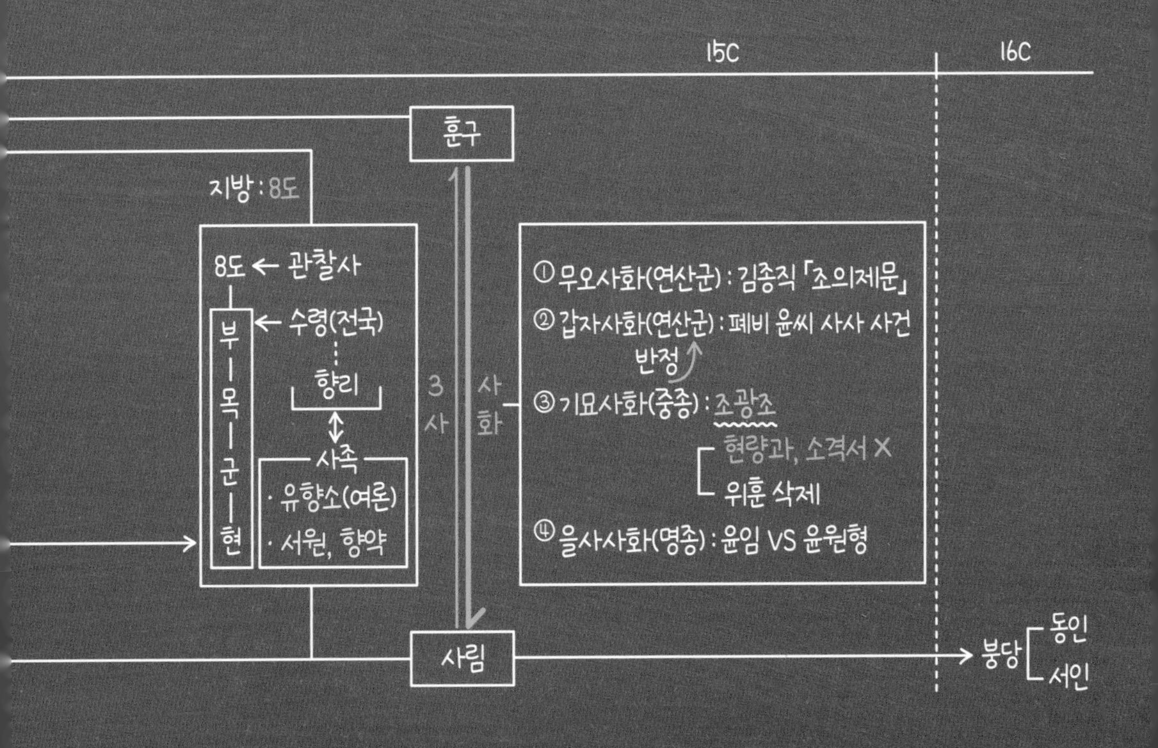

15C
16C
훈구
지방 : 8도
8도 ← 관찰사
부 - 목 - 군 - 현
← 수령(전국)
향리
사족
· 유향소(여론)
· 서원, 향약
3 사
사 화
① 무오사화(연산군) : 김종직 「조의제문」
② 갑자사화(연산군) : 폐비 윤씨 사사 사건
반정
③ 기묘사화(중종) : 조광조
현량과, 소격서 X
위훈 삭제
④ 을사사화(명종) : 윤임 VS 윤원형
사림
붕당
동인
서인

10

조선 후기의 정치

건국 후 약 100년 동안 조선 사회를 주도한 훈구가 물러나면서
역사의 전면에 등장한 사림은
붕당을 형성하고 공존의 정치를 지향합니다.
하지만 공존의 정치가 깨지고 붕당 간 대립이 격해지자
영조와 정조는 탕평 정치를 하며 개혁을 추진하지요.
정조 사후 세도 정치가 전개되어 삼정의 문란이 심각해지면서
그 폐해를 고스란히 떠안아 고통받던 농민들이 곳곳에서 들고일어납니다.
한편 인조반정으로 광해군의 중립 외교가 실패하고
두 차례 호란을 겪은 후 북벌론이 힘을 얻는 듯했지만
이내 청의 선진 문물을 배우자는 북학 운동이 일어나지요.
조선 후기는 이렇듯 발전과 혼란을 거듭하면서
변화무쌍한 모습을 보여 줍니다.

1 붕당 정치의 전개

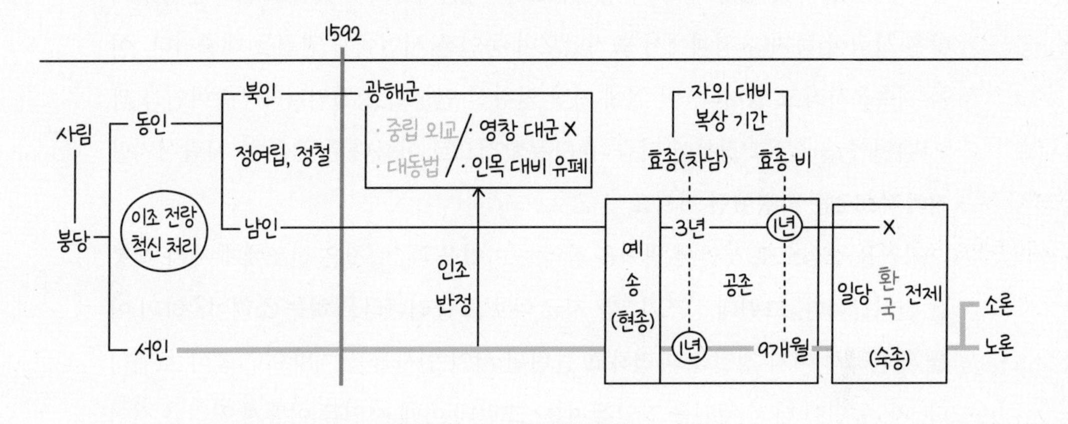

: 사림, 붕당을 형성하다

16세기 중반 사림이 정권을 장악한 뒤 붕당 정치가 전개됩니다. 어떻게 전개되었는지 살펴볼까요?

사림이 선조 때 동인과 서인으로 나뉘는데, 이유가 무엇이었을까요? 명종 때 있었던 척신, 곧 외척 정치의 잔재를 처리하는 방법을 두고 사림 간에 갈등이 나타납니다. 새로 등용된 신진 사림은 강경한 입장이었고, 그 이전부터 정치에 참여해 온 이들은 온건한 입장이었어요. 그런데 이조 전랑에 누구를 앉히느냐를 두고 또 다른 다툼이 일어납니다. 이조 전랑은 이조의 정랑과 좌랑을 합쳐 부르는 말로, 품계는 그리 높지 않은 관직이에요. 하지만 당하관과 3사 관리의 인사권을 쥐고 있어서 권한이 강력했어요. 이 전랑직에 자기 편을 앉히면 자기 세력에게 큰 도움이 되니까 이를 두고 갈등이 발생한 것이지요. 이런 상황 속에서 신진 사림을 중심으로 동인이, 척신 정치 청산에 온건한 입장을 보인 사림을 중심으로 서인이 형성되었어요. 이후 동인이 먼저 권력을 장악합니다. 하지만 동인은 정여립 모반 사건과 정철의 건저의 사건을 계기로 다시 북인과 남인으로 나뉘게 됩니다.

정여립은 서인에서 동인으로 당색을 바꿉니다. 서인은 당연히 이를 못마땅하게 생각했겠지요. 그러던 중 정여립이 고향에 내려가서 무사들을 키우고 체력 단련도 하는 모임을 만듭니다. 이를 두고 서인은 정여립이 동인과 함께 반역을 도모하는 거라고 몰아갔어요. 결국 이 정여립 모반 사건에 연루되었다고 지목된 동인계 많은 사림이 죽거나 정계에서 쫓겨났으며 동인은 서인에게 권력을 내줍니다. 이를 기축옥사라고 합니다. 이 일에 가장 앞장선 인물이 정철입니다. 「속미인곡」과 「사미인곡」을 쓴 그 정철이 맞습니다. 문학적으로 아름다운 글을 쓴 사람이지만 정치적으로는 비정했던 거지요.

정철을 중심으로 서인이 권력을 장악하고 있을 때, 정철은 선조에게 세자 책봉을 건의합니다. 그런데 선조가 '뭐? 지금 나보고 물러나라고 하는 소리야?' 하며 이를 괘씸하게 여겨 정철을 파면하고 관련된 서인 인사들을 지방으로 쫓아 보냅니다. 자, 동인이 다시 정권을 잡았겠지요? 그런데 이때 서인을 어떻게 처리할 것이냐를 놓고 동인이 강경파인 북인과 온건파인 남인으로 나뉘게 된 것이지요.

: 인조반정, 붕당 정치의 서막

동인이 분화되어 남인이 권력을 잡는가 싶더니 임진왜란 후 북인이 정권을 장악합니다. 임진왜란 때 북인에서 의병장이 많이 나왔기 때문이지요. 또한 임진왜란 과정에서 광해군이 큰 역할을 해서 민심을 얻었는데, 광해군의 뒤를 받쳤던 세력이 북인이었거든요.

광해군은 명분보다는 실리를 추구하며 명과 후금 사이에서 중립 외교를 표방합니다. 중국의 정통 왕조인 명이 임진왜란에 참전하여 조선에 도움을 주었지만 국력이 쇠퇴하고 있고, 여진이 세운 후금이 성장하고 있는 상황에서 고민하여 내린 결론이었지요.

그리고 광해군은 대동법을 시행합니다. 대동법은 현물로 내는 공납의 납부 방식을 개혁한 것입니다. 집집마다 내게 한 공납 대신 한 집이 가진 토지의 많고 적음에 따라 쌀이나 동전, 옷감 등으로 납부하게 했지요. 이는 전란 때문에 더욱 생활이 힘들어진 농민의 부담을 덜어 주었고, 소유한 토지의 결수에 따라 세금액을 결정했기에 이전보다 훨씬 합리적이었어요. 대동법은 먼저 경기도에서 실시되었는데, 전국으로 확대되기까지는 100년의 세월이 걸립니다. 토지를 많이 가진 양반 등 기득권 세력의 반발이 컸기 때문입니다.

그런데 광해군이 추진한 중립 외교는 서인 세력으로부터 공격을 받습니다. 서인을 비롯한 일부 사림은 임진왜란 때 지원군을 보내 조선을 위기에서 구하고 왕조를 잇게 도와준 명의 은혜(재조지은)를 잊지 말아야 한다는 인식을 가지고 있었어요. 광해군이 명에 대한 은혜를 잊고 오랑캐와 통함으로써 예의와 삼강을 저버렸다고 공격한 겁니다.

한편 광해군은 즉위 이후 적장자가 아니라는 이유로 정통성 시비에 시달리고 있었어요. 이런 상황에서 광해군이 영창 대군을 죽이고 인목 대비를 폐위하는 사건을 저지르자 이를 빌미로 서인 세력이 반정을 일으켜 광해군을 왕위에서 몰아내고 능양군(인조)을 왕위에 앉힙니다. 이 반정에는 남인도 가담하지요. 그런데 인조반정은 광해군을 몰아내는 데 인조가 주도적으로 참가했다는 점이 특이합니다. 앞에서 나왔던 중종반정은 반정 주도 세력이 연산군을 몰아낸 다음에 중종을 추대했거든요.

인조반정으로 광해군이 폐위되면서 북인도 중앙 정계에서 사라집니다. 이제 정계에는 서인과 남인만 남게 됩니다. 붕당 정치의 키워드는 공존입니다. 서인 세력이 집권당이 되었지만, 남인의 정치 참여를 허용하여 공존이라는 붕당 정치의 원칙이 한동안 지켜졌습니다.

: 붕당 간에 예송을 벌이다

서인이 주도권을 가졌지만 서인과 남인이 공존하며 정치를 펼치는 가운데 서인과 남인이 한판 붙는 사건이 일어납니다. 바로 현종 때 일어난 예송입니다. 예송이란 예법에 관한 논쟁을 말하지요. 효종과 효종의 비가 죽었을 때, 자의 대비가 상복을 얼마 동안 입어야 하느냐를 놓고 서인과 남인이 논쟁을 벌입니다. 자의 대비는 인조의 계비로 효종보다 나이가 어린 새어머니였어요. 효종이 죽자 자의 대비도 상복을 입어야 했는데, 효종이 장남이 아닌 차남이었기 때문에 문제가 복잡해집니다.

자의 대비의 복상 기간으로 서인 측에서는 1년, 남인 측에서는 3년을 주장했거든요. 서인은 사대부 가문에서 중요하게 여기는『주자가례』에 따르면 장자일 경우 그 어머니가 3년 동안 상복을 입고 장자가 아닌 경우에는 1년만 입는다고 하며 1년을 주장했어요. 그런데 남인의 주장은, 왕은 일반 사대부와 다르며 효종은 차남일지라도 왕위를 계승했기 때문에 장자 대접을 해야 한다는 거였어요. 이때는 서인의 의견이 받아들여집니다.

시간이 지나 효종의 비가 죽자 자의 대비의 복상에 대한 논쟁이 또 일어납니다.『주자가례』에 따르면 장자의 아내가 죽었을 때는 1년, 장자가 아닌 자식의 아내가 죽었을 때는 9개월 동안 상복을 입는 게 원칙이에요. 마찬가지 논리로 서인은 왕이나 일반 사대부나 똑같다며 9개월을 주장하고, 남인은 왕은 장자로 대우해야 한다며 1년을 주장합니다. 현종은 이때 남인의 손을 들어 줍니다. 남인 측 입장은 왕권 강화에 도움이 되고 서인 측 입장은 그렇지 못함을 직시하고 남인 편을 든 거예요. 이후 한동안 남인이 권력을 잡습니다.

: 환국으로 붕당 정치가 변질되다

지금까지 붕당 정치는 상대 당에 대한 비판과 견제가 격해지더라도 공존의 원칙은 깨지지 않을 만큼 비교적 건전하게 전개되었습니다. 하지만 숙종 때 여러 차례 환국으로 붕당 간 대립이 극도로 심해져 붕당 정치는 변질됩니다.

환국이란 정국을 바꾼다는 뜻으로, 급작스럽게 정권이 교체되는 국면을 말하지요. 숙종 하면 대부분 장희빈과 함께 사랑에 질질 끌려다닌 유약한 모습의 왕을 떠올리는데, 전혀 그렇지 않습니다. 숙종은 태종과 세조에 비견할 만한 강력한 왕권을 가지고 있었어요.

숙종은 남인과 서인에게 번갈아 가며 세력을 몰아주는 환국을 통해 왕권을 강화해 나갑니다. 한쪽 당의 세력이 커졌다 싶으면 경고도 없이 그들을 몰아내고 반대 당에 힘을 실어 주었지요. 그러니 남인과 서인은 숙종의 눈치를 볼 수밖에 없고 환국에서 살아남기 위해서 사투를 벌여야 했어요. 또 살아남은 자들은 정권을 유지하기 위해 상대 당에게 더욱 가혹한 처분을 내렸지요. 이러면서 일당 전제화가 일어나고 붕당 정치가 변질됩니다.

환국 과정에서 살아남은 최종 승리자는 서인입니다. 남인은 장희빈과 함께 몰락하게 되지요. 이제 마지막까지 남은 서인이 정국을 장악합니다. 그런데 환국 중에 서인은 소론과 노론으로 나뉘었지요. 나중에 숙종의 후계자를 정하는 문제에서 소론은 세자(이후 경종)를 지지했고, 노론은 연잉군(이후 영조)을 지지했어요. 노론과 소론은 자신이 지지하는 왕자를 왕위에 올리기 위해 치열한 경쟁을 벌였어요. 결국 경종이 왕위에 오릅니다. 하지만 몇 년이 못 가 경종이 죽고 영조가 왕위에 오르면서 노론이 정권의 실세로 부상합니다.

2 영조와 정조의 탕평 정치

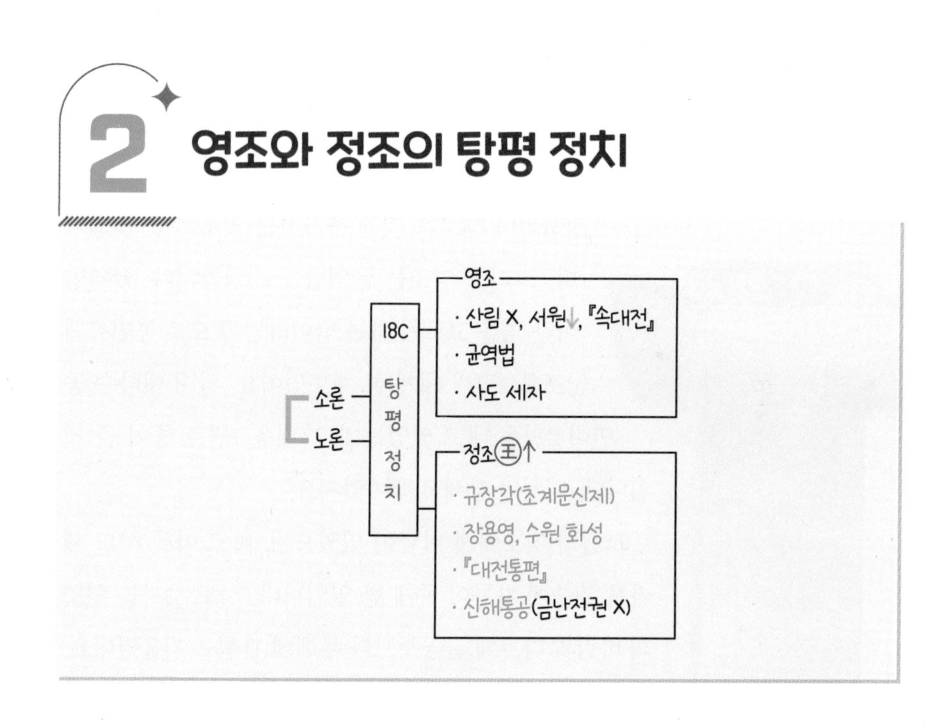

영조가 즉위하면서 노론이 집권했지만, 노론과 소론의 대립은 계속되었지요. 붕당 정치의 폐단을 바로잡기 위해 영조와 그 뒤를 이은 정조는 탕평 정치를 실시합니다. 탕평 정치란 한쪽에 치우침 없이 인재를 고루 등용하여 정치적 안정을 꾀하고자 한 정치를 말합니다.

: 영조, 탕평 정치를 시작하다

앞에서 조선 시대에는 신하들의 입김이 강했다고 했지요? 하지만 영조 재위 시기에는 왕권이 신권을 압도했고, 국왕이 엄청난 카리스마를 내뿜으며 탕평 정치를 펼쳐 나갑니다.

영조는 각 붕당에서 온건론자를 등용하여 탕평책을 펴고, 이를 널리 알리기 위해 성균관 앞에 탕평비를 세웁니다. 또한 산림 세력을 인정하지 않고 붕당의 근거지였던 서원을 대폭 정리합니다. 산림이란 학문의 경지는 높으나 관직에 나오지 않고 향촌에서 학문에 힘쓰며 현실 정치에 목소리를 높이던 선비들을 일컫는 말입니다. 대표적으로 서인의 송시열이 있는데, 송시열 등 산림은 배후에서 여론을 형성했지요.

어느 정도 정국이 안정되자 영조는 제도를 정비하고 민생 안정책을 마련하는 데도 힘을 기울입니다. 시대 변화에 맞게 『경국대전』을 보강하여 속편 격인 『속대전』을 편찬하여 문물제도를 정비하지요. 오늘날 국회에서 기존 법이나 제도를 개정하거나 새로운 것을 추가하는 일과 같은 것입니다. 그리고 영조는 균역법을 시행합니다. 균역법이란 역을 고르게 하는 법이라는 뜻으로 농민에게 군포를 1필씩 내게 한 제도였어요. 당시 대다수 농민이 2필을 내고 있었는데, 그것을 1필로 줄여 준 것입니다. 엄청난 감세 정책이었지요.

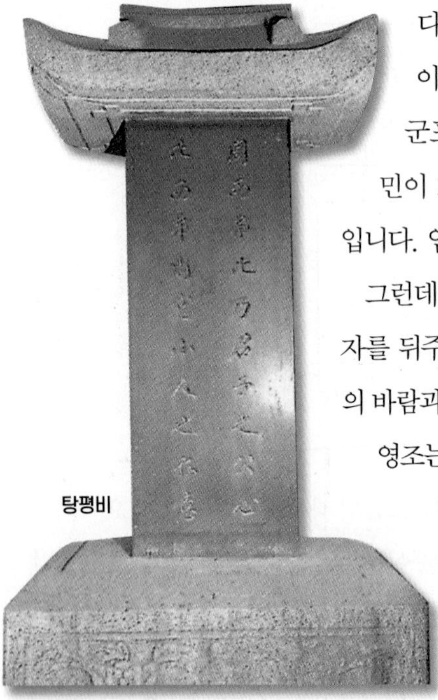

탕평비

그런데 영조에게 비극이 있었으니, 바로 아들 사도 세자를 뒤주에 가두어 죽게 한 일입니다. 사도 세자는 영조의 바람과 다르게 글공부보다 무예에 관심을 기울였어요. 영조는 이런 사도 세자를 혹독히 질책했고, 아버지의 비난과 질책이 있을 때마다 사도 세자는 점점 엇나갔습니다. 나중에는 광증까지 얻게 되었지요. 영조는 정치가로서 결단을 내립니다. 사도 세자 대신 세손 정조를 선택한 것이지요.

영조가 아들을 죽음으로 몰아넣은 데에는 노론의 입김이 작용했을 겁니다. 노론이 자신들에게 비판적이었던 사도 세자가 등극하는 것을 꺼린 것이지요. 일개 양반집 청지기인 나경언이 영조에게 사도 세자의 비행을 고한 배경에 노론이 있다는 이야기도 있습니다. 나경언의 고변은 영조가 사도 세자를 죽이는 데 결정적 계기가 됩니다. 엄청난 카리스마로 왕권을 강화한 영조도 자신을 왕위에 앉힌 노론 세력을 완전히 저버릴 수는 없었나 봅니다.

: 정조, 탕평 정치를 발전시키다

세손 시절부터 정조는 많은 어려움을 겪었습니다. 사도 세자의 아들이 왕이 되는 걸 노론이 좋아할 리가 없잖아요. 그런 상황에서 왕이 된 정조는 즉위식에서 '과인은 사도 세자의 아들이다.'라고 선언하며 정치의 첫 장을 엽니다. 이것은 아버지 사도 세자를 죽음으로 몰아넣은 노론에 대한 선전 포고나 마찬가지였지요. 가혹한 보복이 일어났을까요? 그렇지 않아요. 정조는 영조의 탕평 정치를 이어 나갑니다. 더불어 왕권을 강화하기 위해 많은 개혁을 실시하지요. 정조를 '개혁 군주'라고도 하는데, 어떤 개혁을 폈기에 그렇게 평가하는 걸까요?

첫째, 규장각을 설치합니다. 본디 왕실 도서관이던 규장각을 점차 학술 및 정책 연구 기관으로 발전시키고 이곳을 통해 자신의 개혁 정치를 뒷받침할 인재를 키웁니다. 그래서 초계문신제를 마련합니다. 초계문신제는 재능 있는 젊은 관리들을 의정부에서 선발해 국왕에게 보고한 뒤 규장각에 소속시켜 학문을 연마하게 한 제도예요. 정조가 직접 시험 문제를 내고 채점까지 하는 경우도 있었다고 하지요.

창덕궁 규장각

뿐만 아니라 정조는 규장각 방학에도 초계문신에게 숙제를 내줄 정도로 관심을 두었어요. 이 제도를 통해 배출된 걸출한 인물이 바로 정약용입니다. 정약용은 정조의 학문적·정치적 동반자였어요.

둘째, 왕의 호위를 전담하는 부대인 장용영을 설치합니다. 자신만의 군사 조직을 만들어 용맹스러운 병사를 키워 이들에게 자신의 신변을 보호하게 하고 왕권을 뒷받침하게 한 것입니다.

셋째, 그 유명한 수원 화성을 건설합니다. 정약용의 설계를 바탕으로 당시의 과학 기술의 성과를 집약하여 건설한 수원 화성에는 정조의 꿈과 개혁 의지가 오롯이 담겨 있습니다. 수원 화성은 유네스코 세계 유산으로 등재되어 세계가 그 가치를 인정하고 있습니다.

넷째, 영조가 『속대전』을 만들었듯이 정조도 법전을 편찬합니다. 『경국대전』, 『속대전』 그리고 그 뒤의 법령을 통합하고 보완하여 『대전통편』을 편찬합니다.

마지막으로, 신해통공을 실시합니다. '통공'은 공평하게 모두 통하게 한다는 뜻으로, 누구나 상업 활동을 할 수 있도록 시전 상인이 행사하던 금난전권을 폐지한 겁니다. 시전 상인에게는 난전을 금지하고 규제할 수 있는 독점적 권리(금난전권)가 있었는데, 정조는 종로의 육의전을 제외한 시전 상인의 금난전권을 폐지하여 어느 정도 자유로운 상업 활동을 보장해 주었지요.

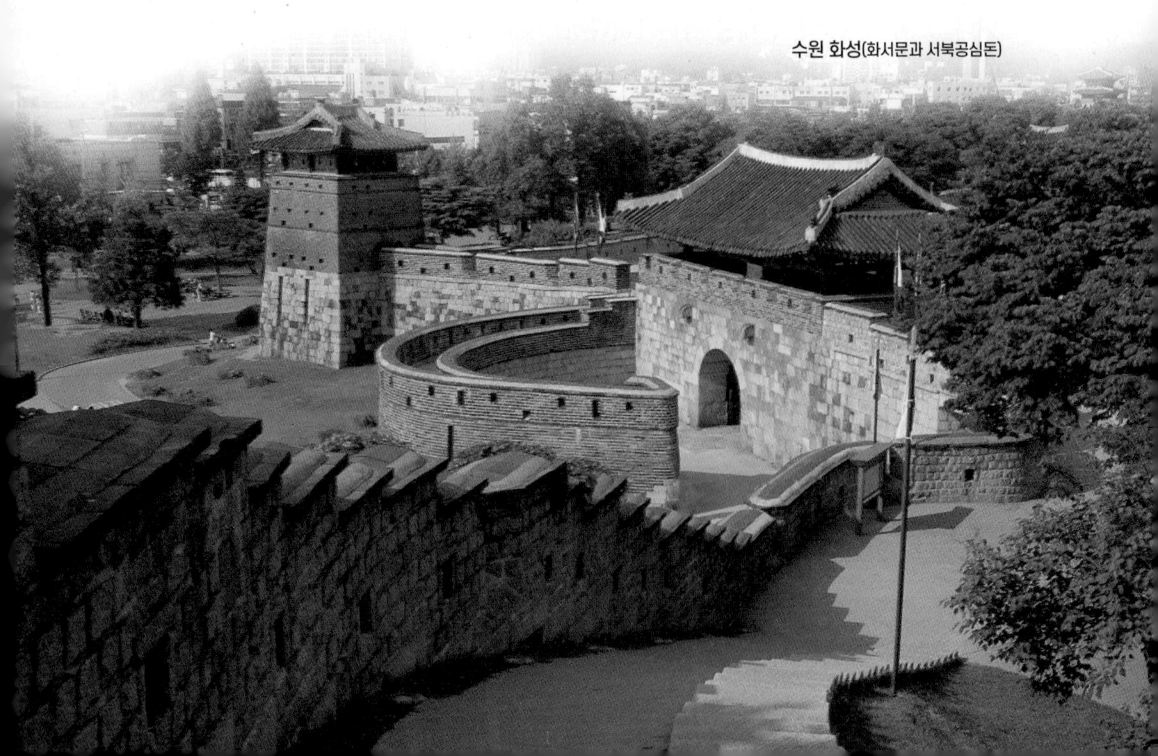
수원 화성(화서문과 서북공심돈)

3 세도 정치의 전개

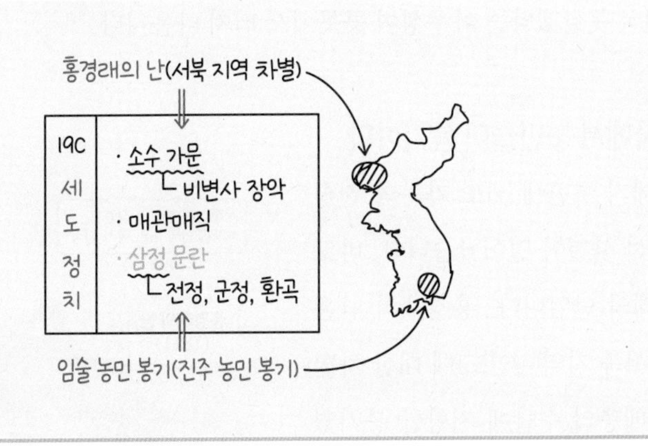

: 소수 가문이 권력을 독점하다

1800년, 개혁 정치를 펼치던 정조가 갑자기 죽음을 맞습니다. 이어 나이 어린 순조가 즉위하면서 몇몇 외척 가문이 권력을 장악하고 권세를 휘두르는 세도 정치가 시작됩니다. 세도 정치는 왕실과 혼인 관계에 있는 몇몇 가문이 권력을 독점하고 국정을 좌지우지한 정치를 말합니다. 특히 세도 가문은 비변사의 요직을 차지했어요. 임진왜란을 거치면서 권한이 강화된 비변사가 의정부를 제치고 국방뿐 아니라 국정 전반을 다루는 최고 기관의 역할을 하고 있었거든요.

비변사를 차지한 안동 김씨, 풍양 조씨 등의 가문이 모든 권력을 가졌습니다. 이들의 권력을 견제할 장치도 없었지요. 벼슬을 돈으로 사고파는, 부정부패의 전형인 매관매직이 성행합니다. 관직을 돈으로 산 사람들은 본전을 뽑고 자신의 배를 불려야 하니 백성의 고혈을 짰어요. 그러다 보니 조세 체계가 완전히 무너지지요. 바로 '삼정의 문란'이 나타납니다.

삼정은 전정·군정·환곡을 말합니다. 전정은 토지에 물리는 세금을, 군정은 양인 남자에게서 군포를 거두는 일입니다. 환곡은 가난한 농민에게 봄에 곡식을 빌려주었다가 수확한 후에 돌려받는 빈민 구휼 제도이고요.

그런데 농사짓지 않는 토지에도 세금을 매기고, 어린아이나 죽은 사람에게도 군포를 부과하고 환곡에 터무니없이 높은 이자를 붙여 고리대를 일삼는 관리들이 생겨났어요. 관리들의 부정부패가 극심해지고 농민들은 점점 더 살기 힘들었어요. 결국 못살겠다는 아우성이 곳곳에서 터져 나옵니다.

: 전국에서 농민들이 봉기하다

19세기 초반에 세도 가문의 전횡에 맞선 사건이 일어났습니다. 바로 홍경래의 난입니다. 홍경래의 난은 특히 서북 지역(평안도)에 대한 차별과 지배층의 수탈에 저항한 봉기였어요. 몰락 양반 홍경래가 주도하고 가난한 농민, 광산 노동자, 품팔이꾼, 노비 등의 하층민이 동참했지요. 홍경래 세력은 처음에 청천강 이북 9개 읍을 점령하지만 관군에게 패하여 몇 개월을 버티다 결국 진압되었지요. 홍경래의 난은 실패했지만 이후 농민 봉기에 큰 영향을 끼칩니다.

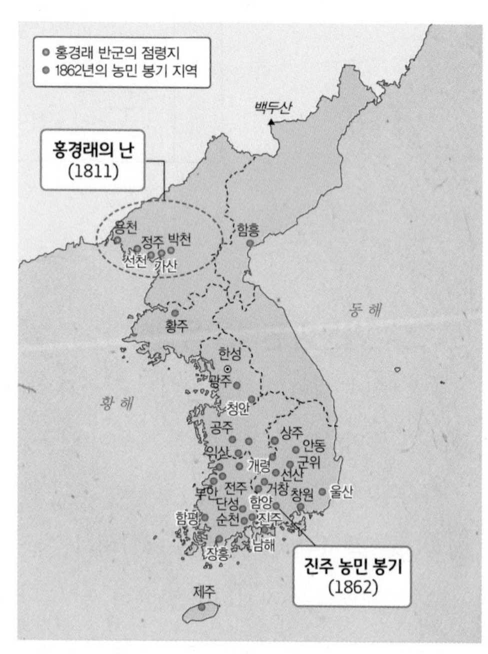

19세기 농민 봉기

19세기 중반에는 지배층의 수탈과 삼정의 문란에 저항하여 임술 농민 봉기가 일어납니다. 임술년(1862)에 일어난 농민 봉기란 뜻이지요. 탐관오리의 부정과 횡포에 항거하여 유계춘을 중심으로 뭉친 진주의 농민들이 일으킨 봉기 이후 전국 각지에서 봉기가 일어났어요. 북쪽으로는 함흥 지역, 남쪽으로는 제주도까지 확산되지요. 농민들은 삼정의 문란을 바로잡으라고 요구했습니다. 이에 조선 정부는 삼정이청청을 설치했으나 큰 성과를 거두지는 못했어요.

19세기에는 지배층의 부패와 사회 불안이 심각해져 봉기가 계속됩니다. 이렇게 기울어지는 조선을 일으키기 위해 나서는 사람이 있었으니, 바로 흥선 대원군입니다.

4 조선의 대외 관계

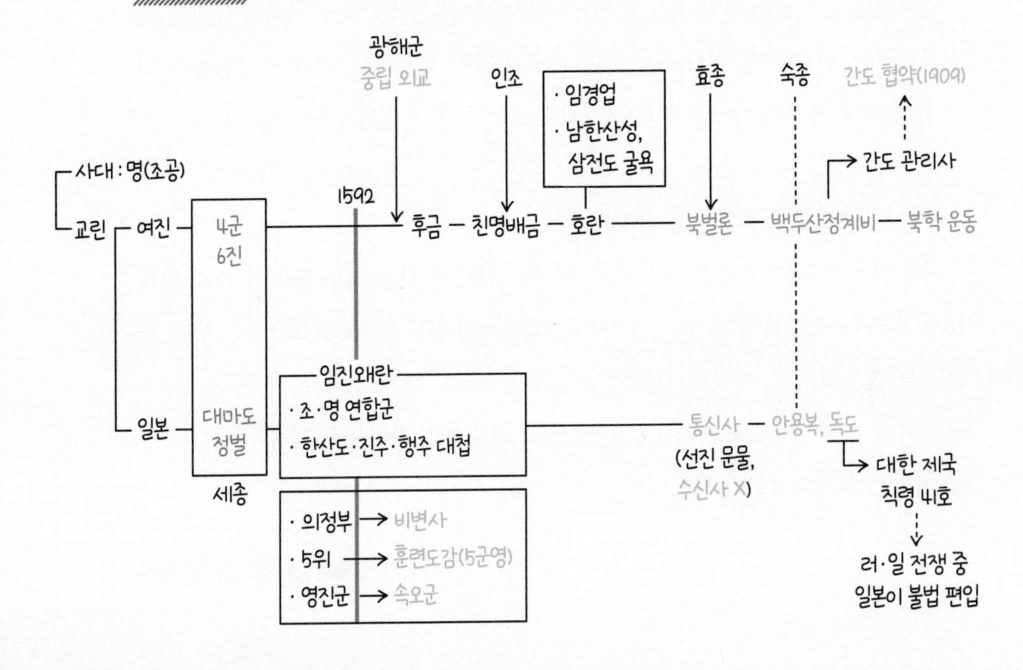

: 사대교린 정책을 펴다

조선 전기의 외교는 사대교린이라는 틀에서 전개됩니다. 사대교린이란 큰 나라는 섬기고 이웃 나라와는 대등한 입장에서 교류하여 나라의 안정을 꾀한다는 외교 정책입니다.

'사대'에 해당하는 나라는 명으로 조선은 명과 조공 - 책봉 관계를 맺었어요. 명에 정기적으로 예물을 보내고 사신을 파견하여 선진 문물을 수입하고 물품을 교역하면서 활발히 교류했습니다. '사대'라는 말이 조금 굴욕적으로 느껴질 수는 있지만, 사대 외교는 당시 중국 중심의 동아시아 사회에서 일반적인 외교 형식이었지요. '교린'에 해당하는 나라는 여진과 일본으로 조선은 상황에 따라 이들에게 회유책과 강경책을 썼어요.

여진에 대한 회유책으로 국경 지역인 경원과 경성에 무역소를 만들어 국경 무역과 사절 왕래를 통한 교역을 허락했어요. 하지만 여진인이 자꾸 국경을 넘어 약탈을 하자 세종 때 강경책으로 여진을 몰아내고 4군 6진을 설치했지요.

일본에게도 마찬가지였어요. 조선은 지금의 부산, 창원, 울산 지역에 왜관을 설치하여 제한된 교역을 허락하는 한편 왜구가 자꾸 조선에 들어와 노략질을 하니까 세종 때 이종무가 왜구의 근거지인 대마도(쓰시마섬) 정벌을 단행합니다.

: 관민의 단결로 임진왜란을 막아내다

세종의 대마도(쓰시마섬) 정벌 이후 왜구의 약탈이 어느 정도 줄었어요. 그런데 16세기 들어서 조선에 체류한 일본인들이 통제에 불만을 품고 소란을 피우는 등 문제를 일으켰지요. 왜구의 침입도 잦았고요. 이런 상황에서 일본의 전국 시대를 통일한 도요토미 히데요시가 1592년에 명을 정벌하러 간다는 명분을 내세워 조선을 침략한 임진왜란을 일으킵니다.

임진왜란 당시 관군과 의병의 활동

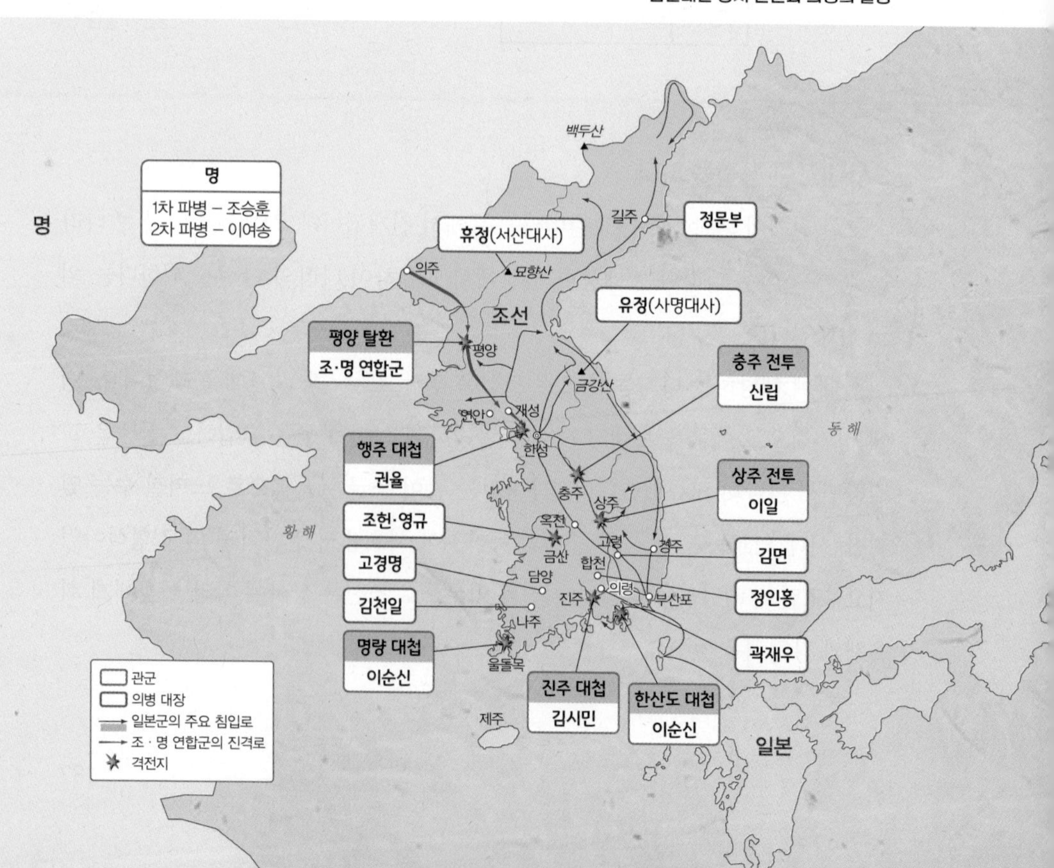

당시 조총을 든 일본군의 거침없는 북상에 연이어 참패하던 조선은 명에게 지원군을 요청하지요. 얼마 뒤에 조선에 도착한 명의 군사와 함께 조·명 연합군을 형성하여 평양을 되찾습니다. 전세를 역전시키는 데 명의 지원도 큰 역할을 했지만, 임진왜란의 3대첩으로 꼽히는 한산도 대첩, 진주 대첩, 행주 대첩에서 펼친 조선군의 활약이 가장 큰 요인이었지요. 이순신은 그 유명한 학익진 전법을 이용하여 한산도 전투를 승리로 이끌고 남해의 제해권을 장악합니다. 진주 목사 김시민은 진주성을 공격하는 일본군에 맞서 6일간의 치열한 공방전 끝에 대승을 거두지요. 또 권율은 행주산성을 몇 겹으로 에워싸고 공세를 펼치는 일본군에 맞서 관민과 함께 싸워 완전한 승리를 이끌어 냈지요.

전국 각지에서 일어난 의병의 활약도 빼놓을 수 없습니다. 의병은 농민들이 주를 이루었고 전직 관리나 승려, 유생 등이 의병장으로 나서서 이들을 이끌었습니다. 홍의 장군으로 불리는 곽재우와 승려 유정 등이 대표적인 의병장이지요.

전세가 불리해진 일본은 도요토미 히데요시가 죽자 철수를 결정합니다. 조선 수군이 철수하는 일본군을 노량 해전에서 무찌르며 7년간의 임진왜란은 막을 내리게 됩니다. 하지만 오랜 전쟁으로 조선의 땅은 황폐해졌고, 많은 사람이 죽고 포로로 잡혀갔어요. 임진왜란 이후 조선은 일본과 국교를 단절했지만, 새로 들어선 에도 막부가 다시 수교할 것을 요청하자 이를 받아들이고 일본에 통신사를 보냅니다. 조선은 이후 200여 년 동안 통신사를 12차례 파견하여 일본에 선진 문물을 전파하지요.

: 임진왜란이 가져온 사회 변화

임진왜란은 조선에 큰 변화를 가져옵니다. 먼저 정치 조직에 변화가 생깁니다. 전쟁이 길어지면서 정치의 중심이 의정부와 6조에서 비변사로 옮겨 갑니다. 비변사는 원래 여진과 왜구의 침입에 대비하여 국방 문제를 논의하기 위해 만든 임시 기구였어요. 그런데 전쟁이 일어나 국방 문제가 시급해지면서 대부분의 문무 고관이 모여서 회의하는 기구로 확대되어 권력의 중심으로 떠오릅니다. 비변사의 권한이 점차 커져 의정부가 유명무실해졌고 세도가는 비변사를 장악하여 권력을 휘두릅니다.

군사 조직도 바뀝니다. 중앙의 5위 체제가 5군영 체제로 개편되지요. 임진왜란 중에 가장 먼저 훈련도감이 만들어졌어요. 훈련도감은 직업 군인으로 편성되었다는 게 가장 큰 특징입니다. 훈련도감 설치에 뒤이어 어영청·총융청·수어청·금위영이 차례로 설치되어 5군영 체제가 완성되지요.

지방군은 영진군 체제에서 속오군 체제로 바뀝니다. 영진군은 일반 양민 중심인 데 반해 속오군은 양반부터 노비까지 모든 신분이 편성 대상이었어요. 속오군은 평상시에는 생업에 종사하다가 농한기에 훈련을 하고 적이 침입하면 동원되었지요.

: 중립 외교에서 친명배금으로

임진왜란 때 명은 조선에 대규모 지원군을 보내지요. 이후 명의 국력은 급속히 약해지고 이 틈을 타 북쪽에서는 여진이 성장합니다. 흩어져 있던 여진 부족을 통일한 누르하치는 만주에 후금을 세우고 명을 침공하지요.

전쟁의 피해를 복구하는 데 전념하던 광해군은 강성해진 후금과의 충돌을 피하기 위해 명과 후금 사이에서 실리를 따르는 중립 외교 정책을 택합니다. 명의 지원병 요청에 강홍립의 부대를 보내긴 했으나 후금을 자극하지 않기 위해 강홍립에게 상황에 따라 적절히 대처하라고 지시했어요. 실제로 조·명 연합군이 밀리자 강홍립은 후금에 투항합니다.

이에 서인 세력은 중립 외교는 명에 대한 의리를 저버리는 행위라며 비판하고 인조반정을 일으켜 광해군을 쫓아내고 인조를 새 왕으로 세웁니다. 인조와 서인 정권은 명과는 친하게 지내고 후금은 배척하는 친명배금 정책을 펼칩니다.

친명배금 정책에 자극을 받은 후금이 1627년에 조선을 침략하여 정묘호란이 일어납니다. 이때 조선과 후금은 둘 다 전쟁이 길어지는 것을 원치 않았기에 형제 관계를 맺는 선에서 화의를 맺습니다. 이후 세력이 더 커진 후금이 국호를 '청'으로 바꾸고 조선에 군신 관계를 요구합니다. 화의해야 한다는 주화파보다 싸우자는 척화파가 주류를 이루었던 조선 조정이 청의 요구를 거부하자, 청 태종이 대군을 이끌고 조선을 침입하지요. 이것이 병자호란입니다(1636).

청군의 빠른 진격에 놀란 인조는 강화도로 피신하려다가 길이 막히자 남한산성으로 들어가 항전합니다. 그러나 인조는 45일 만에 항복하고 세자와 신하들과 함께 남한산성에서 나와 삼전도로 갔지요. 그곳에서 청 황제 앞에 세 번 절하고 아홉 번 머리를 조아리며 굴욕적인 항복 의식을 치르지요. 그 뒤 청 황제의 요구대로 항복을 알리고 청 황제의 덕을 칭송하는 삼전도비를 세우게 합니다.

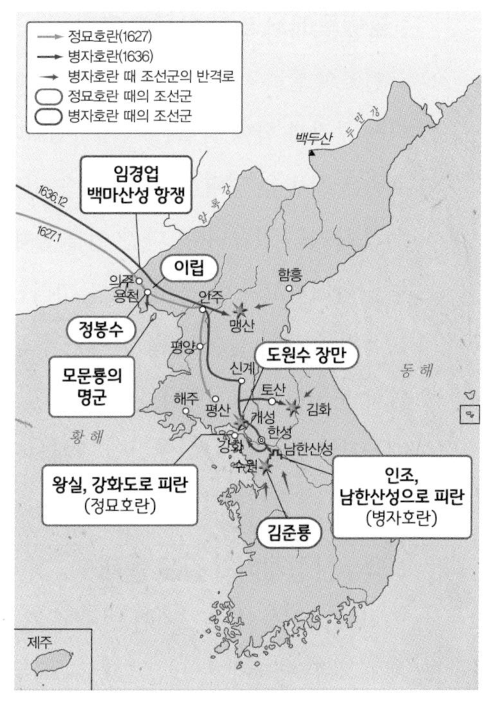

정묘호란과 병자호란

조선 왕실은 이렇게 굴욕적 모습으로 청에 항복을 했지만 청군의 거친 말발굽 아래에서도 조선인의 자존심을 지킨 장수가 있었어요. 바로 임경업입니다. 병자호란 때 청의 군대는 임경업이 지키고 있는 성을 우회하여 한성을 공격했을 정도로 그가 가진 전투력은 대단했어요. 인조의 항복으로 임경업은 제대로 싸우지 못했지만 청군이 본국으로 돌아갈 때 배후에서 공격하여 끌려가던 우리 백성을 구해 내기도 했습니다.

청에 대한 조선 조정의 인식

• 척화파 윤집의 주장

명은 우리나라에 있어서 부모의 나라이고, 노적은 부모의 원수입니다. 부모의 원수와 형제의 의를 맺어 부모의 은혜를 저버려서야 되겠습니까. …… 차마 이런 시기에 어찌 다시 화의를 제창할 수 있겠습니까.

– 『인조실록』 –

• 주화파 최명길의 주장

자기의 힘을 헤아리지 아니하고 경망하게 큰소리를 쳐서 오랑캐의 노여움을 도발, 마침내는 백성이 도탄에 빠지고 종묘와 사직에 제사 지내지 못하게 된다면 그 허물이 이보다 클 수 있겠습니까.

– 『지천집』 –

: 북벌론에서 북학 운동으로

인조의 굴욕적 항복으로 병자호란이 끝난 뒤 청에게서 받은 치욕을 갚아야 한다는 주장과 함께 북벌론이 제기됩니다. 특히 왕자 시절에 청에 인질로 잡혀갔던 효종은 북벌을 열렬히 외치죠. 송시열, 이완 등이 앞장섰어요. 하지만 실행으로 옮긴 사례는 없습니다. 다만 이를 통해 집권층이 군사력을 강화하고 자신들의 권력을 확대하고자 한 건 아니었을까라는 생각이 듭니다.

한편 18세기 들어서 청의 학문과 문물을 받아들여 나라를 부강하게 만들자는 북학 운동이 전개됩니다. 북벌론은 청을 치자는 것이고, 북학 운동은 청의 문물을 배우자는 운동이지요. 여기에 대해서는 문화 파트에서 자세히 살펴보겠습니다.

: 백두산정계비와 간도 문제

청이 자신들의 본거지인 만주에 관심을 기울이면서 조선과 청 사이에 국경 문제가 자주 발생하자, 청은 조선에 백두산 일대의 경계를 명확히 하자고 제안합니다. 그래서 숙종 때 조선과 청의 대표가 백두산 일대를 둘러보고 국경을 확정하여 백두산정계비를 세웁니다.

> 오라총관 목극등이 황제의 뜻을 받들어 변경을 답사해 이곳에 와서 살펴보니, 서쪽은 압록이 되고, 동쪽은 토문(土門)이 되므로 분수령 위에 돌에 새겨 기록한다.
>
> – 강희 오십일년 오월 십오일(숙종 38, 1712) –

대한 제국 시기에 이 백두산정계비 해석을 두고 국경 문제가 다시 발생하기도 합니다. 백두산 북쪽, 만주의 간도 지역은 오랜 기간 우리 민족의 생활 터전이었습니다. 대한 제국 정부는 이범윤을 간도 관리사로 임명하여 세금을 걷으면서 간도를 관리하도록 했어요.

그런데 1909년 간도 협약 체결로 간도는 청의 영토가 됩니다. 일제가 남만주 철도 부설권을 얻는 대가로 간도 지역을 청에 넘긴 것입니다. 1905년 을사늑약 체결로 외교권을 빼앗긴 대한 제국은 협상 테이블에 나갈 수 없었지요. 백두산정계비에

"서위 압록, 동위 토문"이라고 새겨져 있어 토문이 두만강이냐 토문강이냐에 따라 국경이 달라지는 상황이었는데, 일제가 마음대로 간도 협약을 맺어 청의 영토로 정리해 버린 거지요.

: 안용복의 활약 – 독도는 우리 땅

숙종 때 일본과 관련한 외교적 사건이 일어납니다. 어부 안용복이 일본으로 가서 독도의 영유권을 확인한 일입니다. 안용복은 울릉도 근해에 들어와 고기잡이를 하던 일본 어선과 다툼을 벌이다가 일본으로 납치됩니다. 하지만 안용복은 울릉도가 우리 땅임을 당당하게 주장하고 오히려 에도 막부로부터 "울릉도와 독도는 일본 땅이 아니므로 일본 어민의 출어를 금지시키겠다."는 각서를 받아 옵니다. 하지만 돌아오는 길에 대마도주에게 각서를 빼앗기고 조선에 돌아와서는 국경을 넘은 죄인으로 감금되었어요. 풀려난 안용복은 분개했지요. 이후에도 일본 어선의 불법 행위는 계속되었어요. 이에 안용복은 다시 일본으로 건너가 항의하며 울릉도와 독도가 조선 땅임을 다시 한 번 확인받고 돌아옵니다.

그런데 돌아온 안용복은 관리 사칭죄로 사형당할 처지에 놓입니다. 어부 출신인 안용복이 일본 관리들과 협상하기 위해 자신을 울릉·우산 양도 감세관이라고 칭했기 때문이지요. 우산도는 독도의 옛 명칭입니다. 하지만 그 공로가 참작되어 귀양 가는 데 그치지요.

개항 이후 일본 어민의 불법 침입이 다시 늘어났어요. 대한 제국 정부는 울릉도를 군으로 승격시켜 독도를 관할하도록 하는 내용의 칙령 41호를 공포하여 독도가 우리 땅임을 대내외에 밝혔지요. 그러나 일본은 어이없게도 러·일 전쟁 중인 1905년에 독도를 자기네 영토로 편입합니다. 이는 엄연히 불법이자 영토 침탈입니다. 광복 이후 독도는 우리 영토로 반환되었고 우리나라가 독도를 실효적으로 지배하고 있음에도 일본은 억지 논리를 내세워 불필요한 독도 영유권 논쟁을 일으키고 있지요. 안용복의 활약은 일본의 주장에 반박할 확실한 근거가 된다는 점에서 그 의의가 무척 크다고 하겠습니다.

10 조선 후기의 정치

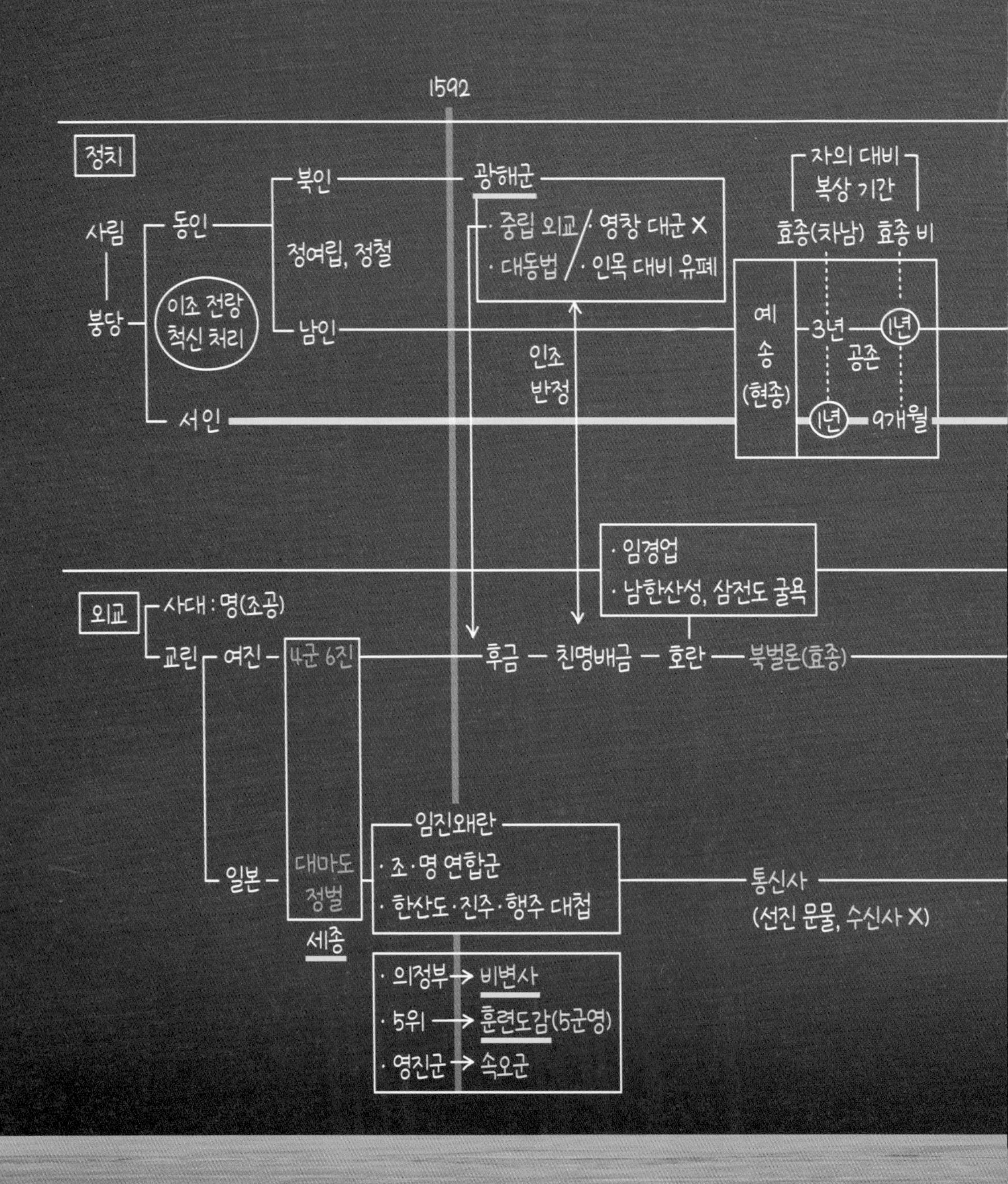

1592
정치
사림
붕당
동인
북인
정여립, 정철
남인
서인
이조 전랑 척신 처리
광해군
· 중립 외교
· 대동법
· 영창 대군 X
· 인목 대비 유폐
인조 반정
자의 대비 복상 기간
효종(차남)
효종 비
예송 (현종)
3년
1년
공존
1년
9개월
· 임경업
· 남한산성, 삼전도 굴욕
외교
사대 : 명(조공)
교린
여진
4군 6진
후금
친명배금
호란
북벌론(효종)
일본
대마도 정벌
세종
임진왜란
· 조·명 연합군
· 한산도·진주·행주 대첩
통신사
(선진 문물, 수신사 X)
· 의정부 → 비변사
· 5위 → 훈련도감(5군영)
· 영진군 → 속오군

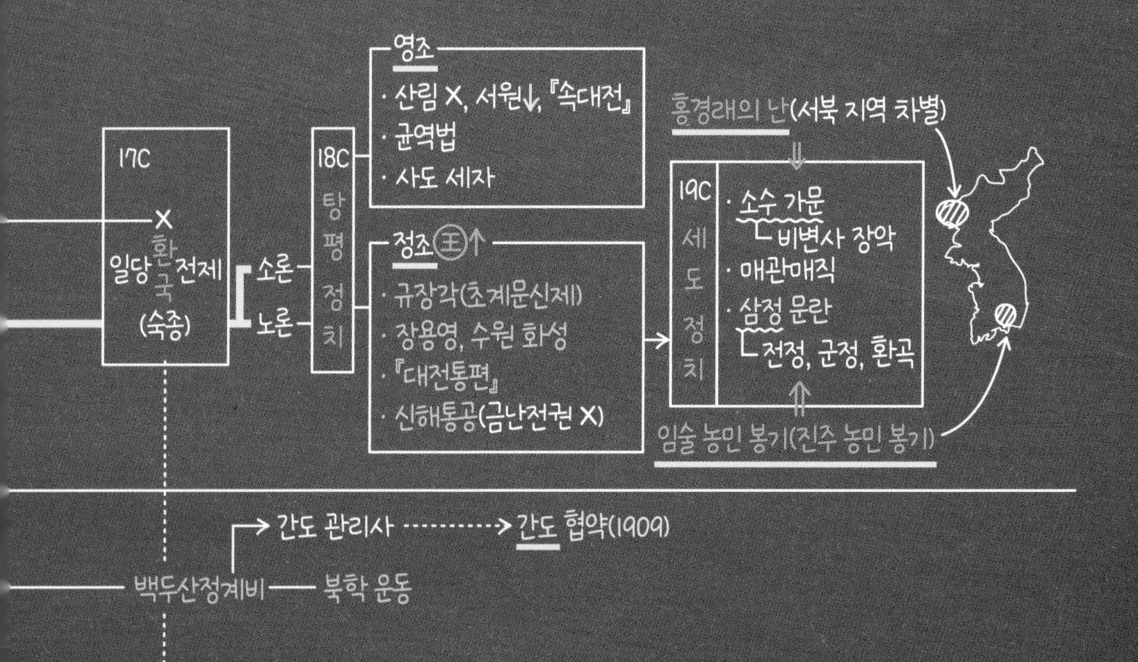

안용복, 독도

대한 제국 칙령 41호 → 러·일 전쟁 중 일본이 불법 편입

11

조선의 경제와 사회

조선의 경제와 사회를 살펴볼 차례입니다.

수취 체제가 왜, 어떻게 바뀌는지를 들여다보면

조선 사회가 어떤 방향으로 가고 있는지 알 수 있어요.

임진왜란을 기점으로 조선의 경제와 사회는 큰 변동을 겪습니다.

조선 후기에 농업뿐 아니라 상업과 수공업, 광업이 발달하고

양반 중심의 신분 질서가 무너집니다.

이러한 변화 속에서 새로운 사상도 등장하지요.

자본주의의 싹을 틔우며 근대로 이행할 준비를 하고 있던

조선 후기를 만나 봅시다.

1 조선 전기의 토지 제도와 수취 제도

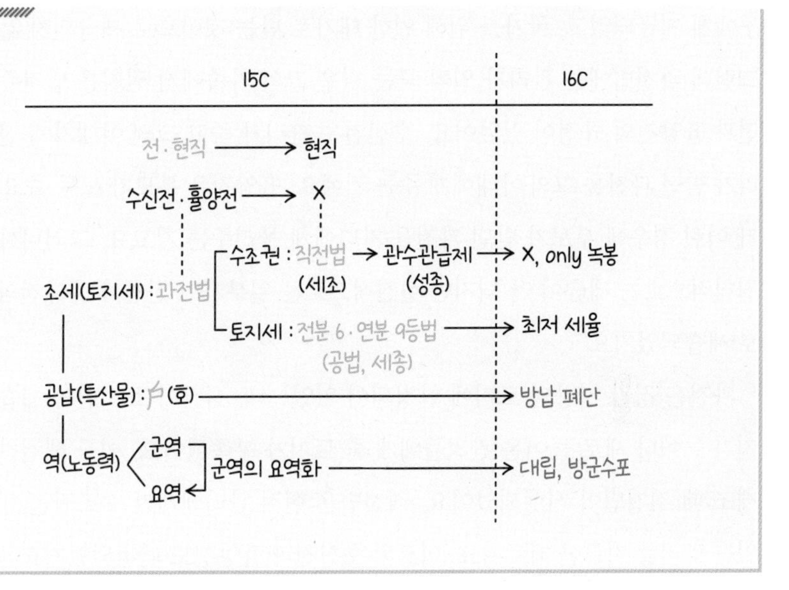

앞에서 이야기했듯이 농민이 져야 하는 의무는 크게 세 가지로, 조세, 공납, 역이 있습니다. 조세는 토지세를 뜻하고, 공납은 지역의 특산물을 바치는 것이고, 역은 무상으로 노동력을 제공하는 것으로 군 복무와 성 쌓기, 길 닦기 등의 일에 동원되는 거지요. 조선 시대에도 농민은 이 세 가지 의무를 졌는데, 이와 관련된 제도를 살펴볼까요?

: 토지 제도 – 과전법에서 직전법, 녹봉 지급으로

고려 말에 토지 제도를 개혁하여 과전법을 시행했지요? 이것이 조선까지 이어집니다. 과전법 안에는 크게 수조권과 토지세에 관한 내용이 들어 있습니다. 수조권은 관리가 국가를 위해서 일한 대가로 받는 봉급으로 볼 수 있는데, 지급받은 토지에서 세금을 거둘 수 있는 권리를 말해요. 토지세는 농민이 농사를 지어 일정한 양을 국가에 내는 거지요.

먼저 수조권과 관련된 내용부터 살펴볼게요. 과전법은 쉽게 말해 토지를 국가가 세금을 거둘 수 있는 땅으로 만들고, 그중 일부를 관리의 등급(과)에 따라 수조권을 행사할 수 있는 토지로 나누어 주는 법이지요. 수조권은 전직과 현직 관리 모두에게 지급되었고, 국가를 위해 일한 대가로 받는 것이므로 세습되지 않았어요. 그런데 과전법에는 관리가 일찍 죽는 경우 그의 가족에게 권리를 넘겨주는 수신전과 휼양전의 규정이 있었어요. 수신전은 관리가 죽고 그의 아내가 수절하면 관리가 받던 과전을 그의 아내에게 주는 거예요. 휼양전은 부모가 모두 죽고 그 자녀가 어린 경우에 부모가 받던 과전을 자녀에게 물려주는 거고요. 그러니까 과전은 원칙적으로는 세습이 안 되지만 실질적으로는 일부가 수신전과 휼양전의 명목으로 세습되었지요.

과전은 경기 지방의 토지에 한정되어 있었는데, 시간이 흐르면서 세습되는 토지가 늘어나 새로 들어온 관리들에게 줄 토지가 부족했어요. 이를 해결하기 위해 세조 때 직전법이 시행되었어요. 직전법은 현직 관리에게만 수조권을 행사할 수 있는 토지를 지급한 제도예요. 이로써 수신전과 휼양전도 폐지되었지요.

상황이 이렇게 변하니 관리들은 퇴직 이후를 대비하려고 어떻게든 더 많이 챙기고 싶어 했지요. 그래서 농민들을 더 쥐어짭니다. 이러한 문제를 해결하기 위해 시행된 것이 관수관급제입니다. 말 그대로 관(官), 곧 나라에서 직접 세금을 거두어 관리에게 지급하는 거예요. 직전법 체제 안에서 세금 걷는 방식만 바꾼 거지요. 이는 성종 때 실시됩니다. 국가가 원칙에 따라 세금을 거두어 관리한테 나누어 주면, 관리들의 농민 수탈을 막을 수 있다고 생각한 거지요. 16세기에 들어서 관리들에게 수조권을 지급하는 제도가 없어지고 직역에 대한 대가는 녹봉으로 지급됩니다.

: 조세 – 전분 6등법, 연분 9등법을 시행하다

조선 초기에는 대략 생산량의 10분의 1을 조세(토지세)로 거두었습니다. '결'은 토지의 넓이를 나타내는 단위로 시기마다 조금씩 그 기준이 달랐어요. 토지 1결당 최대 생산량을 300두로 정하고 최대 30두를 거두었지요.

그러다가 세종 때 전분 6등법과 연분 9등법의 공법을 도입합니다. 전분 6등법은 토지를 비옥도에 따라 6등급으로, 연분 9등법은 그해의 풍흉에 따라 9등급으로 나눈 것으로, 등급에 따라 세금을 거두었지요. 풍년이면 세금을 더 걷고, 흉년이면 덜 걷는다니 이전보다 꽤 합리적입니다. 그런데 매년 기준을 정해야 하니 너무 복잡했어요. 16세기 무렵부터는 관행적으로 최저 세율로 조세를 부과합니다.

: 공납 – 방납의 폐해가 나타나다

공납은 각 지역에서 생산되는 특산물을 현물로 거두어들이는 것입니다. 중앙에서 군과 현에 공물의 종류와 양을 부과하면, 군현이 집집마다 할당량을 내도록 했지요. 그런데 공납은 조세보다 농민들을 더 힘들게 했습니다. 환경 변화로 특산물의 생산량이 달라질 수도 있고 현물이기 때문에 보관과 운반도 어려웠지요. 그래서 이 문제를 해결해 주고 이득을 취하는 사람이 나타납니다. 바로 방납업자입니다. '방납'은 공물의 납부를 막는다, 방해한다는 뜻이에요.

농민들이 공납을 방납업자에게 맡겼지요. 그런데 이 방납업자가 터무니없이 비싼 수수료를 받는 거예요. 그래서 농민이 직접 공물을 마련해서 납부하려고 해도 방납업자와 결탁한 관리가 농민이 직접 마련한 공물은 온갖 트집을 잡아 받지를 않았어요. 농민들은 울며 겨자 먹기로 방납업자를 통해 납부할 수밖에 없었어요. 지방관과 몰래 손잡은 방납업자가 물건값을 턱없이 올려 이득을 취하고 그 이득을 관리들과 나누었던 거지요. 이로 인해 농민의 삶은 더욱 힘들어졌지요. 이러한 방납의 폐단을 막기 위해 조선 후기에 광해군은 대동법을 실시합니다.

방납의 폐단

각 고을에서 공물을 상납하려 할 때 각 관청의 사주인(방납인)들이 여러 가지로 농간을 부려 좋은 것도 불합격 처리하기 때문에 바칠 수 없습니다. 이리하여 사주인은 자기가 갖고 있는 물품으로 관청에 대신 내고 그 고을 농민들에게는 자기가 낸 물건값을 턱없이 높게 쳐서 열 배의 이득을 취하니 이것은 백성의 피땀을 짜내는 것입니다.

–『선조실록』–

: 역 – 대립제, 방군수포제가 나타나다

역은 무상으로 노동력을 제공하는 의무라고 했지요? 역에는 요역과 군역이 있습니다. 요역은 국가의 대규모 공사 현장 등에 불려가 노동력을 제공하는 것을 말하고, 군역은 16세 이상 60세 미만의 양인 남자가 군대에 가는 것을 말하지요.

성곽이나 왕릉 축조 등 공사 현장에 동원되는 요역은 힘들기도 했고, 특히 농번기에 동원되면 농사에 크게 지장을 주었지요. 그래서 농민들은 점점 요역에 동원되는 것을 꺼리고 피했어요.

군역은 어땠을까요? 1392년 조선이 건국된 이후 1592년 임진왜란이 일어났을 때까지 200년 동안 조선에서 큰 전란이 없었어요. 그러다 보니 군역 의무를 다하려고 군대에 가도 군사 훈련을 받는 것이 아니라 토목 공사에 동원되는 일이 점점 많아집니다. 이것을 '군역의 요역화'라고 부르지요. 군인들도 당연히 힘든 군역을 하고 싶지 않았겠지요. 그래서 다른 사람을 사서 대신 군대에 보내는 대립과 포를 내고 군대를 면제받는 방군수포가 성행하지요. 군역을 지는 대신 1년에 옷감 2필 정도만 내면 군역을 면제받을 수 있었는데, 일부 관리들은 3~4필까지 올려 받아 이득을 취했습니다.

16세기 무렵에 관리들의 부정과 횡포가 심해져 농민들의 생활도 어려워지고 군역 제도도 점점 무너져 갔어요. 이러한 가운데 1592년에 임진왜란이 일어나자 지배층이 민낯을 드러냈지요. 왜적이 쳐들어오자 가장 먼저 지배층이 도망을 가는 겁니다. 백성의 원망은 높아 갔고, 전쟁으로 생활은 피폐해졌지요. 그러니 어떻게든 민심을 달래야 했어요. 그래서 조선 후기에 양반 지배층은 대대적인 감세 정책을 추진합니다.

무능하고 부정한 집권층만 있었다면 조선 왕조는 500년 역사를 이어 가지 못했을 거예요. 위기 때마다 백성과 나라를 생각한 사람들이 등장했기 때문에 가능했던 겁니다. 사실 임진왜란 때 선조의 모습을 보면 한숨이 나오지만, 아이러니하게도 선조 재위 시기만큼 뛰어난 인재들이 많이 나온 때도 없었어요. 이순신, 유성룡 등 뛰어난 인물들이 있었기에 임진왜란이라는 엄청난 위기를 극복할 수 있지 않았나 생각해 봅니다.

2 조선 후기의 수취 제도

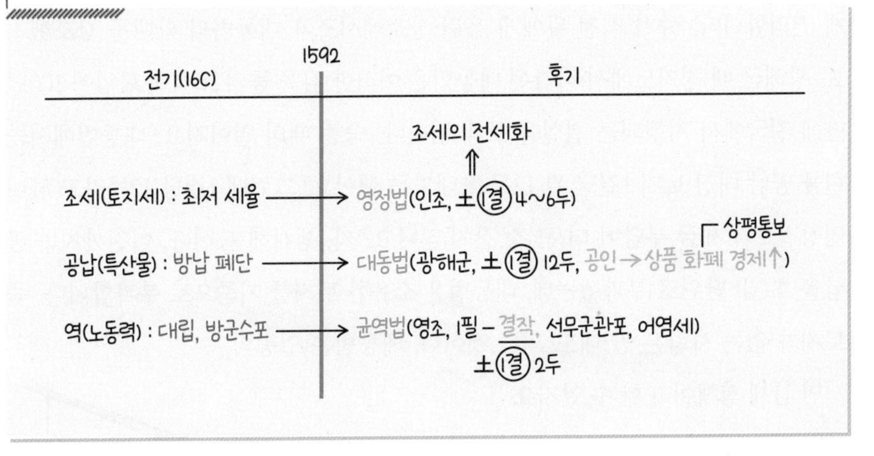

: 조세 – 영정법을 실시하다

임진왜란을 겪으면서 농민들의 생활이 극도로 어려워지자 정부에서는 감세 정책을 펼친다고 했지요? 먼저 조세 면에서는 인조 때 영정법이 실시됩니다. 영정법은 영원히 조세를 하나로 정하여 걷는다는 뜻으로, 풍흉에 관계없이 토지 1결당 쌀 4~6두를 내게 한 제도에요. 이제까지 관행적으로 적용하던 최저 세율을 법제화한 것입니다.

: 공납 – 대동법을 실시하다

다음으로 진짜 중요한 것이 공납입니다. 앞에서 방납의 폐단을 해결하고자 광해군이 대동법을 시행했다고 했어요. 기억나지요? 대동법은 집집마다 특산물을 부과한 공납의 납부 방식을 소유한 토지 결수에 따라 쌀, 동전, 옷감 등으로 내게 한 법이에요. 땅을 많이 가진 사람은 세금을 더 많이 내고, 적게 가진 사람은 덜 내는 합리적인 세금 시스템을 만들고자 시행된 것이지요. 이에 땅을 많이 가진 양반 지주들이 당연히 반발했지요.

사실 대동법 하면 광해군을 떠올리기 쉽지만 엄청난 반발에도 불구하고 대동법 시행에 한평생을 바친 인물이 있습니다. 바로 대동법의 남자 김육입니다. 그의 노력으로 대동법이 충청도에서 시행되지요. 김육은 대동법을 더 확대하고자 효종에게 건의합니다. 죽기 직전 왕에게 올린 상소에서조차 대동법의 확대를 강조했지요. 광해군 때 경기도에서 시작된 대동법은 이러한 김육 등의 노력에 힘입어 100년 만에 전국에서 시행되는 결실을 보게 됩니다. 숙종 때의 일이지요. 대동법에서는 현물 공납 대신 토지 1결당 쌀 12두를 내도록 했어요. 그런데 1결당 12두라고 하니 영정법보다 세금 부담이 더 큰 것 같지 않나요? 자, 생각해 봅시다. 이전까지는 공납을 호(집) 단위로 부과했는데, 대동법은 소유한 토지를 기준으로 부과합니다. 즉 토지가 없는 사람은 안 내도 되는 것이니, 대동법은 일종의 서민 감세 정책이라 할 수 있지요.

본래 국가는 필요한 것들을 전국에서 공물을 받아 마련했잖아요. 임금의 수라상에 올라가는 음식도 모두 8도에서 올라오는 공물로 만들어졌어요. 그런데 대동법 시행으로 쌀과 동전, 옷감이 올라오니 누군가가 왕실과 관청에서 필요로 하는 물품을 대신 사 와야 했어요. 그래서 등장한 직업이 공인(貢人)입니다. 국가가 공식적으로 인정한 상인이지요. 관청에 납품하기 위해 공인이 물품을 대량으로 구매하자, 대량 생산 시스템이 만들어지고 시장의 기능이 활발해집니다. 농민들이 대동세로 낼 쌀이나 돈을 마련하기 위해 토산물을 시장에 내다 팔아 상품 화폐 경제가 발달하게 되지요. 또 수공업자에게 미리 돈을 주고 물건을 주문하니 수공업도 활기를 띠었고요. 대동법 시행이 사회에 미친 영향은 매우 컸어요.

: 역 – 균역법을 실시하고 새로운 세금을 만들다

앞에서 16세기에 군역 제도가 무너져 갔다고 했어요. 전란 이후에 납속책이나 공명첩을 이용하여 신분이 상승하는 사례가 늘어 농민의 수가 줄어든 데다 여러 관청이 군포를 이중 삼중으로 부과하는 경우도 많아져 농민의 부담이 너무 무거웠어요. 농민의 부담을 덜어 주기 위해 영조는 균역법을 실시합니다. 균역법은 군역을 지는 대신 군포 2필을 내던 것을 1필로 줄여 준 제도예요. 무려 50% 삭감이니 엄청난 감세 정책이지요. 이로 인해 줄어든 국가 재정을 보충하기 위해 결작과 선무군관포라는 새로운 세금이 생겼어요. 결작은 지주에게 토지 1결당 쌀 2두를 걷는 것이고, 선무군관포는 부유한 상민 중에서 뽑아 선무군관이라는 칭호를 주고 매년 군포 1필을 내게 한 거예요. 그 밖에 어염세, 선박세 등으로 부족분을 충당했지요. 어염세는 어장과 소금에 매기는 세금으로 본디 왕실 재정이었지만 국가 재정으로 돌린 거예요.

이렇게 조선 후기에 실시된 수취 체제의 개혁을 살펴봤는데, 한 가지 큰 흐름이 보입니다. 바로 '조세의 전(田)세화' 현상이에요. 영정법은 당연히 토지에 매기는 세금이고, 대동법은 공납의 부과 기준을 호(집) 단위가 아닌 토지로 삼은 것이고, 균역법의 시행으로 결작이 만들어져 토지에 세금을 매겼으니까요. 조선 후기에는 이렇게 세금 체계가 토지로 집중된다는 사실을 알 수 있습니다.

이처럼 조세의 전세화가 가능하려면 토지 생산력이 높아야 합니다. 이전까지는 농업 기술과 비료 등이 발달하지 않아 토지 생산량이 적었기에 세금을 토지로 집중시킬 수 없었어요. 조선 후기에 세금이 토지로 집중되는 현상이 나타난다는 건 그만큼 토지 생산량이 늘었다는 것이지요.

3 조선의 경제 생활

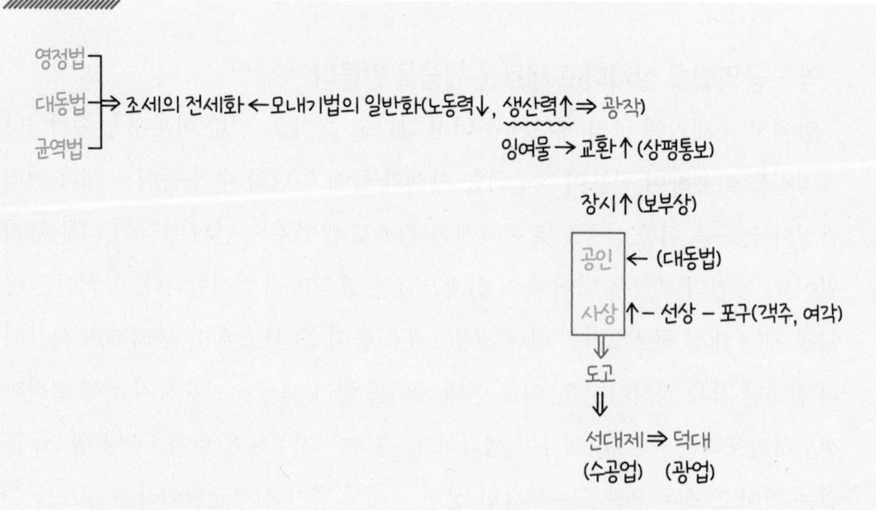

: 모내기법이 일반화되다

조세의 전세화 현상에 결정적으로 영향을 미친 것은 모내기법입니다. 조선 후기에 모내기법이 널리 쓰이며 일반화되었지요. 모내기법(이앙법)은 못자리에 볍씨를 심어 기르다가 어느 정도 자란 모를 논에 옮겨 심는 농사 방법이에요. 이전까지는 논에 볍씨를 직접 뿌리는 직파법을 이용했는데, 잡초가 많이 생겨 벼가 잘 크지 못했어요. 잡초를 뽑는 김매기를 했지만, 잡초가 빨리 자라기도 했고 생긴 것이 비슷해 벼를 뽑아 버리는 실수가 많았지요.

그런데 이제 줄을 맞춰 튼튼한 모를 심고 줄 밖에 있는 것만 뽑아 주면 되니까 벼를 키우는 데 들이는 노동력은 줄고 생산량은 크게 증가했지요. 이에 따라 한 사람이 넓은 토지를 경작하는 광작이 가능해졌어요. 이렇게 토지 생산력이 높아져 세금을 토지에 집중해서 매길 수 있었던 것입니다.

: 상업 활동이 활발해지다

모내기법의 일반화는 상업 전반에도 영향을 끼칩니다. 쌀의 생산량이 늘어나자 이를 장시에서 교환하거나 사고파는 활동이 활발하게 이루어졌어요. 또 애초부터 시장에 내다 팔 목적으로 인삼, 면화, 담배, 채소 등의 상품 작물을 재배하는 경우도 늘어났죠.

조선 전기까지는 자급자족 경제였어요. 당시 왕을 비롯한 지배층은 상업 활동은 천하고 사치를 조장한다고 여겨 군자가 할 일이 아니라고 생각했거든요. 노비를 제외한 양인을 사농공상으로 구분하고, 사대부 - 농민 - 장인(수공업자) - 상인 순으로 엄격하게 신분 질서를 세웠지요. 그런데 조선 후기에는 권력과 거리가 멀거나 몰락한 양반이 생계를 위해 교환 경제에 참여하거나 상업에 종사하는 경우가 많아졌어요.

대동법 시행 이후 공인층이 성장하여 장시를 활성화하는 등 상업 발달을 가져왔어요. 또 정조 때 시행된 신해통공으로 육의전을 제외한 시전 상인의 특권이 없어지면서 자유로운 상업 활동이 어느 정도 보장되었어요. 이에 따라 사사로이 상업 활동을 하는 사상의 활동이 활발해졌고 이들 중 일부는 거상으로 성장하기도 합니다.

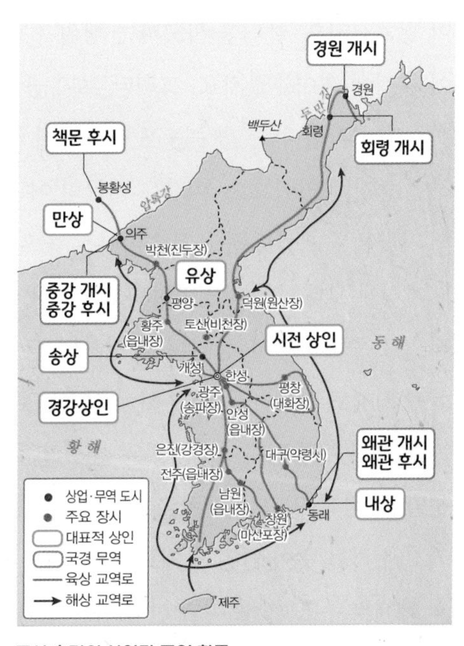

조선 후기의 상업과 무역 활동

대표적으로 의주의 만상, 개성의 송상, 한강 지역의 경강상인, 부산 동래의 내상이 있어요. 사상에 대해 좀 더 살펴볼까요?

사상은 각 지방의 장시를 연결하는 유통망을 가지고 물품을 공급하면서 큰 이득을 남겼어요. 또한 무역 활동도 벌였어요. 의주의 만상은 청과의 무역을 주도했고, 동래의 내상은 일본과의 무역에 참여했지요. 특히 개성의 송상은 청과 일본을 연결하는 중계 무역을 하면서 많은 부를 쌓았어요. 송상의 주력 상품은 바로 인삼이었어요. 송상은 인삼 재배에 투자하여 우리나라 인삼업 발전에도 크게 기여합니다. 또 송상이 경영하는 가게를 송방이라고 했는데, 전국에 지점을 운영할 정도로 송상은 엄청난 거상으로 성장합니다.

조선 후기에 국가에 많은 양의 물품을 납품하는 공인과 막대한 자본력으로 엄청난 물품을 거래하는 사상은 독점적 도매상인인 도고로 성장하기도 하지요.

배가 드나드는 포구와 그 인근에서 상업 활동을 하는 상인들도 있었어요. 한강 지역을 거점으로 활약한 경강상인이 대표적이에요. 지금 서울의 마포, 영등포 등지는 모두 포구가 있던 자리로 많은 물건을 실은 배가 들어오면서 다채로운 모습이 펼쳐졌지요. 물건을 사고파는 행위가 활발해지면서 더 많은 사람들이 몰려들어 홍정에 끼어들었지요. 그러다 보니 중개를 해 주는 사람들도 생겼는데, 바로 객주와 여각입니다. 객주는 포구 등지에서 상품을 위탁 판매하거나 매매를 중개하던 중간 상인이고요. 여각은 지금의 여관을 떠올리면 되는데, 숙박을 제공하면서 가끔은 중개업도 하고 운송이나 금융 일도 했지요.

이렇게 모내기법이 일반화되고 생산량이 비약적으로 증가하면서 상업이 발전하니 당연히 화폐 경제도 발달하겠지요? 이에 상평통보라는 화폐가 유통됩니다. '상평'은 상시평준의 준말로, 항상 일정한 가치로 화폐를 유통시키고자 하는 뜻이 담겨 있어요. 숙종 때부터 공식 화폐로 주조되었으며 조선 후기에 널리 사용되었습니다.

상평통보

: 수공업과 광업이 발달하다

상업 활동이 활발해지고 물품에 대한 수요가 늘어나 수공업도 발달합니다. 이제 장인들은 관청에 소속되어 나라에서 필요한 물건을 만드는 것이 아니라 판매해 돈을 벌기 위해 물건을 만들었어요. 선대제 방식의 수공업도 등장합니다. 이는 상인 등 자본가가 수공업자에게 미리 물건값을 정해서 주고 대량으로 물품을 주문하는 것이에요. 이때 물건값을 결정할 권리는 상인이 쥐고 있었지요. 수공업자는 그 상인이 주문한 물건을 만들어 내는 일만 하는 것이에요.

수공업이 발달하면서 제품의 원료인 광산물의 수요도 자연스럽게 늘어 광업도 활발해집니다. 전문적으로 광산을 경영해 돈을 버는 사람들이 생겨났어요. 이들을 덕대라고 하는데, 지금으로 말하면 전문 경영인 CEO(최고 경영자)입니다. 덕대는 상업 자본을 끌어들여, 광산의 주인과 계약을 맺고 노동자를 고용하여 광산 채굴을 지휘합니다. 그럼 노동자를 어디서 구할까요? 광작에 그 답이 있습니다. 모내기법이 확산되면서 단위 면적당 필요한 노동력이 줄어들어 한 사람이 넓은 땅을 경영하는 광작이 가능해집니다. 이들은 부농으로 성장하지만 남의 집 땅을 빌려 생계를 유지하던 농민은 농사지을 땅을 잃어 먹고살기 위해 농촌을 떠나야 했어요. 그들이 도시나 광산 지역으로 들어가 임금 노동자(임노동자)가 되는 거지요.

광작, 도고, 선대제, 덕대. 이런 단어들이 조선 후기에 나타났다는 말은 곧 조선 후기에 자생적으로 자본주의가 싹을 틔우고 있었다는 의미입니다. 즉 근대 자본주의로 이행할 준비를 하고 있었던 거예요. 따라서 이를 근거 삼아 우리나라가 일제가 강점한 시기에 비로소 근대화되었다고 하는 식민지 근대화론을 부정할 수 있지요. 이러한 내용들이 광복 이후 우리 역사계의 연구 활동으로 밝혀진 결과물이라는 사실, 잘 기억하기 바랍니다.

조선 후기를 한마디로 표현하면 '변화'입니다. 조선 후기를 '변화'의 시기로 만든 많은 요소가 있습니다만, 특히 대동법이라는 공납의 개혁은 엄청난 변화를 몰고 왔지요. 공인이라는 새로운 모습의 상인을 만들어 내고 상업은 물론 수공업, 광업에도 변화를 가져왔지요. 대동법은 조선 후기 경제 부분에 있어 '변화'의 핵심이 된다는 사실을 꼭 알아 두세요.

4 조선의 사회 안정책

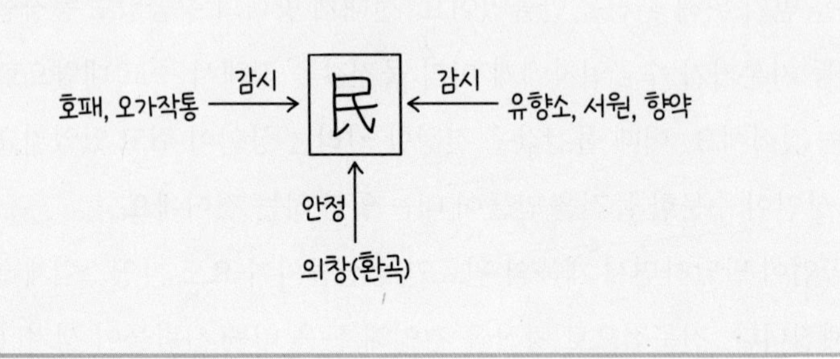

: 빈민 구제를 위해 노력하다

조선 전기와 후기는 사회 모습에서도 뚜렷한 차이를 보입니다. 먼저 조선 전기부터 살펴볼게요. 국가를 유지하기 위해서는 조세·공납·역이라는 세금을 부담하는 민(民), 즉 백성이 무너지면 안 됩니다. 이들이 무너지는 것은 국가 재정의 기반이 사라지는 것으로 곧 '국가 붕괴'입니다. 그래서 국가는 백성의 생활을 안정시키기 위한 여러 제도를 시행합니다.

빈민 구제를 위한 대표적인 제도 중 하나가 환곡입니다. 이는 주로 봄에 곡식을 빌려주었다가 수확한 후에 갚도록 한 구휼 제도로 의창과 상평창이라는 기관에서 담당했습니다. 의창과 상평창은 고려 시대에도 있었지요. 특히 상평창은 물가 조절 기관이면서 구휼 사업도 했어요. 그런데 환곡이 점차 고리대로 변질되고 농민을 착취하는 수단이 되니까 흥선 대원군은 향촌의 지역민 중에서 대표를 뽑아 자율적으로 운영하도록 하는 사창제를 실시합니다.

: 사회 통제 시스템을 구축하다

구휼 제도 같은 안정화 정책을 추진하는 한편 백성을 감시하고 통제하는 정책도 펼쳤어요. 그러한 통제 정책은 세 가지로 정리할 수 있는데, 그 가운데 하나가 호패법입니다. 호패는 지금의 주민 등록증 같은 것으로, 이름, 출생 연도, 출신지 등

인적 사항을 새겨 허리춤에 차고 다니게 한 것이에요. 또 하나는 오가작통법으로, 다섯 집을 하나로 묶어 관리하면서 연대 책임을 지도록 해 서로 감시하게끔 한 거고요. 마지막 하나는 군현 아래에 면리제를 도입한 것으로, 이는 더 좁은 단위까지 중앙 정부의 명령이 잘 전달되고 잘 파악할 수 있게 한 정책이에요.

호패법과 오가작통법, 면리제는 국가 단위의 감시 통제 시스템이었고, 향촌에서 영향력을 행사한 사족도 향약을 통해 지역 농민들을 통제했지요. 향약이란 향촌에서 지켜야 할 규칙을 정한 것으로, 서원과 함께 사족들의 세력 기반이 되었어요. 향촌의 사족은 유향소를 통해 여론을 장악하고, 서원을 통해 인재를 양성하고, 향약을 통해 농민을 통제하며 기득권을 유지합니다.

5 신분 질서와 사회 변화

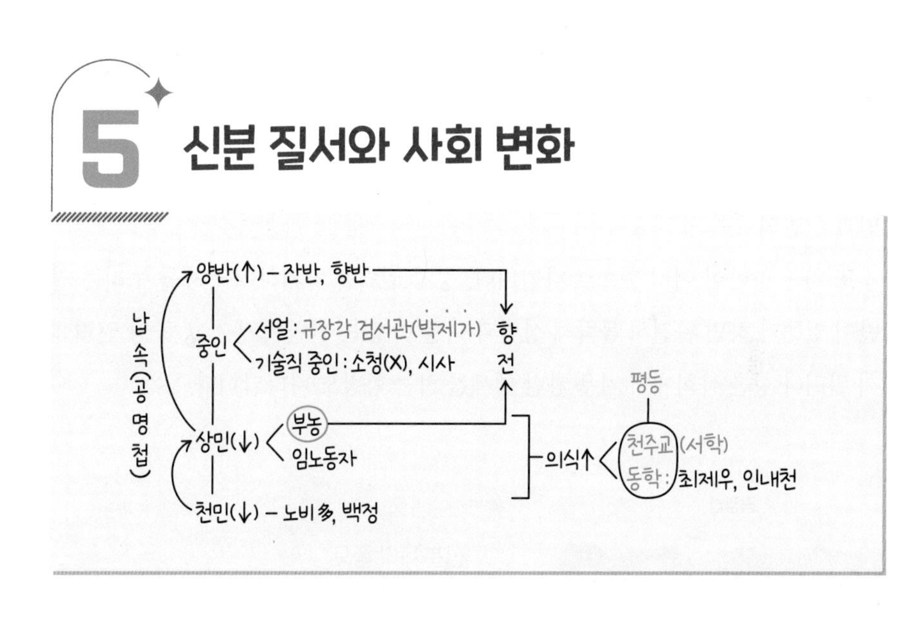

: 양반층이 분화하다

조선 시대 신분 제도는 기본적으로 양인과 천인으로 구분하는 양천제입니다. 양인은 자유민으로, 과거 시험에 응시할 수 있는 권리가 있고, 조세·공납·역의 의무를 졌지요. 천인은 사회의 가장 낮은 신분에 속한 사람으로 천한 일에 종사하고 천대를 받았어요. 이들은 권리도 의무도 없습니다.

그런데 양천제는 법전에만 기록된 신분 제도이고, 현실에서는 양인을 지배층인 양반과 피지배층인 상민으로 구분하는 반상제로 운영되었지요. 지배층이 다시 양반과 양반 관리를 보좌하는 중인으로 나뉘면서 조선 시대 신분은 양반, 중인, 상민, 천민의 4신분으로 굳어졌습니다.

조선 전기에는 양반의 수가 전인구의 7% 정도였습니다. 그런데 조선 후기에 오면 그 비율이 달라집니다. 천민이 상민으로, 상민이 양반으로 이동하는 현상이 심심찮게 나타나지요. 양 난이 엄청난 사회 변화를 몰고 온 거예요.

거듭된 전란으로 국토가 황폐해지고 국가 재정이 부족하다 보니 이를 보충하기 위해 나라에서 납속책을 시행합니다. 납속책은 나라에 곡식이나 돈을 바치면 그 대가로 관직을 주거나, 역을 면제해 주거나 노비의 신분을 벗게 해 주는 등 나라가 합법적으로 혜택을 주는 제도입니다. 그 대표적인 예가 공명첩이에요. 공명첩은 이름이 비어 있는 임명장이라는 뜻이지요. 이걸 곡물을 내고 사는 거예요. 이러한 제도의 시행으로 양반 인구는 폭발적으로 증가합니다. 전인구의 7% 정도였던 양반 인구가 무려 80%가 되지요. 양반의 수가 기하급수적으로 증가하니 당연히 상민과 천민의 수는 줄지요.

또 기존 양반이 여러 층으로 나뉩니다. 중앙 권력을 차지하여 권세를 누리는 권반이 있는가 하면 완전히 몰락해 상민과 다를 바 없는 잔반이 생기고, 중앙 권력에서 밀려나 향촌 사회에서 겨우 양반 행세를 하는 향반도 나타납니다.

공명첩

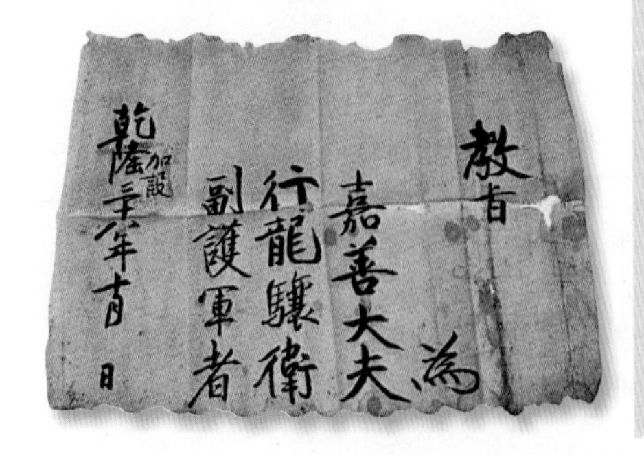
教旨
爲嘉善大夫
行龍驤衛
副護軍者

신분제의 동요

근래 세상의 도리가 점점 썩어 가서 돈 있고 힘 있는 백성이 군역을 피하고자 간사한 아전, 임장과 한통속이 되어 뇌물을 쓰고 호적을 위조하여 유학(幼學)이라고 거짓으로 올리고 역을 면하거나, 다른 고을로 옮겨 가서 스스로 양반 행세를 한다. –『일성록』–

: 중인층이 성장하다

중인층은 어땠을까요? 중인층은 크게 서얼과 하급 관리로 나눌 수 있어요. 먼저 서얼은 첩의 자식을 일컫는 말로, 양인 첩의 자식인 서자와 천민 첩의 자식인 얼자를 합쳐 부르는 말이에요. 양반의 자식이라도 서얼은 중인과 같은 신분적 처우를 받았고, 문과 응시 자체가 불가능했어요. 서얼 하면 아버지를 아버지라 부르지 못하고 형을 형이라 부르지 못하는 현실을 꼬집은 『홍길동전』이 떠오르지 않나요? 이처럼 차별에 서럽고 억울했던 서얼이 관직 진출의 제한을 없애 달라는 집단 상소 운동을 벌이기도 하지요. 이 같은 노력으로 조선 후기에 서얼 차별이 조금 개선됩니다.

대표적인 예로 정조가 규장각의 검서관으로 서얼들을 등용한 사실을 들 수 있지요. 규장각 검서관은 서적을 검토하고 베껴 쓰는 등의 일을 하며, 때로는 왕과 토론하기도 했습니다. 관직은 높지 않지만 중요한 자리였지요. 이때 검서관에 등용된 서얼 출신으로 박제가, 이덕무, 유득공이 대표적이에요.

한편 오리지널 중인은 행정 실무에 종사하거나 전문 기술을 바탕으로 역관, 의관 등 기술직에 종사했어요. 이러한 기술직 중인은 직역이 세습되는 경우가 많았지요. 조선 후기에 서얼이 줄기차게 상소를 올려 어느 정도 성과를 얻는 것을 본 이들이 자신들에게도 그 길을 열어 달라는 소청 운동을 벌입니다. 별 성과는 없었지만 그런 움직임이 있었다는 사실 자체가 발전이라 할 수 있지요. 또한 이들은 양반처럼 시를 짓고 글을 쓰고 그림을 그리는 모임인 '시사(詩社)'를 만듭니다. 중인도 양반 못지않게 풍류를 즐겼지요. 이제 양반들만 문화를 독점하는 시대는 지났거든요.

「수계도권」, 중인들이 시사(詩社)를 개최하는 장면을 그린 풍속화

: 농민, 부농과 임노동자로 분화하다

상민의 대부분은 농민이었어요. 이들은 모내기법을 통해 생산량을 비약적으로 늘린 주인공으로, 사회 변화의 중심에 있던 계층이지요. 앞에서도 설명했듯이 광작의 도입으로 일부 농민은 넓은 땅을 농사지어 부농으로 성장할 수 있었지만, 농사지을 땅을 잃고 몰락하는 농민도 늘어났어요. 지주로부터 땅을 빌리지 못한 농민은 품삯을 받고 일을 하는 임노동자 신세가 되었습니다.

한편 재산을 많이 모은 농민, 즉 부농층은 앞에서 말했던 납속과 공명첩 등을 이용하여 양반이 되어 향촌 사회에서 영향력을 확대하려고 했어요. 이들을 신향이라고 합니다. 그런데 향촌에는 예전부터 행세를 하며 향촌 운영에 관여하고 있던 사족이 있잖아요. 이들을 구향이라고 하는데, 구향이 돈으로 신분을 사서 양반이 된 신향을 곱게 보지 않았겠지요? 또 향촌에서 지금까지 자신들이 누리던 지위가 있는데 그걸 빼앗길 수는 없었지요. 그래서 향촌 사회의 권력을 두고 구향과 신향의 다툼이 벌어집니다. 이것을 '향전'이라고 하지요.

: 천민 수가 줄어들다

천민에는 노비, 백정, 광대, 무당, 창기 등이 있습니다. 천민의 다수인 노비는 공노비와 사노비로 나뉘는데, 재산으로 취급되어 매매·상속·증여의 대상이었어요. 부모 중 한쪽이 노비이면 그 자녀도 노비가 되었고요. 백정은 조선 시대에 소나 돼지 등 가축을 잡는 도살업자를 일컫는 말이 되었어요.

조선 후기에 신분 질서가 동요하면서 천민도 신분 변화를 꾀했어요. 멀리 도망가서 신분 세탁을 하거나, 전쟁에서 군공을 세우거나, 외거 노비라면 재산을 모아 납속 등을 통해 면천하기도 했지요. 또 영조 때 줄어든 양민 수를 늘릴 목적으로 노비종모법이 실시됩니다. 이전까지는 일천즉천, 곧 부모 중 한쪽만 천민이어도 천민이 되던 것을 어머니 쪽 신분을 따르게 한 거지요. 순조 때에는 국가의 재산이었던 공노비가 대거 해방됩니다. 이때 왕실 노비와 관청 노비를 상민으로 해방시켰는데, 그 수가 6만 6,000여 명이었다고 합니다. 노비 제도가 완전히 없어지게 된 것은 갑오개혁으로 신분제가 폐지되면서였어요.

: 새로운 사상이 등장하다

최제우

조선 후기에 이러한 신분 질서의 변동과 함께 의식의 변화가 나타납니다. 의식 변화에 결정적 역할을 한 종교가 서학이라고도 불린 천주교와 동학입니다.

천주교와 동학은 '평등사상'을 내걸고 있다는 공통점이 있어요. 양반, 중인, 상민, 천민으로 구분되는 신분 제도 안에 살고 있는 사람들에게 '평등'은 완전히 새로운 패러다임이었어요. 최제우가 창시한 동학은 사람이 곧 하늘이라는 '인내천' 사상을 표방하며 사람은 누구나 존중받아야 한다고 주장했지요.

이런 종교들이 확산되면서 일반 백성은 새로운 생각을 하게 되었고, 모든 사람은 평등해야 한다는 오늘날의 보편적인 생각이 싹을 틔우기 시작합니다.

조선 후기에 근대 자본주의의 싹이 여기저기서 나오고, 사회적·의식적으로 평등 사회를 지향하는 모습이 나타납니다. 조선 후기는 근대화를 향한 발걸음이 자생적으로 시작된 시기였습니다.

11 조선의 경제와 사회

	15C	16C	1592
경제	전·현직 → 현직		
	수신·휼양 → X		
조세(토지세) : 과전법	수조권 : 직전법(세조) → 관수관급제(성종) →	X, only 녹봉	
	토지세 : 전분 6·연분 9등법(공법, 세종) →	최저 세율	
공납(특산물) : 戶(호)	→	방납 폐단	
역(노동력) : 군역, 요역	군역의 요역화 →	대립, 방군수포	
사회	民 — 감시 — 호패, 오가작통 / 유향소, 서원, 향약		
	民 — 안정 — 의창(환곡)		

후기(변화)

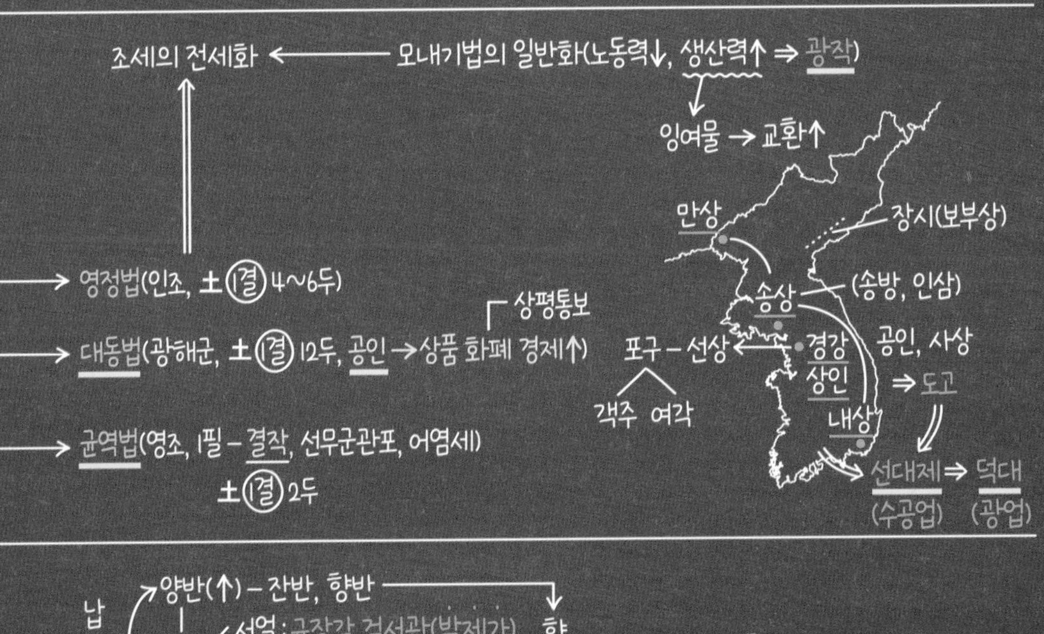
조세의 전세화
모내기법의 일반화(노동력↓, 생산력↑ ⇒ 광작)
잉여물 → 교환↑
영정법(인조, 土 ①결 4~6두)
대동법(광해군, 土 ①결 12두, 공인 → 상품 화폐 경제↑)
상평통보
균역법(영조, 1필 – 결작, 선무군관포, 어염세)
土 ①결 2두
만상
장시(보부상)
송상
(송방, 인삼)
포구 – 선상
경강 상인
공인, 사상
⇒ 도고
객주 여각
내상
선대제 ⇒ 덕대
(수공업) (광업)

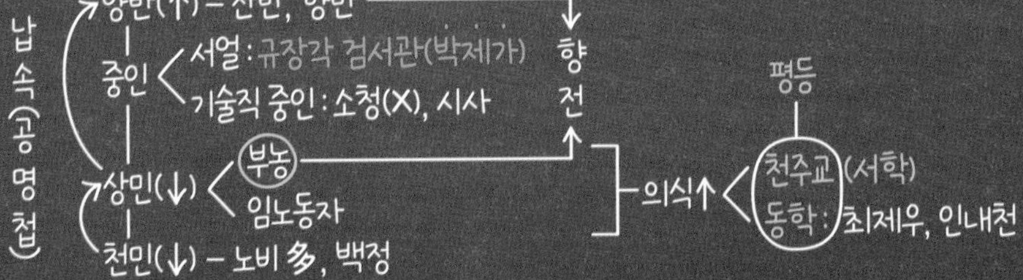
납속(공명첩)
양반(↑) – 잔반, 향반
중인
서얼 : 규장각 검서관(박제가)
기술직 중인 : 소청(X), 시사
향전
상민(↓)
부농
임노동자
천민(↓) – 노비 多, 백정
의식↑
평등
천주교(서학)
동학 : 최제우, 인내천

12

조선의 문화

1 조선의 학문 세계

2 조선의 편찬 사업

3 조선의 문화유산

조선은 성리학의 나라입니다.

조선의 성리학은 16세기에 절정의 꽃을 피우다가

임진왜란을 기점으로 서서히 시들기 시작합니다.

양 난 이후 나타난 여러 문제에

성리학이 해결 방법을 제시하지 못하면서 설 자리를 잃어 가지요.

이에 자주적이고 민족적이며 근대 지향적 학문인 실학이 등장합니다.

또 서민의 의식이 성장하면서 그들이 주체가 된 서민 문화가 발전하지요.

이와 함께 회화, 공예, 문학 분야에서

어떤 변화가 일어났는지 만나러 가 봅시다.

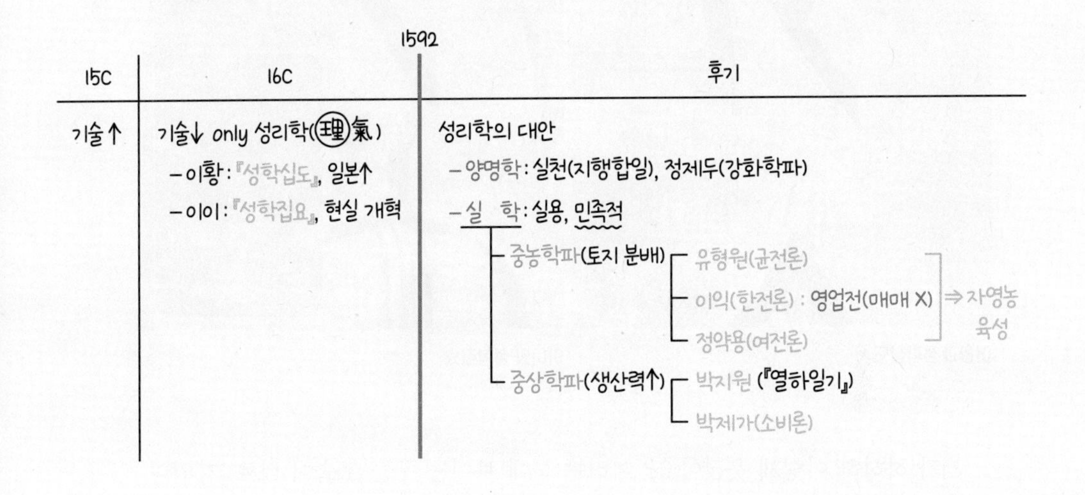

: 성리학의 핵심 '이'와 '기'

고려 말 신진 사대부는 당시 부패한 권문세족과 불교를 비판하며 성리학을 개혁 사상으로 받아들입니다. 그리고 조선의 건국 이념으로 성리학을 내세워 이상적인 나라와 군주의 길을 제시하지요.

15세기에 성리학이 통치 이념으로서 자리를 잡았지만 기술을 상당히 중요하게 여겼습니다. 세종 때 앙부일구와 자격루 등과 같은 많은 과학 기구가 제작된 것도 이러한 배경이 있었기에 가능했지요.

16세기에 사림이 중앙 정계에 대거 진출하면서 성리학 연구가 심화되고 사상적 발전을 이루게 됩니다. 사림은 부국강병과 관련된 학문에는 관심을 두지 않았어요. 오로지 인간의 심성을 연구하는 성리학 연구에 몰두합니다. 이에 이기론(理氣論) 논쟁이 크게 벌어지기도 하지요.

이기론 논쟁은 '이(理)'가 중요하냐 아니면 '기(氣)'가 중요하냐를 따진 학문 논쟁이에요. 여기서 '이'는 본질을 말하고, '기'는 그 본질의 발현을 말합니다.

이황과 성학십도

이이와 성학집요

제가 하하하 이렇게 웃잖아요? 여러분 눈에 보이는 웃는 모습이 바로 '기'입니다. 그런데 웃는 모습 안에 있는 저의 본질은 정말 착하고 순수해요. 하지만 여러분 눈에는 보이지 않죠. 보이지 않는 저의 착하고 순수한 본질, 그것이 바로 '이'입니다. 그런데 성리학은 기본적으로 '이'와 '기' 중에서 '이'를 중시한 학문이에요. 다시 말해서 본질을 추구하는 학문이지요.

조선 시대 이기론의 선구자 역할을 한 학자가 서경덕과 이언적입니다. 서경덕은 '이'보다는 '기'를 중시하는 주기론을, 이언적은 원래 주자의 주장대로 '기'보다는 '이'를 중시하는 주리론을 주장하지요. 서경덕과 이언적이 가졌던 이기론에 대한 견해를 계승하여 집대성한 두 거장이 있으니, 그들이 바로 퇴계 이황과 율곡 이이입니다.

천 원짜리 지폐에 등장하는 이황은 이언적의 주리론을 발전시켰습니다. 이황은 '기'는 '이'가 겉으로 드러난 현상일 뿐 '이'를 떠나서는 아무것도 할 수 없다는 논리를 폈지요. 웃는 모습 안에 어떤 본질이 내재되어 있기 때문에 웃는 모습이 밖으로 보인다는 겁니다. 인간의 도덕적·인격적 완성을 중시한 이황의 사상은 근본적이고 이상주의적인 성향이 강했습니다.

또 이황은『성학십도』를 지어 선조에게 올립니다. '성학'은 성현이 가르치고 닦아 놓은 학문, 곧 유학을 뜻하는데, 군왕으로서 알아야 할 유학의 요체를 열 가지 그림으로 설명한 책이 바로『성학십도』입니다.

이황의 주리론은 유성룡, 김성일로 이어져 영남학파가 만들어지고 동인의 사상적 기반이 됩니다. 이황의 사상은 일본 성리학 발전에도 큰 영향을 미칩니다. 임진왜란 때 일본으로 끌려간 강항 등 조선의 성리학자에 의해 일본에서 성리학이 발전하게 되지요. 이황은 일본에서 '동방의 주자'라고 불리며 추앙받고 있어요.

이이는 서경덕의 주기론을 완성합니다. 그는 '이'는 보편적이고 '기'는 특수해서 둘은 서로 보완 관계를 유지한다고 보았습니다. 그의 사상은 이황에 비해 '기'의 역할을 중시하여 개혁적이고 현실적인 성향을 보입니다. 이이는 관직에 있으면서 여러 개혁에 앞장서지요. 이이의 학설은 뒷날 조헌, 김장생 등에게 이어져 기호학파가 형성되고 이후 서인에게 계승됩니다. 무려 아홉 번이나 장원 급제를 한 이이는『성학집요』라는 저서를 남깁니다. '집요'는 쉽게 말하면 요점만을 모은 책이에요. 따라서『성학집요』는 성리학 요약집 정도로 이해하면 되겠습니다.

이황이 관직에 있을 때에는 훈구 세력이 권력을 쥐고 있는 상황이어서 운신의 폭이 좁았어요. 반면 이이가 활동한 시점에는 사림 세력이 성장하고 집권에 이르렀기에 이이는 권력의 중심에서 무척 현실 개혁적인 모습을 보여 줄 수 있었어요. 이황과 이이를 통해서 조선의 성리학은 큰 발전을 이룹니다.

: 반주자학의 기치를 든 양명학

양 난 이후 농민들의 삶이 피폐해지면서 흉흉해진 민심 가운데 정감록과 미륵 신앙 등 예언 사상이 등장합니다. 농업 중심의 자급자족 형태가 무너지고 상품 화폐 경제가 발달하는가 하면, 신분제가 흔들려 상민이 양반이 되고 양반이 몰락하여 일반 농민보다도 못한 삶을 사는 사례도 많이 보입니다. 또한 성리학의 종주국인 명이 오랑캐인 청에 망하고 서학 등 서양의 기이한 문물이 전해집니다.

조선 후기에 이렇듯 성리학적 세계관으로는 도저히 설명할 수 없는 현상들이 나타나게 됩니다.

이에 성리학을 대신할 사상을 찾는 움직임이 나타나는데, 그 가운데 하나가 양명학입니다. 조선에서 양명학은 소론 위주의 몇몇 학자를 중심으로 명맥을 이어오다가 18세기 초 정제두에 의해 체계화됩니다. 이들에게 성리학은 본질만 자꾸 따지는, 지나치게 관념적인 학문이었지요. 만약 성리학자 앞에 사과가 하나 있다면, 그는 사과를 바라보면서 이 사과의 본질은 무엇일까만을 고민하니까요.

여기에 실천을 강조하는 양명학이 반론을 제기합니다. 양명학에서는 행한 것과 아는 것은 같다는 '지행합일'을 강조합니다. 사과가 무엇인지 그 본질을 알고 싶으면 그냥 먹어 보면 된다는 거예요. 먹어 보면 사과의 맛을 알 것이고 사과의 본질을 알 수 있는데, 왜 실천하지 않고 그렇게 관념적으로 바라보기만 하냐는 것이죠. 양명학에서는 관념적 사고보다는 실천을 통해 얻는 지식을 중요시한 것입니다. 정제두 등은 양명학을 공부하여 강화학파를 형성합니다.

이러한 양명학은 실학에도 많은 영향을 끼쳤어요. 일제 강점기에는 박은식, 정인보 등이 양명학을 이어받아 민족 운동을 펼쳐 나가지요.

: 조선 후기에 새로 핀 꽃, 실학

17세기부터 이수광, 한백겸, 김육 등 개방적이고 진보적인 학자들에 의해 사회 개혁을 위한 방안으로 제시된 실학은 18세기에 들어서 심화되고 발전합니다. 실학의 핵심은 실용성이에요. 학문을 연구하여 그 결과를 실생활에 적용해서 현실 문제를 해결하고자 하는 데 그 목적이 있지요. 또한 자주적이고 민족적이며 근대 지향적인 성격을 가지고 있죠. 실학은 크게 농업 중심의 개혁론과 상공업 중심의 개혁론으로 나누어 살펴볼 수 있습니다.

농업 중심의 개혁을 주장하는 중농학파는 토지 개혁을 통한 분배에 심혈을 기울입니다. 무릇 학문이란 세상을 다스리는 데 실익을 줄 수 있어야 한다고 주장하여 경세치용 학파라고도 부르지요. 상공업 중심의 개혁을 주장하는 중상학파는 토지의 분배보다는 생산력 향상에 더 관심을 갖습니다. 또한 학문이란 백성이 사용하기에 편리하고 백성의 생활을 풍요롭게 해야 한다고 주장하여 이용후생 학파라고도 하고, 청의 발달된 문물을 수용하자고 주장하여 북학파라고도 부르지요.

요즘 시각에서 보면 중농학파는 분배주의자이고, 중상학파는 성장주의자라고 볼 수 있어요. 오늘날 한쪽에서는 기업이 세금을 더 많이 내서 부를 분배해야 한다고 주장하고, 다른 한쪽에서는 기업이 분발해서 경제 규모가 커지면 낙후된 영역에도 효과가 미친다고 주장하는 것과 마찬가지입니다. 당시 농업 중심의 개혁을 주장한 학자들은 지금 사람들이 먹고살기 힘드니 이 문제를 해결하기 위해서 토지를 분배해야 한다고 주장하고, 상공업 중심의 개혁을 주장한 학자들은 나라가 부강하기 위해서는 상공업을 발전시켜야 하는데 그러기 위해서는 돈이 되는 쌀을 많이 생산해야 한다고 주장했어요.

: 농업 중심의 개혁을 주장한 실학자

농업 중심의 개혁론에 대해 먼저 살펴보겠습니다. 농업 중심의 개혁론을 주장한 중농학파는 숙종 때 권력에서 밀려난 경기 지역 남인들이 주축을 이루었어요. 이들이 고향으로 내려와 보니 백성의 삶이 너무 고달픈 거예요. 그래서 농업 중심의 개혁을 통해 나라의 근본인 농민을 살려야 한다고 생각하고 자영농 육성을 목표로 개혁안을 내놓습니다.

유형원은 『반계수록』에서 균전론을 주장하는데, 토지를 국유화한 뒤 사농공상 신분에 따라 차등을 두어 토지를 나누자고 주장합니다. 토지 분배를 하되 균등한 분배는 아니라는 것이지요. 아직까지는 신분적 한계에 갇혀 있음을 볼 수 있습니다. 그런데 균전론을 시행하기 위해서는 전국의 토지를 몰수해야 한다는 전제 조건이 있었지요. 많은 땅을 소유한 부자들이 순순히 따를까요?

그래서 이익은 『성호사설』에서 한전론을 주장합니다. 한전론은 한 가정이 먹고 살 수 있는 최소한의 땅을 영업전이라고 규정하며, 이 땅은 법적으로 매매를 금지하고 나머지 토지만 매매를 허용하자는 주장이에요. 이익은 토지 분배가 이루어져야 한다고 생각했지만, 국가가 전국의 토지를 몰수하여 분배하는 유형원의 균전론은 지나치게 급진적인 개혁이라고 봤어요. 그래서 부자의 토지 소유 확대를 인정하되, 영업전을 두어 가난한 농민의 몰락을 막고 점진적으로 토지 소유의 균형을 맞추자고 한 것입니다.

이익의 한전론

국가는 마땅히 한 집의 재산을 헤아려 전(田) 몇 부를 한정하여 1호의 영업전으로 한다. 그렇다고 해서 많이 소유한 자의 것을 줄이거나 빼앗지 않고, 모자라게 소유한 자라고 해서 더 주지 않는다. 돈이 있어 사고자 하는 자는 비록 천백 결(結)이라도 모두 허가하고, 토지가 많아 팔고자 하는 자도 단지 영업전 몇 부 이외에는 역시 허가한다. 많아도 팔기를 원하지 않는 자는 강요하지 않고, 모자라도 사지 못하는 자는 독촉하지 않는다.

–『한전론』–

정약용의 여전론

지금 농사를 하고자 하는 사람은 토지를 얻고, 농사를 하지 않는 사람은 토지를 얻지 못하도록 한다. 즉 여전(閭田)의 법을 시행하면 나의 뜻을 이룰 수 있을 것이다. …… 무릇 1여의 토지는 1여의 사람들로 하여금 공동으로 경작하게 하고, …… 가을이 되면 무릇 오곡의 수확물을 모두 여장의 집으로 보내어 …… 국가에 바치는 공세를 제하고, 다음으로 여장의 녹봉을 제하며, 그 나머지를 날마다 일한 것을 기록한 장부에 의거하여 여민들에게 분배한다.

–『여유당전서』–

한편 정약용은 마을 전체 토지를 공동으로 경작해서 노동량에 따라 생산물을 나누자는 여전론을 주장합니다. 토지의 사유를 인정하지 않은 거지요. 상당히 급진적인 방식입니다. 하지만 이것 역시 현실적으로 실현되기 어려웠겠죠? 그래서 나중에 이론을 수정하여 정전제를 내놓습니다. 정전제는 우물 정(井) 자 모양으로 토지를 구획하여 가운데는 공동 소유로 해서 여기서 나온 생산물을 세금으로 내고 나머지 여덟 구역은 농민들이 각각 나누어 갖게 하자는 것이지요.

: 상공업 중심의 개혁을 주장한 실학자

다음으로 상공업 중심의 개혁론을 살펴볼게요. 상공업 중심의 개혁을 주장한 중상학파는 노론 세력의 자제들이 주축을 이루고 있었습니다. 이들은 청에 가서, 이미 서양 문물을 받아들여 경제 발전을 이룬 청의 실상을 목격하고 상공업 발달이 곧 나라가 부강하게 되는 길임을 절실히 느끼게 됩니다.

중상학파의 대표적 인물로 유수원, 홍대용, 박지원, 박제가가 있어요.

유수원은 『우서』에서 사농공상의 직업 평등을 주장하는 한편 농업과 상업 전문 인력을 기르자고 주장합니다.

홍대용은 『임하경륜』에서 조선의 발전을 위해서는 문벌 제도가 없어져야 한다고 강조하고, 혼천의를 만들고 지동설을 주장하기도 하지요.

박지원은 『열하일기』에서 오랑캐 나라로 여기던 청의 눈부신 발전상을 기록하며 수레와 선박의 필요성을 강조하고 상업 발달에 필수적인 화폐 사용을 주장합니다. 토지 제도 개혁에도 관심이 많았던 박지원은 이익처럼 한전론을 주장합니다. 다만 이익이 어느 정도까지 토지를 소유하게 해야 한다는 토지 소유의 하한선을 주장한 반면, 박지원은 어느 정도 이상의 토지를 소유하지 못하게 해야 한다는 토지 소유의 상한선을 주장하지요.

박제가는 능력을 중시하는 정조의 인재 채용 방침에 따라 서얼 출신으로서 규장각 검서관이 되어 정조의 개혁 파트너로 일하기도 합니다. 박제가는 『북학의』에서 청의 문물을 보고 배우자고 강조하지요. 또 절약보다 소비를 강조하는 소비론을 내놓는데, 재물을 우물에 비유합니다. 우물은 쓰지 않으면 말라 버린다는 것이에요. 곧 적당히 소비를 해야 그 물건을 만든 사람도 먹고살고, 그래야 돈이 돌고 경제가 돌아간다는 상당히 자본주의적인 주장이지요.

박제가의 소비관

비유하건대, 재물은 대체로 샘과 같다. 퍼내면 차고, 버려두면 말라 버린다. 그러므로 비단옷을 입지 않아서 나라에 비단 짜는 사람이 없게 되면 여공(女紅)이 쇠퇴하고, 쭈그러진 그릇을 싫어하지 않고 기교를 숭상하지 않아서 공장이 도야(陶冶)하는 일이 없게 되면 기예가 망하게 되며, 농사가 황폐해져서 그 법을 잃게 되므로, 사농공상의 사민이 모두 곤궁하여 서로 구제할 수 없게 된다.

– 『북학의』 –

성리학의 대안으로 나온 실학의 개혁 사상들을 살펴보았습니다. 하지만 실학은 당시 집권층의 주장이 아니었기 때문에 안타깝게도 현실에 적용되지는 못했어요.

2 조선의 편찬 사업

	15C	16C (1592)	후기
역사	·『고려사』 ·『조선왕조실록』 ㄴ 편년체, 유네스코 세계 기록 유산		·『동사』: 이종휘, 고구려 ·『발해고』: 유득공, 남북국
지리	[중앙 집권] 「혼일강리역대국도지도」(태종) : 동양 최고(最古) 세계 지도, 중국 중심 O		·「곤여만국전도」: 서양 영향, 중국 중심 X [상업 발달] ·「대동여지도」: 김정호 ·『택리지』: 이중환, 인문 지리서
천문	·측우기 ·『칠정산』(한양) — 세종, 민족·자주적		시헌력 ↑ 서양 영향
의학서, 농서	·『향약집성방』 ·『농사직설』		·『동의보감』: 광해군, 허준 ·『색경』: 상품 작물 ·『농가집성』: 모내기법

: 역사서

15세기에는 조선의 건국과 정통성을 강조하기 위한 역사서가 편찬되었어요. 대표적으로 정도전이 쓴『고려국사』가 있고, 국가 주도로 편찬된『고려사』와『고려사절요』가 있습니다. 앞 시대의 역사를 정리하여 디딤돌로 삼고자 한 것이지요. 그리고 조선 시대 역사서 하면 조선 왕조 500년을 다룬『조선왕조실록』을 빼놓을 수 없습니다. 연월일 순서에 따라 서술하는 편년체로 기록된『조선왕조실록』은 정치·경제·사회·문화 등 각 방면의 사실을 망라하여 다루었어요. 현재 유네스코 세계 기록 유산에 등재되어 있지요.

조선 후기에는 실학의 영향으로 우리 것에 대한 관심이 높아집니다. 그래서 국학이 발달하고 자주적 입장의 역사서가 많이 편찬되지요. 고구려 역사를 서술한 이종휘의 『동사』와 발해 역사를 서술한 유득공의 『발해고』는 삼국 통일 이후 한반도에 갇혀 있던 우리 역사의 범주를 만주까지 확대하는 데 큰 역할을 하지요. 특히 유득공의 『발해고』에서 '남북국 시대'라는 용어가 처음 등장합니다.

: 지도와 지리서

다음으로 지도와 지리서를 살펴볼게요. 지도와 지리서를 만든 목적이 조선 전기와 후기가 다릅니다.

조선 초기에 중앙 집권이 강화되면서 통치 자료로 이용하기 위한 각종 지도와 지리서가 제작되었어요. 그 지역에 누가 살고 있으며, 그 지역의 인물은 누구이며, 그 지역에서 무엇이 많이 나는지를 정확히 알아야 중앙에서 지방을 통제할 수 있으니까요. 그리하여 효율적인 중앙 집권을 목적으로 지도와 지리서가 편찬됩니다.

한편 태종 때 「혼일강리역대국도지도」가 만들어집니다. '혼일'이란 혼연일체, 곧 하나로 통일되었다는 뜻이고 '강리'는 영역을 의미해요. 그리고 '역대국도지도'는 역대 나라들의 세계 지도를 하나로 모아 놓았다는 의미입니다. 이 지도는 동양에서 현존하는 가장 오래된 세계 지도입니다.

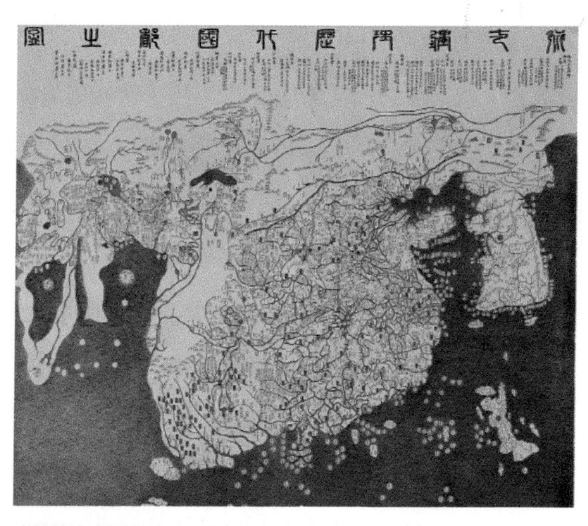
혼일강리역대국도지도

그런데 지도를 보면 중국이 가운데에 엄청나게 크게 그려져 있고, 다음으로 한반도가 크게 그려져 있습니다. 이를 통해 중국 중심의 중화사상이 반영되어 있음을 알 수 있어요.

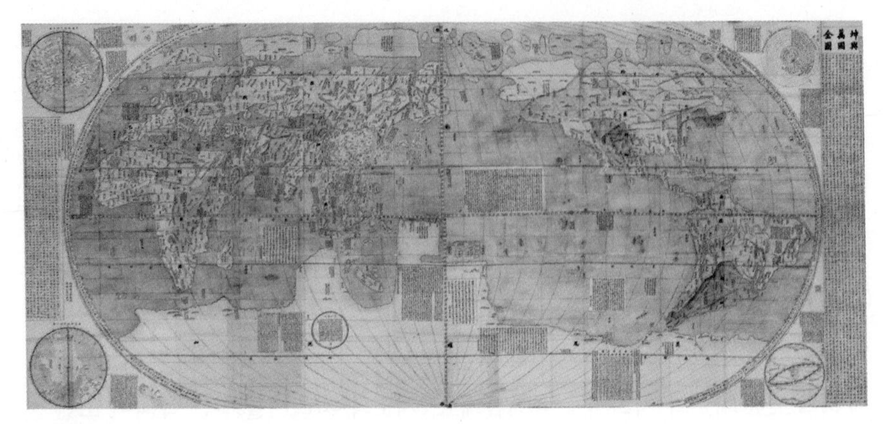

곤여만국전도

조선 후기의 세계 지도는 분위기가 확 바뀝니다. 「곤여만국전도」라고 불리는 지도는 당시 명에 들어온 선교사 마테오 리치가 1602년에 편찬한 세계 지도인데, 지금의 세계 지도와 거의 비슷하게 그려졌습니다. 이 지도를 보면 중국은 여러 대륙 사이에 끼어 있는 한 나라에 불과하지요. 「곤여만국전도」가 전해지면서 조선은 큰 충격에 빠집니다. 중국이 세상의 중심이 아님을 알게 된 것이지요. 「곤여만국전도」는 중국 중심의 성리학적 세계관이 변화하는 데 큰 역할을 합니다.

조선 후기에 우리 것에 대한 관심이 높아지면서 국학이 발전한다고 했지요? 지도와 지리서 제작에도 그러한 경향이 반영됩니다. 상업이 발달하면서 지도와 지리서를 제작하는 목적에 변화가 나타나기도 하고요. 상인이 이곳저곳 돌아다니려면 무엇이 필요하겠어요? 바로 지도겠지요. 또 그 지역의 사정을 담은 실용적 정보도 필요할 테고요.

조선 후기의 대동여지도는 목판으로 제작되었으며 축척과 기호가 사용되었어요. 22개의 지도첩으로 되어 있는 대동여지도를 모두 이어 붙이면 폭 4m, 길이 7m에 이르는 어마어마한 크기가 됩니다. 김정호는 이제까지의 지도를 수집하여 종합하고 부족한 부분은 직접 답사하여 전국 지도로 대동여지도를 만들었어요. 그런데 김정호는 지도를 왜 목판으로 제작했을까요? 많은 양의 지도를 찍어 원하는 사람은 누구나 지도를 가질 수 있기를 바랐기 때문이지요.

인문 지리서로 이중환의 『택리지』를 꼽을 수 있습니다. 조선 후기의 실학 사상이 반영된 『택리지』에는 그 지역의 역사나 인물들에 대한 이야기가 실려 있는데 지금 읽어도 재미있습니다. 혹시 어느 지역으로 여행을 간다거나 답사를 갈 때 한 번 읽어 보길 바랍니다.

: 천문 과학과 의학서, 농서

15세기 과학 기술의 발전을 보여 주는 대표적인 문화유산으로 측우기가 있어요. 빗물의 양을 측정하기 위해 만든 측우기의 겉모양은 그냥 깡통 같아요. 그런데 측우기를 대단한 발명품이라고 하는 이유는 뭘까요? 비가 온 양을 꾸준히 기록하여 정확한 데이터베이스를 만드는 데 결정적인 역할을 담당했기 때문입니다. 이 데이터베이스를 토대로 강우량을 예측하여 농사에 이용할 수 있었지요.

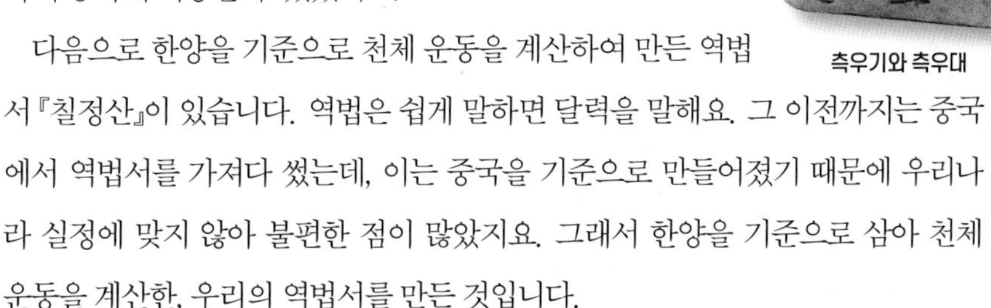

측우기와 측우대

다음으로 한양을 기준으로 천체 운동을 계산하여 만든 역법서 『칠정산』이 있습니다. 역법은 쉽게 말하면 달력을 말해요. 그 이전까지는 중국에서 역법서를 가져다 썼는데, 이는 중국을 기준으로 만들어졌기 때문에 우리나라 실정에 맞지 않아 불편한 점이 많았지요. 그래서 한양을 기준으로 삼아 천체 운동을 계산한, 우리의 역법서를 만든 것입니다.

그리고 『향약집성방』이라는 의학서가 간행되었습니다. 이 책은 향촌에서 쉽게 구할 수 있는 약재로 만든 처방전을 모아 정리해 놓은 책이에요. 이전까지의 처방전은 중국에서 가져온 것이어서 어떤 약초는 우리나라에서 구할 수 없어 사용하기 어려웠어요. 그래서 우리 향촌에 있는 약재를 이용하는 처방전이 필요했는데, 『향약집성방』에 수록된 겁니다.

농서로는 『농사직설』이 있습니다. 역법서나 의학서와 마찬가지로 농서 역시 중국에서 가져온 것을 참고했는데, 이것 역시 기후나 환경이 달라 실용적이지 못했어요. 그래서 우리 농민들의 경험을 모은, 우리 실정에 맞는 농서인 『농사직설』이 편찬된 것이지요.

측우기, 『칠정산』, 『향약집성방』, 『농사직설』에는 공통점이 하나 있습니다. 바로 세종 때 만들어졌다는 겁니다. 세종 때 과학 기술에 대한 관심이 높았고 이를 바탕으로 우리 실정에 맞는 실용적인 문화유산이 많이 만들어졌습니다.

임진왜란의 참화를 겪으면서 많은 의학서가 없어지고 구하기도 어려운 상황이 되자 왕명을 받은 허준이 의학서 『동의보감』을 편찬합니다. 광해군 때 완성된 『동의보감』은 우리나라뿐 아니라 동아시아의 의학 이론을 집대성한 의학 백과사전이에요. 전문 의학 지식과 기술뿐만 아니라 일반 백성도 쉽게 구할 수 있는 약초, 쉬운 말로 풀어 놓은 치료법이 실렸지요. 또 조선 후기에 서양의 영향을 받은 시헌력이 만들어졌고, 상품 작물 재배법을 정리한 박세당의 『색경』, 모내기법 등 벼농사 기술을 설명한 신속의 『농가집성』 등의 농서도 간행되었어요.

3 조선의 문화유산

	15C	16C	1592 후기
건축	궁궐	서원 = 교육 + 제사	수원 화성 : 정조, 정약용 ↓ 거중기
공예	분청사기	백자	청화 백자
회화	·「고사관수도」(강희안) ·「몽유도원도」(안견)	·사군자 ·「초충도」(신사임당)	·진경산수화 : 「인왕제색도」(정선) ·풍속화 : 김홍도, 신윤복 ·민화 : 「까치와 호랑이」 — 서민 문화↑
문학			·한글 소설 : 『홍길동전』 ·한문 소설 : 『양반전』, 『허생전』(박지원)

: 건축과 공예

나라의 기틀이 세워진 15세기의 대표 건축으로는 도성 한양의 궁궐 건축이 있어요. 16세기에 들어 사림이 사회의 주도 세력이 되면서 그들의 성장 기반이었던 서원이 전국 곳곳에 많이 지어집니다. 서원은 지방에 있는 사립 학교라고 볼 수 있는데, 성리학 교육뿐만 아니라 선현에 제사를 지내는 일도 수행했어요. 이 시기의 대표 서원으로 안동에 있는 병산 서원을 들 수 있어요. 병산 서원의 마루에 앉아 병풍처럼 둘러싸인 산을 바라보면 자연스레 조선 시대 선비의 모습이 떠오를 거예요.

조선 후기의 대표 건축으로 수원 화성이 있습니다. 수원 화성 하면 정조, 정조 하면 정약용이 떠오를 거예요. 정약용은 수원 화성을 짓기 위해 적은 힘을 들여 무거운 돌을 끌어올리는 기계인 거중기를 고안하기도 했지요.

분청사기　　백자　　청화 백자

공예를 한번 볼까요? 조선 전기 15세기에 유행한 분청사기는 문양 자체가 정형화되어 있지 않고 활기차서 신선하게 느껴집니다. 자유로운 문양 구성과 독특한 모양에서 당시 도공들의 뛰어난 예술성을 느낄 수 있지요. 16세기 이후에는 사림의 청렴한 분위기가 반영된 백자가 유행합니다. 어떤 성향을 가진 사람들이 주류를 이루냐에 따라 그 시대 문화의 경향도 달라지지요.

임진왜란은 도자기 전쟁이라고도 하는데, 일본이 조선의 도자기를 빼앗아 간 것뿐만 아니라 도자기를 만드는 도공도 많이 데려갔기 때문이에요. 그래서 임진왜란 이후 일본 도자기 산업이 크게 발전합니다.

조선 후기에는 백자에 푸른색 안료로 문양을 그려 넣은 청화 백자가 유행합니다.

: 회화와 한글 소설

15세기의 대표적인 회화 작품으로 강희안이 그린 「고사관수도」와 안견이 그린 「몽유도원도」가 있습니다. 강희안의 「고사관수도」에서 주인공 얼굴을 자신의 얼굴로 바꾸어 상상해 보세요. 이 세상 모든 번뇌를 다 잊고 물 흐르는 소리에 귀 기울이니 내가 곧 신선이 된 느낌이 들지 않나요? 어쩌면 강희안은 세조의 왕위 찬탈 이후 단종 복위 운동에서 겨우 화를 면한 뒤, 혼탁한 속세를 버리고 바위에 엎드려 물과 같이 흘러가고 싶은 심정을 화폭에 담았는지도 모릅니다.

고사관수도

몽유도원도

안평 대군의 꿈 이야기를 듣고 안견이 그렸다는 「몽유도원도」를 볼까요? 화폭 왼쪽에는 인간의 현실 세계를, 오른쪽에는 신선 세계를 묘사한 그림이에요. 굉장히 몽환적인 느낌이 들지요. 조선 전기 최고의 산수화로 손꼽히는 이 그림은 안타깝게도 현재 일본 어느 대학의 도서관에 소장되어 있습니다.

16세기에 들어서 선비들의 지조와 절개를 상징하는 매화·난초·국화·대나무를 소재로 한 사군자가 유행합니다. 「묵죽도」는 이정이 그린 대나무 그림이에요. 또 이 시기의 그림으로 신사임당이 그린 것으로 전하는 「초충도」가 유명하지요.

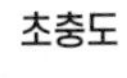

묵죽도

초충도

인왕제색도

조선 후기에 우리 것에 관심이 깊어졌다고 했지요? 명이 망하고 청이 들어서자 조선이야말로 중화 문명의 유일한 계승자라며 '이제부터 중화(中華)는 조선이다.'라는 인식이 나타납니다. 그러면서 우리 것에 대한 자부심이 커졌어요. 이런 생각이 회화에도 반영되어 진경산수화라는 화풍이 등장하지요. 진경산수화란 우리 눈에 익은 우리 자연을 화폭에 담은 그림입니다. 대표적인 작품으로 겸재 정선의 「인왕제색도」가 있어요.

한편 조선 후기에는 당시 서민 사회의 모습을 담은 풍속화가 크게 유행하지요. 풍속화 하면 떠오르는 사람이 김홍도와 신윤복입니다. 김홍도는 서민들의 모습을 익살스럽게 묘사했는데, 「씨름도」처럼 서민들의 삶을 생생하게 그린 작품을 많이 볼 수 있어요. 신윤복은 여성의 모습이나 양반의 위선적인 모습을 적나라하게 보여 주는 그림을 많이 그렸어요. 「유곽쟁웅」이라는 그림에는 기생이 보는 앞에서 양반들이 대판 싸워서 갓이고 옷이고 엉망이 된 장면이 담겨 있습니다. 조선 후기 양반 사회의 실상을 기생의 시선으로 보여 준 것이지요.

또 백성들의 생활 공간을 장식하거나 복을 빌기 위해 그린 민화도 발달하는데, 「까치와 호랑이」가 대표적입니다. 그리고 『홍길동전』이나 『심청전』 같은 한글 소설이 많이 읽히고 인기를 얻습니다.

김홍도의 씨름도　　신윤복의 유곽쟁웅　　까치와 호랑이

박지원은 양반들의 위선적인 모습을 적나라하게 풍자하고 비판한 『양반전』과 『허생전』 같은 한문 소설을 쓰기도 하였죠.

그런데 풍속화, 민화, 한글 소설을 즐긴 이들은 대체로 서민이었습니다. 조선 후기에 경제 발전과 서당 교육의 확산 등으로 서민의 경제적 지위가 상승하고 의식이 성장하여 서민 문화가 발달하게 된 것이지요. 조선 후기 문화의 키워드는 서민 문화의 발달이라고 할 수 있어요. 이제 민중이 나서서 문화를 끌어가는 모습을 볼 수 있습니다.

조선의 문화

	학문	역사	지리
15C	기술↑	·『고려사』 ·『조선왕조실록』 편년체, 유네스코 세계 기록 유산	[중앙 집권] 「혼일강리역대국도지도」(태종): 동양 최고(最古) 세계 지도, 중국 중심 O
16C	기술↓ only 성리학(理氣) —이황:『성학십도』, 일본↑ —이이:『성학집요』, 현실 개혁		
1592			
후기	성리학의 대안 —양명학: 실천(지행합일), 정제두(강화학파) —실　학: 실용, 민족적 　—중농학파(토지 분배) — 유형원(균전론), 이익(한전론) 영업전(매매 X), 정약용(여전론) ⇒ 자영농 육성 　—중상학파(생산력↑) — 박지원『열하일기』, 박제가(소비론)	『동사』: 이종휘, 고구려 『발해고』: 유득공, 남북국	·「곤여만국전도」: 서양 영향, 중국 중심 X [상업 발달] ·「대동여지도」 ·『택리지』

	천문	의학서·농서	건축	공예	회화·문학
	·측우기 ·『칠정산』(한양) └ 세종, 민족·자주적 ⇒ 15C	·『향약집성방』 ·『농사직설』	궁궐	분청사기	·「고사관수도」(강희안) ·「몽유도원도」(안견)
			서원 =교육+ 제사	백자	·사군자 ·「초충도」(신사임당)
→	시헌력	·『동의보감』: 광해군, 허준 ·『색경』: 상품 작물 ·『농가집성』: 모내기법	수원 화성 : 정조, 정약용 ↓ 거중기	청화 백자 서민 문화↑	·진경산수화:「인왕제색도」(정선) ·풍속화: 김홍도, 신윤복 ·민화:「까치와 호랑이」 ·한글 소설:『홍길동전』 ·한문 소설:『양반전』, 『허생전』 (박지원)

13

흥선 대원군의 등장부터 갑신정변까지

1 흥선 대원군의 등장

2 강화도 조약의 체결과 개항

3 개화 정책의 추진과 임오군란

4 급진 개화파의 선택, 갑신정변

19세기 말, 세도 정치가 기승을 부리고

삼정이 문란해져 백성의 삶이 피폐한 상황에서

흥선 대원군이 위태로운 조선을 살리기 위해 개혁의 불꽃을 피웁니다.

서양 열강들의 수교 요구에 거부 카드를 꺼내 들고요.

그러나 고종이 친정을 시작하고 민씨 정권이 들어선 뒤

강화도 조약으로 조선이 문을 열고

개화파 중심으로 청, 일본, 미국에 시찰단을 파견하여

근대 문물을 받아들입니다.

한편에서는 개화 정책에 저항하는 움직임이 일어나고

또 한편에서는 근대 사회를 꿈꾸며 갑신정변이 일어납니다.

파란만장했던 개항기 조선의 모습 속으로 들어가 보겠습니다.

1 흥선 대원군의 등장

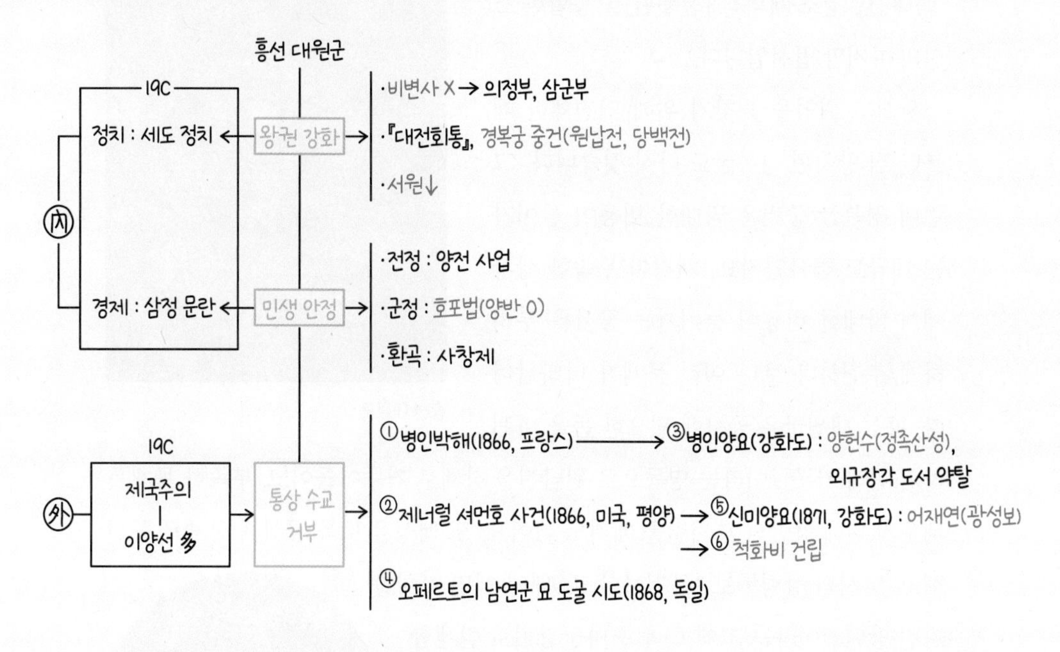

: 세도 정치를 청산하고 왕권을 강화하라

19세기에 몇몇 가문에 의해 모든 권력이 독점되고 나랏일이 좌지우지되는 세도 정치가 전개되었습니다. 세도가의 부정부패가 만연하고 이로 인해 삼정이 문란해져 곳곳에서 농민 봉기가 일어났지요. 나라 밖에서는 수시로 이양선이 출몰하여 나라가 절체절명의 위기를 맞고 있었습니다.

이러한 상황을 타개해 보겠다고 등장한 인물이 바로 흥선 대원군입니다. 그렇다면 흥선 대원군은 위태로운 19세기 말의 조선을 어떻게 바꾸어 나가려고 했을까요? 세도 정치 시기를 거치면서 추락할 대로 추락한 왕권을 강화하기 위한 노력을 펼칩니다. 흥선 대원군은 왕권 강화를 위하여 세도 가문의 권력을 비호하는 비변사를 폐지합니다. 그리고 의정부와 삼군부를 부활시켜 권력을 분산하지요.

또한 흐트러진 기강을 다시 세우기 위해 『대전회통』이라는 법전을 편찬합니다. 이는 조선 전기에 편찬된 『경국대전』과 영조 때의 『속대전』, 정조 때의 『대전통편』을 통합한 조선의 마지막 법전입니다.

흥선 대원군

왕실의 위엄을 되찾기 위해 임진왜란 때 불탄 뒤 방치된 경복궁도 다시 짓습니다. 그런데 경복궁 중건은 막대한 비용이 들어가는 대규모 공사였지요. 재정이 부족한 상황에서 막대한 비용이 들어가는 공사를 무리하게 추진하다 보니 여러 문제가 나타납니다. 홍선 대원군은 공사에 필요한 돈을 마련하기 위해 기부금이라는 명목으로 원납전을 강제로 거두어들이고, 부족한 목재를 채우기 위해 양반의 묘지림을 베기도 했어요. 또 백성을 토목 공사에 강제로 동원했고, 당시의 상평통보 1문전보다 100배의 액면 가치를 가진 당백전이라는 고액 화폐를 마구잡이로 발행합니다. 하지만 당백전의 실제 가치는 상평통보 1문전보다 5~6배에 불과했어요. 이러다 보니 화폐 가치가 폭락하고 물가는 크게 오르는 인플레이션이 나타나지요. 경복궁 중건 공사로 인해 흥선 대원군은 양반과 백성의 원성을 삽니다.

당백전

한편 흥선 대원군은 지방 양반의 세력 기반이자 면세·면역의 혜택을 누리며 백성의 고혈을 빨아먹던 서원을 철폐하여 전국에 47곳만 남기지요. 서원 철폐로 민생 안정과 재정 확충 등의 효과를 거둘 수 있었지만, 양반 유생의 어마어마한 반발을 사게 됩니다. 이는 뒤에 흥선 대원군이 정권에서 내몰리는 요인이 되기도 하지요. 정리하면 흥선 대원군이 추진한 비변사 폐지와 경복궁 중건 그리고 서원 철폐는 왕권을 비롯한 중앙 권력을 강화하는 데 목적이 있었습니다.

경복궁 근정전

: 민생 안정을 위한 삼정 개혁

홍선 대원군은 민생 안정을 위해 전정·군정·환곡, 곧 삼정의 문란을 바로잡기 위한 개혁도 실시합니다. 전정과 관련해서는 토지 조사 사업이라 할 수 있는 양전 사업을 실시하는데, 이를 통해 은결을 찾아냈어요. 은결은 세금을 내지 않기 위해 일부러 토지 대장(양안)에서 누락시킨 땅을 말해요. 홍선 대원군은 양전 사업을 통해 누락된 땅, 숨겨진 땅을 찾아내서 세금을 부과하여 나라의 재정을 확보하고자 했어요.

또 군정의 폐단을 바로잡기 위해서 호포법을 실시합니다. 영조 때 균역법을 실시했지만, 대부분의 양반은 면역 대상자로 군포를 납부하지 않았어요. 그런데 호포법은 호(戶, 집) 단위로 군포를 부과하는 제도로 상민뿐만 아니라 양반 집에도 군포를 부과했어요. 이는 곧 양반도 상민과 똑같이 세금을 내야 한다는 뜻이니, 군포 면제를 자신들의 특권이라 생각했던 양반은 당연히 반대했겠지요?

삼정의 문란 중에 가장 심각했던 환곡도 개혁합니다. 환곡은 봄에 관청의 곡식을 빌려주었다가 수확한 후에 이자와 함께 거두어들이는 일종의 빈민 구휼 제도입니다. 그동안 관청에서 환곡을 직접 운영하다 보니 세금처럼 변질되었고 부패한 관리들의 고리대 수단으로 악용되었지요. 환곡을 원치 않는 이들도 의무적으로 떠맡아 높은 이자를 물어야 했고, 심지어는 빌리지도 않았는데 강제로 이자를 내야 했지요. 홍선 대원군은 이러한 문제를 해결하기 위해서 사창제를 실시합니다. 마을에 곡물 대여 기관인 사창을 세우고, 지역민 중에서 대표를 뽑아 자율적으로 운영하도록 한 것이지요.

지금까지 홍선 대원군의 내정 개혁을 살펴봤습니다. 왕권을 강화하고 민생을 안정시키기 위해 기득권 세력을 저지하는 데 나선 홍선 대원군. 그의 개혁은 성공했을까요?

: 통상 수교 거부 정책을 실시하다

이제 홍선 대원군의 대외 정책을 살펴보겠습니다. 19세기에 들어서 서양의 제국주의 국가들이 아시아 지역을 향해 침략과 침탈의 칼끝을 겨눕니다. 조선에도 통상을 요구하며 슬금슬금 밀고 들어옵니다. 이들에 의해 청과 일본의 문이 강제로 열리는 것을 목격한 조선 정부는 통상 수교 거부의 입장을 취합니다.

러시아가 연해주를 차지하여 조선과 국경을 접하게 되자 조선에서는 위기감이 커집니다. 이 무렵 집권한 홍선 대원군은 조선에 들어와 있는 프랑스 선교사를 통해 프랑스 세력을 끌어들여 러시아의 위협을 막아 보려고 했지만 협상이 잘 되지 않았지요. 이러한 상황에서 천주교를 금지하라는 목소리가 높아지자 홍선 대원군은 1866년 2월부터 국내의 천주교 신자 수천 명과 프랑스 선교사 9명을 처형합니다. 이를 병인년에 일어난 천주교 박해라고 해서 병인박해라고 합니다.

프랑스가 이 사실을 알고 가만있을 리 없지요. 프랑스 함대가 강화도에 쳐들어와 병인양요가 일어납니다. 당시 조선의 무기로는 도저히 상대할 수 없었어요. 조선의 화포는 목선을 부수는 용도로 만들어진 데다 사정거리도 짧았지요. 뭍에서도 그들의 압도적인 무기와 화력 앞에 속수무책으로 당할 수밖에 없었어요.

그러나 양헌수가 이끄는 부대가 열악한 조건에도 불구하고 지형을 이용한 작전으로 정족산성 전투에서 승리합니다. 사상자가 생긴 프랑스 군대는 후퇴했지만 퇴각하면서 외규장각에 보관되어 있던 의궤 등 문화재를 약탈하고 외규장각과 행궁, 사당, 민가 곳곳을 불태웠어요. 1970년대에 박병선 박사의 노력으로 약탈당한 외규장각 도서가 프랑스국립도서관에 소장되어 있다는 것을 알게 된 우리 정부가 프랑스 정부에 지속적으로 반환을 요구하여 5년마다 갱신하는 영구 대여의 형식으로 2011년 5월, 145년 만에 297책을 반환받았지요.

1868년에는 독일인 오페르트에 의해 남연군 묘 도굴 미수 사건이 일어납니다. 조선 정부가 통상 요구를 거부하자 당시 실권자였던 흥선 대원군의 아버지인 남연군의 시신을 탈취해서 흥선 대원군과 협상을 하겠다는 계획으로 도굴을 시도했던 것이지요. 제국주의의 폭력과 야만을 그대로 드러낸 이 사건으로 흥선 대원군은 물론 조선인의 서양 세력에 대한 반감은 강화됩니다.

한편 프랑스와의 전쟁이 벌어지기 직전인 1866년 8월, 평양에서는 제너럴 셔먼호 사건이 일어납니다. 대포로 무장한 미국 상선 제너럴 셔먼호가 조수 차와 많은 양의 비 때문에 불어난 대동강을 이용해 평양까지 올라와 통상을 요구했어요.

병인양요와 신미양요

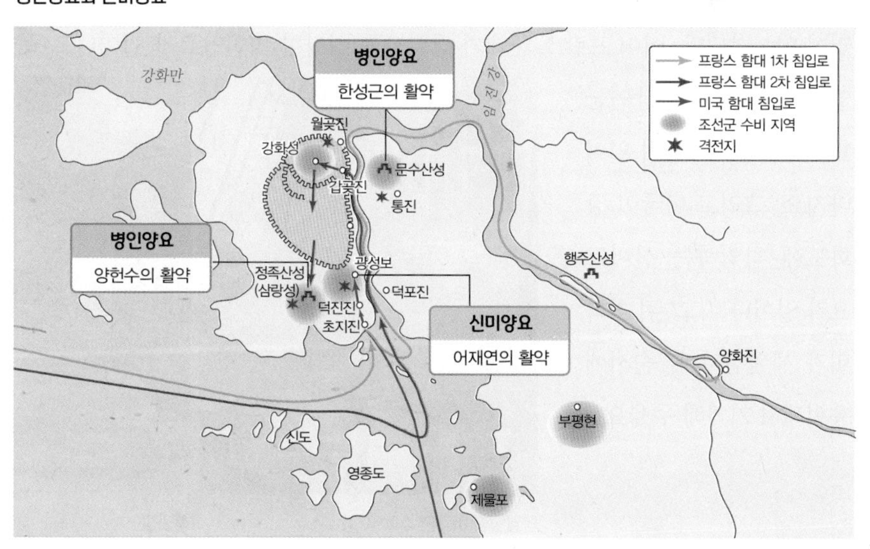

평안도 관찰사 박규수가 통상을 거부하자 제너럴 셔먼호의 선원들이 민가를 약탈하며 난동을 부렸지요. 나중에는 인질까지 앞세우고 평양 관민을 향해 소총과 대포를 쏘아 목숨까지 앗아 갔어요. 이에 격분한 평양 관민이 제너럴 셔먼호를 불태워 침몰시키고 미국 선원들을 몰살했어요.

1871년에 미국은 이 사건에 대한 배상금 지불과 통상을 요구할 목적으로 조선 정부의 허락 없이 강화 해협을 탐측하더니 월등한 무기로 공격하여 초지진에 이어 덕진진을 함락했습니다. 이어 광성보를 공격해 오자 어재연이 이끄는 부대가 결사 항전했지만 모두 전사했어요. 이때 어재연의 부대를 상징하는 깃발인 수(帥)자기를 미군에게 빼앗깁니다. 이렇게 전개된 사건이 바로 신미양요입니다. 2007년에 어재연의 수자기 역시 임대 방식으로 돌려받았지요.

광성보 전투에서 패배했지만 조선군의 항전이 이어졌고 조선 정부도 계속하여 통상을 거부하자 결국 미군이 강화도에서 물러났어요. 미군이 철수한 뒤 흥선 대원군은 "서양 오랑캐가 침범하는데 싸우지 않으면 화친하는 것이요, 화친을 주장함은 나라를 팔아먹는 짓이다."라는 내용을 새긴 척화비를 전국에 세워 통상 수교 거부 의지를 널리 알립니다.

이렇게 흥선 대원군의 대외 정책을 살펴봤습니다. 순서를 다시 정리해 볼게요. 맨 먼저 천주교 박해 사건인 병인박해가 일어나고, 그다음으로 제너럴 셔먼호 사건이 일어납니다. 이어 프랑스 군대가 강화도를 침략한 병인양요가 일어나고, 독일인 오페르트의 남연군 묘 도굴 미수 사건이 일어나지요. 그리고 미국이 강화도에 침입하는 신미양요가 일어나고, 그 뒤 척화비가 세워집니다. 순서에 유의해서 기억해 두세요.

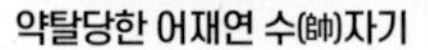
약탈당한 어재연 수(帥)자기

척화비

2 강화도 조약의 체결과 개항

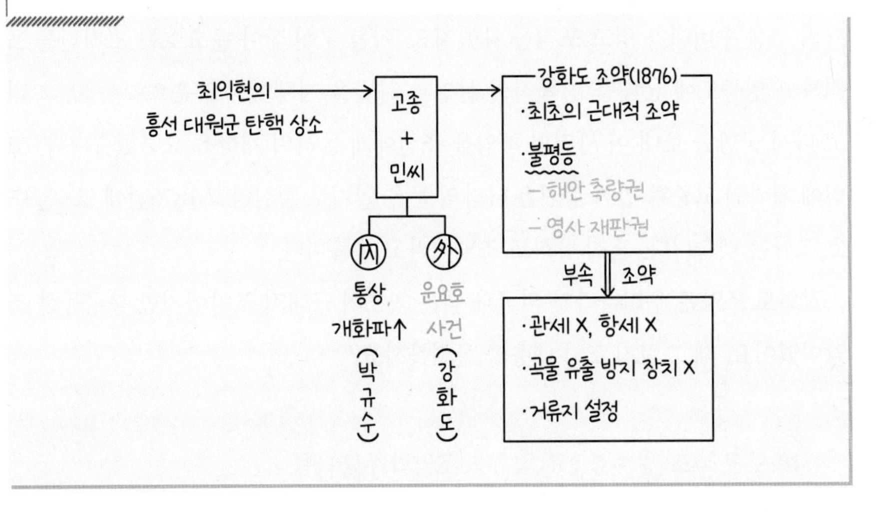

: 대외 정책에 변화가 나타나다

꺼져 가는 조선의 불꽃을 되살리기 위한 흥선 대원군의 일부 개혁 정책은 양반의 반발에 부딪힙니다. 특히 호포법 시행과 서원 철폐는 양반의 거센 저항을 불러일으켰지요. 최익현은 서원 철폐 등의 정책을 비판하고 흥선 대원군이 정치에서 물러날 것을 촉구하는 상소를 올립니다. 이를 계기로 1873년에 흥선 대원군이 10년 동안의 섭정을 마감하고 22세가 된 고종이 직접 정치에 나섭니다.

고종의 친정이 이루어지면서 명성 황후와 그 가문인 민씨 일파가 적극적으로 나서서 정권을 잡았습니다. 민씨 정권은 흥선 대원군과는 달리 다른 나라와의 통상 수교에 적극적인 모습을 보였어요. 이에 이전부터 제기된 통상 개화파의 주장도 힘을 얻었어요. 당시 통상 개화파의 대표 인물이 박규수입니다. 제너럴 셔먼호를 침몰시키는 데 앞장선 그 인물? 맞습니다. 박규수는 나라의 문호를 열고 서양 문물을 받아들여야 한다고 주장한 개화사상가였어요. 제너럴 셔먼호 사건 당시에는 평안도 관찰사로서 통상에 대한 찬반 여부를 떠나 외적이 침입했으니 당연히 맞서 싸워야 한다는 입장이었던 거고요.

: 강화도 조약으로 나라의 문을 열다

조선의 통상 수교 거부 정책이 완화되는 가운데 1875년에 일본이 운요호 사건을 일으킵니다. 일본의 군함 운요호가 허가 없이 강화도 앞바다에 접근하자 강화도의 조선 수비대가 경고 포격을 가했지요. 이를 구실 삼아 운요호는 초지진을 포격하고 영종도에 군대를 상륙시켜 살인과 약탈을 자행했어요(운요호 사건). 그리고 다시 군함을 보내 이 사건의 책임을 조선에게 돌리며 개항을 요구했습니다. 고민에 휩싸인 고종과 민씨 정권은 나라의 문을 열기로 결심하고 1876년에 조·일 수호 조규를 맺습니다. 흔히 강화도 조약이라고 부릅니다.

강화도 조약은 우리나라가 외국과 맺은 최초의 근대적 조약이지만 불평등한 조약이었어요. 왜 그런지 조약 내용을 살펴볼까요?

강화도 조약(조·일 수호 조규) 및 부속 조약의 주요 내용

강화도 조약(조·일 수호 조규)

제1관 조선국은 자주 국가로 일본국과 동등한 권리를 보유한다.

제4관 조선 정부는 종전의 부산 외에 제5관에 제시한 항구를 개항하여 일본국 인민이 오가며 통상하게 한다.

제5관 경기, 충청, 전라, 경상, 함경 5도 중에서 연해의 통상하기 편리한 항구 두 곳을 골라 개항한다.

제7관 일본국 항해자들이 수시로 조선국 해안을 측량하여 도면을 만들어서 양국의 배와 사람들이 위험한 곳을 피하고 안전히 항해할 수 있도록 한다.

제10관 일본국 인민이 조선의 지정한 항구에서 죄를 지었을 때 만일 조선국 인민에게 관계되는 사건일 때는 모두 일본국 관원이 심판한다.

조·일 수호 조규 부록

제4관 부산항에서 일본국 인민이 통행할 수 있는 도로의 거리는 부두에서 동서남북 각 10리로 정한다.

제7관 일본국 인민은 본국에서 사용하는 여러 화폐로 조선국 인민이 보유하고 있는 물자와 교환할 수 있다.

조·일 무역 규칙

제6칙 조선국 항구에 거주하는 일본국 인민은 쌀과 잡곡을 수출, 수입할 수 있다.

제7칙 일본국 정부에 속한 모든 선박은 항세를 납부하지 않는다.

우선 강화도 조약에는 '조선은 자주 국가'라는 내용의 조항이 들어갑니다. 여기에는 조선과 청의 관계를 끊어 놓아야 조선을 쉽게 주무를 수 있다는 일본의 음흉하고 치밀한 속내가 담겼지요.

그리고 부산 외에 2개 항구를 개항한다는 조항에 따라 부산에 이어 원산과 인천을 개항합니다. 다음으로 조선 해안에 대한 측량권 조항입니다. 조선 정부의 허락 없이도 일본인이 조선의 해안을 측량할 수 있는 길을 열어 준 거지요. 또 하나는 영사 재판권 조항입니다. 조선에 들어온 일본인은 조선 법에 의해 통제를 받지 않고 일본 법에 따라 일본 관원에게 재판을 받도록 한다는 치외법권의 내용이 들어간 거예요. 해안 측량권과 영사 재판권 조항은 강화도 조약이 불평등 조약임을 보여 주지요.

이어서 부속 조약인 조·일 수호 조규 부록과 조·일 무역 규칙이 체결되었어요. 이를 통해 일본인의 거류지가 설정되고 개항장에서 일본 화폐가 유통될 수 있었지요. 이들 조약에는 일본 상품에 대한 관세 부과 규정과 조선 정부가 곡물의 유출을 제한할 수 있는 규정이 없었고, 일본 정부 소속 선박에 대한 항세 면제 규정이 있어 일본이 조선 경제를 침탈하는 데 발판이 되었죠.

3 개화 정책의 추진과 임오군란

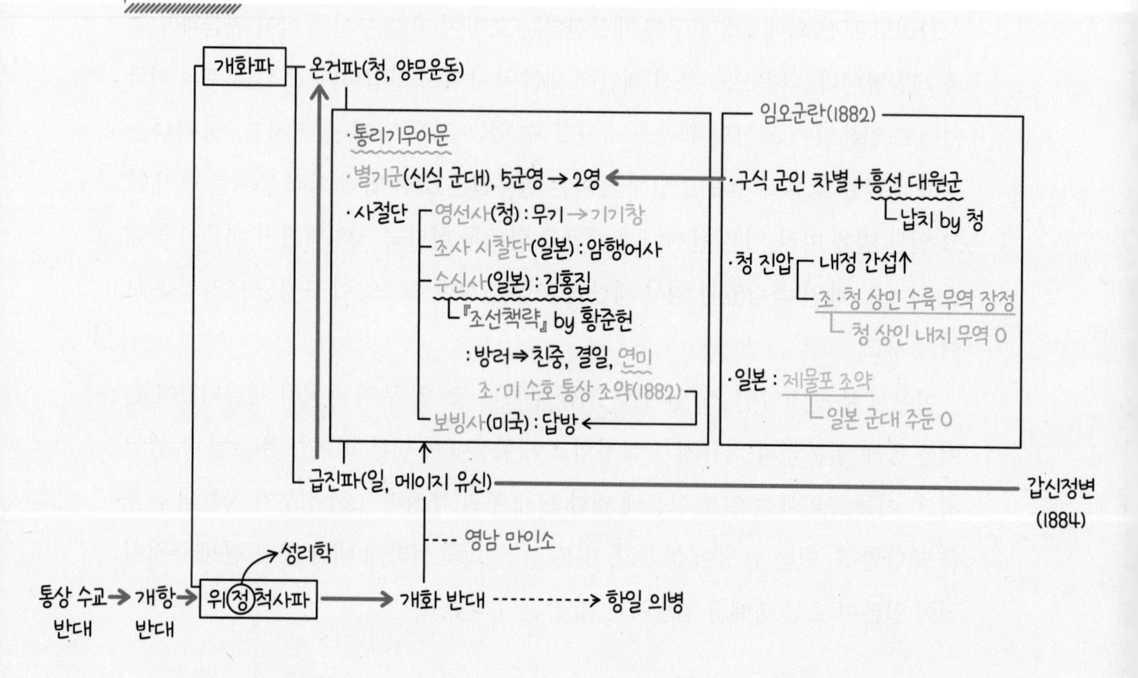

: 개화 정책을 추진하다

강화도 조약을 전후하여 조선의 정치 세력은 서양 문물을 받아들여야 한다는 개화파와 성리학적 질서를 지키고 외세(양이)를 배척해야 한다는 위정척사파로 나뉩니다. 개화파는 나중에 온건 개화파와 급진 개화파로 나뉘지요.

개화파부터 살펴볼게요. 강화도 조약을 체결한 뒤 조선 정부는 일본의 근대적인 모습과 국제 정세를 살피기 위해 일본에 수신사를 파견합니다. 1876년에 1차 수신사 김기수, 1880년에 2차 수신사 김홍집을 파견했어요. 그리고 개화 정책을 총괄할 기구로 통리기무아문을 설치합니다. 통리기무아문이 중심이 되어 개화 정책을 추진하는데, 1881년에 신식 군대인 별기군을 신설하고 기존의 군사 체계인 5군영을 2영으로 바꿉니다.

또 조선 정부는 일본의 사정을 살피고 개화 정책의 정보를 얻기 위해 일본에 조사 시찰단을 파견합니다. 당시에 정부의 개화 정책에 대한 유생들의 반대 여론이 들끓어 그들의 눈을 피하기 위해 그 일원을 암행어사로 임명하여 보냈지요. 청에는 영선사를 파견하여 신식 무기 제조법과 군사 훈련법을 배워 오게 합니다. 조사 시찰단과 영선사 파견은 모두 1881년에 이루어졌는데, 이들이 귀국하여 근대적 기구를 설치하는 데 주도적 역할을 합니다. 1883년에 화폐를 찍어 내는 전환국, 인쇄를 담당하는 박문국이 만들어졌지요. 박문국은 우리나라 최초의 근대 신문인 『한성순보』를 발행합니다. 또 청에서 귀국한 영선사 일행의 주도로 신무기를 제조하는 기기창도 만들어집니다. 그리고 1년 뒤에는 갑신정변의 무대가 되는 우정총국이 생깁니다.

개화 정책을 추진하기 위해서는 나라의 재정이 뒷받침되어야 했기 때문에 백성의 세금 부담이 늘어날 수밖에 없었습니다. 게다가 강화도 조약 체결 후 일본으로 곡물 유출이 가능해지면서 많은 양의 쌀이 빠져나가 쌀값이 폭등합니다. 이처럼 개화 정책은 서민들의 삶을 더욱더 어렵게 만들었지요.

한편 2차 수신사로 파견된 김홍집은 일본에서 청의 외교관 황준헌이 쓴 『조선책략』을 가지고 돌아옵니다. 이 책은 조선 사회에 엄청난 파문을 일으키지요. 『조선책략』에는 오늘날 조선에게 러시아를 막는 일보다 급한 것이 없으며, 이를 위해서 중국과 화친하고, 일본과 결탁하고, 미국과 연합해야 한다는 내용이 담겨 있었거든요. 이에 영향을 받은 조선 정부가 미국과 수교를 맺으려는 움직임을 보이자 유생들이 반대 상소를 올립니다. 이만손의 영남 만인소가 대표적이에요. 하지만 1882년에 조·미 수호 통상 조약이 체결되고, 이듬해 조선 정부는 미국에 보빙사를 파견합니다.

황준헌의 『조선책략』

조선의 땅은 실로 아시아의 요충에 자리 잡고 있어서 …… 러시아가 아시아를 공략하고자 하면 반드시 조선으로부터 시작할 것이다. …… 그러므로 오늘날 조선의 책략은 러시아를 막는 일보다 더 급한 것이 없을 것이다. 러시아를 막는 책략은 무엇인가. 중국과 화친하고 일본과 결탁하고, 미국과 연합함으로써 자강을 도모할 따름이다.

: 위정척사파가 걷는 길

이제 위정척사파에 대해 살펴볼게요. 앞에서 이들은 성리학을 수호하고 외세 배척을 주장했다고 했어요. 1860년대 위정척사파는 서양 세력의 통상 요구에 반대하고 흥선 대원군의 통상 수교 거부 정책을 지지했지요. 이후 1870년대 강화도 조약이 체결될 무렵, 그러니까 개항이 눈앞에 다가오자 개항에 반대합니다. 이들의 반대에도 결국 개항이 되었지요. 그럼 개항 뒤 1880년대에는 어떤 주장을 했을까요? 당연히 개화 정책에 반대합니다. 위정척사 운동은 '통상 반대 - 개항 반대 - 개화 반대'라는 흐름으로 전개되었음을 기억하세요.

수신사 김홍집이 일본에서 가져온『조선책략』은 개화 반대 운동이 일어나는 데 결정적인 계기가 됩니다. 서양 오랑캐인 미국과 수교하라는 내용을 위정척사파는 도저히 받아들일 수 없었지요. 미국은 제너럴 셔먼호 사건과 신미양요를 일으켰을 뿐만 아니라, 본디 잘 모르는 나라인데 수교를 해서 말도 안 되는 요구를 해 오면 어찌할 것이냐며 반대합니다. 이만손을 필두로 영남 유생 1만 명은 공동 명의로 고종에게 상소(영남 만인소)를 올리며 반발하지요. 하지만 개화 정책은 계속 추진되었고, 조·미 수호 통상 조약도 체결됩니다.

위정척사 운동은 이후 항일 의병 운동으로 계승됩니다.

: 구식 군인들의 반란, 임오군란

앞에서 개화 정책이 추진되면서 신식 군대인 별기군이 창설되고 구식 군대인 5군영이 2영으로 바뀌었다고 했지요? 별기군은 일본인 교관을 초빙하여 근대식 군사 훈련을 받았어요. 옷, 무기, 월급 등 처우도 구식 군대보다 훨씬 좋았습니다. 반면에 구식 군대가 2영으로 축소되면서 소속 군인들이 무더기로 해고를 당합니다. 구식 군인들의 불만이 클 수밖에 없었지요. 게다가 해고에서 살아남은 군인들도 1년 넘게 급여를 받지 못했어요. 그러다가 겨우 1개월 치 급여를 쌀로 받았는데 그마저도 겨와 모래가 뒤섞인 쌀이었습니다. 참다못한 구식 군인들이 폭발하고 맙니다. 1882년 임오군란이 일어난 거지요.

봉기한 구식 군인들은 흥선 대원군에게 도움을 요청합니다. 때마침 섭정에서

신식 무기인 소총으로 무장한 별기군

물러나 때를 기다리던 흥선 대원군은 그들의 요청을 받아들이지요. 무기고를 털어 무장한 군인들 중 한 무리는 일본 공사관을 습격하고 일본인 교관을 살해합니다. 공사관 습격에 놀란 일본인들은 제물포 쪽으로 달아났지요. 그리고 다른 무리는 궁궐 담장을 넘어 들어가 고관대작들을 제거하고 개화 정책 추진의 핵심 인물인 명성 황후를 잡기 위해 달려갑니다. 봉기 세력을 피해 가까스로 궁궐에서 나온 명성 황후는 광주와 여주를 거쳐 장호원으로 피신했고, 위기에 몰린 민씨 세력은 청에 군대 파견을 요청하는 SOS를 칩니다. 이에 청군이 들어와 동대문에 무기를 배치하고 포를 쏘아 구식 군인들이 살고 있는 왕십리 지역을 쑥대밭으로 만들어 버리지요. 그러고는 군란의 책임을 물어 흥선 대원군을 청으로 납치해 갑니다. 임오군란을 진압한 청은 조선에 대한 내정 간섭을 강화합니다.

청은 조선에 고문을 파견하고 조·청 상민 수륙 무역 장정을 맺습니다. 조선과 청의 상인들이 바다와 육지에서 무역할 수 있도록 맺은 장정이라는 뜻인데, 이에 따라 조선은 청에 내지 무역의 길을 열어 줍니다. 조선의 내지 무역이 열렸다는 소식을 접한 다른 나라들은 가만히 있겠어요? 일본도 요구해 왔고 결과적으로 그들에게도 내지 무역의 길을 열어 줍니다.

일본은 임오군란으로 인한 피해를 내세워 조선과 제물포 조약을 맺습니다.

> 제4관 흉도들의 포악한 행동으로 인하여 일본국이 입은 손해와 공사를 호위한 육해군의 비용 중에서 50만 원을 조선국에서 보충한다.
>
> 제5관 일본 공사관에 군사 약간을 두어 경비를 서게 한다.

이에 따라 조선은 일본에 배상금을 지불하고 일본 공사관 경비를 명분으로 일본 군대가 한성에 주둔하는 것을 허용했지요. 임오군란이 청군의 진압으로 끝나면서 조선은 외세의 힘을 빌린 대가를 혹독히 치러야 했습니다.

4 급진 개화파의 선택, 갑신정변

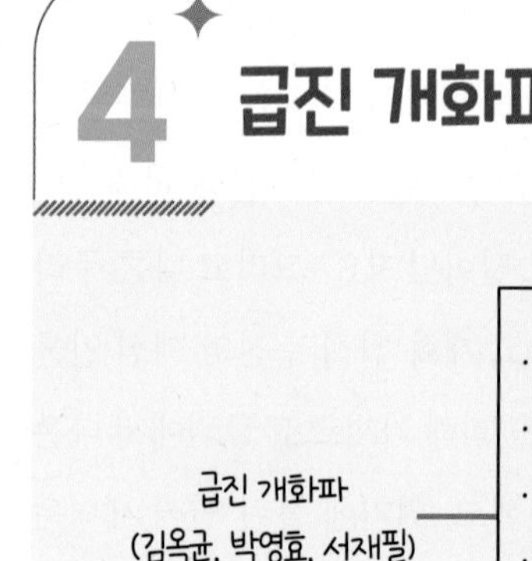

: 온건 개화파와 급진 개화파

강화도 조약 이후에 개화파는 힘을 얻습니다. 김홍집, 어윤중, 김윤식 등 주로 양반집 자제가 중심이 된 개화파. 민씨 정권은 나라 문을 여는 데 힘을 보탠 개화파 인물들을 등용합니다. 그런데 개화파는 청에 대한 입장 차이와 개화 정책의 추진 방식을 놓고 온건 개화파와 급진 개화파로 나뉩니다.

온건 개화파는 청의 양무운동을 모델로 하자는 사람들로 김홍집, 어윤중, 김윤식이 대표적입니다. 이들은 동양의 정신은 그대로 유지한 채 서양의 발달한 기술을 받아들이자는 동도서기를 제안하지요. 반면에 급진 개화파는 일본의 메이지 유신을 모델로 기술뿐만 아니라 정치, 경제, 사회 등 모든 분야를 바꾸자는 쪽이었습니다. 그러니까 온건 개화파는 청에 기운 친청파, 급진 개화파는 일본 쪽에 상당히 기운 친일본파라고 볼 수 있지요. 급진 개화파의 대표적 인물로 김옥균, 서광범, 홍영식, 박영효 등이 있습니다.

갑신정변의 주역, 급진 개화파

개화 정책을 추진하기 위해서는 무엇보다도 많은 돈이 필요했습니다. 임오군란 이후 청의 간섭 속에서 청이 고문으로 파견한 묄렌도르프가 당오전을 찍어 내어 부족한 재정을 메우고자 합니다. 흥선 대원군 시절에 당백전을 발행했다가 큰 문제가 있었잖아요? 이에 급진 개화파는 당오전 발행에 반대하며 차관 교섭을 위해 일본으로 떠나지요. 그러나 성과 없이 돌아와 정치적 입지가 흔들리게 됩니다.

급진 개화파는 이러한 상황을 타개할 무언가가 필요했어요. 그런데 절호의 기회가 찾아옵니다. 베트남 지배권을 둘러싸고 청과 프랑스 사이에 전쟁이 일어나자 임오군란 때 조선에 들어온 청의 군사 절반이 베트남으로 출병하게 된 거예요. 급진 개화파는 이 틈을 노려 갑신정변을 일으킵니다. 이를 위해 미리 일본 공사의 군사적 지원 약속도 받아 둡니다.

: 당시 신세대들의 꿈, 갑신정변

급진 개화파는 우정총국 개국 축하연 자리에서 청에 의존하는 민씨 세력을 제거하고 정권을 잡겠다는 계획을 세웁니다. 그리고 계획대로 축하연이 열리자 우정총국 주변의 민가에 불을 지르고 고위 관료들을 제거한 뒤, 곧바로 창덕궁으로 가서 고종과 명성 황후의 신변을 확보합니다.

정권을 잡은 급진 개화파는 개화당 정부를 구성하고 개혁 정강을 발표합니다. 청의 종주권을 부인하고 호조로의 재정 일원화, 지조법 개혁, 신분제 폐지 등의 내용을 담았지요.

그런데 무언가 이상한 낌새를 챈 명성 황후가 사람을 시켜 바깥 상황을 알아봅니다. 실로 엄청난 일이 벌어지고 있음을 알게 된 명성 황후는 청에 도움을 요청합니다. 이에 또다시 청의 군대가 갑신정변을 진압하게 되지요. 급진 개화파에 군사 지원을 약속했던 일본군은 창덕궁에서 수세에 몰리자 퇴각했어요. 민중은 일본과 손잡은 급진 개화파를 공격하고 일본 공사관을 불태웁니다. 다시 청의 도움을 받은

개혁 정강의 주요 내용

제1조 흥선 대원군을 조속히 귀국시키고 청에 대한 조공의 허례를 폐지한다.
제2조 문벌을 폐지하여 인민 평등의 권리를 제정하고 능력에 따라 인재를 등용한다.
제3조 전국의 지조법을 개혁하고 간악한 관리를 근절하며 빈민을 구제하고 국가 재정을 충실히 한다.
제12조 일체의 국가 재정은 호조에서 관할하고 그 밖의 재정 관청은 금지한다.

조선 정부. 청의 내정 간섭은 더욱 심해질 수밖에 없었지요.

한편 창덕궁에서 교전을 벌인 청과 일본은 조선에서 자칫 전쟁의 불씨가 타오를 수 있다고 판단하여 톈진 조약을 체결합니다. 두 나라 군대가 조선에서 동시에 철수하고, 만약 조선에 다시 군대를 보낼 때에는 상대 나라에 미리 통보한다는 내용이었어요. 이 조약은 동학 농민 운동 중에 청·일 전쟁이 터지는 배경이 됩니다. 톈진 조약 체결 뒤에 일본은 불에 탄 일본 공사관에 대한 배상금 지불을 조선 정부에 요구하여 한성 조약을 체결합니다.

그럼 갑신정변의 주인공들은 어떻게 되었을까요? 홍영식은 끝까지 고종 곁에 있다가 칼에 맞아 죽고 김옥균과 박영효는 일본으로 망명합니다. 김옥균은 뒷날 중국 상하이에서 자객 홍종호의 총에 목숨을 잃지요.

갑신정변은 비록 삼일천하로 막을 내렸지만, 당시 양반집 자제들이 기득권을 내려놓고 평등 사회를 지향하여 일으킨 정변이었다는 점에서 큰 의미가 있습니다. 갑신정변을 주도한 이들의 평균 연령은 20대였지요.

당시에는 달걀로 바위를 친, 실현이 불가능해 보인 일이었지만 그들이 지향한 평등 사회는 오늘날 현실이 되어 있습니다. 갑신정변 이후 수없이 던져진 달걀이 바위를 깨부순 것입니다. 여기서 우리가 굴리는 역사의 수레바퀴가 올바른 방향을 향한다면, 비록 당시에는 실현되지 않더라도 후대에 언젠가는 실현된다는 값진 교훈을 얻을 수 있습니다. 역사는 그렇게 발전하는 법입니다.

흥선 대원군의 등장부터 갑신정변까지

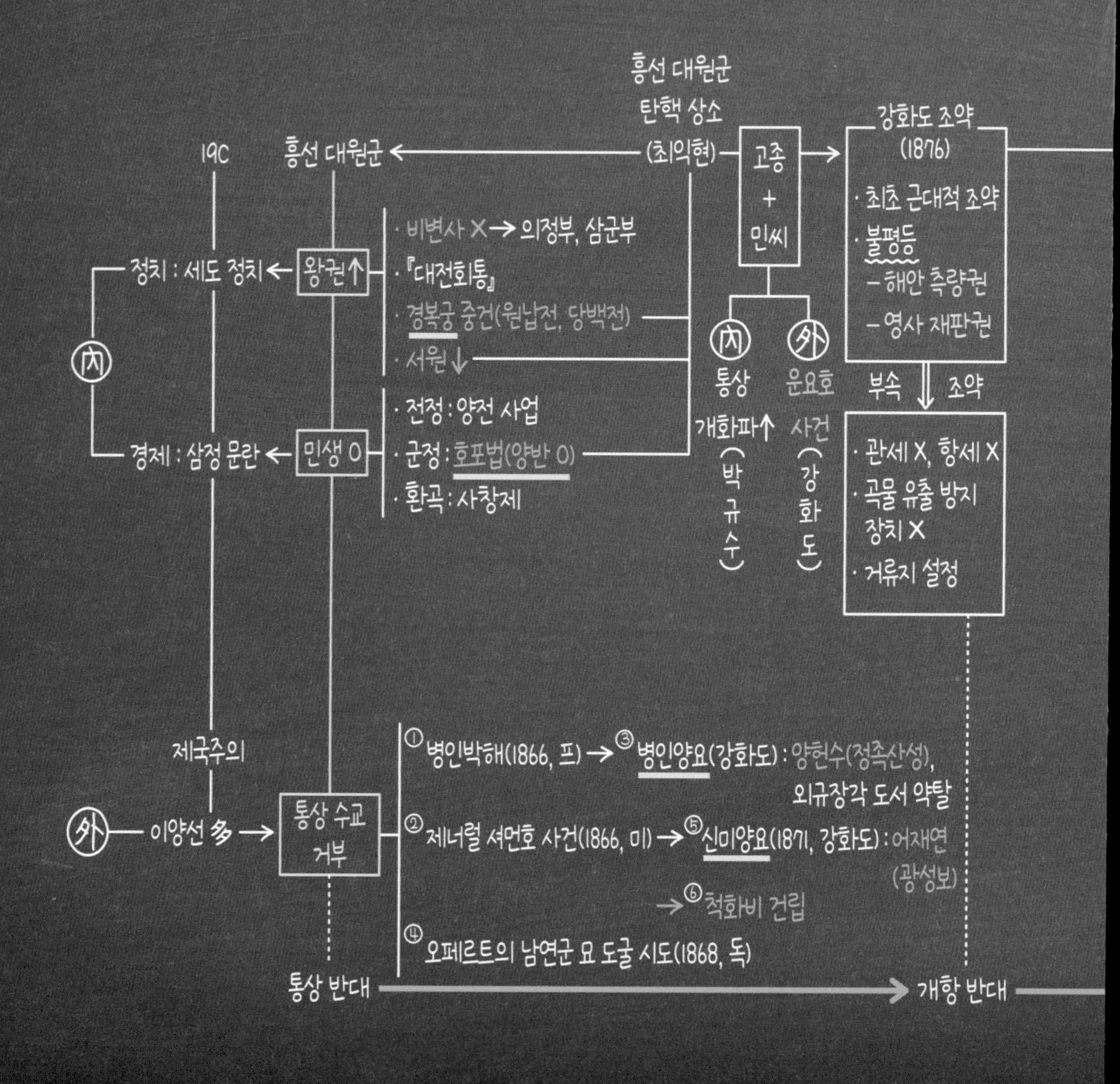

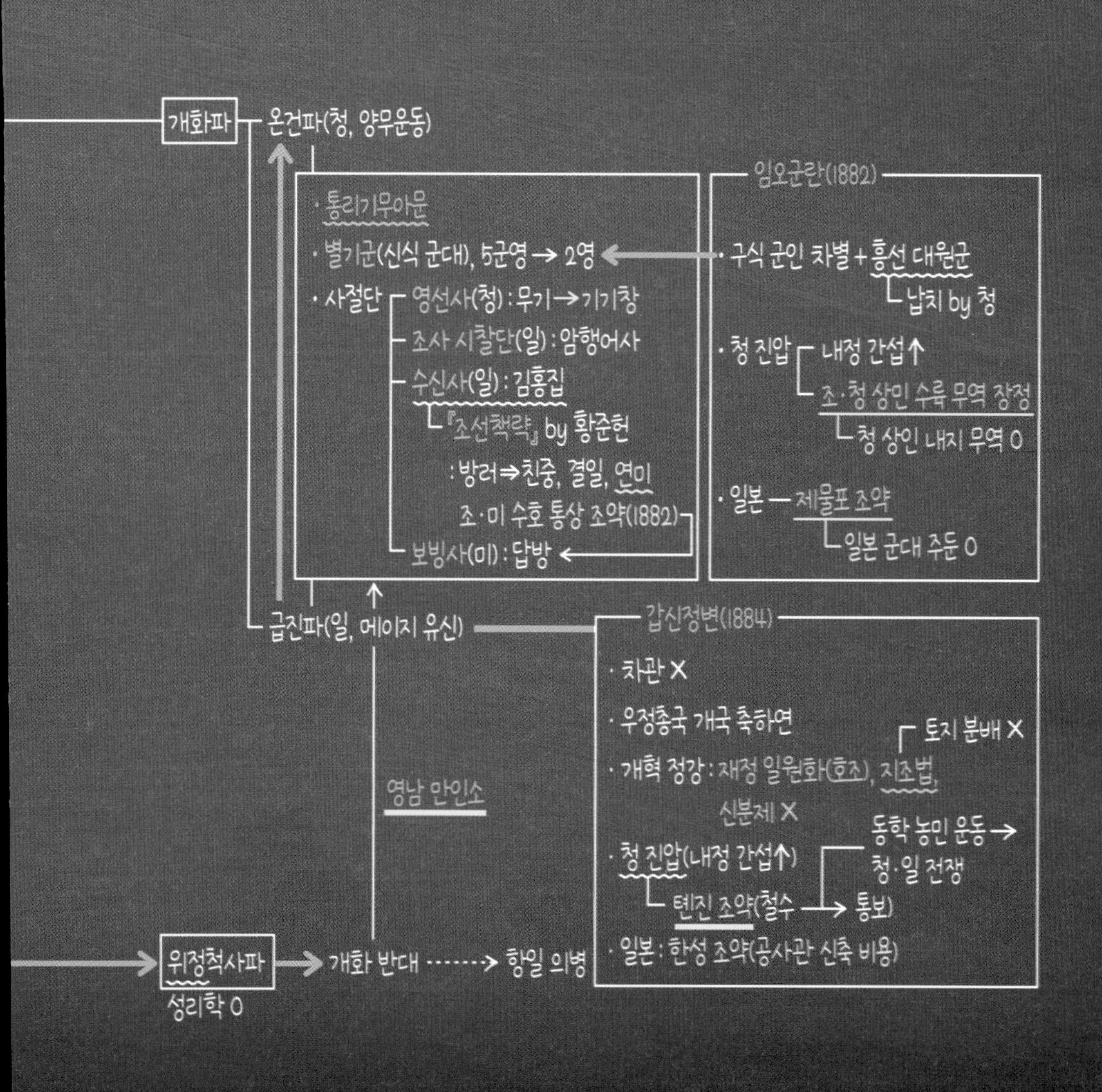

개화파
온건파(청, 양무운동)
· 통리기무아문
· 별기군(신식 군대), 5군영 → 2영
· 사절단
영선사(청) : 무기 → 기기창
조사 시찰단(일) : 암행어사
수신사(일) : 김홍집
『조선책략』 by 황준헌
: 방러⇒친중, 결일, 연미
조·미 수호 통상 조약(1882)
보빙사(미) : 답방
임오군란(1882)
· 구식 군인 차별 + 흥선 대원군
납치 by 청
· 청 진압
내정 간섭↑
조·청 상인 수륙 무역 장정
청 상인 내지 무역 O
· 일본 — 제물포 조약
일본 군대 주둔 O
급진파(일, 메이지 유신)
갑신정변(1884)
· 차관 X
· 우정총국 개국 축하연
토지 분배 X
· 개혁 정강 : 재정 일원화(호조), 지조법,
신분제 X
동학 농민 운동 →
청·일 전쟁
· 청 진압(내정 간섭↑)
톈진 조약(철수 → 통보)
· 일본 : 한성 조약(공사관 신축 비용)
영남 만인소
위정척사파
성리학 O
개화 반대
항일 의병

14

동학 농민 운동부터 독립 협회까지

1 열강의 침탈과 근대로 가는 길
2 반봉건·반외세의 길, 동학 농민 운동
3 갑오개혁과 을미개혁
4 독립 협회와 만민 공동회
5 고종의 선택과 광무개혁

위로부터의 개혁 운동인 갑신정변이 실패로 끝난 뒤

청의 내정 간섭은 더욱 심해지고

한반도를 둘러싼 열강들의 각축도 심해집니다.

이러한 상황에서 정부가 개화 정책을 추진하기 위한

세수 확보에 매진하면서 민중의 삶은 점점 힘들어져요.

이에 아래로부터의 개혁 운동인 동학 농민 운동이 일어납니다.

정부는 갑오·을미개혁을 통해 근대적 모습을 갖추기 위해 나섰습니다.

하지만 외세의 간섭과 열강의 이권 침탈은 가속화되지요.

고종은 대한 제국을 선포하고 자주독립국의 길로 나아가려고 하지만

성과를 거두지는 못합니다.

근대화의 물결 속에서 중심을 잡지 못하는 대한 제국은

과연 어디로 가게 될까요?

1 열강의 침탈과 근대로 가는 길

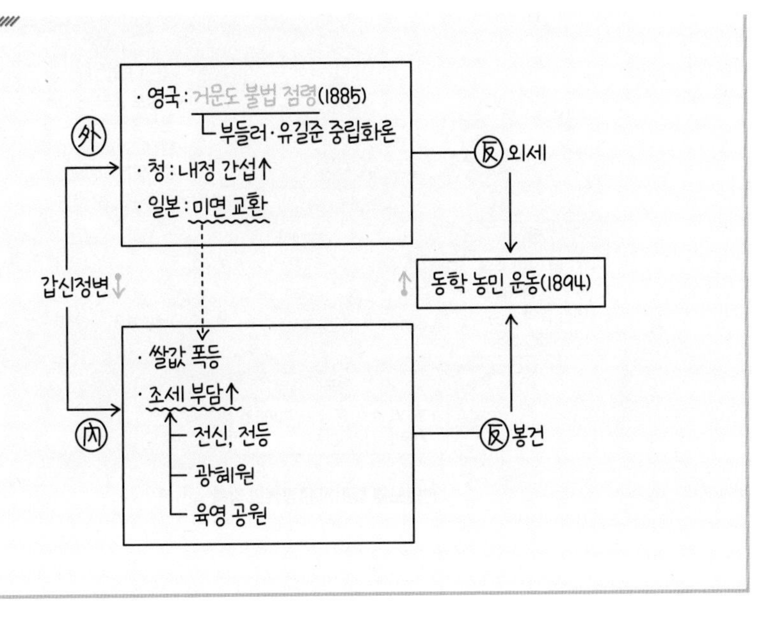

: 한반도를 둘러싼 열강의 각축이 심화되다

청은 임오군란과 갑신정변을 진압한 뒤 조선에 대한 내정 간섭을 강화합니다. 고종은 청을 견제할 생각으로 러시아를 끌어들여 조·러 비밀 협약을 체결하려고 합니다. 러시아는 남하 정책의 전진 기지로 조선을 이용하려던 차에 조선이 먼저 손을 내미니 얼른 손을 잡으려 했지요.

한편 이미 중국 시장을 선점하고 있던 영국이 러시아의 남하 정책을 저지하려고 나섰어요. 러시아가 조선을 발판 삼아 중국까지 넘볼 거라고 판단한 거지요. 1885년에 영국은 러시아의 남하를 견제하기 위해 거문도를 불법으로 점령합니다. 조선 정부는 이 사실조차 몰랐다가 청의 연락을 받고서야 알게 됩니다. 그만큼 당시 조선 정부의 통치력이 지방의 깊숙한 곳에는 미치지 못한 것이지요.

조선 정부의 항의와 청의 중재 결과, 러시아가 조선에 발을 들여놓지 않겠다고 약속하자 영국군이 2년 만에 거문도에서 물러납니다.

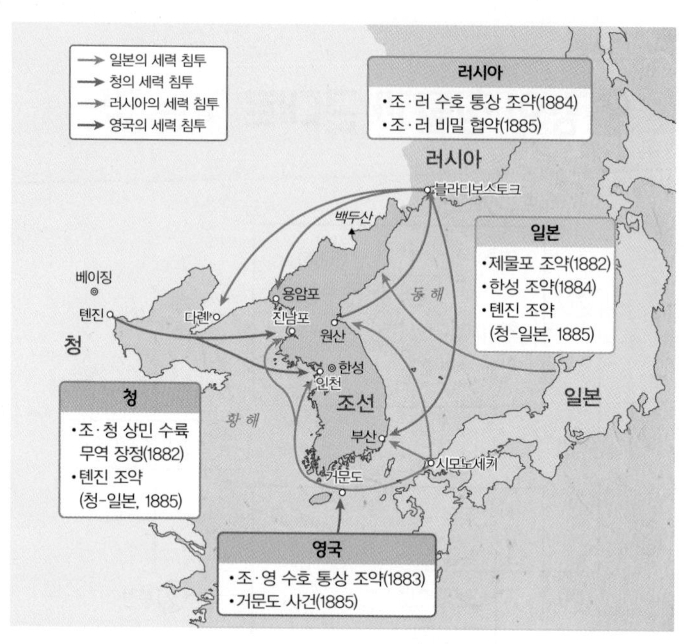

한반도를 둘러싼 열강들의 각축

한반도를 둘러싸고 열강들의 각축이 심화되는 가운데 주한 독일 공사관 부영사 부들러와 유길준이 조선 중립화론을 주장합니다. 부들러는 조선이 청과 일본 양국의 전쟁터가 되는 것을 막기 위해 스위스 같은 형태의 중립국이 되어야 한다고 조선 정부에 건의했어요. 유길준은 열강의 침략으로부터 조선의 안전을 보장받기 위해서는 중립화가 필요하다고 주장했지요. 하지만 이들의 주장은 정책에 반영되지 않았어요.

: 동학 농민 운동의 불씨

갑신정변 때 청에 밀린 일본은 조선에서 자신들의 영향력이 약화될 것을 우려하여 강화도 조약으로 선점한 경제적 이권을 얻는 데 주력합니다. 이 시기에 일본 상인은 주로 영국산 면제품을 싸게 사서 조선에 비싸게 팔고 그 돈으로 곡물, 특히 쌀을 대량으로 사갔어요(미면 교환). 그 결과 쏟아져 들어오는 외국산 면제품 때문에 면제품을 만드는 조선의 수공업자들이 몰락하고, 너무 많은 쌀이 일본으로 빠져나가 쌀값이 폭등합니다.

영국은 거문도를 자기네 맘대로 점령하지, 청의 내정 간섭은 갈수록 심해지지, 일본은 쌀을 마구잡이로 가져가지……. 조선 민중의 심정은 어땠을까요? 당연히 외세에 반대할 수밖에 없겠지요. 게다가 정부는 수많은 개화 정책을 추진하면서 세금을 마구 걷었어요. 봉건적 질서는 여전히 유지하면서요. 그러니 집권층에 대한 반감도 커질 수밖에 없겠지요. 이러한 반외세·반봉건적 사회 분위기 속에서 일어난 사건이 바로 동학 농민 운동입니다.

갑신정변은 양반집 젊은이들이 중심이 되어 일으킨 위로부터의 개혁 운동인 반면, 1894년에 일어난 동학 농민 운동은 민중이 들고일어난 아래로부터의 개혁 운동이라 할 수 있겠지요.

2 반봉건·반외세의 길, 동학 농민 운동

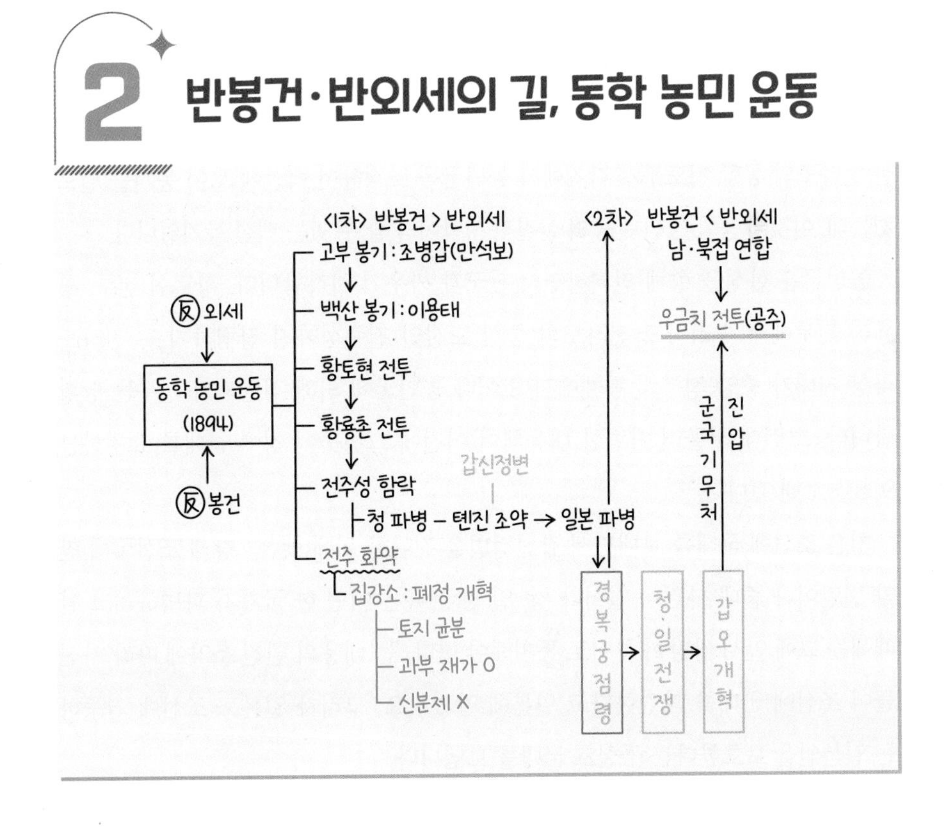

: 봉건적 질서를 타파하라 – 동학 농민군의 1차 봉기

동학 농민 운동은 1차와 2차로 나누어 살펴볼 필요가 있습니다. 동학 농민 운동은 전라도에서 일어난 고부 농민 봉기에서 출발합니다. 고부 군수 조병갑은 고을에 보가 있는데도 새로 만석보를 하나 더 만들고자 농민들의 노동력을 강제로 동원합니다. 그러고는 물세를 거두기까지 하지요. 이런 조병갑의 횡포에 못살겠다고 들고일어난 사건이 고부 농민 봉기입니다. 전봉준 등은 주동자를 알 수 없도록 봉기에 동의한 사람들의 이름을 둥근 사발 모양으로 써 놓은 사발통문을 돌려 동지를 모았지요. 그리고 농민들을 이끌고 고부 관아를 공격합니다.

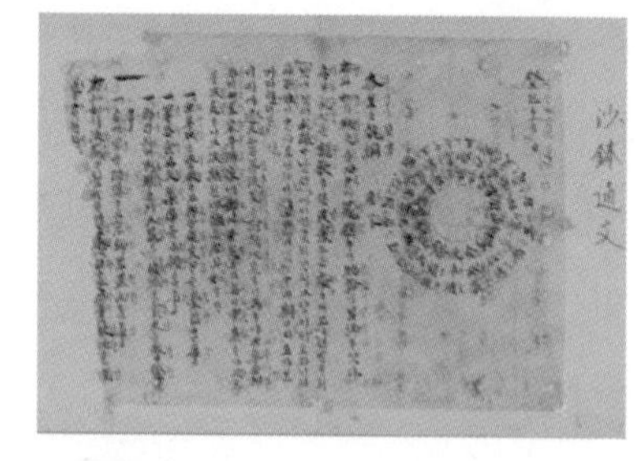
沙鉢通文

사발통문

군수를 내쫓고 아전을 벌하는 한편 그들이 불법으로 거두어들인 곡식을 주인에게 돌려주고 새 보를 허물어 버렸지요. 정부에서는 이 소식을 듣고 사태를 해결하기 위해 이용태를 안핵사로 내려보냅니다. 그런데 이용태는 고부 농민 봉기의 원인을 조사하기는커녕 오히려 봉기에 참여한 사람들을 잡아들였습니다. 이에 전봉준을 비롯한 전라도의 동학 지도부가 각지에서 농민군을 조직하여 백산에 모여 봉기를 일으켰는데, 이것이 동학 농민 운동의 실질적 시작이라 할 수 있는 백산 봉기입니다.

농민군은 한성을 향해 진격하면서 관군과 싸우기 시작합니다. 황토현 전투, 황룡촌 전투에서 승리하고 전라도의 중심 도시인 전주성까지 점령하지요. 전라도 곡창 지대가 중앙 정부의 통제에서 벗어나 농민군에 의해 점령되자 정부는 당황합니다. 그런데 서둘러 마련한 대응책이 이전에 그랬듯이 청에 군대를 요청하는 SOS를 보낸 겁니다.

청은 조선에 군대를 보내면서 갑신정변을 진압한 뒤에 맺은, "장래 조선국에 만약 변란이나 중대 사건이 일어나 청·일 양국 혹은 어떤 한 국가가 파병하려고 할 때에는 그에 앞서 쌍방이 문서로 통지해야 한다."는 내용의 톈진 조약에 따라 자신들이 조선에 군대를 파견한다고 일본에 알렸지요. 그러자 일본도 조선에 거주하는 일본인을 보호한다는 구실로 군대를 보냅니다.

조선 정부는 청과 일본 군대가 들어오자 위기를 느끼고 농민군과 서둘러 협상에 나섭니다. 농민군도 외세의 개입을 우려하여 잘못된 정치를 개혁한다는 약속을 받고 정부와 전주 화약을 맺어 전주성에서 철수하지요. 전주 화약 체결 뒤 각지로 흩어진 농민군은 집강소를 설치하여 스스로 폐정 개혁을 추진하고, 정부는 교정청이라는 개혁 기구를 설치합니다.

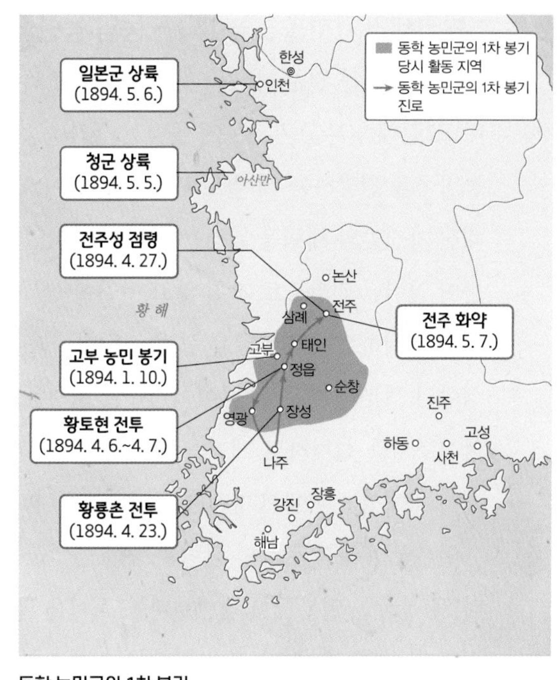

동학 농민군의 1차 봉기

농민군이 추진한 폐정 개혁의 대표적인 내용 중 하나가 토지 균분입니다. 내 땅에 농사를 짓고 내 가족과 함께 따뜻하게 배불리 먹고사는 것이 농민들의 가장 큰 소망이었거든요. 갑신정변 때 제기된 지조법 개혁은 세금 개편을 의미한 것이지 토지를 나눠 주자는 건 아니었어요. 이는 상류층이 가진 한계일 수 있는데, 토지를 나누어 주는 것까지 생각이 못 미쳤던 거예요. 하지만 삶의 기반이 토지인 농민은 내 땅을 갖는 것이 가장 절박한 일이었으니 토지 균분을 주장한 거지요. 또 하나는 과부들의 재가를 허용하자는 것입니다. 고려 시대에 자유로웠던 여자들의 재가를 조선 시대에는 굉장히 부정적으로 봤거든요. 이것은 여성의 생계와 인권 문제와도 연결되는 것으로, 농민군은 과부의 재가를 허용하라고 요구한 것이지요. 그리고 신분제를 폐지하자고 했습니다. 갑신정변 때에도 신분제 폐지를 지향하는 주장이 제기되었지요. 신분제를 없애는 것이 당시의 과제였던 것입니다.

농민들이 추진한 폐정 개혁에서 동학 농민군의 1차 봉기는 반봉건 성격이 강했음을 알 수 있습니다.

: 반외세의 기치를 드높이다 – 동학 농민군의 2차 봉기

조선 정부는 전주 화약을 체결하고 청과 일본에 군대를 철수시키라고 요구합니다. 그런데 일본군은 도무지 돌아갈 생각을 하지 않았어요. 일본은 처음부터 동학 농민군을 진압하는 데 별로 관심이 없었어요. 조선에서 청의 영향력을 제거하고 대신 자신들의 세력을 넓히는 것이 목적이었지요. 그래서 일본군은 동학 농민 운동이 일어난 전라도로 가지 않고 인천에 상륙하여 한성으로 갔고, 조선의 철군 요청을 무시하고는 경복궁을 불법 점령합니다. 그리고 민씨 정권을 몰아내고 친일 성향의 정부를 세운 뒤 곧이어 청·일 전쟁을 일으켰어요. 새로 수립된 정부는 군국기무처를 설치하고 개혁을 단행하는데, 그것이 바로 갑오개혁입니다. 갑오개혁에 대해서는 뒤에서 자세히 설명하겠습니다.

일본군의 경복궁 불법 점령은 동학 농민군이 2차 봉기에 나서는 기폭제가 됩니다. 경복궁을 일본군이 점령했다는 소식을 들은 동학 농민군은 반일의 기치를 내걸고 다시 봉기했어요. 1차 봉기는 지배층의 수탈과 봉건적 사회 질서에 저항하는 반봉건적 성향이 강했다면, 2차 봉기는 일본 타도를 외친 반외세적 성격이 강했지요. 이때에 동학의 남접과 북접이 연합하여 동학 농민군의 규모가 더욱 커집니다.

'접'은 동학의 조직을 뜻하는데 피라미드 조직처럼 마을에서 시작해서 점점 올라가는 형태로, 이 시스템으로 인해 동학이 빠르게 확산될 수 있었습니다.

전봉준이 이끄는 남접과 손병희가 이끄는 북접이 논산에서 만나 공주를 통과하여 한성으로 향하고자 했습니다. 그런데 이들의 계획이 공주 우금치에서 딱 막힙니다. 바로 관군과 일본군이 가로막고 있었던 거예요.

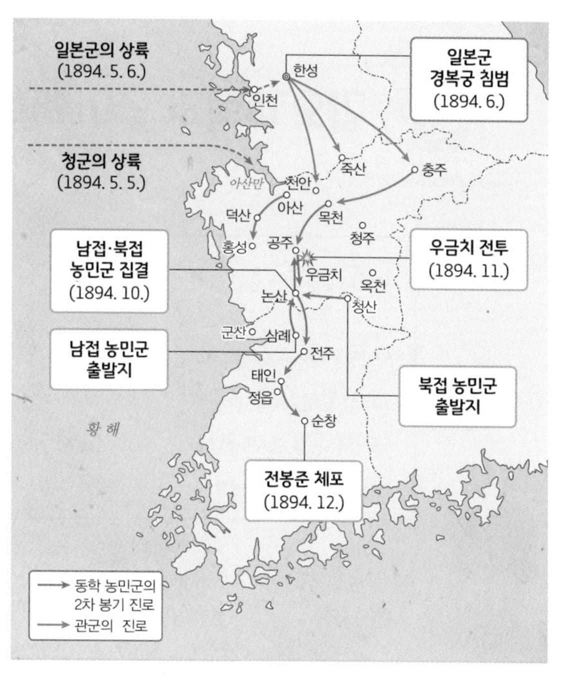

동학 농민군의 2차 봉기

동학 농민군이 우금치를 앞에 두고 주변을 보니 일본군이 이미 총을 걸어 놓고 기다리고 있었습니다. 이때 동학 농민군의 심정은 어땠을까요? 무척 두려웠을 거예요. 하지만 생각했겠지요. '저 우금치를 넘어야 한성으로 가서 일본군으로부터 경복궁을 되찾을 수 있다. 그래야 우리가 추진하는 개혁을 계속할 수 있을 것이다.'라고요. 그래서 동학 농민군은 총알이 피해 간다는 부적을 가슴에 하나씩 품고 우금치를 향해 한 발 한 발 내딛습니다.

그들의 모습을 한번 상상해 보세요. 하얀 옷을 입고 죽창을 들고 결연한 표정으로 우금치를 향해 나아가는 모습을요. 결국 그들은 관군과 일본군에 패해 우금치를 넘지 못했어요. 그들에게 물어볼 수 있으면 좋겠어요. 죽을지 뻔히 알면서 왜 앞으로 나아갔냐고요. 그러면 그들은 대답할 거예요. 저 우금치만 넘으면 신분제로부터 해방되는 꿈을 조금 더 앞당길 수 있지 않을까 하는 열망 하나로 달려 나갔다고요. 동학 농민군의 꿈은 당시에 이루어지지 못했지만 그 뒤 또다시 꿈을 꾼 사람들에게 이어졌고, 지금 우리는 신분제가 폐지된 사회에서 살게 되었습니다.

갑오개혁과 을미개혁

갑오개혁

〈1차〉: 김홍집(+ 흥선 대원군)	〈2차〉 박영효 + 김홍집
·군국기무처	·홍범 14조
·의정부 6조 → 의정부 8아문	·의정부 8아문 → 내각 7부
·재정 일원화(탁지아문)	·8도 → 23부
·도량형 통일, 조세 금납화, 은 본위제(금 X)	·재판소
·신분제 X, 과부 재가 O	·교육입국 조서(근대 학제)

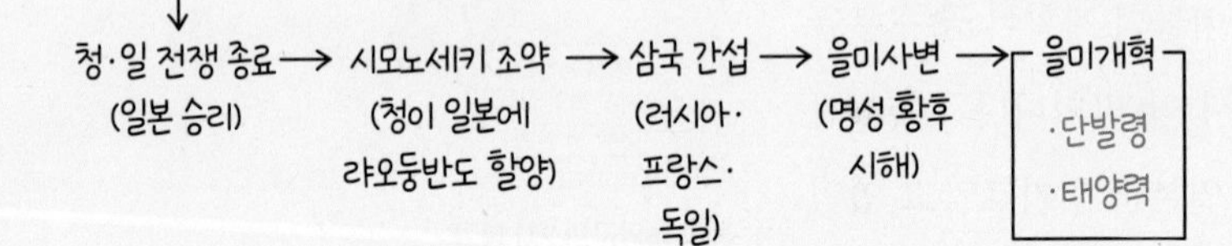

: 근대 국가의 틀을 세운 갑오개혁

동학 농민 운동 중에 정부는 갑오개혁을 시작합니다. 갑오개혁을 1차와 2차로 나누어 살펴볼게요. 1차 갑오개혁을 이끈 인물은 온건 개화파의 김홍집입니다. 김홍집이 어떤 인물인지 기억나지요? 2차 수신사로 일본에 갔다가 황준헌의 『조선책략』을 가지고 와서 많은 유생이 분노하여 들고일어나게 만든 그 사람이지요. 그리고 임오군란 때 청에 끌려갔다 돌아온 흥선 대원군이 이때에 다시 등장합니다. 민씨 일파를 견제하기 위해 다시 불러들인 거죠. 물론 큰 영향력을 가지진 못했지요. 어쨌든 1차 갑오개혁은 김홍집과 핵심 기관인 군국기무처가 중심이 되어 추진되었습니다. 그 배후에는 일본이 있었고요.

군국기무처의 회의 모습

군국기무처의 주요 개혁 내용(1차 갑오개혁)

- 문벌과 양반, 상민 등의 계급을 타파하고 인재는 귀천에 구애 없이 등용한다.
- 연좌법을 폐지하여 죄인 자신 이외에는 처벌하지 않는다.
- 과부의 재혼은 귀천을 따지지 않고 자유에 맡긴다.
- 공사 노비법을 혁파하고 인신매매를 금지한다.
- 각 도의 조세는 화폐로 내게 한다.

–『일성록』–

1차 갑오개혁에서는 어떤 개혁이 이루어졌는지 살펴보도록 할게요.

정치 면에서는 청의 종주권을 부인하고 중국의 연호 대신 개국 기년을 사용했어요. 또 궁내부를 새로 설치하여 왕실 사무를 담당하게 하고 국정 사무는 의정부에 집중시켜 왕권을 제한했지요. 의정부 아래 6조는 8아문으로 바뀌었어요.

경제 면에서는 재정을 탁지아문으로 일원화합니다. 부족한 재정을 효과적으로 관리하여 낭비도 줄이고 민중의 세금 부담을 덜어 주기 위해 나온 개혁안이지요. 다음으로 전국적으로 도량형을 통일합니다. 도량형이란 길이·무게·부피를 재는 단위나 기구를 뜻해요. 지역별로 달랐던 단위를 통일하여 효율성을 높인 것이지요. 그리고 모든 세금을 화폐로 내는 조세의 금납화를 시행합니다. 이와 함께 화폐를 무작정 찍어 내는 게 아니라 은이 확보된 양만큼 찍어 내는 은 본위제를 실시합니다.

사회 면에서는 정말 어마어마한 개혁이 이루어집니다. 신분제를 폐지한 겁니다. 이는 정말 역사적 사건이라고 표현할 수 있어요. 갑신정변과 동학 농민 운동 때 추구한 신분제 폐지가 마침내 법으로 정해진 거예요. '신분제 폐지'라는 다섯 글자를 실현하기 위해 그동안 얼마나 많은 사람이 피 흘리며 싸웠는지 생각해 보세요. 갑신정변을 일으킨 신세대의 꿈이 현실이 된 것이고, 우금치에서 쓰러진 수많은 농민들, 그 시대 아버지, 어머니들의 꿈이 담겨 있는 역사의 결과물이 바로 '신분제 폐지'라는 사실을 꼭 기억합시다.

또 고문과 연좌제를 폐지했으며 조혼을 금지하고 과부의 재가를 허용했어요.

앞에서 갑신정변과 동학 농민 운동은 실패했다고 했습니다. 하지만 1차 갑오개혁의 내용을 보면 갑신정변과 동학 농민 운동에서 추구한 개혁 내용이 반영된 것을 알 수 있어요. 목숨을 내걸고 주장을 펼친 그들이 있었기에 1차 갑오개혁에서 비로소 그 꿈이 실현된 것이지요.

2차 갑오개혁은 1894년 말에 시작되어 1895년까지 진행됩니다. 1차 갑오개혁 당시 일본은 청·일 전쟁 중이었기 때문에 개혁에 적극적으로 간섭하지 않았어요. 그래서 개혁 자체는 자주적으로 추진될 수 있었죠. 그런데 동학 농민군의 2차 봉기가 진압될 즈음 청·일 전쟁에서도 유리해지자 일본은 군국기무처를 폐지하고 개혁에 본격적으로 간섭합니다.

일본은 자신들의 입김을 불어넣기 위해 일본에 망명 중이던 박영효를 데려와 김홍집과 연립 내각을 구성하게 합니다. 박영효가 갑신정변의 주역이었다는 사실을 기억하지요? 2차 갑오개혁을 주도한 세력은 지금까지 시행된 개혁의 내용을 종묘사직에 고하라고 고종을 압박합니다. 이에 고종이 종묘에 나아가 홍범 14조를 반포하지요.

홍범 14조에는 모든 재정을 탁지아문으로 일원화하고 왕실 사무와 국정 사무를 분리한다는 등의 내용이 담겼어요. 그러니까 홍범 14조는 국정 개혁의 기본 방향을 밝힌 것으로, 그동안 시행한 개혁 내용을 법제화·명문화한 거라고 보면 됩니다. 2차 갑오개혁에서는 의정부 8아문을 내각 7부로 바꿨으며, 지방 행정 구역 8도를 23부로 개편하고 재판소를 설치하지요. 조선 시대 지방관은 사법권, 행정권, 군사권을 가졌는데, 재판소 설치는 지방관의 사법권을 없앴다는 겁니다.

홍범 14조(2차 갑오개혁)

- 청에 의존하는 생각을 버리고 자주독립의 기초를 세운다.
- 왕실 사무와 국정 사무를 분리하여 서로 혼동하지 않는다.
- 조세 징수와 경비 지출은 모두 탁지아문에서 관할한다.
- 총명한 젊은이들을 파견하여 외국의 학술과 기예를 익혀 오게 한다.
- 문벌을 가리지 않고 인재 등용의 길을 넓힌다.

－『관보』－

그리고 교육입국 조서를 반포합니다. 이는 전 국민을 상대로 새로운 교육의 필요성과 중요성을 강조한 조칙이었어요. 이에 따라 근대식 학제의 틀이 마련되었습니다.

2차 갑오개혁이 추진되는 과정에서 청·일 전쟁이 일본의 승리로 마무리되고, 일본의 이토 히로부미는 청의 이홍장과 시모노세키 조약을 체결합니다. 이 조약에 따라 청은 조선이 청의 영향력에서 완전히 벗어난 자주독립국임을 인정하고 일본에게 랴오둥반도를 내줍니다. 드디어 일본이 중국 영토에 깃발을 꽂게 된 거지요.

그런데 일본의 세력 확장이 자신들의 남하 정책에 방해가 될 것을 염려한 러시아가 프랑스와 독일을 끌어들여 일본에게 랴오둥반도를 청에 돌려주라고 압력을 가하는 삼국 간섭을 벌입니다. 일본은 아직 러시아와 겨룰 정도는 아니었기에 세 나라의 압박에 굴복하여 랴오둥반도를 청에 돌려줍니다.

: 거센 반발을 산 을미개혁

삼국 간섭을 지켜본 고종과 명성 황후는 러시아의 힘을 느꼈겠지요? 그래서 일본을 견제하기 위해 러시아를 끌어들입니다. 고종이 친러 정책을 추진하면서 개혁을 이끌던 박영효가 실각하지요. 일본은 비록 삼국 간섭으로 랴오둥반도를 청에 내줬지만 강화도 조약 이후 차근차근 입지를 다져 놓은 조선마저 빼앗길 수는 없었지요. 이에 엄청난 일을 저지르고 맙니다. 명성 황후가 친러 정책의 중심에 있다고 판단한 일본은 일본군과 일본 낭인들을 궁궐에 난입시켜 명성 황후를 시해합니다. 이 사건이 바로 을미년인 1895년에 일어난 을미사변입니다. 다른 나라의 궁궐에 침입하여 한 나라의 국모를 무참히 시해한 야만적 행위를 저지른 것이지요.

을미사변 후 친일 성향의 내각이 구성되고 을미개혁이 단행됩니다. 개혁의 핵심 내용은 단발령 시행과 태양력 사용이에요. 그런데 단발령은 사회적으로 큰 파장을 일으킵니다. 우리나라에서 상투는 오랫동안 이어진 전통이었지요. 위만이 고조선을 계승했다는 근거로 상투를 틀고 왔다는 점을 들기도 하잖아요.

특히 '신체발부 수지부모'라는 가르침에 따라 부모님이 주신 머리카락을 소중히 기르고 있었는데, 이를 자르라니 엄청난 반발이 있을 수밖에 없지요. 상투를 강제로 잘려 목숨을 끊는 사람도 있었고, 상투를 잘릴까 두려워서 지방 상인들이 한성에 올라오지 않아 한성의 물가가 폭등했어요. 의병도 일어났고요(을미의병).

태양력은 지구가 태양 주위를 한 바퀴 도는 데 걸리는 기간을 1년으로 정한 역법입니다. 지금 우리가 사용하고 있는 거지요. 우리나라의 태양력 사용은 바로 을미개혁 때 시작되었어요. 그 이전까지는 음력을 사용했고요.

이외에 을미개혁 때 종두법이 실시되고 갑신정변으로 중단되었던 우편 사무도 다시 시작됩니다.

4 독립 협회와 만민 공동회

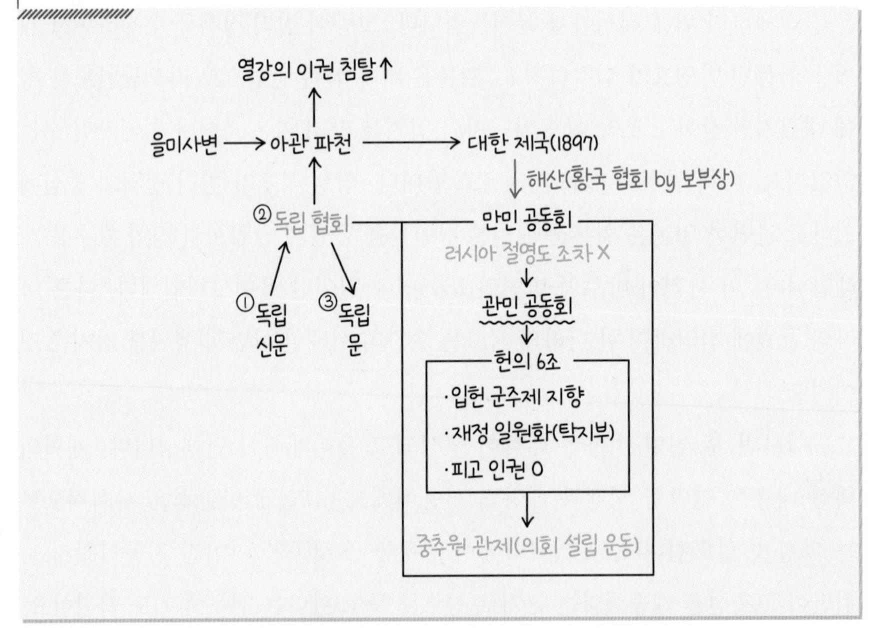

: 아관 파천

명성 황후가 시해를 당하고 일본의 영향력이 커지는 격랑 속에서 고종은 정치적 결단을 내립니다. 바로 1896년의 아관 파천입니다. '아관'은 러시아 공사관이고 '파천'은 임금이 피란한다는 뜻으로, 고종이 러시아 공사관으로 거처를 옮긴 사건이에요. 이는 앞서 러시아를 끌어들여 일본을 견제하려 했던 것과 같은 맥락으로 여전히 외세에 기댄, 자주적이지 못한 결단이었어요.

그럼에도 고종은 러시아를 끌어들이고 러시아와 일본의 팽팽한 대립 속에서 자신만의 개혁 공간을 만들어 내고자 노력하지요.

그러나 한 나라의 국왕이 다른 나라의 영토와 마찬가지인 공사관으로 피신하다니, 이는 나라의 자주권이 훼손되는 일이었어요. 고종이 러시아 공사관에 머물던 시기에 러시아를 비롯한 여러 열강에게 조선의 많은 이권을 빼앗겼지요.

고종은 환궁을 요구하는 국내외의 압력에 밀려 아관 파천 다음해인 1897년에 경운궁(지금의 덕수궁)으로 환궁합니다.

: 독립 협회의 탄생

아무리 일본의 위협이 있다고 해도 한 나라의 국왕이 다른 나라의 공사관에 몸을 피한다는 건 말도 안 된다며 고종의 환궁을 강력하게 요구한 단체가 있었어요. 바로 독립 협회입니다. 갑신정변 실패 후 일본을 거쳐 미국으로 망명한 서재필이 귀국하여 1896년에 우리나라 최초의 민간 신문인 『독립신문』을 창간하고 신문 창간을 주도한 사람들이 중심이 되어 우리나라 최초의 시민 단체라 할 수 있는 독립 협회를 창립했어요. 그리고 조선의 자주독립을 널리 알리기 위해 청의 사신을 맞이하던 영은문이 있던 자리 부근에 독립문을 세웁니다.

현재 독립문

: 만민 공동회와 자주 국권 운동

독립 협회의 활동 가운데 만민 공동회를 주목할 필요가 있어요. 만민 공동회는 만백성이 함께하는 모임이라는 뜻으로, 종각 주변에 모여 연설을 하기도 듣기도 하고, 토론도 하는 자리였어요. 우리나라 역사상 최초로 민중이 참여한 정치 집회라고 할 수 있지요. 특히 열강의 이권 침탈에 반대하는 집회도 열렸어요.

당시 러시아는 절영도(지금의 부산 영도) 조차를 요구했어요. '조차'란 다른 나라 영토를 빌려 일정 기간 통치하는 것을 말해요. 러시아는 배가 오가다가 부족한 연료를 채울 기지가 필요하자 부산 앞바다에 있는 절영도를 빌려 달라고 요구한 거예요. 그러자 독립 협회 주도로 개최된 만민 공동회에서 이를 강력하게 규탄했어요. 결국 러시아의 절영도 조차는 실패로 돌아갔지요.

이전까지 우리가 외세의 요구를 이렇게 당당하게 거부한 적이 있었나요? 임오군란 때 체결한 조·청 상민 수륙 무역 장정과 제물포 조약은 말할 것도 없고, 갑신정변 때 정변을 함께 모의한 일본이 한성 조약을 강요하여 배상금을 지불하라고 하자 지불했잖아요. 왜 그랬을까요? 당시 일본이 우리나라보다 힘이 셌기 때문이에요. 그런데 그 일본보다 더 센 나라가 절영도를 달라고 하는데 독립 협회와 민중이 그걸 막아 냈지요. 국운이 기울어 가는 상황을 다시 되돌릴 수 있는 존재가 바로 '민(民)'이라는 사실을 독립 협회의 만민 공동회가 보여 준 겁니다.

: 관민 공동회와 헌의 6조

당시 진보적인 성향의 박정양 내각의 관리들도 만민 공동회에 참여합니다. 만민 공동회에 관리가 참여했다고 해서 관민 공동회라고 부르는데, 독립 협회는 박정양 내각을 초빙하여 관민 공동회를 개최하고 국정 개혁안인 헌의 6조를 채택하여 고종에게 건의합니다. 그 내용을 살펴볼게요.

정치적으로는 입헌 군주제를 제시합니다. 입헌 군주제는 왕이 있지만 절대 권력을 가지지 않아요. 왕도 법에 의해 제한을 받지요.

경제 면에서는 탁지부로 재정 일원화를 건의합니다. 갑신정변 때 호조로의 재정 일원화를 주장했지요? 1차 갑오개혁에서는 탁지아문으로 일원화되었고요.

사회 면에서는 피고의 인권을 존중하라는 주장을 합니다. 인권이란 말은 근대적인 단어예요. 우리는 너무나 익숙한 말이지만 전근대의 사람들은 인권이라는 말을 몰랐어요. 그런데 보통 사람의 인권도 아니고 죄를 논하고 있는 피고의 인권을 존중하라는 말이 나왔으니 굉장히 근대적인 모습이지요.

독립 협회는 헌의 6조를 고종에게 올려 재가를 받아 냈어요. 또 의회 설립 운동을 추진하면서 박정양 내각과 협상하여 새로운 중추원 관제를 선포하게 합니다. 이를 통해 중추원이 지금의 의회와 같은 기능을 할 수 있게 했어요. 민주주의에 한 발 더 다가가는 모습이었지요. 그런데 독립 협회의 위상과 입지가 커지자 위기를 느낀 보수 세력이 반발하기 시작합니다. 그들은 독립 협회가 왕정을 폐지하고 공화정 수립을 도모한다고 모함했어요. 결국 고종은 황국 협회의 보부상과 군대를 동원하여 만민 공동회를 열어 항의하는 독립 협회를 탄압하고 강제로 해산하게 합니다(1898).

지도자라면 지금 나라가 어떤 방향으로 흘러가고 있는지 세계사적 흐름 속에서 조망할 수 있어야 하는데, 고종은 오로지 자신의 권력을 지키기 위한 좁은 시야를 가지고 있다 보니 민중의 힘이 커지는 것이 두려웠던 거예요. 힘들고 어려운 시기일수록 민중의 힘을 발견하고 민중과 함께 역동적으로 나아가야 하는데 그 기회를 놓치고 만 것입니다. 위로부터의 개혁인 갑신정변이 실패로 끝나고 아래로부터의 개혁인 동학 농민 운동도 실패로 끝났어요. 그리고 위와 아래가 하나가 된, 민중의 힘을 보여 준 독립 협회의 개혁마저 실패로 돌아갑니다.

고종의 선택과 광무개혁

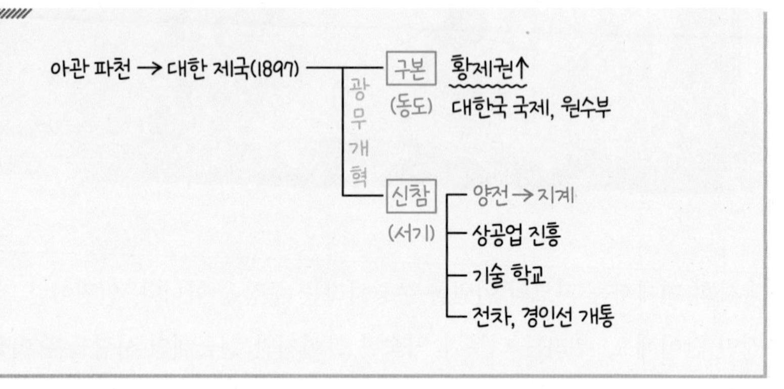

: 대한 제국의 수립

1897년에 경운궁으로 환궁한 고종은 황제 칭호를 사용하여 국가의 위상을 높이고 자주독립 국가임을 널리 알리자는 여론을 받아들여 연호를 '광무'라 짓고 환구단에서 황제 즉위식을 거행합니다. 그리고 나라 이름을 대한 제국으로 선포하지요.

: 광무개혁의 추진

대한 제국 정부는 급격하지 않은, 점진적인 개혁을 추진합니다. '광무' 연호를 사용한 시기의 개혁이기에 이를 광무개혁이라고 합니다. 광무개혁은 옛것을 근본으로 하여 새로운 것을 참조한다는 구본신참의 정신을 바탕으로 실시되었어요. 이전의 온건 개화파가 추구한 동양의 정신은 유지하고 서양의 기술만 받아들인다는 동도서기와 상당히 비슷하지요.

그럼 구본에 해당하는 정책에는 무엇이 있을까요? 바로 황제권을 강화하고자 한 일입니다. 대한 제국 정부는 대한국 국제를 반포하여 대한 제국이 황제가 다스리는 전제 군주국임을 밝히고, 황제가 군 통수권, 입법권, 행정권, 사법권 등 모든 권한을 갖는다고 규정했어요. 또 황제권을 뒷받침하기 위해 원수부를 설치하여 황제가 직접 군대를 통솔하게 했지요. 그러고 보니 고종의 아버지 흥선 대원군의 개혁 정책과 그 방향이 비슷하죠? 홍선 대원군은 비변사를 폐지하고 의정부와 삼군부를 부활시키죠. 또 『대전회통』이라는 법전을 만들어 흐트러진 기강을 다시 세우고 왕권을 강화했잖아요? 고종 황제의 개혁도 그 연장선상에서 보면 됩니다.

그러면 신참에 해당하는 정책에는 무엇이 있을까요? 바로 양전 사업을 하고 지계를 발급한 일입니다. 양전은 토지를 조사하는 것이고 지계는 토지 소유권을 인정해 주는 증명서라고 보면 됩니다. 개혁이 진행되던 시기에 러·일 전쟁이 일어나 전국으로 확대되지는 못했지만, 지금의 토지 등기부와 같은 근대적 문서인 지계를 발급했다는 사실은 중요합니다.

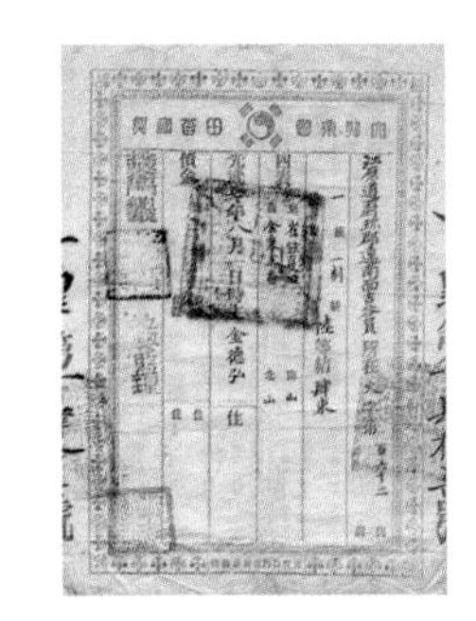
지계

상공업 진흥 정책도 적극 추진했어요. 유학생을 외국에 보내고 기술 학교를 세워 근대적 기술을 배우게 했어요. 또 전화를 가설하고 전차와 철도를 부설하는 등 교통·통신 산업에도 많은 노력을 기울였고요. 이때 우리나라 최초의 철도인 경인선이 개통되었지요.

광무개혁으로 황제에게 많은 권한이 주어졌어요. 만약 돌발 상황이 닥쳤을 때 황제가 그것을 해결하지 못하면 정말 큰 위기가 닥치게 되지요. 그런데 불행히도 그 위기 상황이 닥치고 맙니다. 다음에서 살펴보겠습니다.

환구단과 황궁우

동학 농민 운동부터 독립 협회까지

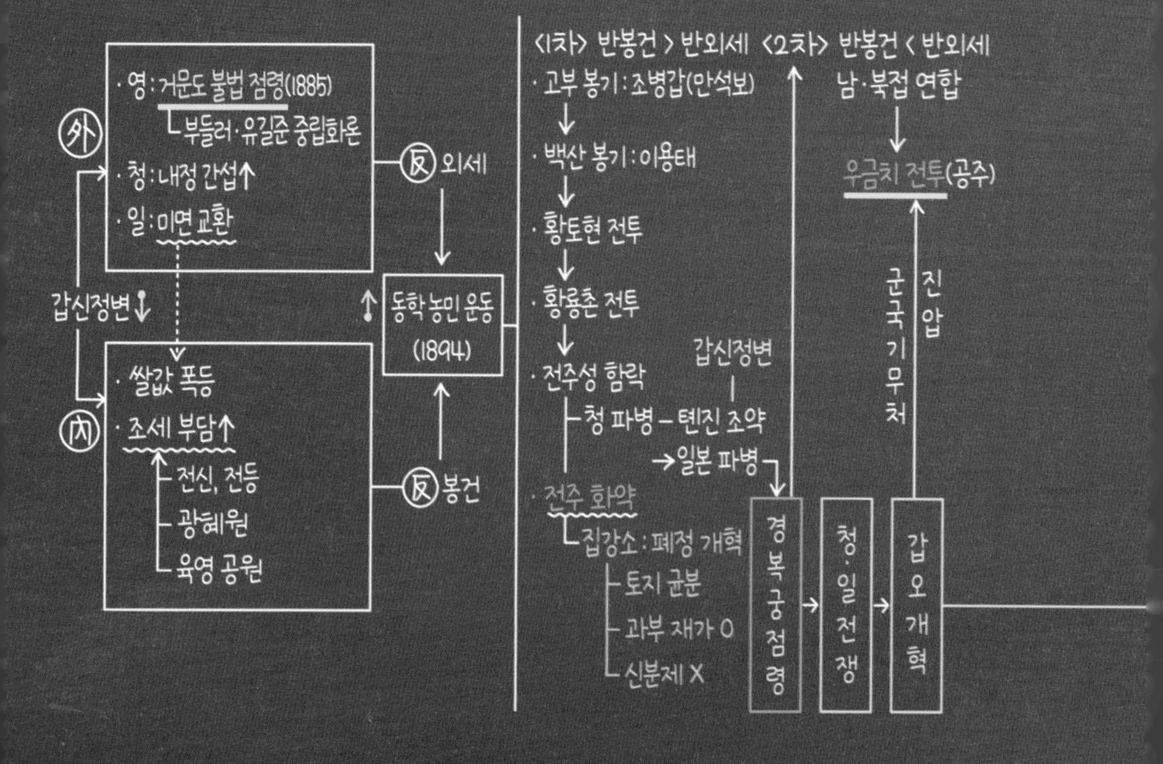

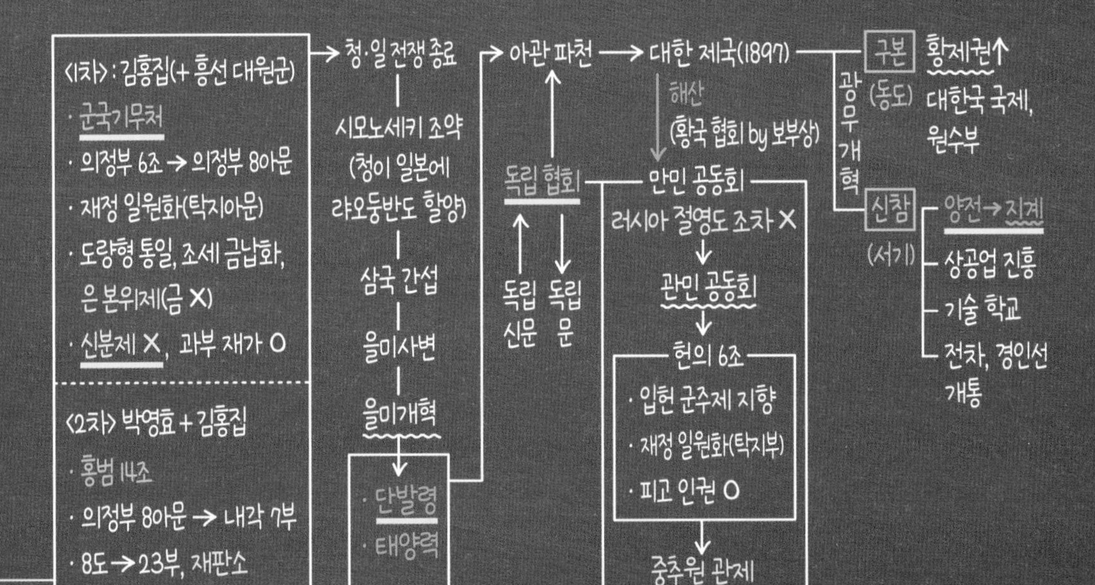

<1차>: 김홍집(+ 흥선 대원군)
· 군국기무처
· 의정부 6조 → 의정부 8아문
· 재정 일원화(탁지아문)
· 도량형 통일, 조세 금납화, 은 본위제(금 X)
· 신분제 X, 과부 재가 O
<2차> 박영효 + 김홍집
· 홍범 14조
· 의정부 8아문 → 내각 7부
· 8도 → 23부, 재판소
· 교육입국 조서(근대 학제)
청·일 전쟁 종료
시모노세키 조약
(청이 일본에 랴오둥반도 할양)
삼국 간섭
을미사변
을미개혁
· 단발령
· 태양력
아관 파천
독립 협회
독립 신문
독립 문
대한 제국(1897)
해산
(황국 협회 by 보부상)
만민 공동회
러시아 절영도 조차 X
관민 공동회
헌의 6조
· 입헌 군주제 지향
· 재정 일원화(탁지부)
· 피고 인권 O
중추원 관제
(의회 설립 운동)
광무개혁
구본 (동도)
황제권↑
대한국 국제, 원수부
신참 (서기)
양전 → 지계
상공업 진흥
기술 학교
전차, 경인선 개통

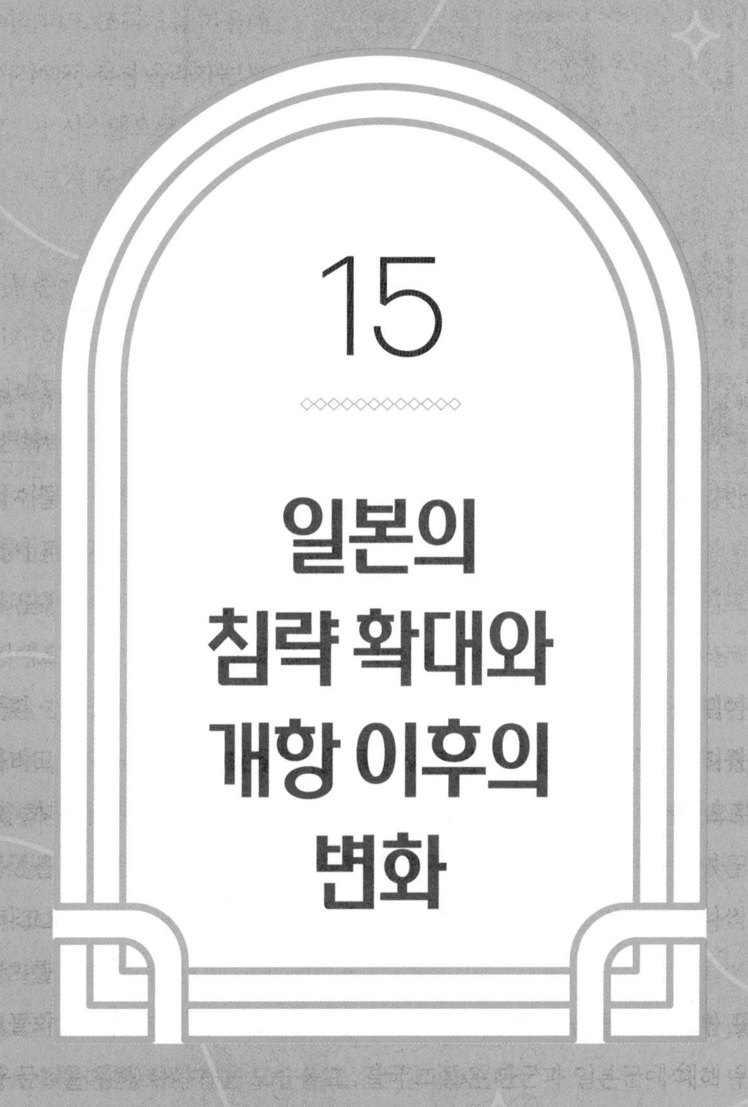

15 일본의 침략 확대와 개항 이후의 변화

1 일제의 국권 침탈 과정
2 개항기, 그 저항의 역사
3 경제적 구국 운동
4 개항기의 문화

조선을 두고 팽팽하던 러시아와 일본의 대립 관계는
러·일 전쟁에서 일본이 승리하면서 끝이 납니다.
이제 대한 제국은 일제의 손아귀에 빨려 들어갑니다.
하지만 우리 민족은 일제의 국권 침탈에 맞서
저항의 역사를 써 나가지요.
항일 의병 투쟁을 전개하고,
실력을 키워 국권을 되찾자는 애국 계몽 운동을 벌이고,
일제의 경제적 예속에서 벗어나기 위한 경제적 구국 운동도 펼칩니다.
국권 피탈의 과정에서 국권을 지키기 위해
우리 선조들이 어떤 모습으로 저항했는지 함께 살펴보겠습니다.

1 일제의 국권 침탈 과정

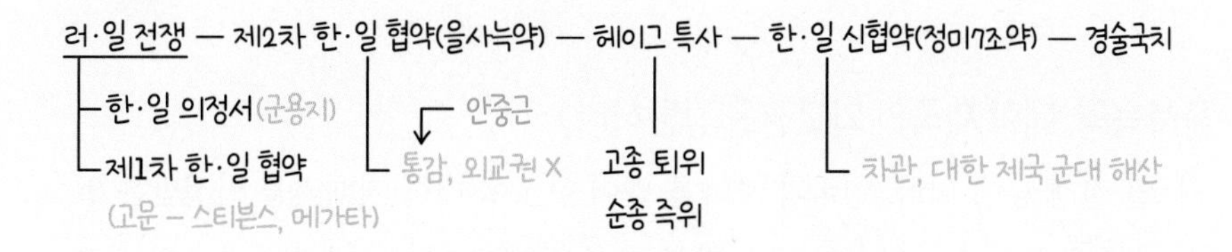

: 일제, 러·일 전쟁을 일으키다

대한 제국을 둘러싼 러시아와 일본의 세력 균형은 1904년에 러·일 전쟁이 일어나면서 무너지게 됩니다. 일본은 러시아와 전쟁을 벌이는 동안 대한 제국에 압박을 가하여 두 조약을 체결합니다. 하나가 일본이 군사적 목적의 토지, 곧 군용지를 마음껏 쓸 수 있도록 한다는 내용의 한·일 의정서입니다. 전쟁을 치르는 동안 우리나라에서 필요한 땅을 마음대로 쓰겠다는 의도였지요.

다른 하나는 제1차 한·일 협약입니다. 한국에 재정·외교 고문을 파견한다는 내용이에요. 전세가 일본에 유리해지자 대한 제국을 일본의 보호국으로 만들기 위한 작업에 착수한 것이지요. 이에 따라 재정 고문으로 파견된 메가타는 대한 제국의 재정에 본격적으로 개입하여 장악합니다. 나중에 배우겠지만 메가타는 대한 제국이 거액의 국채를 떠안는 결과를 가져온 화폐 정리 사업을 주도한 인물입니다.

제1차 한·일 협약(1904. 8.)

제1조 한국 정부는 일본국 정부가 추천하는 일본인 1명을 재정 고문으로 하여 한국 정부에 용빙하고, 재무에 관한 사항은 일체 그의 의견을 물어 시행할 것

제2조 한국 정부는 일본국 정부가 추천하는 외국인 1명을 외교 고문으로 하여 외부에 용빙하고 외교에 관한 중요한 업무는 일체 그의 의견을 물어 시행할 것

외교 고문으로는 친일 미국인 스티븐스가 파견되었습니다. 이 사람은 대한 제국 정부의 외교권을 묵살해 버리고 일본의 이익을 위해 앞장서다가 나중에 미국 샌프란시스코에서 장인환과 전명운의 총에 사살됩니다.

: 을사늑약, 대한 제국의 외교권을 강탈하다

러·일 전쟁 중에 미국, 영국과 조약을 맺어 한국에 대한 지배권을 인정받은 일본은 전쟁에서 승리한 뒤 포츠머스 강화 조약을 맺어 러시아에게서 한국에 대한 독점적 지배권을 승인받았지요. 그리고 1905년 11월 17일, 제2차 한·일 협약을 강제로 체결합니다. 우리는 제2차 한·일 협약을 을사년에 강압에 의해 억지로 맺었다고 하여 을사늑약이라고 합니다.

조약 체결을 주도한 이토 히로부미는 군대를 동원하여 궁궐을 포위하고 고종 황제와 대신들을 위협하면서 서명을 강요했어요. 고종 황제와 대신들이 거부했지만, 이토 히로부미는 이완용, 이지용, 권중현, 박제순, 이근택 등 이른바 을사 5적의 찬성만으로 조약이 성립되었다고 일방적으로 발표했어요. 문서에는 외무대신의 도장이 찍혔지요. 그런데 통치권자 고종 황제는 외무대신에게 어떤 권리도 위임하지 않았고, 조약을 승인하지도 않았어요. 군사적 위협 속에서 강제로 진행되고 통치권자의 승인도 받지 않은 을사늑약은 무효입니다. 그럼에도 을사늑약으로 대한 제국 국권의 많은 부분이 일제의 손아귀로 넘어갑니다.

제2차 한·일 협약(을사늑약, 1905. 11.)

제2조 일본국 정부는 한국이 타국과 맺은 조약의 실행을 완수하며, 한국 정부는 지금부터 일본국 정부의 중개를 거치지 않고서는 국제적 성질을 가진 어떠한 조약이나 약속을 맺지 않을 것을 서로 약속한다.

제3조 일본국 정부는 한국 황제 폐하 아래에 1명의 통감을 두되, 통감은 오로지 외교에 관한 사항을 관리하기 위해 경성(지금의 서울)에 주재하며 직접 한국 황제 폐하를 만나 볼 수 있는 권리를 가진다.

우리는 을사늑약 체결에 앞장선 을사 5적을 나라를 팔아먹었다고 해서 매국노라고 부릅니다. 여러분, 을사 5적에 대한 분노가 일지 않나요? 지금 우리는 100년 전 사람들을 역사에서 불러내 그들의 잘못을 이야기하고 있습니다. 여러분이 나중에 우리 사회의 정책을 결정하는 리더가 되었을 때, 그 정책에 대한 책임은 여러분 자신이 져야 합니다. 리더로서 올바르지 못한 행동을 한다면 여러분의 이름도 100년 뒤 후손에 의해 욕되게 불릴 수 있다는 사실을 기억하기 바랍니다. 이것이 바로 우리가 역사를 배우는 이유입니다.

을사 5적이 앞장서서 체결한 을사늑약, 즉 제2차 한·일 협약으로 대한 제국의 외교권이 박탈되고 통감 정치가 실시됩니다. 고문 정치보다 더 나아간 거예요. 고문 정치가 자문하는 정도였다면 통감 정치는 일본인 통감이 정치에 간여하고 사실상 모든 일을 결정하는 거지요. 초대 통감으로는 이토 히로부미가 임명되어 외교뿐만 아니라 내정까지 장악했습니다.

헤이그에 특사로 파견된 이준, 이상설, 이위종

고종 황제는 조약의 무효를 선언하고 을사늑약의 부당성을 알리기 위해서 1907년에 네덜란드 헤이그에서 열리는 만국 평화 회의에 특사를 파견합니다. 그러나 헤이그에 도착한 특사 이상설·이준·이위종은 일본의 방해로 회의장에 들어가지도 못합니다. 일본이 대한 제국은 을사늑약으로 외교권을 상실했다며 다른 나라를 설득했기 때문이지요. 특사 이준은 울분을 이기지 못하고 병이 나 그곳에서 순국하고 맙니다.

일본은 헤이그 특사 파견을 빌미로 고종 황제를 강제로 물러나게 하고 그의 아들 순종을 황제 자리에 앉힙니다. 그런 다음 정미7조약이라고도 하는 한·일 신협약을 체결합니다. 덧붙여 부속 각서까지 작성합니다. 이에 따라 일본의 차관 정치가 시작됩니다. 차관은 장관, 차관할 때 그 차관이에요. 대한 제국 행정 부처의 차관 자리에 일본인을 임명하게 한 것이죠. 그리고 대한 제국의 군대를 해산시킵니다.

한·일 신협약(정미7조약)

제1조 한국 정부는 시정 개선(施政改善)에 관하여 통감의 지도를 받는다.
제2조 한국 정부의 법령 제정 및 중요한 행정상의 처분은 미리 통감의 승인을 거친다.
제4조 한국의 고등 관리를 임명하고 해임시키는 것은 통감의 동의에 의하여 집행한다.
제5조 한국 정부는 통감이 추천한 일본인을 한국의 관리로 임명한다.
제6조 한국 정부는 통감의 동의 없이 외국인을 초빙하여 고용하지 않는다.

한국 '병합' 조약

제1조 한국 황제 폐하는 한국 정부에 관한 일체의 통치권을 완전, 또 영구히 일본 황제 폐하에게 양여한다.
제2조 일본국 황제 폐하는 전조에 기재한 양여를 수락하고 완전히 한국을 일본 제국에 병합하는 것을 승낙한다.
제6조 일본국 정부는 병합의 결과로 한국의 시정을 담당하고 같은 뜻의 취지로 시행하는 법규를 준수하는 한인(韓人)의 신체 및 재산에 대하여 충분히 보호해 주며, 또 그들의 전체의 복리 증진을 도모할 것이다.

: 일제에 강점되다

을사늑약으로 외교권을 빼앗고 한·일 신협약으로 대한 제국의 군대까지 해산한 일본은 사법권과 경찰권마저 빼앗은 뒤 1910년 8월 22일, 한국 '병합' 조약을 강제로 체결합니다. 이 조약으로 대한 제국은 국권을 상실하게 되지요. 일주일 뒤인 같은 달 29일에는 한국 '병합' 조약의 체결을 공식적으로 발표합니다. 우리는 1910년, 즉 경술년에 국권을 강탈당하는 치욕을 입었다 하여 이를 '경술국치'라고 하지요.

우리는 강화도 조약을 맺어 근대화를 위해 국제 사회를 향해 문을 열었습니다. 그 후 외세가 밀고 들어오는 상황에서 적절히 대응하지 못했고 결국은 일제의 식민지가 되었어요.

그럼 나라가 망하는 과정에서 우리는 망하나 보다, 가만히 있었을까요? 아닙니다. 우리는 끊임없이 저항했습니다. 이제 일제의 침략에 맞선 저항에 어떤 것이 있었는지 하나씩 살펴보겠습니다.

2 개항기, 그 저항의 역사

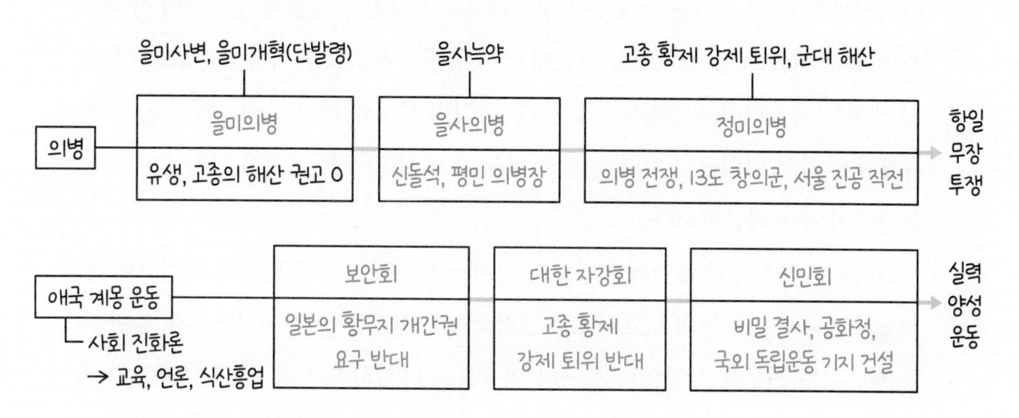

저항의 흐름은 기본적으로 세 덩어리로 나눌 수 있습니다. 총, 칼을 들고 온몸을 바쳐 싸운 항일 의병 투쟁, 실력을 먼저 키우자는 애국 계몽 운동 그리고 경제적 자주권을 지키자는 경제적 구국 운동입니다.

: 항일 의병 투쟁

항일 의병 투쟁은 기본적으로 위정척사파로부터 시작됩니다. 항일 의병 투쟁을 이해하기 위해서 먼저 위정척사 운동의 흐름을 다시 정리해 볼까요?

1860년대에 흥선 대원군의 통상 수교 거부 정책을 지지하며 통상 반대 운동을 전개했고, 1870년대 강화도 조약 체결을 전후해서는 개항 반대 운동을 격렬하게 전개했지요. 최익현은 도끼를 가져와 자신의 목을 먼저 자르라고 할 정도였으니까요. 1880년대에는 통리기무아문을 중심으로 전개된 개화 정책, 그리고 미국과의 수교 움직임에 반발하여 개화 반대 운동이 있었습니다. 이때 2차 수신사 김홍집이 일본에서 가져온 황준헌의 『조선책략』이 발단이 되어 영남 유생들이 만인소를 올리기도 했지요.

위정척사 운동은 1890년대 이후 항일 의병 투쟁으로 이어집니다. 개항 이후 처음 일어난 항일 의병은 을미의병입니다.

을미의병의 중심 세력은 양반 유생이었어요. 일본이 명성 황후를 시해한 사건(을미사변)과 유교의 가르침에서 벗어난 단발령에 양반 유생들이 분개하여 각지에서 의병을 이끌고 봉기했지요. 그런데 러시아 공사관으로 거처를 옮긴 고종이 여러 개혁을 되돌리며 단발령도 철회합니다. 의병 부대의 해산도 권고하지요. 양반 유생들은 왕의 명령을 거역할 수 없었어요. 그래서 고종의 권고를 받아들여 의병 부대들이 자진 해산합니다.

그다음은 을사늑약 체결에 반발하여 일어난 을사의병입니다. 일제의 침략이 본격화되고 나라가 일본의 보호국으로 전락하는 위태로운 상황에 직면하자, 양반이든 평민이든 신분에 상관없이 누구나 의병으로 나서서 나라를 지키기 위해 싸웠어요. 이때 민종식, 최익현 등 전직 관료나 유생 출신 의병장 외에 신돌석과 같은 평민 의병장이 등장했습니다.

을미의병, 유인석의 격문

국모(國母)의 원수를 생각하며 이미 이를 갈았는데, 참혹함이 더욱 심해져 임금께서 머리를 깎이시고 의관을 찢기는 지경에 이른 데다가 또 이런 망극한 화를 당하였으니, …… 우리 부모로부터 받은 머리카락을 깎았으니 이 무슨 변괴인가. …… 이에 감히 먼저 의병을 일으키고서 마침내 사람들에게 이를 포고하노라. 위로 공경에서부터 아래로는 백성에 이르기까지 어느 누가 애통하고 절박한 마음이 없겠는가. 지금은 참으로 위급 존망의 때이니, 각자 거적에서 잠을 자고 창을 베개 삼으면서 모두 끓는 물과 불 속으로 나갈지어다.

–『의암집』–

을사의병, 최익현의 격문

작년 10월에 저들이 한 행위는 만고에 없던 일로, 억압으로 한 조각의 종이에 조인하여 5백 년 전해 오던 종묘사직이 망하였으니, 천지신명도 놀라고 조종의 영혼도 슬퍼하였다. …… 어찌 한번 싸우지 않을 수 있는가. 살아서 원수의 노예가 되기보다는 죽어서 충의의 혼이 되는 것이 나을 것이다.

–『면암집』–

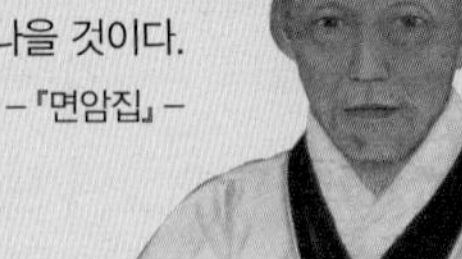

어린 소년과 농민, 군인 등 다양한 계층이 참여한 정미의병

1907년에 일본이 고종 황제를 강제 퇴위시키고 대한 제국의 군대까지 해산하자 이에 분노하여 정미의병이 일어납니다. 정미의병 시기에 의병 투쟁은 의병 전쟁으로 발전합니다. 해산된 군인이 합류하면서 의병 부대의 전투력과 조직력이 강화되었고, 전국 각지에서 유생과 농민뿐만 아니라 노동자, 상인, 학생, 포수 등 다양한 계층이 참여하지요. 또 전국 각지의 의병 부대는 연합 전선을 만들어 13도 창의군을 결성하고 서울 진공 작전을 전개합니다. 허위가 이끄는 선발대가 서울 동대문 밖 30리까지 진격했지만, 일본의 우세한 화력에 밀려 패하면서 작전은 실패했지요.

이러한 항일 의병 투쟁은 경술국치 이후 일제 강점기에 항일 무장 투쟁으로 이어져 저항의 역사는 계속됩니다.

: 애국 계몽 운동

저항의 흐름 한편에서는 당장 무기를 들고 나가 싸우는 것보다 먼저 실력을 키워야 국권을 되찾을 수 있다고 보는 애국 계몽 운동이 일어납니다. 애국 계몽 운동은 적자생존, 약육강식과 같은 경쟁의 원리를 강조하는 사회 진화론의 영향을 받았어요. 나라 역시 강한 나라가 살아남는 것이라고 봤지요. 그렇기 때문에 우리 민족도 강해져야 하고 강해지기 위해서는 교육과 언론의 역할이 중요하며 식산흥업을 통해 경제적으로도 부강해져야 한다고 주장합니다.

사회 진화론에 따르면 강한 자만 살아남는다고 했는데 우리가 강한 나라가 아니라고 판명되면 어떻게 해야 할까요? 이에 애국 계몽 운동가 중 일부는 나중에 친일파로 전향하지요. 이런 점이 애국 계몽 운동의 한계라고 볼 수 있어요.

본격적으로 어떤 단체들이 애국 계몽 운동을 전개했는지 살펴볼까요?

첫 번째로 살펴볼 단체는 보안회입니다. 러·일 전쟁 중에 일본은 대한 제국에 황무지 개간권을 요구합니다. 일본이 황무지를 개간한다는 명목으로 우리 땅을 빼앗으려 한다고 생각한 사람들이 보안회를 세워 반대 운동을 격렬하게 전개합니다. 결국 황무지 개간권이 일제에 넘어가는 것을 막아 내지요.

다음으로 대한 자강회가 있습니다. 고종 황제가 헤이그에 특사를 파견한 것을 빌미로 일제가 고종 황제를 강제 퇴위시키잖아요. 이때 격렬하게 반대한 단체가 대한 자강회입니다. 이에 통감부는 보안법을 적용하여 대한 자강회를 강제로 해산하지요. 대한 자강회는 교육과 산업 진흥 등 실력 양성을 통한 국권 수호 운동을 펼치는 한편 고종 황제의 강제 퇴위를 반대하는 정치 운동도 펼쳤다는 점을 알아 두세요.

대한 자강회 월보 표지

애국 계몽 운동을 전개한 단체 중에서 신민회에 주목해야 합니다. 신하와 백성이라는 뜻의 신민(臣民)이 아니고 새로운 백성, 새로운 단체, 새로운 나라를 만들자는 뜻의 신민(新民)입니다. 비밀 결사였던 신민회는 교육, 언론, 식산흥업을 굉장히 중요하게 여겼으며 공화정을 주장했지요. 공화정이 뭐냐고요? 흔히 정치 형태는 왕이 있느냐 없느냐에 따라 군주제와 공화정으로 분류합니다. 공화정은 국민이 대표를 뽑아 정치권력을 위임하는 형태를 말해요.

군주제는 입헌 군주정과 절대 군주정으로 나눌 수 있는데, 절대 군주정에서는 왕이 모든 권력을 갖지만, 입헌 군주정에서는 왕도 법에 따라 제한을 받지요. 독립 협회, 대한 자강회는 입헌 군주정을 지향했고, 신민회는 그보다 더 새로운 정치 형태인 공화정을 지향했어요. 당시 일제에 의해 고종 황제에 이어 순종 황제가 즉위했지만 그 실제는 허수아비와 같았지요. 그래서 왕이 없는 것과 다름없는 상태이며 왕을 인정할 수 없다는 거지요.

한편 신민회는 만주 삼원보에 독립운동 기지를 건설하여 무장 독립운동을 준비합니다. 이는 다른 애국 계몽 단체들과의 차이점이지요.

애국 계몽 운동은 일제 강점기에 실력 양성 운동으로 그 흐름이 이어집니다.

3 경제적 구국 운동

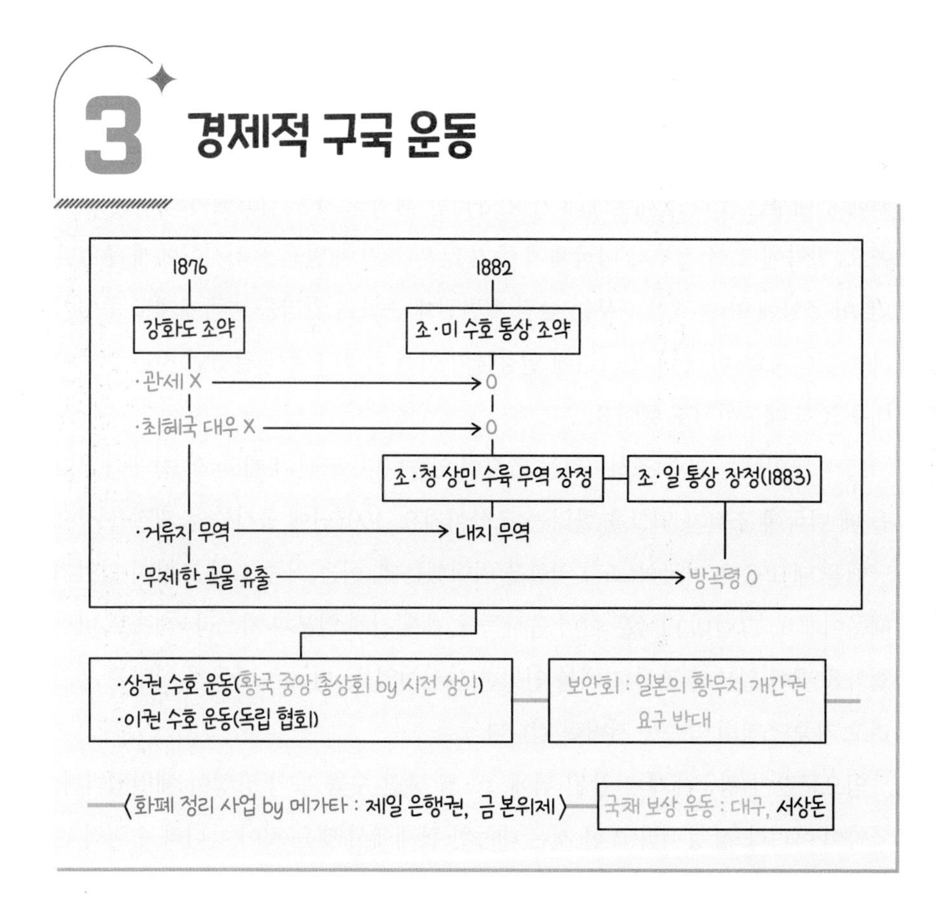

: 개항 이후 외국 상인의 진출

우리나라 최초의 근대적 조약이면서 불평등 조약인 강화도 조약이 체결되면서 두 개의 부속 조약, 곧 조·일 수호 조규 부록과 조·일 무역 규칙도 맺어집니다.

조·일 수호 조규 부록에는 개항장에서 일본 화폐의 사용을 허용하는 규정을 두었어요. 조·일 무역 규칙에는 양곡의 수출입을 허용하고 일본 정부 소속 선박에 대한 항세를 면제하는 규정이 포함되어 있었지요. 하지만 조선 정부가 일본으로 곡물이 유출되는 것을 제한할 수 있는 규정과 일본 상품에 대한 관세 부과 규정이 없었어요. 일본에 일방적으로 유리한 조약이었지요. 일본 상인들은 강화도 조약과 부속 조약을 발판으로 삼아 개항장을 중심으로 무역 활동을 벌였어요. 객주, 여각, 보부상 등의 조선 상인이 일본 상인과 조선 소비자를 연결하는 거류지 무역의 형태를 띠었지요.

그 뒤 조선 정부는 청의 중재로 조·미 수호 통상 조약을 맺습니다. 이 조약에는 강화도 조약에 없는 몇 가지 조항이 있는데, 관세 조항과 최혜국 대우 조항이지요. 최혜국 대우는 조약 상대국에게 가장 유리한 혜택을 자동 업그레이드 하는 일이에요. 만약에 조선 정부가 미국에게 주지 않은 삼림 채벌권을 러시아에게 주었다면, 이 조항에 따라 조선 정부는 삼림 채벌권에 준하는 권리를 미국에게도 주어야 하는 것이지요. 아관 파천 시기에 열강들의 이권 침탈이 극에 달했던 것은 최혜국 대우 조항 때문이기도 했어요.

또 이 조약에는 거중 조정이라는 조항이 있습니다. 조선이 제3국의 침략을 받았을 때 미국이 조정자 역할을 한다는 조항이지요. 1905년에 을사늑약 체결을 강요당했을 때 고종은 미국의 조정 역할을 기대했는데, 이는 거중 조정 조항이 있었기 때문이에요. 그런데 미국은 이미 을사늑약 체결 전에 일본과 가쓰라·태프트 비밀 협약을 맺어 일본의 조선 지배를 인정한 상황이었죠. 미국은 자국의 이익을 챙기려고 거중 조정의 약속을 저버린 겁니다.

임오군란이 청군에게 진압된 뒤에 조·청 상민 수륙 무역 장정이 체결됩니다. 조약이 아니라 '장정'이라고 한 것은 대등한 관계에서 맺은 것이 아니라 수직적 관계에서 체결했기 때문이에요. 조·청 상민 수륙 무역 장정으로 조선에서 청 상인의 내지 무역의 길이 열리게 되지요. 이후 일본에도 내지 무역이 허가되면서 개항장 밖에서 일본 상인의 상업 활동이 가능해집니다. 그러면서 조선에서 청과 일본 상인의 상권 경쟁이 치열하게 벌어집니다. 외국 상인이 내륙에서 상업 활동을 할 수 없었을 때에는 보부상과 객주 등의 조선 상인이 개항장과 내륙 시장을 연결하는 중간 상인으로 어느 정도 보호받을 수 있었어요. 그런데 이제 외국 상인에게 내지 무역의 길이 열리면서 국내 상인들은 무척 어려운 상황을 맞게 됩니다.

이렇게 외세의 경제적 침탈이 이어지는 가운데 경제적 구국 운동이 펼쳐지는데, 어떤 것들이 있는지 살펴보겠습니다.

: 곡물의 유출을 막기 위한 방곡령

1883년에 조·일 통상 장정이 체결됩니다. 조·미 수호 통상 조약을 본보기로 조선 정부는 관세 조항을 추가하고, 무제한 곡물 유출을 방지하는 방곡령 조항을 새로 넣었지요. 방곡령은 지방관이 그 지역에서 식량이 부족할 때 곡식이 빠져나가는 것을 막기 위해 내리는 명령입니다. 물론 그 대가로 일본에게 최혜국 대우를 적용해 줍니다.

> 만약 조선국이 자연재해나 변란 등으로 인해 국내의 양곡이 부족해질 염려가 있어 조선 정부가 잠정적으로 양곡 수출을 금지하려고 할 때에는 그 시기보다 1개월 앞서 지방관이 영사관에 알리고, 또 일본 영사관은 그 시기를 미리 각 개항장의 일본 상인에게 알려 일률적으로 준수하게 한다. – 조·일 통상 장정(1883) 제37칙 –

이 방곡령 조항에 근거하여 1889년과 1890년에 황해도와 함경도 등지에서 방곡령이 시행되었어요. 그런데 일본은 1개월 전에 통보해야 한다는 규정을 어겼다며 방곡령 철회를 요구하고 나아가 배상금까지 요구합니다. 결국 조선 정부는 일본의 요구를 들어주었지요.

: 상권 수호와 이권 수호를 위한 노력

상권 수호 운동은 시전 상인이 중심이 된 황국 중앙 총상회가 이끌었어요. 시전 상인은 종로에서 활동하잖아요? 이들이 위기감을 느끼며 자신들의 상권을 지키고자 나선 것은 조·청 상민 수륙 무역 장정이 체결되면서부터였지요. 이후 청 상인을 비롯해 일본 상인이 내륙까지 들어오자 우리 상인들이 큰 타격을 입었어요.

외국 상인에게 상권이 점차 잠식되자 시전 상인들이 황국 중앙 총상회를 결성하여 가게 문을 걸어 잠그는 철시 투쟁 등으로 맞서면서 시위를 벌였어요. 이들은 정부가 체결한 조약에 의해 외국 상인이 들어와 상권을 침탈했다고 봤기 때문에 정부에 비판적 입장이었어요. 독립 협회가 해산을 당할 때 동원된 보부상 중심의 황국 협회와는 성격이 다르다는 것을 기억해 두세요.

외세의 이권 침탈에 맞서 이권 수호 운동도 전개되었어요. 앞에서 살펴본 독립 협회의 절영도 조차 반대 운동이 대표적이지요. 또 외국의 금광 채굴권 요구를 반대한 일이나 보안회가 벌인 일본의 황무지 개간권 요구 반대 투쟁도 이권 수호 운동의 하나라고 볼 수 있습니다.

: 화폐 정리 사업과 국채 보상 운동

뭐니 뭐니 해도 대표적인 경제적 구국 운동으로 국채 보상 운동에 주목해야 합니다. 먼저 배경을 살펴볼게요. 제1차 한·일 협약이 체결되고 고문 정치가 실시되면서 재정 고문으로 온 메가타가 대한 제국의 금융과 재정 장악에 본격적으로 나서지요. 곧 금 본위제를 실시하고 화폐 정리 사업을 시행합니다. 화폐 정리 사업은 대한 제국의 백동화 등을 일본 화폐인 제일 은행권으로 바꾸는 사업이었어요. 그런데 백동화의 가치를 제대로 평가해 주지 않았어요. 만약 백동화 100환을 가져가면 제일 은행권도 동일한 가치의 것으로 교환해 주어야 하는데, 화폐 상태가 좋지 않다며 터무니없이 낮게 평가했습니다. 등가 교환이 이루어지지 않아 한국의 상인과 은행은 엄청난 타격을 입었어요. 뿐만 아니라 일제가 화폐 정리 사업에 필요한 자금을 일본으로부터 빌리게 하여 대한 제국은 엄청난 금액의 차관을 떠안게

1892년 신식 화폐 조례에 의하여 만들어진 백동화

화폐 정리 사업으로 발행된 일본의 제일 은행권

되었어요. 이외에도 여러 명목으로 차관을 강제로 제공하여 대한 제국의 빚이 눈덩이처럼 불어났습니다.

이에 나랏빚을 갚아 국권을 회복하자는 국채 보상 운동이 전개됩니다. 1907년에 서상돈을 중심으로 대구에서 처음 시작되었는데, 이후 『대한매일신보』와 『황성신문』 등 언론의 후원을 받으며 전국으로 확대됩니다. 일제 강점기에서 다루겠지만 1920년대에 전개된 물산 장려 운동과 혼동하지 않도록 주의하세요.

일제가 국권을 침탈하는 상황에서 우리는 항일 의병 투쟁, 애국 계몽 운동, 경제적 구국 운동을 벌여 저항합니다. 그러한 노력에도 불구하고 결국 일제 강점기를 맞게 되지만 여기서 주목해야 할 사실이 있습니다. 어떻게든 나랏빚을 갚아 나라를 되찾겠다는 국채 보상 운동을 벌였잖아요? 그 모습은 1997년에 발생한 외환 위기 가운데 국민이 자발적으로 벌인 금 모으기 운동으로 재현됩니다. 이를 보더라도 우리 역사는 아픈 역사를 막아 보려는 민중의 간절한 노력과 희생으로 이어져 왔음을 알 수 있습니다.

4 개항기의 문화

- 언론
  - 『한성순보』 : 우리나라 최초 근대 신문
  - 『독립신문』 : 우리나라 최초 민간 신문
  - 『제국신문』(서민층), 『황성신문』(「시일야방성대곡」), 『대한매일신보』(양기탁, 베델, 의병에 호의적)
- 교육
  - 원산 학사(우리나라 최초 근대 학교), 육영 공원(우리나라 최초 공립 학교)
  - 교육입국 조서(2차 갑오개혁) : 소학교, 사범 학교, 외국어 학교
  - 오산 학교, 대성 학교(신민회)
- 근대 시설
  - 박문국, 기기창(영선사), 전환국(1883)
  - 전신(1885), 전등(1887, 경복궁)
  - 전차, 경인선(1899)
  - 경부선(1905), 경의선(1906)
- 문화
  - 문학
    - 신소설 : 『은세계』 → 원각사 공연
    - 신체시 : 「해에게서 소년에게」(최남선)
  - 종교 : 대종교(단군) by 나철
  - 史
    - 위인전, 각국 흥망사 多
    - 『독사신론』 : 신채호 ⇒ 민족주의 사학 O

: 언론 기관이 발달하다

개항 이후 여러 종류의 근대 신문이 발행되었어요. 우리나라 최초의 근대 신문은 『한성순보』입니다. 『한성순보』는 정부에서 하는 일을 홍보하는 관보의 성격을 띠었으며 열흘에 한 번 발행되었지요. '순(旬)'은 열흘이라는 뜻입니다. 『한성순보』에는 당시 서양 문물과 제도를 소개하는 기사가 많이 실렸어요. 하지만 갑신정변 때 박문국이 불에 타 발행이 중단됩니다. 다음으로 기억해야 할 신문은 우리나라 최초의 민간 신문인 『독립신문』입니다. 『독립신문』 발간을 계기로 독립 협회가 결성되지요. 『독립신문』은 한글 신문인데 영문판으로도 발행되었어요.

대한 제국 시기에 발행된 신문으로 『제국신문』과 『황성신문』, 『대한매일신보』가 대표적입니다.

『제국신문』은 순 한글로 발행되었기 때문에 주된 독자가 서민층이었어요. 『황성신문』은 을사늑약 체결을 비판한 장지연의 「시일야방성대곡」이라는 글이 처음 실린 것으로 유명하지요. 「시일야방성대곡」은 '오늘을 목놓아 통곡하노라.'라는 뜻인데, 을사늑약으로 외교권을 빼앗긴 것에 대한 분노와 슬픔이 절절하게 표현된 사설입니다. 당시 가장 큰 영향력을 가진 신문은 『대한매일신보』였어요. 일제에 준엄한 비판을 가하며 진정한 언론의 모습을 보여 언론 역사에 큰 획을 그은 신문이지요. 양기탁과 베델이 운영했는데, 영국인 베델이 발행인으로 나섰기 때문에 일본도 함부로 할 수 없었어요. 그래서 의병 활동에 대해서도 호의적인 기사를 많이 실었고 앞에서 이야기한 국채 보상 운동의 지원에도 적극 나섰지요. 강한 항일 논조의 기사를 많이 실어 당시 가장 많은 독자를 보유했어요.

: 근대 교육이 시작되다

우리나라 최초의 근대 학교는 원산 학사입니다. 사립 학교였지요. 왜 하필이면 원산 지역에 우리나라 최초의 근대 사립 학교가 세워졌을까요? 원산은 강화도 조약에 따라 문을 연 개항장으로 외국 문물이 들어오는 통로였지요. 이런 이유로 그 지역 유지들이 근대 문물을 빨리 접하게 되면서 근대 교육의 필요성을 먼저 느낀 거지요.

정부 역시 1883년에 영어 교육 기관인 동문선, 1886년에 서양 학문을 교육하는 육영 공원을 설립합니다. 육영 공원의 학생은 대부분 현직 관리나 상류층 자제였어요. 이곳에서는 헐버트 등 미국인 교사를 초빙하여 영어·수학·지리학·정치학 등 근대 학문을 가르쳤지요. 개신교 선교사들도 배재 학당, 이화 학당 등의 학교를 설립합니다.

2차 갑오개혁 때 교육입국 조서가 발표되면서 근대 학제의 틀이 마련됩니다. 곧이어 조선 정부는 한성 사범 학교 관제, 소학교 관제, 외국어 학교 관제 등을 발표하고, 사범 학교, 소학교, 외국어 학교 등을 세우지요.

애국 계몽 운동 시기에는 민족 지도자들이 세운 사립 학교들이 등장합니다. 대표적으로 오산 학교와 대성 학교를 들 수 있어요. 오산 학교와 대성 학교는 신민회와 밀접한 연관이 있습니다.

: 근대 시설과 문물을 도입하다

강화도 조약 체결 이후 외국으로 사절단이 파견되었고, 그들의 주도로 근대 문물과 시설을 들여옵니다. 그 가운데 하나가 인쇄와 출판 업무를 담당한 박문국입니다. 박문국에서 찍어 낸 신문이 바로 우리나라 최초의 근대 신문인 『한성순보』이지요. 또 청에 파견되었던 영선사 일행은 귀국하여 기기창을 만들었어요. 기기창은 근대식 무기를 만드는 공장이지요. 화폐를 만들어 내는 전환국도 생겼는데 메가타의 화폐 정리 사업으로 문을 닫게 됩니다.

1885년에는 서울과 인천을 잇는 전신선이 개통됨으로써 우리나라에 최초로 전신이 도입됩니다.

1887년에는 경복궁에 최초로 전등이 밝혀져 궁궐 사람들을 놀라게 했지요.

대한 제국 시기인 1898년에는 경운궁 안에 우리나라 최초로 전화가 가설되었고 점차 시내로 확대되었어요.

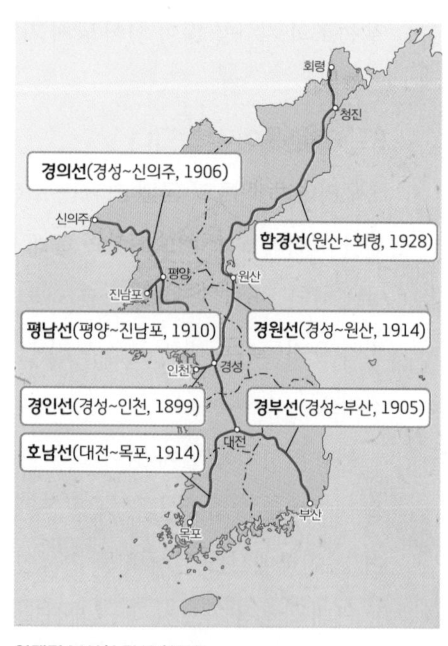

일제가 부설한 간선 철도망

대한 제국 정부가 광무개혁을 추진하면서 근대 시설을 확충했어요. 대표적인 것이 바로 1899년에 전차가 개통되고 같은 해에 우리나라 최초의 철도인 경인선이 개통된 것입니다. 이후 일제는 러·일 전쟁 수행을 위해 철도 부설 공사를 벌여 1905년에 경부선을, 1906년에 경의선을 개통합니다. 이러한 근대 시설은 생활을 편리하게 만들어 주었으나 대부분 외국 자본에 의해 설치되었어요. 특히 철도는 일제의 침략 도구로 활용되었죠.

: 새로운 종교와 예술, 민족주의 사학이 등장하다

개항 이후 문학에서도 새로운 바람이 붑니다. 최남선은 우리나라 최초의 신체시 「해에게서 소년에게」를 발표합니다. 이인직이 쓴 『은세계』, 『혈의 누』와 같은 신소설도 등장했어요. 『은세계』 등은 우리나라 최초의 서양식 극장인 원각사에서 연극으로 공연되기도 했습니다.

종교에서는 나철이 단군 신앙을 바탕으로 대종교를 창시합니다. 많은 독립운동가들이 대종교를 믿었으며, 일제 강점기 만주 지역에서 대종교도가 주축이 된 독립운동 단체가 활약하기도 하지요.

역사 분야에서는 민족주의 사학의 방향을 제시했다고 평가받고 있는 신채호의 「독사신론」이 『대한매일신보』에 연재됩니다. 또한 국권 상실의 위기 속에서 애국심과 민족의식을 높일 수 있는 『이순신전』, 『을지문덕전』 등의 위인전이 많이 출판되지요.

15 일본의 침략 확대와 개항 이후의 변화

[경제 구국 운동] X – 관세 O – 내지 무역 O – 방곡령(1889) – · 상권 수호 운동(황국 중앙 총상회 by 시전 상인) · 이권 수호 운동(독립 협회)

(조·미) (조·청)

조·일 통상 장정 → 방곡령(1889)

강화도 조약 – 임오군란 – 갑신정변 ↓ – 동학 농민 운동 ↑ – 갑오·을미개혁 – 아관 파천 – 대한 제국

수신사 김홍집 『조선책략』 ⇒ 조·미 수호 통상 조약(보빙사)

관세 O, 최혜국 대우, 거중 조정

을미사변, 단발령

[의병] – 영남 만인소 — 을미의병 : 유생, 고종 해산 권고 O

[애국 계몽 운동] – 사회 진화론 → 교육, 언론, 식산흥업

[언론] — 〈『한성순보』 : 최초 근대 신문〉 — 〈『독립신문』 : 최초 민간〉 — 〈『제국신문』 : 서민층〉

[교육] — 원산 학사 : 최초 – 육영 공원 : 최초 공립 – 교육입국 조서(2차 갑오개혁) : 소학교, 사범 학교, 외국어 학교

[기술] – 박문국, 기기창(영선사), 전환국 – 전신, 전등 — 전차, 경인선(1899)

보안회 : 황무지 개간 X — 〈화폐 정리 사업 by 메가타 : 제일 은행권, 금 본위제〉 — 국채 보상 운동 : 대구, 서상돈 → 물산 장려 운동

러·일 전쟁 – 제2차 한·일 협약(을사늑약) – 헤이그 특사 – 한·일 신협약(정미7조약) – 경술국치

- 러·일 전쟁
  - 한·일 의정서(군용지)
  - 제1차 한·일 협약 (고문 – 스티븐스, 메가타)
- 제2차 한·일 협약(을사늑약): 통감, 외교권 X ← 안중근
- 헤이그 특사: 고종 퇴위, 순종 즉위
- 한·일 신협약(정미7조약): 차관, 군대 해산

을사의병 : 신돌석, 평민 의병장 — 정미의병 : 의병 전쟁, 13도 창의군 – 서울 진공 작전 → 항일 무장 투쟁

보안회 : 日의 황무지 개간 X — 대한 자강회 : 고종 퇴위 반대 — 신민회 : 비밀 결사, 공화정, 국외 독립운동 기지 → 실력 양성 운동

〈『황성신문』 : 「시일야방성대곡」〉 — 〈『대한매일신보』 : 양기탁, 베델, 의병 호의〉

신민회 — 오산 학교, 대성 학교

경부선(1905), 경의선(1906)

문화

[문학]
- 신소설 : 『은세계』 → 원각사 공연
- 신체시 : 「해에게서 소년에게」(최남선)

[종교] : 대종교(단군) by 나철

[史]
- 위인전, 각국 흥망사 多
- 「독사신론」 : 신채호 ⇒ 민족주의 사학 O

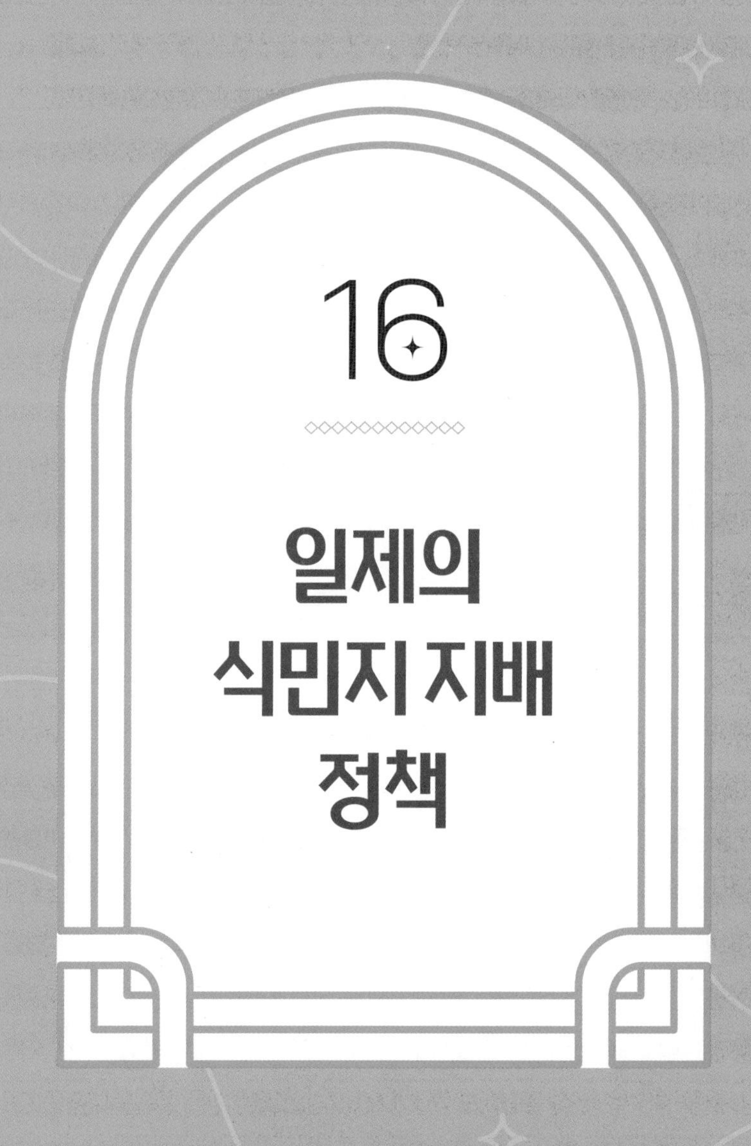

16

일제의 식민지 지배 정책

1 1910년대 일제의 무단 통치

2 1920년대 문화의 탈을 쓴 민족 분열 통치

3 1930년대 이후 민족 말살 통치

일제는 우리나라를 강점한 뒤

어느 때는 칼을 쥐고, 어느 때는 문화의 탈을 쓰고서

악랄한 방법으로 우리 민족을 억압하고 수탈했습니다.

그리고 자신들이 벌인 전쟁에 우리 민족을 동원하기 위해

민족정신을 말살하고

온갖 만행과 폭력을 자행했습니다.

일제 강점 35년의 세월 동안 일제가 어떤 정책으로

우리를 억압하고 수탈했는지 하나하나 살펴보도록 하겠습니다.

1910년대 일제의 무단 통치

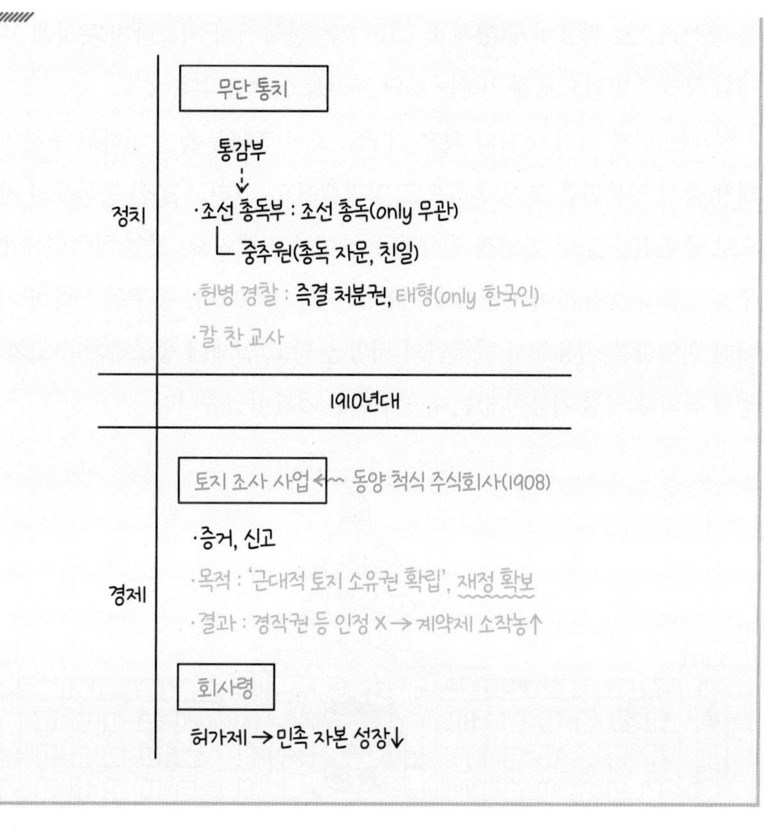

1910년 8월, 경술국치로 대한 제국의 국권이 일제에 완전히 넘어가면서 한반도는 일제에 강점당합니다. 일제에 강점당해 식민 통치를 받던 35년의 시기를 일제 강점기라고 합니다.

일제 강점기를 공부할 때 늘 두 개의 축을 염두에 두어야 합니다. 한 축은 일제의 식민 정책이고 다른 한 축은 그에 맞선 우리 민족의 저항입니다. 1910년대, 1920년대, 1930년대 이후로 시기를 나누어 각 시기에 일제는 어떤 정책을 폈는지 정치와 경제 면으로 나누어 살펴보고, 우리는 이러한 식민 정책에 어떻게 저항했는지 살펴볼 거예요. 그럼 먼저 일제의 식민지 지배 정책에 대해 살펴보겠습니다.

: 조선 총독부를 세우고 헌병 경찰을 앞세워 무단 통치를 하다

여러 조약을 통해서 대한 제국의 외교권, 행정권, 군사권, 사법권, 경찰권을 순차적으로 빼앗은 일제는 1910년 8월 29일에 대한 제국이 국권을 완전히 상실했음을 공식적으로 발표하게 했지요. 그러고는 한국인이 저항하지 못하게 무력을 앞세워 폭압적 방법으로 통치하는 무단 통치를 실시합니다.

일제는 먼저 식민 통치의 최고 기구로 조선 총독부를 설치하고 무관인 육해군 대장 출신 일본인을 조선 총독으로 임명했어요. 그리고 조선 총독부의 자문 기관으로 중추원을 두어 친일적 인사들을 참여하게 했지요. 친일 한국인에게 관직을 주고 그들을 회유하여 친일파를 만들고자 한 것입니다. 중추원은 말이 자문 기관이지 친일파를 이용해서 한국인의 저항을 막고 일제에 동조하게 하고자 설치한, 정책 심의나 의결 기능이 없는 유명무실한 기관이었습니다.

또 일제는 헌병 경찰 제도를 실시합니다. 헌병은 원래 군대 안에서 경찰 활동을 하는 군인을 일컫는데, 헌병 경찰 제도를 실시하여 총칼을 가진 군인에게 민간의 치안 유지 등 경찰 업무까지 맡도록 했어요.

헌병 경찰은 즉결 심판권을 가졌고 태형 등의 형벌을 집행할 수 있었어요. 즉결 처분권은 법을 어긴 사람에게 정식 법 절차나 재판 없이 벌을 줄 수 있는 권한을 말합니다. 1910년에 제정된 범죄즉결례에 따르면 3개월 이하의 징역, 구류, 태형 또는 100원 이하 벌금이나 과료에 해당하는 범죄나 행정 법규 위반 등이 대상이 되었지요. 헌병 경찰은 이를 통해 일부 범죄에 대해 태형을 가할 수 있었는데, 태형은 죄를 지은 사람의 볼기를 때리는 전근대적인 형벌이에요. 일제는 조선 태형령을 제정하여 한국인에게만 태형을 적용했답니다.

> 제6조 태형은 태로 볼기를 때려 집행한다.
> 제11조 태형은 감옥 또는 즉결 관서에서 비밀로 집행한다.
> 제13조 이 영은 조선인에 한하여 적용한다. - 조선 태형령(1912), 『조선 총독부 관보』 -

일본 헌병대

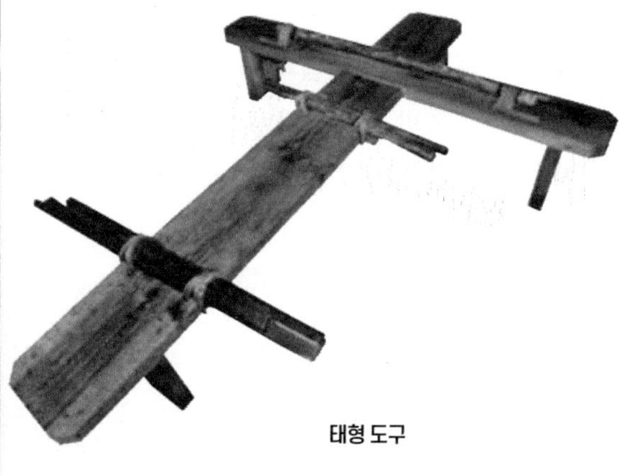

태형 도구

폭압적인 사회 분위기는 학교에서도 나타났어요. 무단 통치 시기에 교사도 헌병 경찰처럼 제복을 입고 칼을 차고 다녔거든요. 교실에 제복을 입고 칼을 찬 일본인 교사가 들어온다고 상상해 보세요. 학생들은 얼마나 무서웠을까요? 떠든다고, 말을 안 듣는다고 교사가 화를 내며 칼을 살짝 뺐다가 칼집에 다시 집어넣는 그 소리는 얼마나 큰 공포감을 갖게 했을까요? 이렇게 어린 시절에 일본인 교사에게서 느낀 공포는 트라우마가 되어 어른이 되어서도 일본인만 보면 벌벌 떨게 만들었지요.

제복을 입고 칼을 찬 교사의 모습

뿐만 아니라 일제는 모든 부문에서 한국인을 노골적으로 차별했습니다. 교육에서도 마찬가지였어요. 보통 학교의 수업 연한이 일본인은 6년인 반면 한국인은 4년이었고, 보통 교육과 실업 교육 위주로 한국인을 가르쳤어요. 또 서당과 사립 학교 등 민족 교육 기관은 탄압했고요. 그 이유는 무엇일까요? 바로 최소한의 교육만 받게 해 한국인을 일제에 복종하는, 부리기 쉬운 사람으로 만들려고 한 거예요. 이것을 '우민화 정책'이라고 합니다. 한국인이 대학 교육을 받는 것은 거의 불가능했지요. 이와 더불어 일제는 한국인의 언론, 출판, 집회, 결사의 자유도 박탈합니다.

1910년대에 일제는 이러한 무단 통치로 한국인을 찍어 누르며 일제에 대한 저항을 막으려고 했습니다.

: 토지 조사 사업과 회사령을 실시하다

우리의 국권을 강탈해 간 직후 1910년대에 일제가 가장 중점을 두어 시행한 식민지 경제 정책은 무엇일까요? 바로 토지 조사 사업입니다. 일제는 토지 소유 관계를 문서에 명확하게 표시하여 근대적 토지 소유권을 확립한다는 명분으로 토지 조사 사업을 실시합니다. 그러나 실상은 일제가 식민 통치에 필요한 재정을 마련하고자 토지 조사 사업을 통해 당시 재정의 근간인 지세, 즉 토지에서 걷는 세금을 확보하고자 한 것이었지요. 또 당시 한국으로 이주해 온 일본인이 한국에서 땅을 쉽게 가질 수 있게 하려는 목적도 있었어요.

토지 조사 사업은 기한부 신고제와 증거주의를 바탕으로 시행되었어요.

> 토지 소유자는 조선 총독이 정하는 기간 내에 주소, 씨명 또는 명칭 및 소유지의 소재, 지목, 자번호(字番號), 사표(四標), 등급, 지적, 결수를 임시 토지 조사 국장에게 신고해야 한다.
>
> – 토지 조사령(1912) 제4조, 『조선 총독부 관보』 –

땅 주인이 신고할 때 이 땅이 자신의 소유임을 증명하는 증거를 제출해야 했어요. 증거가 없으면 주인 없는 땅이 되었지요. 또 신고 기간이 짧고 절차가 복잡했어요. 많은 농민이 우왕좌왕하는 사이에 신고 기간이 끝나서 내 땅이라는 증거가 있어도 땅을 빼앗기는 경우도 있었지요.

일제는 미신고 토지, 공공 기관 소유의 토지, 소유권자가 불분명한 토지 등을 조선 총독부에 귀속시켰어요. 이런 토지는 동양 척식 주식회사를 통해 한국으로 이주한 일본인에게 싼값에 넘어갔어요. 동양 척식 주식회사는 국권 피탈 이전인 1908년에 설립된 기관입니다. 이를 통해 일제가 강제 병합 이전에 이미 한국의 토지를 관리하고 처분할 계획을 세워 두었음을 짐작할 수 있어요.

동양 척식 주식회사

토지 조사 사업으로 관습적인 경작권이 부정되어 많은 소작농이 계약을 맺는 소작농으로 전환됩니다. 예를 들어 지금까지는 우리 할아버지와 아버지가 소작하던 땅을 내가 소작하고, 후에 내 아들과 손자도 그 땅을 소작하는 것이 당연했어요. 이러한 관습적인 경작권은 땅 주인도 함부로 바꿀 수 없었거든요. 그런데 일제가 이를 모두 부정하여 소작농은 지주와 기한을 정해 경작 계약을 맺게 된 겁니다. 소작농들은 생계를 유지하기 위해 어떻게든 지주에게 잘 보여야 했어요. 그래야 계속 이 땅에서 농사를 지을 수 있었으니까요. 그러니 생활이 얼마나 고달팠겠어요? 반면 땅을 많이 가진 지주에게는 이 제도가 이익이 되었겠지요.

일제는 이런 정책을 통해 지주를 친일 세력으로 끌어들이려 한 것입니다. 굉장히 교묘한 통치 방식이지요. 한편 토지를 잃은 농민들은 임노동자가 되거나 살길을 찾아 도시나 나라 밖으로 떠나야 했지요.

1910년대 일제가 시행한 또 하나의 경제 정책이 회사령입니다. 일제는 1910년에 회사령을 제정하여 발표했습니다.

> 제1조 회사의 설립은 조선 총독의 허가를 받아야 한다.
>
> 제5조 회사가 본령 혹은 본령에 따라 발표되는 명령과 허가 조건에 위반하거나 공공질서, 선량한 풍속에 반하는 행위를 할 때 조선 총독은 사업의 정지, 지점의 폐쇄 또는 회사의 해산을 명할 수 있다.
>
> – 회사령(1910), 『조선 법령집람』 –

회사령은 한국에서 회사를 세울 때 조선 총독의 허가를 받도록 한 명령이며, 조선 총독은 사업 정지, 지점 폐쇄, 회사에 대한 해산 명령을 내릴 수 있었어요. 이러한 회사령을 통해 일제는 우리 민족 자본의 성장을 억압했지요. 일제가 회사령을 실시한 이유가 하나 더 있는데, 바로 일본 내 자본이 유출되는 것을 막기 위함이었어요. 당시 일본은 자본주의가 발달한 상태가 아니어서 일본 내 자본 축적이 필요했거든요. 자본을 어느 정도 쌓아야 산업이 더 발전할 수 있을 테니까요. 그래서 일본 자본이 식민지로 흘러드는 걸 막기 위한 장치로 회사령을 만든 겁니다.

2 1920년대 문화의 탈을 쓴 민족 분열 통치

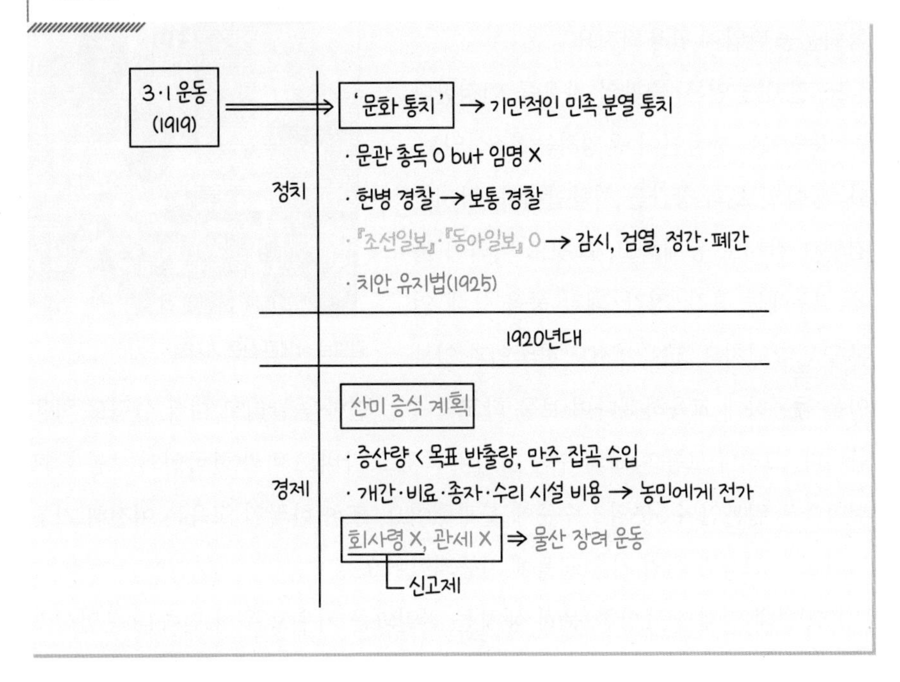

: 무단 통치에서 '문화 통치'로

1919년에 일어난 우리의 거족적 독립운동인 3·1 운동을 계기로 무단 통치가 '문화 통치'로 바뀝니다. 일제는 한국인을 위협하고 억누르면 말도 잘 듣고 잘 따라올 줄 알았어요. 그런데 우리 민족이 곳곳에서 태극기를 흔들면서 대한 독립 만세를 외치고, 이러한 독립의 의지를 전국은 물론 해외에서도 드러내자 당황했지요. 무단 통치로는 한국인을 지배할 수 없다고 생각하게 됩니다.

그래서 일제는 육해군 대장만 임명되었던 조선 총독에 문관도 임명될 수 있도록 합니다. 하지만 1945년에 광복이 될 때까지 문관 총독이 임명된 적은 단 한 차례도 없었지요. 또 헌병 경찰제를 보통 경찰제로 전환하고 한국인에게만 적용하던 조선 태형령을 폐지합니다. 일반 관리나 교사가 제복을 입고 칼을 차게 한 규정도 없앴어요. 1910년대에 흔히 볼 수 있었던 칼을 찬 교사의 모습이 사라지죠.

하지만 경찰 예산이 증액되고 경찰 관서 및 경찰관 수도 이전보다 늘어납니다. 1925년에는 치안 유지법이 제정되어 사회주의 운동과 독립운동 탄압에 활용되지요.

또 일제는 언론·출판의 자유를 인정한다는 명목으로 한국인이 운영하는 『조선일보』와 『동아일보』의 창간을 허락합니다. 하지만 검열과 감시로 통제하고, 그것도 여의치 않을 경우에는 휴간·정간·폐간 등을 통해 언론을 탄압했지요. 교육에서도 한국인과 일본인을 동등하게 교육하겠다며 보통 학교의 수업 연한을 늘리고 대학 설립도 허용합니다. 그러나 보통 학교의 수는 많이 부족했고 학비도 비싸 한국인의 보통 학교 취학률은 일본인의 6분의 1 수준에 불과했어요. 또한 한국인 교육은 여전히 기초적인 보통 교육과 실업 기술 교육에 치중되었어요.

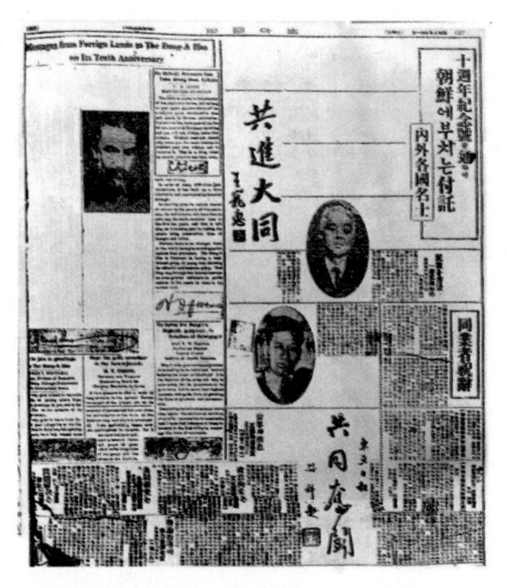
Messages from Foreign Lands to The Dong-A Ilbo on Its Tenth Anniversary

十週年紀念號
朝鮮에부치는付託
內外各國名士

共進大同

共同奮鬪

검열로 삭제된 신문 기사들

1920년대 일제가 표방한 '문화 통치'는 친일파를 키우고 우리 민족을 분열시키려는 기만적인 민족 분열책에 불과했어요. 일제의 탄압과 억압은 교묘한 방식으로 계속됩니다.

: 경제 수탈을 확대하다

토지 조사 사업을 마무리한 일제는 이제 한국에서 생산된 쌀을 수탈할 계획을 세웁니다. 그리하여 1920년부터 산미 증식 계획을 실시하지요. 산미 증식 계획은 간단히 말해 쌀 생산을 늘린다는 계획입니다. 개간이나 비료 사용, 종자 개량, 수리 시설 확충 등을 통해 생산량 증가를 꾀했고, 실제로 어느 정도 쌀 증산에 성공합니다. 그런데 증산량은 목표에 미치지 못했는데도 일제는 일본으로 가져가려고 미리 정해 놓은 양만큼 쌀을 가져갔어요. 지주들은 많은 쌀을 팔아 크게 이익을 얻을 수 있었지만, 농민은 종자 개량이나 개간 비용 등 쌀 증산에 들어간 비용까지 떠안게 되어 생활이 더욱 비참해집니다.

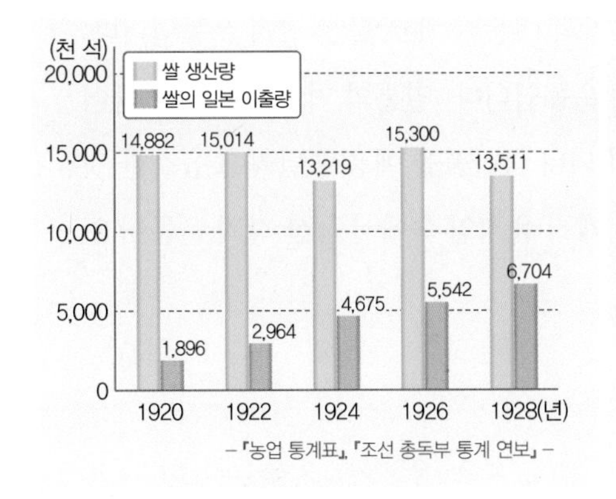

쌀 생산량과 쌀의 일본 이출량

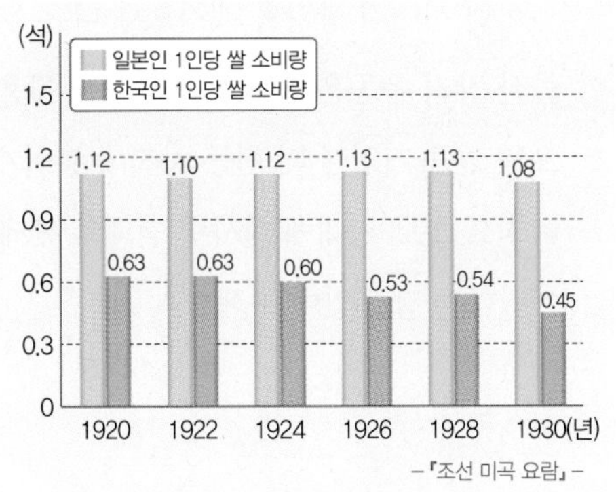

한국인과 일본인의 쌀 소비량

일제의 산미 증식 계획은 일본의 내부 사정에서 비롯되었습니다. 제1차 세계 대전을 계기로 일본에서 공업화가 급속히 진행되면서 농촌 인구는 감소하고 도시 인구와 노동자 수는 증가하여 식량이 부족해졌어요. 도시 인구가 늘어 쌀의 수요는 크게 늘었지만 쌀 생산량이 이에 미치지 못한 거지요. 이에 일본 내에서 쌀 부족 문제가 발생했고, 이를 해결하기 위해 한국에서 산미 증식 계획을 실시하여 쌀을 가져간 겁니다. 일제가 증산된 쌀보다 더 많은 양의 쌀을 가져가 국내의 식량 사정은 더욱 어려워졌어요. 만주에서 잡곡을 수입하여 보충했지만 턱없이 부족했습니다.

한편 일제는 1920년대 들어서 회사령을 폐지하고 회사 설립을 신고제로 전환합니다. 한국인을 위해서였을까요? 당연히 아니었지요. 일제가 1910년대에 회사령을 허가제로 실시한 이유는 무엇이었나요? 바로 일본 자본이 외부로 유출되는 것을 막아 일본 내에 자본이 축적될 수 있는 시간을 확보하겠다는 거였잖아요. 그런데 1920년대에 들어서 일본의 자본주의가 상당히 발전합니다. 이제 일본인은 자본을 투자할 곳을 찾아야 했어요. 그래서 식민지 한국에 일본의 자본이 침투하기 쉽게 회사 설립을 신고제로 바꾼 거지요. 이와 더불어 일본 상품에 대한 관세를 폐지하려는 움직임도 일어납니다. 이제 한국인의 영세한 기업들은 풍부한 자본을 바탕으로 값싸고 질 좋은 상품을 만들어 내는 일본 기업과 경쟁해야 하는 어려움에 맞닥뜨립니다.

이런 시대적 상황을 배경으로 나온 우리의 대응이 바로 물산 장려 운동입니다. 물산 장려 운동은 한마디로 국산품 애용 운동입니다. 일본의 기업과 자본이 들어오면 민족 기업이 더 힘든 처지에 놓이게 되니 국산품을 애용해 달라고 읍소한 것이지요. 1920년대에 회사령 철폐와 관세 폐지 움직임 속에서 물산 장려 운동이 일어났다는 점을 알아 두세요.

3 1930년대 이후 민족 말살 통치

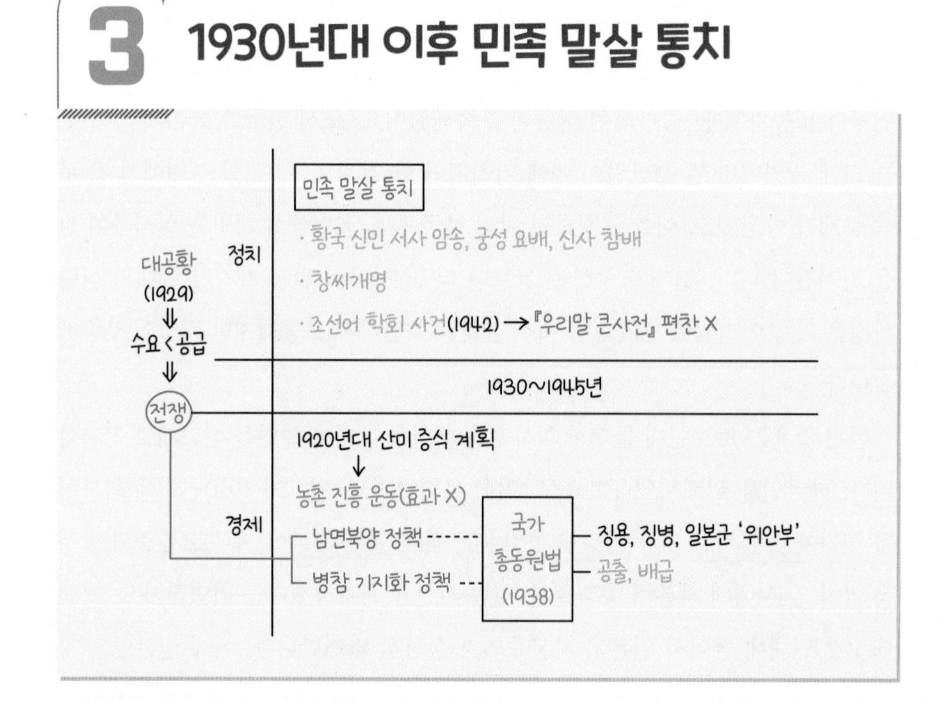

: 황국 신민이 되길 강요하다

이제 1930년대로 가 볼까요? 1929년에 시작된 대공황으로 세계 경제가 침체에 빠지고 실업자가 늘어납니다. 일본도 예외는 아니었는데 이를 해결하기 위해서 일본은 전쟁을 선택합니다.

황국 신민 서사(아동용)

1. 우리는 대일본 제국의 신민입니다.
2. 우리는 마음을 합하여 천황 폐하에게 충의를 다합니다.
3. 우리는 인고 단련하여 훌륭하고 강한 국민이 되겠습니다.

– 조선 총독부, 『시정30년사』(1940) –

황국 신민 서사 내용을 외우는 학생들

일본은 만주 침략 이후 중국과 전쟁을 벌였으며, 하와이의 미군 기지를 공격하여 전쟁을 확대해 나갑니다. 그런데 전쟁을 치르면서 엄청난 양의 군수품을 비롯한 물적 자원이 필요했지요. 또 일본인만으로 필요한 병력이 채워지지 않았어요. 이에 일제는 한국에서의 수탈을 강화하고 한국인을 전쟁에 쉽게 동원하기 위한 계획을 세웁니다.

우선 한국인의 머릿속에서 한국인이라는 생각을 지우고 자신이 일본인이라고 생각하게 만들어야 했습니다. 그래야 일왕의 충성스러운 신민으로 행동할 테니까요. 그래서 민족 말살 통치를 강화합니다.

어떤 정책을 시행했는지 살펴볼게요. 일제는 한국인에게 황국 신민 서사를 강제로 암송하게 하지요. 황국 신민 서사는 '황국(일본)의 신하이자 백성임을 맹세하는 글'입니다. 이것을 외우게 해서 자신도 모르게 '나는 일본인이기에 스스로 일제에 충성해야 한다.'라고 생각하게 만들려는 것이지요. 그리고 매일 아침에 일왕이 사는 곳인 궁성을 향해 허리를 굽혀 절을 하는 궁성 요배를 강요합니다. 또 전국 각지에 신사를 지어 놓고 강제로 참배하게 했어요. 신사 참배를 거부하는 사람은 처벌하고 학교는 폐쇄했지요.

민족정신을 말살하기 위해 시행한 가장 대표적인 정책이 창씨개명입니다. 창씨개명이란 일본식으로 성을 만들고 이름을 고치는 것입니다. 예를 들면 대표적인 친일파로 꼽히는 이광수는 '가야마 미츠로'로 창씨개명을 했지요. 말도 안 되는 일이죠.

어떻게 내 혈통을 나타낸 성과 부모님이 주신 이름을 함부로, 그것도 일본식으로 고치겠어요. 그런데 당시에 창씨개명을 하지 않으면 학교도 다닐 수 없고, 공무원도 될 수 없을 뿐 아니라 식량 배급도 받을 수 없었습니다. 아무것도 할 수가 없었던 것이지요. 이런 상황이었으니 창씨개명을 했다고 해서 무조건 친일파라고 할 수는 없습니다. 하지만 일제의 앞잡이가 되어 이것을 독려하고 선전하는 것은 다른 문제입니다. 당시 창씨개명을 하라고 앞장섰던 지식인도 있었는데, 대표적인 인물이 앞서 말한 이광수입니다. 그는 창씨개명에 적극적으로 동참하자는 글을 신문에 기고했지요.

이보다 앞서 일제는 1938년에 제3차 조선 교육령을 공포하여 학교 명칭과 교육과정을 일본과 동일하게 만듭니다. 조선어를 선택 과목으로 만들어 사실상 폐지하고 일본어 사용을 강요합니다. 더 나아가 우리말과 글을 쓰지 못하게 하지요.

1942년에는 조선어 학회 사건을 일으킵니다. 우리말과 글을 사용하지 못하게 했는데 기차 안에서 한국어로 대화하는 학생을 발견하고 경찰이 잡아다 조사를 합니다. 그들과 연관된 사람 중에 조선어 학회 회원들이 있음을 알고 조선어 학회를 독립운동 단체라고 몰아 그 회원들을 치안 유지법 위반으로 구속합니다. 당시 조선어 학회는 『우리말 큰사전』을 편찬하려고 작업 중이었어요. 이 사건으로 일제에 의해 학회가 해산되면서 사전 편찬이 중단됩니다.

이처럼 1930년대 이후 일제는 민족 말살 정책을 강화하여 한국인의 정체성을 없애 일본인으로 만들어 전쟁터에 끌고 가거나 침략 전쟁을 수행하는 데 이용하려고 했습니다.

: 인적 · 물적 자원을 수탈하다

1920년대에 산미 증식 계획으로 인해 농촌이 피폐해졌다고 했지요? 일제는 이러한 농촌을 바꿔 보자며 농촌 진흥 운동을 추진하지만, 이 또한 우리 농민을 위해서 실시한 정책이 아닙니다. 농민층이 몰락하고 소작 쟁의가 확산되자 소작 쟁의를 억제하고 농촌을 효율적으로 통제하려고 추진한 것이지요. 또한 일제는 가난의 원인을 농민의 게으름이나 낭비 탓으로 돌렸으며 계몽 차원에서 농촌 계몽 운동을 실시한 것이라 이 운동은 별다른 효과를 거두지 못합니다.

앞에서 대공황의 위기를 극복하기 위해 일본은 전쟁을 선택했다고 했지요? 전쟁을 치르기 위해 많은 자원이 필요했어요. 일본은 1931년 만주 사변, 1937년 중·일 전쟁, 1941년 태평양 전쟁으로 전쟁을 확대하면서 필요한 자원을 확보하기 위한 정책을 추진합니다. 그 하나가 남면북양 정책입니다. 이는 한반도의 남쪽에서는 면화를 생산하게 하고 북쪽에서는 양을 기르도록 강요한 정책입니다. 대공황의 위기 속에서 일본의 방직 자본가를 보호하기 위해 이들에게 원료를 값싸게 공급해 주고자 이러한 정책을 편 것이지요.

다른 하나는 병참 기지화 정책입니다. 일제의 전쟁 수행을 위한 군수 물자를 한반도에서 생산하여 전쟁이 벌어지고 있는 만주 지역과 중국에 투입하겠다는 계획에 따른 정책이었어요. 한반도를 군사 작전에 필요한 인적·물적 자원을 관리·보급·지원하는 근거지로 삼은 겁니다. 이를 뒷받침하기 위해 일제는 1938년에 전쟁에 필요한 노동력·병력·물자 등 모든 것을 동원할 수 있다는 내용의 국가 총동원법을 만듭니다. 이를 근거로 일제는 인적·물적 자원을 거침없이 빼앗아 갔어요.

많은 한국인 남성이 징용, 징병으로 끌려갔고, 학도 지원병이라는 이름 아래 어린 학생들도 전장에 끌려갔습니다. 징용은 노동력을 강제로 동원하는 것이고 징병은 강제로 민간인을 병력으로 쓰는 것입니다. 일제가 패망할 때까지 청년 20만여 명이 전쟁터로 끌려갔지요. 또한 일제는 주둔지에 일본군 위안소를 운영하여 한국 여성들을 일본군 '위안부'라는 이름 아래 성 노예로 만들었습니다.

일제는 공출제를 시행하여 식량뿐만 아니라 전쟁 물자를 만드는 데 필요한 놋그릇, 수저 등 금속을 비롯해 모든 물자를 털어 가고 겨우 연명할 만큼의 식량을 배급했지요.

이처럼 일제는 자신들이 일으킨 전쟁을 수행하기 위해 한반도의 모든 것을 쪽쪽 뽑아 갔습니다. 정말이지 악랄한 방법으로 인적·물적 자원을 수탈했음을 알 수 있습니다.

일제 식민지 정책에 맞서 우리 민족은 끈질기게 싸워 나갑니다. 다음 세대에게 식민지 상태의 조국을 물려주지 않기 위해서였지요. 다음에는 우리 민족이 빼앗긴 국권을 되찾기 위해 일제에 어떻게 저항했는지 살펴보도록 하겠습니다.

일제의 식민지 지배 정책

	1910년대	3·1 운동 (1919)	1920년대
정치	무단 통치 통감부 ↓ · 조선 총독부 : 조선 총독(only 무관) └ 중추원(총독 자문, 친일) · 헌병 경찰 : 즉결 처분권, 태형(only 한국인) · 칼 찬 교사	고종 X ⇓	'문화 통치' → 기만적인 민족 분열 통치 · 문관 총독 O but 임명 X · 헌병 경찰 → 보통 경찰 ·『조선일보』·『동아일보』 O → 감시, 검열, 정간·폐간 · 치안 유지법(1925)
경제	토지 조사 사업 ← 동양 척식 주식회사(1908) · 증거, 신고 · 목적 : '근대적 토지 소유권 확립', 재정 확보 · 결과 : 경작권 등 인정 X → 계약제 소작농↑ 회사령 허가제 → 민족 자본 성장↓		산미 증식 계획 · 증산량 < 목표 반출량, 만주 잡곡 수입 · 개간·비료·종자·수리 시설 비용 → 농민에게 전가 회사령 X, 관세 X ⇒ 물산 장려 운동 └ 신고제

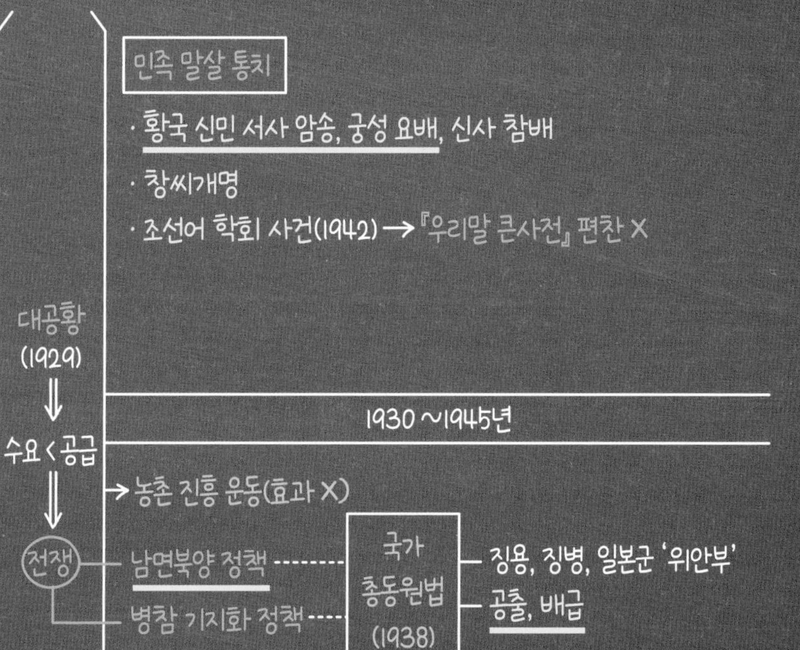

민족 말살 통치
· 황국 신민 서사 암송, 궁성 요배, 신사 참배
· 창씨개명
· 조선어 학회 사건(1942) → 『우리말 큰사전』 편찬 X
대공황
(1929)
1930 ~1945년
수요 < 공급
→ 농촌 진흥 운동(효과 X)
전쟁
남면북양 정책
병참 기지화 정책
국가
총동원법
(1938)
징용, 징병, 일본군 '위안부'
공출, 배급

17

일제 강점기 민족 운동의 전개

1 1910년대 국내외 독립운동

2 3·1 운동과 대한민국 임시 정부

3 1920년대 다양한 민족 운동

4 1920년대 국외 무장 독립 투쟁

5 1930년대 이후 민족 문화 수호 운동

6 1930년대 이후 국외 무장 독립 투쟁

일제의 무단 통치 속에서 많은 의병과 애국지사들이

만주나 연해주로 활동 무대를 옮기고

국내에서는 비밀 결사를 만들어 저항합니다.

이러한 움직임이 응집되어 3·1 운동으로 분출되었고,

이를 계기로 대한민국 임시 정부가 수립되고

자신감을 찾은 독립운동가들은 나라 안팎에서 다양한 방식으로 투쟁하지요.

목숨을 내놓고 일제에 항거한 독립운동가들이 있었기에

지금 우리는 광복된 조국에서 살고 있습니다.

독립을 향한 그들의 열정과 희생을 기억하며

지극히 어려웠던 독립운동의 현장으로 들어가 봅시다.

1 1910년대 국내외 독립운동

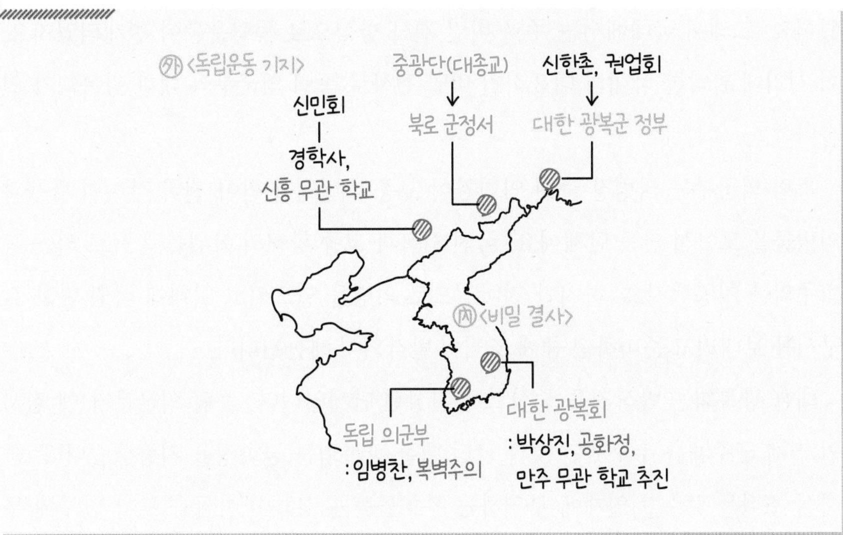

혹시 일제 강점이라는 아픔이 있었다고 우리 역사를 수치스럽고 별 볼 일 없는 역사라고 생각하고 있지는 않나요? 절대 그렇게 생각하면 안 됩니다. 왜냐하면 일제의 혹독한 식민 지배 정책과 맞서 싸운 많은 사람과 단체들이 있었기 때문이지요. 우리 민족은 일제 강점기 35년 동안 일제에 끈질기게 저항했습니다. 이러한 노력이 있었기에 우리는 독립을 약속받을 수 있었어요. 이 때문에 우리의 역사는 자랑스러운 역사라 할 수 있는 겁니다.

그리고 일제에 동조하여 자신의 안위를 도모한 모습들에 대해 '일제 강점기, 그땐 다 그랬어.'라고 여기지 않기를 바랍니다. 자신의 목숨과 전 재산을 바쳐 일제에 맞서 싸운 사람이 너무나 많기 때문입니다. '그땐 다 그랬어.'라고 하는 것은 일제에 빌붙어 잘 먹고 잘살았던 사람들이 어물쩍 넘어가려는 변명일 뿐입니다.

그럼 일제에 맞서 싸운 사람들을 지금부터 만나 볼까요? 앞에서 일제의 식민 통치와 경제 수탈 정책을 1910년대와 1920년대, 1930년대 이후로 나누어 살펴보았듯이 우리의 저항 운동도 세 시기로 구분하고 국내와 국외로 나누어 살펴보겠습니다.

: 국내 항일 비밀 결사를 조직하다

1910년대는 일제가 무단 통치를 펼친 시기입니다. 헌병 경찰을 앞세워 우리 민족을 폭압적으로 찍어 누르던 시기였기에 독립운동가들이 활동하기가 매우 어려웠어요. 그래서 국내에서는 주로 비밀 결사 방식으로 독립운동이 전개되었지요. 이 시기에 활약한 국내의 대표적인 비밀 결사로 독립 의군부와 대한 광복회가 있습니다.

독립 의군부는 의병장 출신 임병찬이 고종의 밀지를 받아 전국 각지의 유생과 의병들을 모아서 만든 단체예요. 국권 회복과 고종 황제의 복위를 목표로 하는 복벽주의를 지향했지요. 하지만 전국적으로 의병을 일으키고 일제에 국권 반환 요구서를 보내려고 준비하던 중에 조직이 발각되어 해산됩니다.

대한 광복회는 박상진을 중심으로 결성된 단체입니다. 독립 의군부가 옛 질서인 전제 군주제를 추구했던 것과 달리 대한 광복회는 공화정을 지향했습니다. 군대식 조직을 갖추고 일제에 부역하는 부호들을 응징하여 자금을 모아 만주에 무관 학교를 설립하려고 노력했지요. 조직을 주도한 박상진은 잘나가던 엘리트 판사 출신이었어요. 그런데 나라가 일제에 강점되자 판사복을 벗고 독립운동에 투신한 겁니다. 엘리트 코스를 밟으면서 일제에 적당히 협조하면 잘 먹고 잘살 수 있을 텐데, 그러한 것을 다 버리고 독립운동의 길로 나선 것은 쉽지 않은 결정이었을 거예요.

이처럼 1910년대 국내 항일 운동은 일제의 무단 통치 시기라는 시대적 배경과 연결하여 이해하면 되겠습니다.

: 국외 독립운동 기지를 세우다

국외에서는 어떤 활동이 있었는지 살펴볼까요? 독립운동 기지를 건설하려는 움직임이 서간도와 북간도, 연해주 등지에서 나타납니다. 서간도 지역은 남만주에 해당하고 북간도 지역은 동만주로 볼 수 있어요. 지도를 보면서 위치를 알아 두세요. 그리고 연해주 지역은 지금의 러시아 동남쪽 끝에 있으며 블라디보스토크가 중심지입니다.

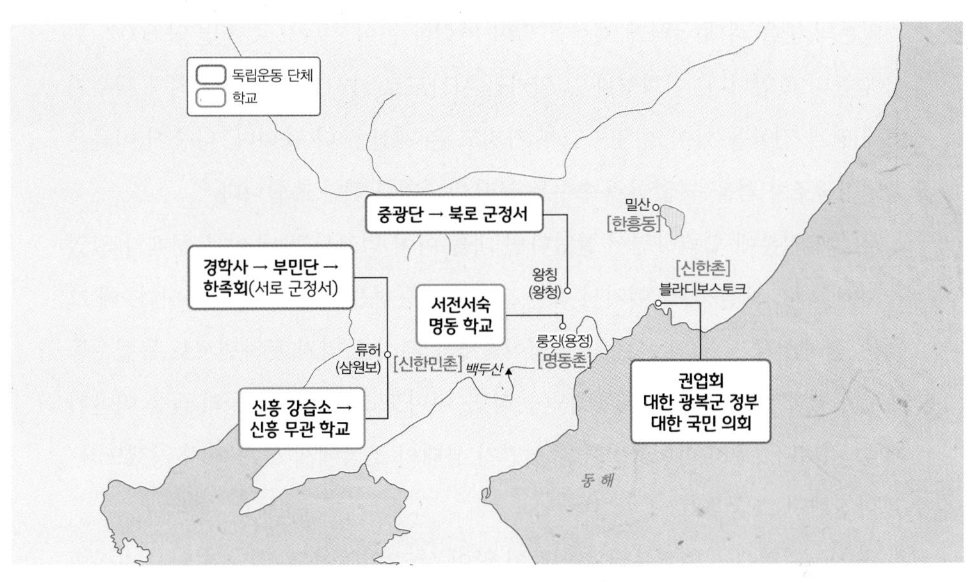

1910년대 만주·연해주의 독립운동 기지

먼저 서간도(남만주)부터 살펴보죠. 이 지역의 독립운동 단체와 학교 가운데 꼭 기억해야 하는 것이 나중에 신흥 무관 학교로 발전하는 신흥 강습소입니다. 앞에서 신민회가 만주에 독립운동 기지를 건설하여 무장 독립운동을 준비한다고 배웠지요? 신민회 회원들이 독립운동 기지를 건설하기 위해 대거 이주한 곳이 서간도 지역의 삼원보 일대입니다. 이들이 주축이 되어 한인(韓人) 단체인 경학사를 조직하고 신흥 강습소를 세웠지요. 단체와 학교를 설립하고 운영하는 데 많은 돈이 들었어요. 여기에 혁혁한 공을 세운 사람들이 바로 이회영·시영으로 대표되는 이씨 6형제입니다.

여러분, '오성과 한음' 이야기를 들어 봤나요? 오성의 이름이 이항복인데, 이항복의 집안은 대대로 명문가였어요. 이회영을 비롯한 이씨 6형제는 바로 이항복의 후손이랍니다. 일제에 의해 나라가 망하는 상황이 다가오자 이회영을 비롯한 6형제가 모여 회의를 합니다. 지금까지 나라의 녹을 먹으며 살았는데 이제 자신들이 나라를 위해 무엇을 할 수 있을까를 고민하지요. 이들은 모든 재산을 팔아 만주로 가서 독립운동을 하기로 결심합니다.

일본의 눈을 피해 급하게 재산을 팔아 마련한 돈이 지금으로 치면 약 600억 원이 넘는다고 합니다. 이회영과 그 일가는 서간도로 가서 독립운동 기지를 세우기 위해 땅과 건물을 샀어요. 3년 만에 가지고 온 재산을 다 씁니다. 나중에 이들은 강냉이죽조차 먹을 수 없어 옥수수를 꾸러 다니기도 했다고 합니다.

적당히 일본에 협력하면서 살았다면 대를 이어 먹고사는 데 아무 문제가 없었을 텐데, 왜 그랬을까요? 여기서 잠깐 그들과 소통하는 시간을 가져 봅시다. 왜 그들은 전 재산을 모두 내어 주고 강냉이죽조차 제대로 먹지 못하면서도 독립운동에 헌신했을까요? 만약 그들에게 묻는다면, 아마도 그들은 자신들의 꿈을 이야기해 줄 겁니다. '우리 아이들만큼은 식민지 상태의 조국에서 살게 하지 않겠노라.'고 다짐했던 그 꿈을요.

북간도 지역에는 일찍부터 한인들이 많이 살고 있었어요. 김약연 역시 자신의 재산을 팔아 이곳으로 와서 독립운동 기지 건설에 힘씁니다. 김약연을 비롯한 애국지사들은 자치 조직을 만들어 동포들을 이끌고, 서전서숙과 명동 학교 등 학교를 설립하여 민족의식을 고취시킵니다. 북간도 지역에서 꼭 기억해야 할 독립운동 단체는 대종교도가 중심이 되어 결성한 중광단입니다. 그 뒤 중광단이 중심이 되어 만든 단체가 1920년대 항일 무장 투쟁의 선두에 섰던 북로 군정서예요.

1910년대는 국외 독립운동 기지를 건설하여 독립군을 양성하고 군사 훈련으로 힘을 기른 시기라고 보면 됩니다. 이렇게 만들어진 역량은 1920년대에 항일 무장 투쟁으로 터져 나오게 됩니다.

이제 연해주 지역의 블라디보스토크로 가 볼까요? 블라디보스토크에 많은 한인이 모여 살면서 신한촌을 건설합니다. 이상설 등이 중심이 되어 자치 단체인 권업회를 조직했어요. 권업회는 권업신문을 발간했으며, 1914년에 효과적으로 독립 전쟁을 준비하기 위해 이상설, 이동휘를 정·부통령으로 하는 대한 광복군 정부를 세웁니다.

1910년대 국내에서 전개된 비밀 결사의 활동과 국외 독립운동 기지 건설 등의 노력에 힘입어 1919년에 3·1 운동이 일어나 '대한 독립 만세'의 함성이 만방에 울려 퍼지게 된 것입니다.

3·1 운동과 대한민국 임시 정부

3·1 운동	⇒	대한민국 임시 정부(상하이)
· 고종 인산일 · 제암리·고주리 학살		대한 국민 의회 + 한성 정부 + 상하이 임시 정부 · 최초 3권 분립(임시 의정원, 국무원, 법원), 공화정 · 연통제·교통국, 독립 공채 ·『독립신문』, 임시 사료 편찬 위원회

: 3·1 운동이 점화되다

3·1 운동은 고종의 인산일 무렵인 1919년 3월 1일에 일어납니다. 인산일은 쉽게 말하면 왕의 장례식이에요. 왕의 상여를 준비된 무덤으로 운구하는 날이지요. 1920년대 6·10 만세 운동은 순종의 인산일에 일어납니다.

저는 개인적으로 고종과 순종을 좋게 평가하지 않습니다. 1910년 경술국치, 우리가 일제에 나라를 빼앗긴 치욕적 순간에 고종과 순종은 과연 무엇을 했는지 묻고 싶어요. 그런데 항일 독립운동의 역사에서 중요하게 평가되는 3·1 운동과 6·10 만세 운동이 고종과 순종의 죽음에서 출발했다는 사실은 정말 아이러니합니다. 고종과 순종은 어쩌면 죽어서 그들의 역할을 다한 것인지도 모르겠습니다.

어쨌든 고종의 갑작스러운 죽음이 계기가 되어 대규모 만세 시위가 계획되었고, 인산일 무렵에 3·1 운동이 시작됩니다.

여러분은 3·1 운동 하면 가장 먼저 누가 떠오르나요? 바로 유관순일 거예요. 혹시 서대문 형무소 수감 당시의 유관순 사진을 본 적이 있나요? 사진 속 얼굴은 퉁퉁 부어 있습니다. 원래의 유관순 얼굴과는 상당히 다르다고 해요. 18세의 어린 학생이 감옥에 끌려가서 모진 고문을 당해 얼굴이 퉁퉁 부은 사진을 보니 참으로 가슴이 아프더라고요.

일제 강점기뿐만 아니라 우리나라 역사에서 어려운 시기마다 학생들이 선봉에 서서 큰 역할을 합니다. 3·1 운동에서도 학생들이 굉장히 중요한 역할을 하지요. 서울 탑골 공원에서 3·1 독립 선언서를 낭독하고 시작된 대한 독립 만세의 함성이 전국으로 퍼져 나가는 데에는 학생들의 역할이 매우 컸습니다. 3·1 운동이 일어나자 전국에 휴교령이 내려졌고, 서울에서 공부하고 있던 학생들이 각자 고향으로 내려갔어요. 그 학생들에 의해 지방에서도 독립 만세 운동이 일어났지요.

비폭력 시위로 출발한 3·1 운동은 일본 경찰과 군대의 총에 수많은 사람들이 쓰러지면서 무력 투쟁으로 바뀝니다. 단적인 예가 제암리·고주리 학살 사건이에요. 일제는 경기도 화성 제암리 주민들을 마을 교회에 몰아넣은 뒤 불을 지르고, 불을 피해 밖으로 뛰쳐나오는 사람들에게 집중 사격을 가했어요. 그러고는 인근 고주리로 가서 또다시 마을을 불태우고 주민들을 학살했습니다. 이러한 극악무도한 만행을 접하면서 평화적인 시위로는 일제에 대항할 수 없다는 자각이 일어나 무력 투쟁으로 방향이 바뀐 것입니다.

이처럼 3·1 운동은 남녀노소, 신분 여하를 막론하고 모든 계층이 참여한 거족적 독립운동이었으며, 독립을 향한 우리 민족의 열망을 전 세계에 알리는 계기가 되었습니다.

3·1 독립 선언서(기미 독립 선언서)

우리는 오늘 조선이 독립국이라는 것과 조선인이 자주민이라는 것을 선언한다. 이를 세계만방에 알려 인류의 평등이라는 대의(大義)를 명백하게 하는 동시에 자손만대에 알려 민족자존(民族自存)의 권리를 영원토록 누리게 하겠다. ……

공약 3장

- 오늘날 우리의 이 거사는 정의, 인도, 생존, 존영을 위하는 민족적 요구이니, 오직 자유로운 정신을 발휘할 것이요, 결코 배타적 감정으로 치닫지 마라.
- 최후의 1인까지, 최후의 일각까지 민족의 정당한 의사를 쾌히 발표하라.
- 일체의 행동은 가장 질서를 존중하여, 우리의 주장과 태도로 하여금 어디까지든지 광명정대하게 하라.

3·1 운동이 일어나게 된 외부 요인에는 어떤 것이 있을까요? 제1차 세계 대전을 승리로 이끈 연합국은 전쟁 뒤 국제 질서를 정리하기 위해 파리 강화 회의를 엽니다. 이 회의에서는 미국의 윌슨 대통령이 제안한 민족 자결주의가 기본 원칙으로 채택되었어요. "모든 민족은 자기 스스로 운명을 결정할 수 있다."는 민족 자결주의는 당시 우리나라처럼 식민 지배를 받고 있던 많은 나라가 독립의 희망을 갖게 했지요. 그런데 민족 자결주의 원칙은 패전국의 식민지에만 적용되었어요. 일본은 당시 승전국에 속해 있었기에 우리에게는 적용되지 않았습니다. 그래도 우리는 실망하지 않고 여기서 독립의 희망을 찾고자 했어요. 지푸라기라도 잡아야 했으니까요. 민족 자결주의의 영향을 받아 1919년 일본의 심장부 도쿄에서 유학생들이 중심이 되어 2·8 독립 선언을 발표합니다. 독립을 위해 최후까지 투쟁하자는 2·8 독립 선언은 3·1 운동의 도화선이 됩니다.

이렇게 우리 민족의 뜨거운 독립 열망을 보여 준 3·1 운동은 국내외 독립운동이 더욱 활발해지는 계기가 됩니다. 또 독립운동을 조직적으로 지휘할 지도부가 필요하다는 주장을 끌어냈고, 그 결과 대한민국 임시 정부가 수립됩니다.

한편 3·1 운동은 일제가 무단 통치의 한계를 인식하고 '문화 통치'를 표방하는 데 영향을 끼칩니다.

: 대한민국 임시 정부를 세우다

3·1 운동을 전후하여 국내외에 여러 임시 정부가 수립되었어요. 연해주 지역에 대한 국민 의회, 서울에 한성 정부, 상하이에 대한민국 임시 정부가 세워졌지만 곧 통합이 논의됩니다. 하나의 임시 정부로 통합하는 과정에서 임시 정부의 위치와 성격을 두고 의견이 분분해집니다. 많은 동포가 살고 있고 독립 전쟁에 유리한 만주나 연해주에 임시 정부를 두자는 쪽과 외국 공사관이 많아 외교 활동에 유리한 상하이에 임시 정부를 두자는 쪽으로 나뉘었지요. 여러 차례의 논의 끝에 외교 활동을 통해 독립의 당위성과 일제 강점의 부당함을 국제 사회에 알리기 쉬운 상하이로 위치가 결정됩니다. 하지만 무장 투쟁을 포기하지는 않습니다.

상하이 대한민국 임시 정부 청사

대한민국 임시 정부 임시 의정원 신년 축하 기념 사진(1921)

독립 공채

독립운동가들은 상하이와 연해주의 임시 정부를 발전적으로 해체하고 한성 정부의 법통을 잇는 대한민국 임시 정부를 수립합니다. 1919년 9월, 초대 대통령에 외교에 밝은 이승만, 국무총리에 항일 무장 투쟁에 경험이 많은 이동휘를 추대하여 지도부를 구성했습니다.

대한민국 임시 정부의 가장 큰 역사적 의의는 삼권 분립을 채택한 우리나라 최초의 민주 공화제 정부라는 점입니다. 지금의 국회와 같은 역할을 하는 입법 기관인 임시 의정원과 사법 기관인 법원, 행정 기관인 국무원을 두어 삼권 분립의 원칙을 세우고 주권자인 국민이 대표를 선출하는 민주 공화제 정부를 수립한 것입니다. 대한민국은 3·1 운동으로 건립된 대한민국 임시 정부의 법통을 계승하고 있다고 대한민국 헌법에도 나와 있죠. 현재 대한민국의 출발점이 대한민국 임시 정부라는 사실을 꼭 기억해야 합니다.

이제 대한민국 임시 정부의 조직과 활동을 살펴볼게요. 대한민국 임시 정부는 독립 활동에 필요한 자금 조달 및 정보 수집과 전달을 위해 연통제와 교통국을 운영합니다. 연통제는 임시 정부가 독립운동을 지휘하기 위해 만든 일종의 비상 연락망 역할을 한 행정 조직이고, 교통국은 정보나 자금을 모으고 비밀 교신 등의 역할을 한 정보 기관입니다. 그리고 독립운동 자금을 마련하기 위해 독립 공채를 발행하고 의연금을 거두었어요. 『독립신문』을 발간하여 독립운동 근황을 국내외 동포들에게 알리고, 임시 사료 편찬 위원회를 두어 사료집을 발간하여 우리의 자랑스러운 역사를 알리기 위해서도 노력합니다.

대한민국 임시 정부는 활발하게 활동했지만 얼마 지나지 않아 연통제와 교통국이 일제에 발각되어 심각한 재정난에 부딪힙니다. 게다가 임시 정부 내에서 독립 운동 방향을 둘러싼 논쟁이 벌어지고 갈등이 나타나 위기를 맞게 됩니다.

3 1920년대 다양한 민족 운동

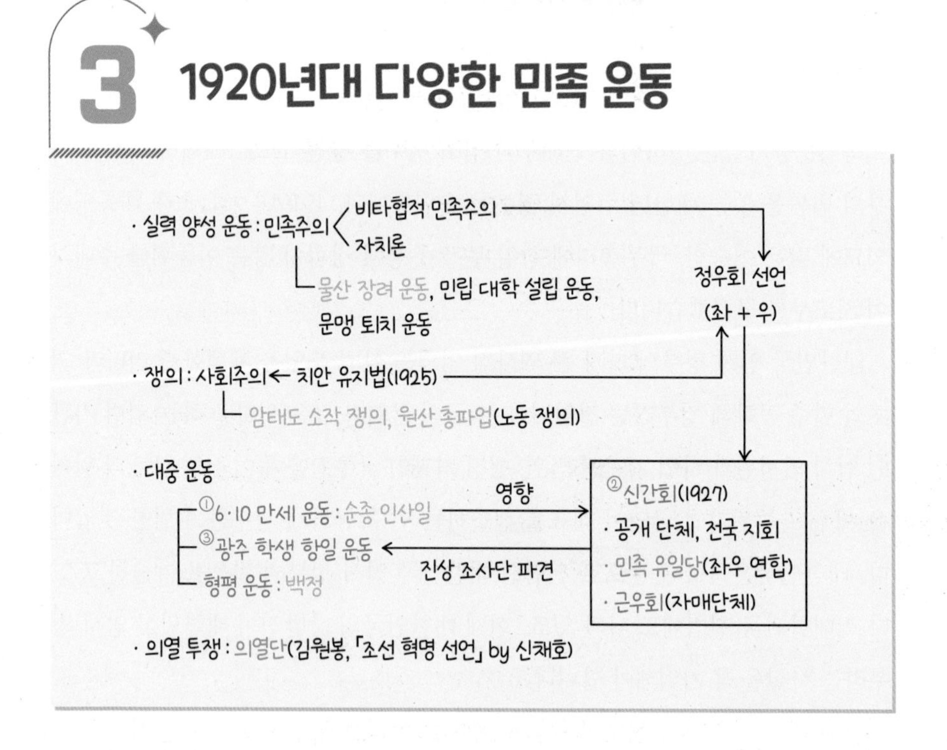

1920년대에 들어서 일제가 '문화 통치'를 표방하는데 이는 우리 민족의 분열을 목적으로 한 기만적인 통치 방식이었어요. 이 시기에 우리의 민족 운동은 어떻게 전개되었는지 국내와 국외로 나누어 살펴볼게요.

일제가 '문화 통치'를 내세우면서 그들의 감시와 통제에 살짝 틈이 생기는데, 그 틈을 비집고 여러 모습의 민족 운동이 펼쳐집니다. 외울 내용이 많아 조금 힘들 수 있지만, 이러한 움직임 속에서 우리의 자랑스러운 역사를 하나씩 하나씩 찾을 수 있는 거예요.

국내 민족 운동은 민족주의 진영과 사회주의 진영으로 나누어 살펴볼 거예요. 민족주의 진영은 민족의 독립과 통일을 가장 중시하며 궁극적으로 민족에 기반을 둔 국가 형성을 목표로 한 세력이고, 사회주의 진영은 노동자·농민 계급의 해방과 민족의 해방을 주장하는 세력이에요. 자, 그럼 자세히 들여다볼까요?

: 민족주의 진영의 실력 양성 운동

민족주의 진영의 활동은 개항 이후 전개된 애국 계몽 운동의 연장선에서 보면 됩니다. 1920년대 민족주의 진영에서 집중한 운동 가운데 하나가 물산 장려 운동이지요. 앞에서 설명했듯이 일제는 일본에서 자본주의가 급속히 발전함에 따라 일본의 자본을 한국에 침투시키고자 회사령을 철폐하고 일본 상품에 대한 관세를 폐지하려고 합니다. 이로 인해 민족 자본이 위기를 맞게 되면서 물산 장려 운동이 일어나지요. "입어라! 조선 사람들이 짠 것을, 먹어라! 조선 사람들이 만든 것을" 등의 구호를 내걸고 국산품 애용 운동이 평양에서 시작된 것입니다.

일제 강점기, 그 힘든 시기에 민족 자본가들이 국산품을 사달라고 호소하는데 외면할 수 없지요. 너도나도 국산품 애용에 동참합니다. 그런데 국산품을 찾는 사람이 많아졌지만 민족 기업의 생산력이 이를 따르지 못해 수요와 공급의 법칙이 깨져 상품 가격이 크게 오르는 일이 빈번해집니다. 이에 사회주의 세력이 비판을 하지요. "물산 장려 운동으로 물가가 올라 노동자들은 고통을 받는데 자본가의 배만 불려 준 것이 아니냐. 일본 자본가든 조선 자본가든 노동자들의 고혈을 빨아먹는 것은 똑같다."라고 말입니다. 사회주의 세력의 이러한 비판이 이어지는 데다가 민족 기업들이 충분한 생산력을 갖추지 못한 채 일본 대자본과의 경쟁에서 뒤처져 물산 장려 운동은 힘을 잃게 됩니다.

평양 조선 물산 장려회 선전 포스터

비슷한 시기에 일제의 교육 차별에 맞서 우리 힘으로 고등 교육 기관인 대학을 설립하자는 민립 대학 설립 운동이 모금 방식으로 전개됩니다. 하지만 일제의 방해와 가뭄·수해 등으로 모금이 어려워져 중단되지요. 일제는 한국인의 불만을 무마하고자 경성 제국 대학을 설립합니다.

1920년대 후반에는 언론 기관이 중심이 되어 문맹 퇴치 운동을 전개합니다. 한글을 보급하고 한글 교재를 발행하는 등의 활동을 했어요.

: 사회주의 진영의 농민·노동 운동

이제 사회주의 진영의 활동을 살펴볼까요? 3·1 운동을 계기로 사회주의 사상이 국내의 청년과 지식인 사이에 본격적으로 확산되면서 독립운동에 새로운 방향을 제시합니다. 1920년대 들어서 사회주의 진영은 농민과 노동자의 쟁의에 크게 영향을 끼칩니다. 쟁의란 쉽게 말해서 파업을 뜻하는데, 대표적인 예로 암태도 소작 쟁의와 원산 총파업을 들 수 있습니다.

암태도 소작 쟁의는 지주가 수확량의 70~80%를 소작료로 가져가자, 지주의 횡포에 반발하여 소작농이 소작료 인하 등을 요구하며 일으킨 농민 운동이에요. 또 1920년대 후반에 일어난 원산 총파업은 한 석유 회사의 일본인 감독관이 한국인 노동자를 구타한 사건이 발단이 되어 시작되었고, 원산 지역의 노동자들이 노동 조건 개선과 임금 인상을 요구하며 총파업을 단행한 노동 운동입니다. 4개월간 이어진 원산 총파업은 일제의 탄압으로 실패했지만, 일제 강점기 최대 규모의 노동 운동이었어요. 원산은 강화도 조약으로 문을 연 개항장 가운데 한 곳이었고, 우리나라 최초의 근대 학교인 원산 학사가 세워진 곳이었지요. 이렇게 역사적으로 의미가 있는 지역은 꼭 기억해 두기 바랍니다.

1920년대 농민·노동 운동은 생존권 투쟁의 성격이 강했습니다. 그런데 1930년대로 접어들어 일제가 치안 유지법을 내세워 농민·노동 운동에 대한 탄압을 강화합니다. 이로 인해 농민·노동 운동은 항일 투쟁의 양상을 띠게 됩니다. 특히 사회주의 진영과의 연대가 강화되면서 혁명을 지향하는 농민·노동조합이 결성되어 이들을 중심으로 전개되지요.

: 민족 유일당 운동과 신간회

민족주의 진영과 사회주의 진영이 벌이는 독립운동에 변수가 생깁니다. 물산 장려 운동과 민립 대학 설립 운동이 그다지 성과를 거두지 못하면서 민족주의 진영 내부에서 자치론자가 등장합니다. 자치론은 어차피 독립은 어려운 것 같으니 일제의 식민 지배를 인정하고 그 안에서 자치권을 얻어 내는 쪽을 취하자는 논리였지요. 자치론을 주장한 대표 인물이 이광수입니다. 자치론이 대두하면서 민족주의 진영은 타협적 민족주의자, 즉 자치론자와 이들을 기회주의자라고 비판하는 비타협적 민족주의자로 나뉘게 됩니다. 사회주의 진영도 어려움에 맞닥뜨립니다. 1925년에 일제가 사회주의 운동을 탄압하고 사회주의자를 잡아들이려고 만든 치안 유지법이 시행되면서 합법적 활동 공간이 줄어들었어요.

합법적 활동 공간이 필요한 사회주의자들과 기회주의자를 제압하기 위한 힘과 조직력이 필요한 비타협적 민족주의자들이 손을 잡으려는 움직임이 나타납니다. 사실 사회주의 진영과 민족주의 진영이 결합하기란 매우 어렵습니다. 사회주의의 목표는 자본가 타도인데, 민족주의는 굉장히 포괄적 개념이라 민족주의자 중에는 자본가도 있었기 때문이지요. 이처럼 사회주의자와 민족주의자가 손을 잡는 것은 쉽지 않은 일이었어요. 하지만 당시 사회주의 진영과 비타협적 민족주의 진영의 공동 목표는 민족의 독립이었고, 당시의 시대 상황이 두 세력이 연대할 수 있는 환경을 만들어 주어 가능한 일이었지요. 그리하여 조선 민흥회가 만들어졌고, 사회주의 계열 단체인 정우회는 비타협적 민족주의 진영과의 연대를 강조하는 정우회 선언을 발표합니다. 이러한 좌우 세력의 연합과 연대가 추진된 민족 유일당 운동의 결과물이 바로 1927년에 설립된 신간회입니다. 여기서 '좌'는 사회주의 진영을 뜻하고 '우'는 민족주의 진영을 뜻해요.

신간회는 일제 강점기 국내 최대 규모의 조직이라고 해도 될 만큼 전국적이고 규모 있는 공개 조직이었어요. 그런데 대중적 정치·사회단체로 성장하여 활발하게 활동하던 신간회가 1931년에 해소됩니다. 해소는 완전히 없어지는 것이 아니라 새로운 조직으로 환골탈태한다는 의미로 쓰인 말이에요. 신간회는 어떻게 해서 해소의 길을 걷게 되었을까요? 이는 뒤에서 살펴보겠습니다.

: 전국으로 퍼진 대중 운동

다음으로 학생 운동, 여성 운동, 형평 운동 등 대중 운동을 살펴볼게요.

1920년대에 일어난 대표적인 학생 운동으로 6·10 만세 운동과 광주 학생 항일 운동이 있습니다.

1926년에 일어난 6·10 만세 운동은 순종의 인산일에 일어났어요. 사회주의 진영이 민족주의 진영의 천도교계 그리고 학생들과 함께 6·10 만세 운동을 준비합니다. 그런데 이 계획이 사전에 일제에 발각되어 많은 사람이 체포되었고 일제의 감시를 뚫은 학생들이 중심이 되어 예정대로 장례 행렬을 따라가며 격문을 뿌리고 만세 시위를 벌였지요. 사회주의 진영이 주도하고 학생들이 적극 참여하였으며, 여기에 민족주의 진영이 지원해 주는 형태로 진행된 6·10 만세 운동은 이후 신간회가 설립되는 데 큰 영향을 끼칩니다.

1929년에는 광주 학생 항일 운동이 일어납니다. 이 운동은 광주와 나주를 오가는 통학 열차 안에서 일본인 학생들이 한국인 여학생을 희롱한 일을 계기로 벌어진 양국 학생 간 싸움에서 비롯되었습니다. 광주 지역 학생들의 시위가 전국으로 확대되어 3·1 운동 이후 국내 최대 규모의 항일 운동으로 발전했지요.

3·1 운동, 6·10 만세 운동, 광주 학생 항일 운동까지 학생들이 저항 활동의 전면에 나섰습니다. 그 목표는 바로 일제 타도였어요. 많은 사람이 제국주의의 야만성을 드러내는 일제 앞에서 두려움에 떨고 있을 때, 당당하게 '아니오!'라고 외친 사람들은 바로 학생들이었어요. 이렇게 역사의 흐름을 이끄는 거인으로 학생들이 등장한 것입니다. 현대사에서도 이러한 모습을 많이 볼 수 있습니다.

역사 속에서 학생들은 목표물을 향해 날아오르는 독수리처럼 날개를 활짝 펴고 일제 타도를 향해, 민주주의를 위해 목소리를 높였습니다. 그런데 그런 독수리와 같은 학생들을 요즘은 닭장 속에 가두어 놓고 있는 것 같아요. 닭장 속에 가두어 놓고 모이를 주다 보니 그 독수리는 이제 자신을 닭이라고 생각하는 것이지요. 청소년들은 높이 날아오르는 독수리와 같은 DNA를 가지고 있다고 생각해요. 꿈을 향해 마음껏 날아갈 수 있는 커다란 날개가 모두에게 있다는 사실을 잊지 않았으면 합니다.

여기서 6·10 만세 운동이 1926년, 신간회 발족이 1927년, 신간회의 광주 학생 항일 운동 지원이 1929년입니다. 이어지는 흐름을 기억해 두세요.

6·10 만세 운동이 신간회 결성에 영향을 주었다고 했죠? 이렇게 결성된 신간회는 광주 학생 항일 운동이 일어나자 진상 조사단을 파견하고 진상 보고를 위한 민중 대회를 열어 운동을 확대하고자 했어요. 하지만 이 일로 신간회는 일제의 탄압을 받고 지도부 상당수가 체포됩니다. 이후 새로 구성된 지도부가 우경화 조짐을 보이자 사회주의 진영이 반발하여 신간회는 해소의 길을 걷게 됩니다.

신간회와 관련하여 살펴봐야 할 단체가 하나 있습니다. 바로 신간회의 자매단체인 근우회입니다. 근우회도 신간회처럼 민족 유일당 운동의 결과물로, 민족주의 진영과 사회주의 진영의 여성 단체들이 연대하여 결성한 단체입니다. 여성 계몽과 여성의 지위 향상을 위해 힘썼지요.

마지막으로 살펴볼 대중 운동은 형평 운동입니다. 형평 운동은 백정이 자신들에 대한 사회적 차별 폐지를 외치고 나선 운동입니다. 1894년 갑오개혁 때 법적으로 신분제가 폐지되었지만 백정 출신은 여전히 사회적 차별과 멸시를 받고 있었어요. 이에 백정들은 진주에서 조선 형평사를 조직하고 고기 무게를 달 때 사용하는 저울처럼 공평하게 대해 달라는 차별 철폐 운동을 펼쳤어요.

형평사 대회 포스터

조선 형평사 창립 취지서

공평은 사회의 근본이고 애정은 인류의 근본 강령이다. 우리는 계급을 타파하고 모욕적 칭호를 폐지하여 교육을 장려하며, 우리도 참다운 인간이 되는 것을 기대하는 것이 본사의 큰 뜻이다. 지금까지 조선의 백정은 어떠한 지위와 어떠한 압박을 받아 왔던가? …… 이 문제를 선결하는 것이야말로 우리의 급무이다.

－『조선일보』, 1923－

: 목숨 건 의열 투쟁

식민 기관에 폭탄을 투척하거나 일제 요인이나 친일파를 암살하는 방식의 독립 운동인 의열 투쟁에 대해 살펴보겠습니다. 1920년대 의열 투쟁 하면 뭐니 뭐니 해도 의열단을 기억해야 합니다. 김원봉이 이끈 의열단은 신채호가 작성한 「조선 혁명 선언」을 행동 지침으로 삼았어요.

> 민중은 우리 혁명의 대본영(大本營)이다. 폭력은 우리 혁명의 유일한 무기이다. 우리는 민중 속으로 가서 민중과 손을 맞잡아 끊임없는 폭력 - 암살 · 파괴 · 폭동 - 으로써 강도 일본의 통치를 타도하고, 우리 생활에 불합리한 일체의 제도를 개조하여, 인류로써 인류를 압박하지 못하며, 사회로써 사회를 박탈하지 못하는 이상적 조선을 건설할지니라.
>
> –「조선 혁명 선언」–

「조선 혁명 선언」의 핵심 내용은 "민중과 손을 맞잡아 끊임없는 폭력으로써 강도 일본의 통치를 타도하자."입니다. 의열단원으로 단장인 김원봉 외에 김익상, 김상옥, 나석주 등이 있는데, 김익상은 조선 총독부에, 김상옥은 종로 경찰서에, 나석주는 조선 식산 은행과 동양 척식 주식회사에 폭탄을 던졌죠.

특히 나석주의 의거는 드라마틱합니다. 나석주는 일제 수탈의 중심인 조선 식산 은행에 들어가 폭탄을 던지고 "대한 독립 만세!"를 외칩니다. 그런데 폭탄이 안 터집니다. 그래서 뛰쳐나와 두 번째 목표인 동양 척식 주식회사에 폭탄을 던집니다. 하지만 이번에도 폭탄이 터지지 않습니다. 남산 쪽으로 도망가다 일제 경찰에 의해 퇴로가 막힌 나석주는 일제 경찰과 총격전을 벌이다가 여의치 않자 마지막 총알로 스스로 목숨을 끊습니다. 자신의 목숨을 던져서라도 조국의 독립을 이루고자 했던 식민지 시대를 살았던 청춘들의 뜨거운 열망이 가슴을 뭉클하게 합니다.

1920년대 후반부터 의열단은 개인이 벌이는 의열 투쟁에 한계를 느낍니다. 일제의 요인 한 사람을 제거한다 한들 식민 통치에는 변화가 없으니까요. 그래서 조직적인 무장 투쟁으로 노선을 전환합니다. 김원봉을 비롯한 단원들은 중국의 군관 학교에 들어가 군사 교육을 받기도 하지요.

4 1920년대 국외 무장 독립 투쟁

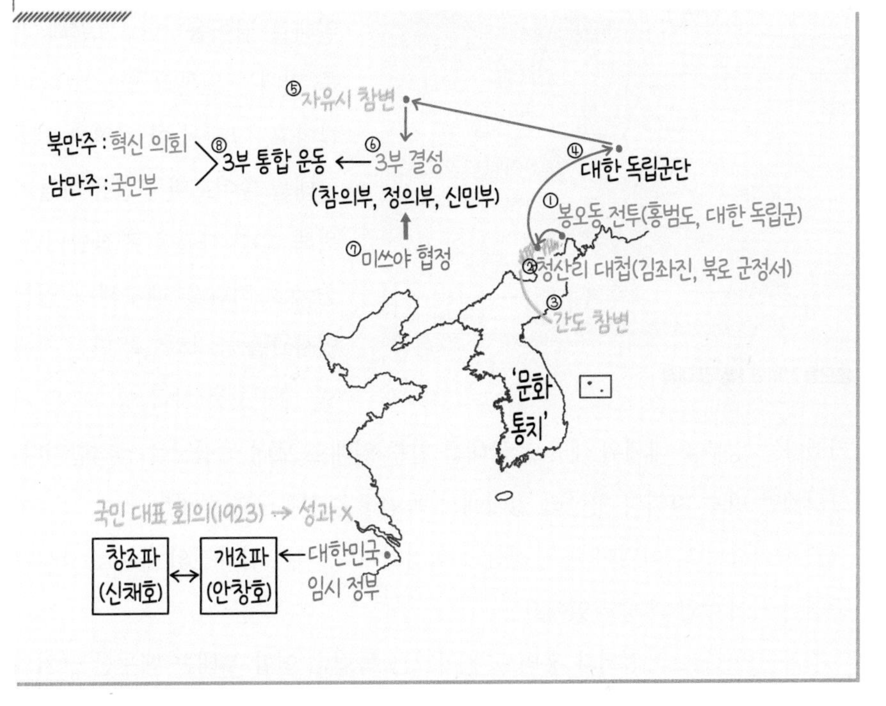

1920년대에 나라 밖에서는 무장 독립 투쟁이 거세게 전개되었습니다. 1910년대에 만주와 연해주 지역에 독립운동 기지를 만들고 인재를 기르고 군사 훈련에 힘쓴 결과 만주 삼원보 지역에서 서로 군정서, 북간도 지역에서 북로 군정서와 대한 독립군 등 독립군 부대가 결성됩니다.

지금부터 1920년대에 나라 밖에서 전개된 무장 독립 투쟁을 살펴보겠습니다.

: 봉오동 전투와 청산리 대첩

첫 번째로 두만강 쪽에서 벌어진 봉오동 전투를 보겠습니다. 홍범도가 이끄는 대한 독립군을 비롯한 독립군 연합 부대는 봉오동 계곡에서 일본군을 공격하여 승리를 거둡니다.

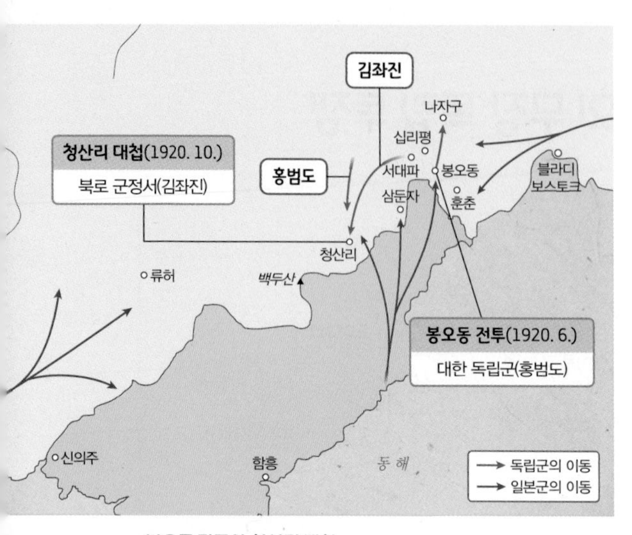

봉오동 전투와 청산리 대첩

봉오동 전투에서 패배하여 위기감이 커진 일본은 어마어마한 군대를 이끌고 압록강과 두만강 일대로 넘어옵니다. 그런데 만주 일대는 일본의 영토가 아니잖아요. 그래서 이 지역에 일본 군대를 들여보낼 구실을 만들기 위해 훈춘 사건을 조작합니다. 중국 마적단을 매수해서 일본 영사관을 공격하도록 만든 거예요. 그러고는 자국 영사관을 지키겠다는 명분을 내세워 대규모 군대를 만주 일대로 보내 독립군을 공격합니다. 그렇지만 만주 지역의 청산리 일대에서 독립군은 일본군과 한바탕 싸움을 벌여 크게 승리합니다. 이것이 바로 청산리 대첩입니다. 이는 김좌진의 북로 군정서가 중심이 되어 이끈 큰 승리였어요.

김좌진의 북로 군정서와 홍범도가 이끄는 독립군 연합 부대는 백두산 근처의 청산리 일대에서 보름 동안 이어진 10여 차례의 전투에서 일본군을 격퇴했습니다. 이때 독립군 부대는 신식 무기를 가진 1만여 명의 병사에 첩보전까지 탁월했던 일본 군대를 상대로 소규모 게릴라전을 벌여 엄청난 승리를 거두었지요.

: 자유시 참변과 3부 조직

일본군은 독립운동의 근거지를 없앤다며 간도의 한인(韓人) 마을을 초토화했는데, 봉오동 전투에 이어 청산리 일대의 전투에서도 대패하자 이에 대한 보복으로 간도의 한인 마을에 들어가 민가에 불을 지르고 주민들을 학살하는 만행을 저질렀습니다. 이 사건을 간도 참변(1920)이라고 합니다.

만주 지역 독립군 부대는 일본군의 계속되는 공격을 피하고 장기적인 항전을 준비하기 위해 중국과 러시아 국경 근처에 있는 밀산으로 이동하여 부대를 정비하고

대한 독립군단을 조직하지요. 그리고 약소민족의 독립운동을 지원하겠다는 러시아 적군(혁명군)의 약속을 믿고 러시아령 자유시로 이동합니다. 그런데 여기서 문제가 생겨요. 러시아 적군이 독립군에게 무장을 해제하고 자기네 지휘에 따르라고 요구합니다. 이를 거부한 독립군과 러시아 적군 사이에 총격전이 일어나 수백 명의 독립군이 희생되었어요. 이 사건이 자유시 참변(1921)입니다.

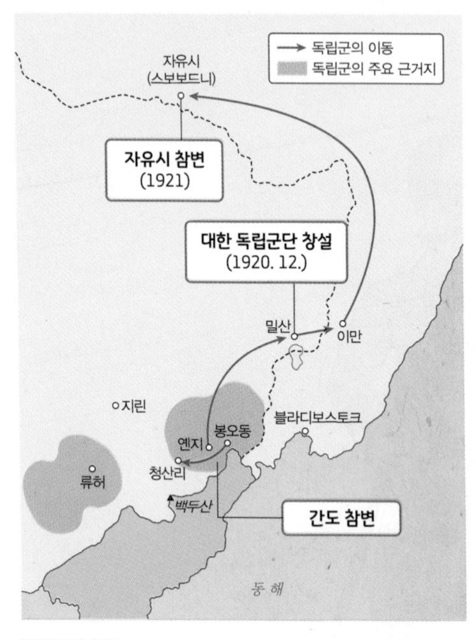

독립군의 이동

자유시 참변 이후 일부 독립군은 러시아 적군에 편입되었고 일부는 만주로 돌아왔어요. 만주로 돌아온 독립군은 참의부·정의부·신민부라는 3부를 결성하여 조직을 정비합니다.

이러한 움직임을 주시하던 일제는 만주 지역의 독립운동가를 색출하기 위해 현지의 중국 군벌과 미쓰야 협정(1925)을 맺습니다. 독립군을 잡아 일본군에 넘겨주면 포상금을 주겠다는 약속이었지요. 독립군은 일본의 검거망을 피해 다니기도 힘들었는데 이제 중국인도 조심해야 하는 상황에 맞닥뜨린 것입니다. 독립군의 활동이 위축될 수밖에 없었지요.

이 무렵에 국내에서는 민족 유일당 운동으로 민족주의 진영과 사회주의 진영의 연대 움직임이 진전되어 1927년에 신간회가 결성되었지요. 국외에서도 3부를 중심으로 독립운동 단체의 통합 움직임이 전개됩니다(3부 통합 운동). 그러나 완전한 통합을 이루지는 못한 채 남만주 지역에서는 국민부가 결성되고, 북만주 지역에서는 혁신 의회가 결성됩니다. 남만주 지역의 국민부는 조선 혁명당과 조선 혁명군을 조직했고, 북만주 지역의 혁신 의회는 곧 해체되지만 한국 독립당으로 계승되지요.

다시 한 번 정리해 보겠습니다. '봉오동 전투 → 훈춘 사건 → 청산리 대첩, 간도 참변 → 대한 독립군단 조직 → 자유시 참변 → 3부 결성 → 미쓰야 협정 → 3부 통합 운동 → 북만주의 혁신 의회, 남만주의 국민부 결성' 순으로 1920년대에 만주에서 무장 독립 투쟁의 흐름이 이어졌습니다. 순서에 유의해서 내용을 기억하기 바랍니다.

지도에서 독립군이 이동한 화살표를 한번 보세요. 이 화살표의 이동 거리는 수천 킬로미터입니다. 일제의 눈을 피해 밤에 만주의 칼바람을 맞으면서 눈 쌓인 곳을 헤치고 수천 킬로미터를 이동했을 독립군을 떠올려 보세요. 홍범도, 김좌진뿐만 아니라 그들을 따랐던 이름 없는 수많은 독립군이 조국의 독립을 위해 아무도 밟지 않은 눈길을 걸어가는 모습이 그려지나요? 이 화살표를 단지 시험 공부의 내용으로만 생각할 것이 아니라, 화살표의 길을 따라 수천 킬로미터를 힘겹게 걸어가고 있는 독립군의 모습을 떠올리며 그들의 마음을 한번쯤 헤아려 보면 좋겠습니다.

: 대한민국 임시 정부의 분열

1920년대 초에 연통제와 교통국이 일제에 발각되어 대한민국 임시 정부는 큰 어려움을 겪게 된다고 했지요? 게다가 임시 정부의 외교 활동이 큰 성과를 얻지 못하면서 민족 지도자들이 외교 독립론과 무장 투쟁론 등 독립운동의 노선을 두고 대립하여 갈등이 심해졌어요. 또 사회주의 진영과 민족주의 진영 간에 갈등도 나타났지요. 이러한 가운데 대한민국 임시 정부는 이승만이 국제 연맹에 위임 통치를 청원한 사건으로 혼란을 맞게 됩니다. 이 사건은 이승만이 미국 정부를 통해 국제 연맹에 한국을 맡아 달라는 청원서를 제출한 일을 말해요. 위임 통치 청원 사건이 알려지자 신채호 등 무장 투쟁론자들이 이를 문제 삼고 새로운 독립운동의 방향을 모색하기 위한 국내외 독립운동가들의 회의 소집을 요구합니다. 그래서 1923년에 상하이에서 국민 대표 회의가 개최되지요.

그런데 국민 대표 회의에서 창조파와 개조파가 대립합니다. 신채호로 대표되는 창조파는 임시 정부를 해산하고 새로운 조직을 만들어야 한다는 입장이었고, 안창호로 대표되는 개조파는 임시 정부의 조직을 개편하여 현재의 임시 정부 안에서 문제를 해결해 나가자는 입장이었어요. 창조파와 개조파의 대립으로 국민 대표 회의는 별다른 성과를 내지 못하고 끝이 납니다. 그 뒤 대한민국 임시 정부에 참여했던 많은 독립운동가들이 떠났고 대한민국 임시 정부는 고난의 시기를 맞게 되었습니다.

1930년대 이후 민족 문화 수호 운동

· 역사
- 민족주의 사학 : 정인보(얼) ← 1920년대 : 신채호(낭가), 박은식(국혼)
- 실증주의 사학 : 진단 학회(학보), 이병도
- 사회 경제 사학 : 발전, 보편 법칙 ⇒ 정체성론 X

· 브나로드 운동 – 심훈 『상록수』

· 조선어 학회 사건(1942) → 『우리말 큰사전』 X
- 조선어 연구회(1921~) : 가갸날, 『한글』

1930년대에 일제는 민족 말살 통치를 강화합니다. 일제가 어떻게든 한국인에게서 민족의식을 없애고 일본인으로 동화시키려 한 시기였기에 독립운동가들의 활동은 매우 조심스러웠어요. 이런 상황 속에서도 우리 것을 지키려는 노력이 이어집니다. 이를 민족 문화 수호 운동이라고 하는데, 어떻게 우리 문화를 지켰는지 살펴보도록 하겠습니다.

: 한국사 연구가 활발해지다

역사 분야부터 살펴보겠습니다. 일제가 자신들의 식민 지배를 정당화하고 우리 민족을 일본의 지배에 순응하게 만들기 위해 지속적으로 노력을 기울인 분야가 역사입니다. 그들은 우리 역사의 자율적이고 독자적인 발전을 부정하는 식민 사학과 식민 사관을 만들었지요. 이러한 일제의 식민 사관에 맞서 민족주의 사학, 실증주의 사학, 사회 경제 사학이 등장합니다.

민족주의 사학은 우리의 민족 정신을 강조합니다. 1910년대와 1920년대의 민족주의 사학은 신채호와 박은식이 이끌었지요. 신채호는 낭가 사상을 강조하는데 신라의 화랑도를 떠올리면 됩니다. 산천을 누비며 호연지기를 기르는 진취성에 바탕을 둔 것이 낭가 사상이지요. 박은식은 '국혼'을 강조합니다. 비록 나라는 잃었더라도 '국혼', 곧 민족정신만 잃지 않으면 나라를 되찾을 수 있다고 믿었지요.

이러한 민족주의 사학을 계승하여 1930년대에 정인보는 민족 정신으로 '얼'을 강조합니다.

실증주의 사학은 역사 연구에 있어서 실증적인 방법을 중시하는 역사학이에요. 실증주의 사학자들은 역사가의 주관적 해석을 배제하고 사실을 있는 그대로 기술해야 한다고 생각하여, 문헌 고증을 통해 객관적 사실을 밝히려는 경향을 띠었어요. 대표적인 실증주의 사학자로 이병도를 들 수 있지요. 이병도 등은 1934년에 진단 학회를 조직하여『진단 학보』를 발행했어요.

사회 경제 사학은 유물론의 영향을 받은 역사 연구의 경향이에요. 유물론은 역사는 필연적인 법칙에 의해 진보하는데 고대 노예제 사회, 중세 봉건제 사회, 근대 자본주의 사회, 마지막으로 사회주의 사회로 발전해 간다는 주장이에요. 사회 경제 사학자의 대표 인물인 백남운은『조선사회경제사』에서 유물론에 입각하여 우리 역사도 서양이나 일본 역사와 마찬가지로 이러한 법칙성을 가지고 발전했다고 강조합니다. 이는 우리 역사가 발전 없이 정체되었다는 일제 식민 사관의 정체성론을 정면으로 반박한 것이었지요.

: 우리말과 글을 지키다

국어 분야를 보겠습니다. 1920년대 후반부터 문맹 퇴치 운동이 일어나는데, 1930년대 들어서 '민중 속으로'라는 뜻을 가진 브나로드 운동이 전개됩니다. 이는 농촌 계몽 운동의 일종이었지요. 마을마다 야학을 세우고 한글을 가르쳐 문맹을 퇴치하는 데 목적을 두었어요. 심훈의 소설『상록수』는 브나로드 운동을 배경으로 한 소설로, 학생들이 농촌으로 가서 문맹 퇴치 운동을 벌이는 모습을 담았습니다.

브나로드 운동 포스터

일제의 탄압이 거세지는 상황에서도 많은 지식인이 저항의 불씨를 살리려고 노력했습니다. 물론 변절자도 여기저기 생겨났지만요.

조선어 학회 회원들

한글 맞춤법 통일안

1920년대 '문화 통치' 시기에 국어 연구에 관심이 높아집니다. 1921년에 조선어 연구회가 조직되어 잡지『한글』을 간행했고, 한글날의 전신인 '가갸날'을 제정했어요. 1930년대 들어서 조선어 연구회는 조선어 학회로 이름을 바꾸고『한글』을 기관지로 계속 간행하면서 한글 맞춤법 통일안을 제정합니다. 그리고『우리말 큰사전』편찬을 준비했는데, 원고가 마무리되어 가던 중인 1942년에 조선어 학회 사건이 일어나 완성하지 못했어요.『우리말 큰사전』은 광복 후에 출간됩니다.

6 1930년대 이후 국외 무장 독립 투쟁

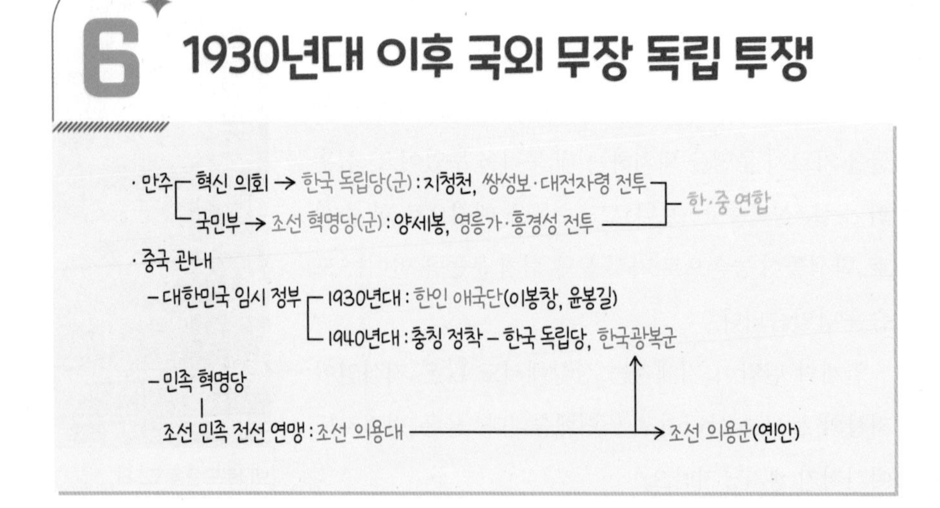

: 항일 연합 전선을 형성하다

1930년대 나라 밖에서 무장 독립 투쟁은 어떻게 전개되었는지 살펴볼게요.

만주 지역을 한번 볼까요? 1920년대 후반에 전개된 3부 통합 운동을 기억하지요? 3부 통합 운동의 결과로 북만주 지역에 혁신 의회가, 남만주 지역에는 국민부가 들어섰다고 했습니다. 1930년대 들어서 북만주 지역에서 혁신 의회를 계승하여 한국 독립당이 결성되었고, 남만주 지역의 국민부는 조선 혁명당을 만들었습니다. 한국 독립당과 조선 혁명당은 각각 한국 독립군과 조선 혁명군을 산하 부대로 두고 1930년대 국외 무장 독립 투쟁을 주도해 나갑니다.

지청천이 이끈 한국 독립군은 중국 호로군과 연합하여 쌍성보 전투와 대전자령 전투 등에서 승리를 거둡니다. 양세봉이 이끈 조선 혁명군은 중국 의용군과 연합하여 영릉가 전투와 홍경성 전투에서 승리를 거두지요.

여기서 중요한 것은 이러한 전투가 한국 독립군과 항일 중국군, 즉 한·중 연합 작전으로 치러졌다는 사실입니다. 그런데 1920년대 미쓰야 협정에 따라 우리 독립군을 잡아서 일본에 넘기던 중국인이 어떻게 우리와 손을 잡게 되었을까요? 1931년에 일본이 만주 사변을 일으키자 중국인은 일본이 중국의 적이라는 사실을 깨달았습니다. 그리하여 일제와 맞서 싸우는 한국 독립군과 손을 잡은 것이지요.

1930년대 초반에 만주에서 무장 독립 투쟁은 한·중 연합 작전으로 전개되었다는 것을 꼭 기억해야 합니다.

다음으로 중국 관내에서 이루어진 무장 독립 투쟁을 살펴볼게요.

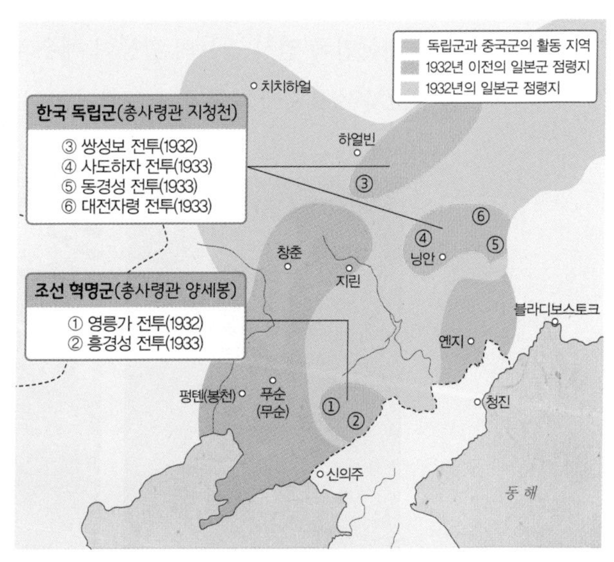

1930년대 만주 지역의 무장 독립 전쟁

일제의 만주 점령으로 만주 지역에서 활동이 어려워진 많은 독립운동 단체가 중국 관내로 이동합니다. 그리고 중국 관내에서 항일 전선을 하나로 만들자는 움직임이 나타나지요. 이에 의열단을 중심으로 민족주의와 사회주의계 단체들이 참여한 민족 혁명당이 결성됩니다. 하지만 김원봉 등 의열단 계열이 당을 주도하자 민족주의계 인사들이 당을 떠났지요. 그 뒤 민족 혁명당은 조선 민족 혁명당으로 개편되었고, 1937년에 중·일 전쟁이 일어나자 조선 민족 혁명당의 주도 아래 사회주의계 단체들이 연합하여 조선 민족 전선 연맹을 결성합니다. 이듬해 그 산하 부대로 중국 관내 최초의 한인 무장 부대인 조선 의용대를 창설하지요.

중국 국민당 정부의 지원을 받은 조선 의용대는 주로 정보를 수집하고 일본군의 후방을 교란하는 활동으로 중국군을 지원했어요. 그런데 일부 병력이 소극적인 항일 활동에 반기를 들고 중국 공산당이 일제와 싸우고 있는 화베이 지방으로 이동합니다. 이들은 조선 의용대 화북 지대를 결성하고 호가장 전투와 반소탕전에서 활약하여 큰 승리를 거둡니다. 그 뒤 사회주의자들을 중심으로 결성된 조선 독립 동맹의 군사 조직인 조선 의용군으로 재편되지요.

: 한인 애국단, 의열 투쟁을 펼치다

1920년대 대한민국 임시 정부의 활동이 매우 위축되었잖아요. 그래서 김구는 돌파구를 찾고자 1931년에 의열 투쟁 단체인 한인 애국단을 결성합니다.

이봉창(1901~1932)

윤봉길(1908~1932)

대표적인 한인 애국단원으로 이봉창과 윤봉길이 있어요.

이봉창은 1932년에 일본 도쿄에서 일왕이 탄 마차에 수류탄을 던졌으나 실패했어요. 같은 해에 윤봉길은 중국 상하이 훙커우 공원에서 열린 일본군의 기념식장에 폭탄을 던져 일본군 장성과 고관들을 처단합니다. 이를 계기로 중국 국민당 정부가 대한민국 임시 정부를 지원하게 되지요.

그러나 임시 정부는 윤봉길 의거로 피해를 입어 혈안이 된 일본의 수사망을 피해 상하이를 떠나 중국의 이곳저곳으로 옮겨 다녀야 했습니다.

: 광복을 준비하다

1940년에 충칭에 어렵게 정착한 임시 정부는 한국 독립당을 결성하고 정규군인 한국광복군을 창설합니다. 1942년에는 화베이 지방으로 이동하지 않은 김원봉 등 조선 의용대 병력이 한국광복군에 합류하여 힘을 보태지요. 한국광복군은 연합군의 일원으로 인도·미얀마 전선에 파견되기도 합니다. 또 미국 전략 정보국(OSS)과 협약을 맺어 국내 정진군을 조직하고 국내 진공 작전을 준비하지요.

충칭에서 체제가 안정되면서 대한민국 임시 정부는 조소앙이 주장한 삼균주의를 기초로 하여 건국 강령을 발표합니다. 이는 독립을 달성한 뒤에 세울 새로운 국가의 모습을 밝혀 놓은 것입니다. 기초가 된 삼균주의는 개인 간에는 교육과 경제면에서 평등해야 하고, 민족 간에는 자결주의를 지켜야 하고, 국가 간에는 불가침이 지켜져야 한다는 내용의 주장이었지요.

한편 1940년대 국내에서는 여운형을 중심으로 조선 건국 동맹이 결성되어 일제 패망 이후 광복에 대비하고 있었습니다.

지금까지 일제에 맞선 민족 운동에 대해 살펴봤습니다. 이러한 노력 끝에 우리는 1945년 8월 15일에 광복을 맞게 되지요. 광복 후 우리나라는 어떤 정치 형태를 선택하게 되었을까요? 1940년대에 활동한 조선 독립 동맹, 한국 독립당, 조선 건국 동맹이 같은 모습의 청사진을 보여 주었는데, 바로 민주 공화국이었지요. 광복 후 우리는 보통 선거를 통해 민주 공화제 정부를 수립하게 되지요.

일제 강점기 민족 운동의 전개

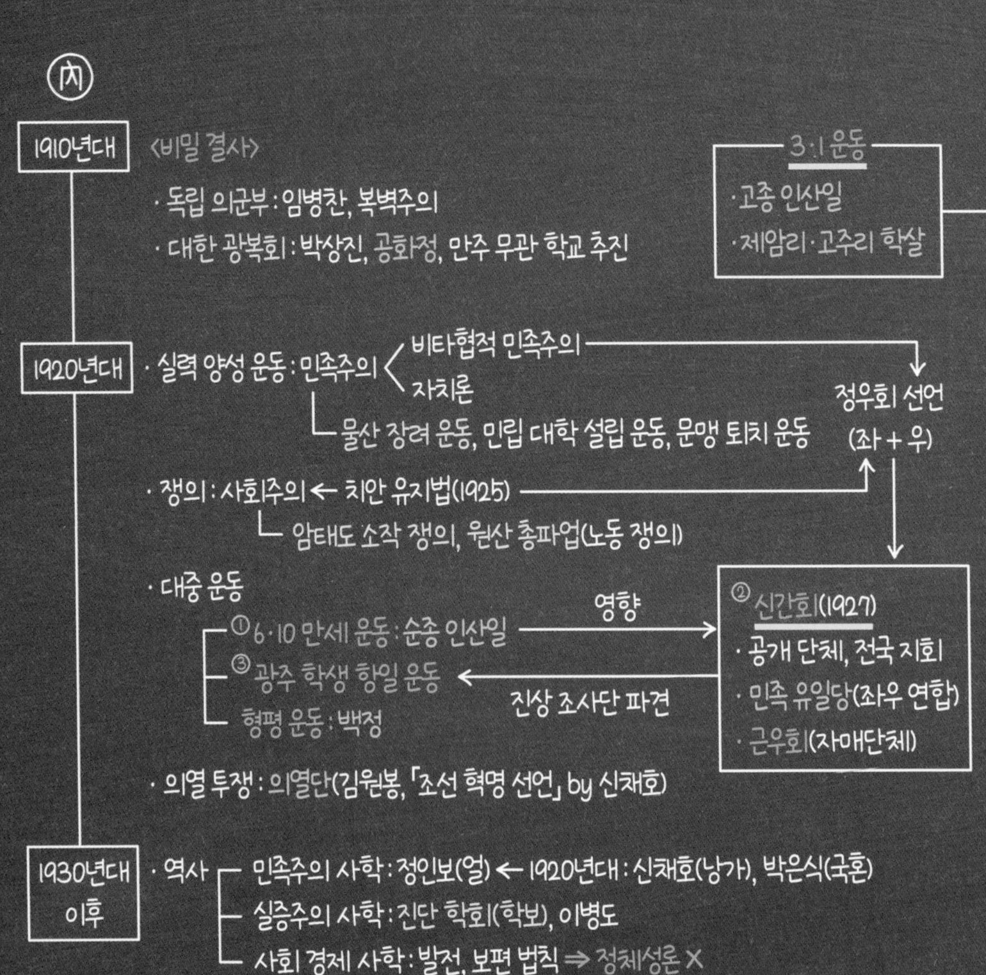

· 브나로드 운동 – 심훈 『상록수』

· 조선어 학회 사건(1942) → 『우리말 큰사전』 X

└ 조선어 연구회(1921~) : 가갸날, 『한글』

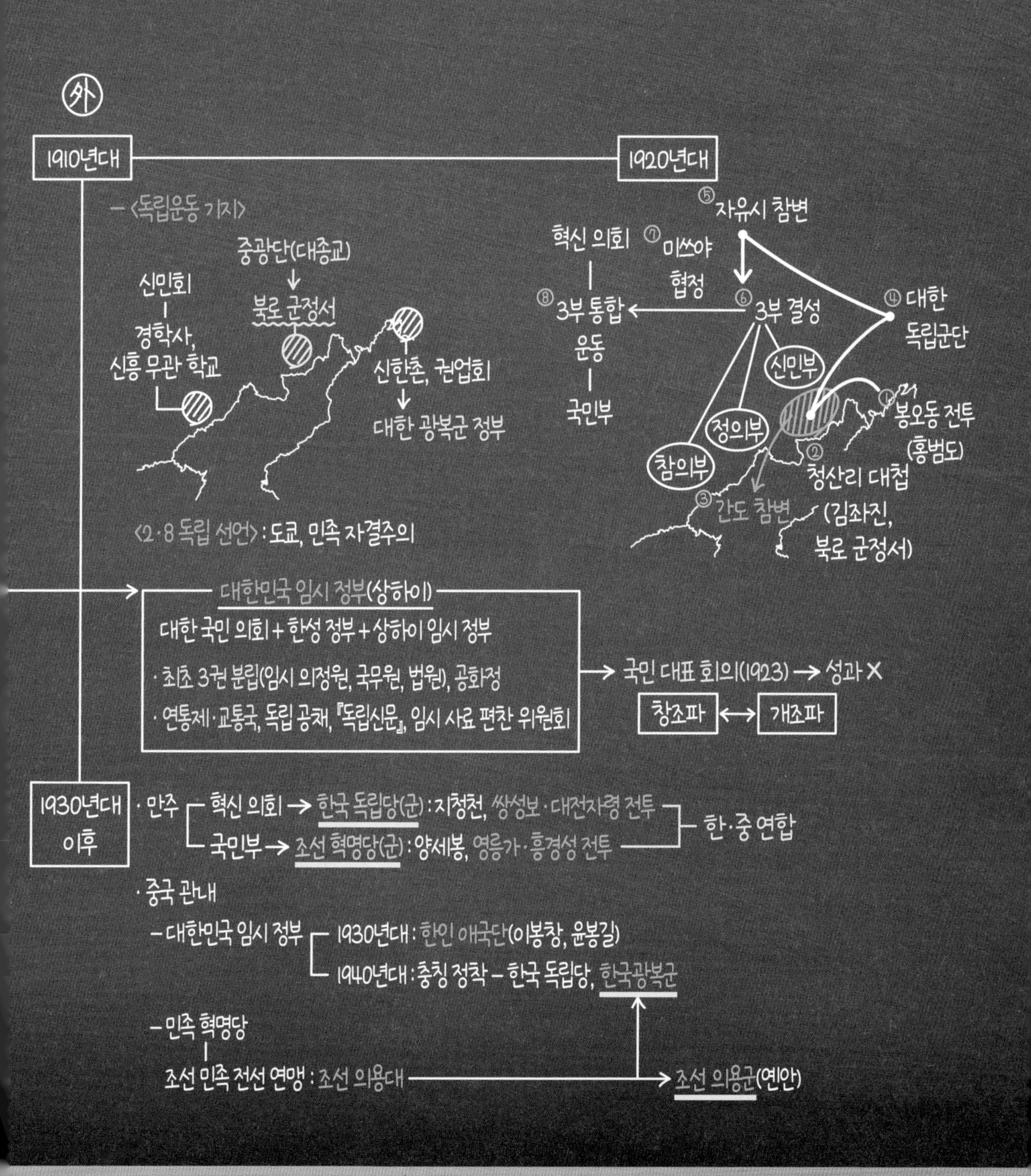

外
1910년대
1920년대
-〈독립운동 기지〉
중광단(대종교)
북로 군정서
신민회
경학사,
신흥 무관 학교
신한촌, 권업회
대한 광복군 정부
〈2·8 독립 선언〉: 도쿄, 민족 자결주의
⑤자유시 참변
혁신 의회
⑦미쓰야 협정
⑧3부 통합 운동
국민부
⑥3부 결성
④대한 독립군단
신민부
정의부
참의부
①봉오동 전투 (홍범도)
②청산리 대첩 (김좌진, 북로 군정서)
③간도 참변
대한민국 임시 정부(상하이)
대한 국민 의회 + 한성 정부 + 상하이 임시 정부
· 최초 3권 분립(임시 의정원, 국무원, 법원), 공화정
· 연통제·교통국, 독립 공채, 『독립신문』, 임시 사료 편찬 위원회
국민 대표 회의(1923) → 성과 X
창조파 ↔ 개조파
1930년대 이후
· 만주
혁신 의회 → 한국 독립당(군): 지청천, 쌍성보·대전자령 전투
국민부 → 조선 혁명당(군): 양세봉, 영릉가·흥경성 전투
한·중 연합
· 중국 관내
- 대한민국 임시 정부
1930년대: 한인 애국단(이봉창, 윤봉길)
1940년대: 충칭 정착 - 한국 독립당, 한국광복군
- 민족 혁명당
조선 민족 전선 연맹: 조선 의용대
조선 의용군(연안)

18

대한민국 정부 수립부터 6·25 전쟁까지

1 광복, 그러나 분단으로 가는 기차
2 대한민국 정부 수립
3 민족상잔의 비극, 6·25 전쟁

일제 강점기의 힘겨운 역사를 보내고 현대로 들어왔습니다.

자주독립을 향해 성큼 다가선 시점에서

갑작스레 광복을 맞이한 독립운동가들은

새 국가, 새 정부를 세우기 위해 분주하게 움직였지요.

하지만 38도선을 기준으로 이북은 소련군이, 이남은 미군이

분할 점령하면서 한반도는 걷잡을 수 없는 혼란에 빠지고

결국 민족상잔의 비극을 맞게 됩니다.

그 결과 우리는 아직도 분단된 조국에서 살고 있습니다.

광복부터 6·25 전쟁까지 격동의 역사 속으로 들어가 봅시다.

1 광복, 그러나 분단으로 가는 기차

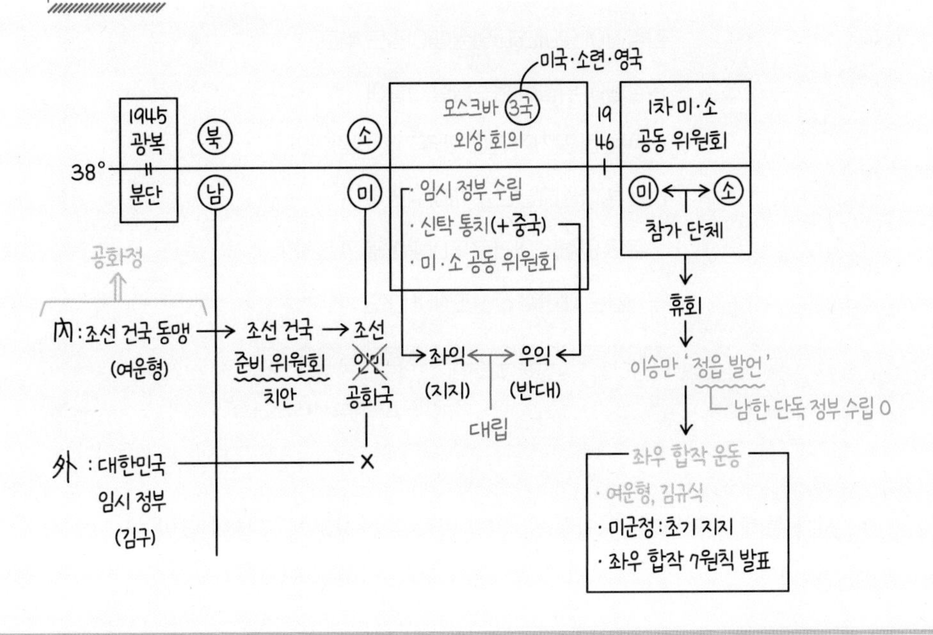

: 광복보다 먼저 온 분단

제2차 세계 대전의 전세가 연합국 쪽으로 기울어지자 국내외에서 일제의 패망 이후를 대비합니다. 1943년에 열린 카이로 회담에서 한국의 독립 문제가 처음 보장됩니다. 다만 적당한 때에 맞춰 독립시킨다는 꼬리표가 붙었지요. 그 뒤 1945년 2월에 열린 얄타 회담에서 소련이 대일 전쟁에 참여하기로 결정했고, 같은 해 7월에 미국·영국·중국의 정상이 포츠담 선언으로 카이로 선언에서 결정한 한국의 독립을 재확인하고 일본의 무조건 항복을 촉구합니다. 대일전 참여 결정에 따라 소련군이 내려와 일본군을 무장 해제하고 한반도 북부 지역을 점령합니다. 미국은 소련이 한반도 전역을 장악할지 모른다고 판단하여 소련에게 한반도를 둘로 나누어 점령하자고 제안합니다. 이에 38도선을 기준으로 이북 지역에는 소련군이, 이남 지역에는 미군이 들어오지요. 우리에게 광복보다 분단이 먼저 온 것이지요.

: 외세가 결정한 한반도의 운명

> 그날이 오면 그날이 오면은
>
> 삼각산이 일어나 더덩실 춤이라도 추고,
>
> 한강물이 뒤집혀 용솟음칠 그날이
>
> 이 목숨이 끊기기 전에 와 주기만 하량이면
>
> 나는 밤하늘에 날으는 까마귀와 같이
>
> 종로의 인경을 머리로 들이받아 울리오리다.
>
> 두개골은 깨어져 산산조각이 나도
>
> 기뻐서 죽사오매 오히려 무슨 한이 남으오리까.
>
> – 심훈, 「그날이 오면」 –

이 시를 통해서도 느낄 수 있듯이, 우리 민족은 간절하게 광복의 날만 기다리고 있었습니다.

광복을 맞아 서대문 형무소에서 풀려난 애국지사들

미국이 일본에 원자 폭탄을 투하한 뒤 일본은 무조건 항복을 선언했고, 1945년 8월 15일에 우리 민족은 꿈에 그리던 광복을 맞게 됩니다.

광복이 되자 여운형이 조선 건국 동맹을 중심으로 조선 건국 준비 위원회(건준)를 조직하여 발 빠르게 움직입니다. 건준은 갑작스레 일본이 패망하자 자칫하면 무정부 상태가 되어 치안이 불안해질 수 있는 상황을 대비하여 치안과 행정을 담당합니다. 그런데 이때 미군이 들어온다는 소식이 들리자 서둘러 건국을 선포합니다. 하루라도 빨리 나라의 구색을 갖춰야 미국과의 협상 테이블에서 유리할 것이라고 생각을 했던 거지요. 그래서 조선 인민 공화국을 선포하고 지방에 인민 위원회를 둡니다. 지금 북한의 공식 이름인 조선 민주주의 인민 공화국과 다르니 혼동하면 안 됩니다.

하지만 일본이 갑작스레 패망하고 제2차 세계 대전이 연합국의 승리로 끝나자, 미군과 소련군은 일본군의 무장 해제를 구실로 한반도에 점령군 형태로 들어옵니다. 일본의 패망을 직접적으로 이끌어 내는 데 우리가 한 역할이 크지 않았기 때문에 우리는 목소리를 내기 어려웠어요. 그래서 대한민국 임시 정부를 이끌던 김구는 일왕 히로히토가 무조건 항복한다고 하는 말을 라디오에서 들었을 때 마냥 기뻐할 수 없었다고 했어요. 이렇게 되면 우리가 국가 건설의 주도권을 갖지 못하고 강대국에게 휘둘릴 것이 뻔했기 때문이지요.

아니나 다를까 38도선 이남에 들어온 미국은 미군정 이외의 어떠한 행정 조직도 인정하지 않았습니다. 광복 직후 조선 인민 공화국을 선포하고 치안을 담당한 조선 건국 준비 위원회뿐 아니라 일제 강점기에 우리 민족의 대표이자 독립운동의 중심 역할을 수행한 대한민국 임시 정부마저 인정하지 않았지요. 이제 미국과 소련 등 강대국에 의해 한반도의 운명이 결정되는 상황에 놓인 것입니다. 여기서부터 우리 민족의 비극이 시작됩니다.

: 신탁 통치 안과 좌우 분열

1945년 12월에 미국, 영국, 소련이 한반도 문제를 논의하는 모스크바 3국 외상 회의를 열지요. 이 회의에서 한반도에 임시 민주 정부를 세우고 이를 논의하기 위해

미·소 공동 위원회를 설치할 것, 그리고 미국·소련·영국·중국 4국이 최대 5년 동안 신탁 통치할 것 등의 내용이 결정됩니다.

모스크바 3국 외상 회의의 주요 내용

1. 조선을 독립 국가로 재건설하며 조선을 민주주의적 원칙 아래 발전시키는 조건을 조성하고 가급적 속히 장구한 일본의 조선 통치의 참담한 결과를 청산하기 위해 …… 조선 민주주의 임시 정부를 수립할 것이다.
2. 조선 민주주의 임시 정부 구성을 원조할 목적으로 먼저 그 적당한 방책을 도출하기 위해 남조선 미군 사령부 대표자와 북조선 소련군 사령부의 대표자들로 공동 위원회가 설치될 것이다.
3. …… 공동 위원회의 제안은 최고 5년 기한으로 4개국 신탁 통치의 협약을 작성하기 위하여 미국, 영국, 소련, 중국 4국 정부의 공동 참작에 이바지하도록 조선 민주주의 임시 정부와 협의한 후 제출되어야 한다.

모스크바 3국 외상 회의의 결정 사항이 국내에 알려지자 신탁 통치 문제를 두고 좌우익 세력이 서로 다른 목소리를 내며 대립합니다. 좌익은 사회주의 세력이고 우익은 민족주의 세력이라고 보면 되는데, 당시 좌익의 대표 인물로 박헌영이 있었고 우익의 대표 인물로 김구, 이승만, 김성수 등이 있었습니다.

모스크바 3국 외상 회의 결정 안 지지 시위

신탁 통치 반대 운동

처음에는 좌익과 우익 모두 신탁 통치에 반대했어요. 왜냐하면 모스크바 3국 외상 회의 결정 사항 중 신탁 통치 내용만 전해졌거든요. 소식을 들은 국민들은 신탁 통치가 식민 지배와 다름없다고 생각했어요. 이제 겨우 일제로부터 독립했는데 또다시 외국이 통치권을 가져간다는 소식에 분노했지요.

그런데 모스크바 3국 외상 회의 결정 사항에는 신탁 통치 안과 더불어 임시 정부 수립 안이 포함되어 있다는 사실이 알려집니다. 임시 정부를 수립하는 것이 우선이라고 생각한 좌익 세력은 모스크바 3국 외상 회의의 결정을 총체적으로 지지하는 쪽으로 입장을 바꿉니다. 임시 정부가 수립되어 자주적으로 운영된다면 신탁 통치 기간은 얼마든지 줄일 수 있다고 믿은 것이지요.

그런데 우익 세력은 어떠한 경우에도 신탁 통치는 안 된다는 입장을 고수합니다. 어떻게 해서 얻은 독립인데 또 다른 외세의 지배 아래 놓인다니 말도 안 된다며 신탁 통치를 결사반대하지요. 이렇게 입장이 달라지면서 좌익과 우익은 극심하게 대립합니다. 모스크바 3국 외상 회의로 불거진 좌우의 격렬한 대립은 우리에게 두 가지 참혹한 결과를 안겨 줍니다.

첫 번째는 사람보다 이념이 더 우선시되었다는 것입니다. 좌우 대립이 심해지면서 서로에 대한 증오와 분노가 쌓여 이념을 위해서라면 사람을 죽여도 된다고 생각하게 된 것입니다. 결국 그 증오와 분노는 6·25 전쟁이라는 동족상잔의 비극을 낳게 되었지요.

두 번째는 정의를 바로 세우지 못했다는 것입니다. 이때 가장 먼저 했어야 하는 일은 일제에 빌붙어서 잘 먹고 잘살았던 사람들, 독립운동가를 잡아들이는 데 앞장섰던 명백한 민족 반역자, 곧 친일파의 죄를 철저히 묻고 처벌하는 일이었을 겁니다. 그런데 미군정이 들어서면서 행정 실무를 담당할 사람들이 필요하다며 친일 공무원을 그대로 씁니다. 이런 가운데 좌우 대립이 격렬해지자 눈치를 살피던 민족 반역자들이 슬며시 우익 진영에 줄을 섭니다. 그러고는 열렬한 반공주의자를 자처하며 순식간에 좌익 세력을 잡아들이는 애국 투사로 변신하는 모습들이 나타났어요. 이념을 우선시하다 보니 정의를 세우는 것은 나중 일이 되어 버린 것입니다.

한반도의 운명이 외세에 의해 결정되다 보니 이렇게 가슴 아픈 일이 벌어진 것입니다.

좌우 세력의 대립은 1946년에 열린 삼일절 기념행사마저 슬픈 장면으로 만들어 버립니다. 광복 후 처음으로 맞은 삼일절이니 우리 민족에게 엄청난 의미가 있는 날이었지요. 1919년 3월 1일에 대한 독립 만세를 외쳤던 그 많은 사람이 해마다 3월 1일이 되면 가슴속에 숨겨 둔 태극기를 만지작거리면서 1919년 당시를 회상하고 독립을 꿈꿔 왔을 겁니다. 비로소 꿈에 그리던 광복을 이룬 뒤 처음 맞는 3월 1일은 얼마나 기쁜 날이었을까요? 그런데 그 삼일절 기념행사를 좌익 진영은 남산 쪽에서, 우익 진영은 동대문 쪽에서 따로따로 진행합니다. 그것도 모자라서 행사가 끝난 뒤 양측이 서로 충돌하는 가슴 아픈 모습을 보입니다. 그만큼 당시 좌우의 이념 대립이 심각했다는 것을 알겠지요? 1946년 3월 1일의 모습은 분단 상황을 맞게 되는 우리 민족의 운명을 예고한 게 아니었을까 하는 생각이 듭니다.

: 미·소 공동 위원회와 좌우 합작 운동

이제 모스크바 3국 외상 회의의 결정대로 미·소 공동 위원회(미·소 공위)를 열어야겠죠? 1946년 3월 20일 제1차 미·소 공위가 열리는데, 임시 정부 수립을 위한 협의에 참가할 한국 내 단체 선정을 놓고 미국과 소련은 의견 일치를 보지 못합니다. 소련이 모스크바 3국 외상 회의의 결정을 지지하지 않는 단체나 정치 세력을 협의에 참여시킬 수 없다고 주장합니다. 반면 미국은 어차피 한국인의 대부분이 모스크바 3국 외상 회의의 원칙에 반대하는 상황인데 의사 표현의 자유를 인정하고 참여를 원하는 모든 단체와 정치 세력을 받아들이자고 주장합니다.

미국은 우익 쪽에 단체가 많으니 그 단체들을 모두 참여하게 해 자신들에게 유리하게 끌고 가려는 의도였고, 소련도 모스크바 3국 외상 회의의 결정을 반대하는 우익 쪽을 배제하고 총체적 지지를 밝힌 좌익 쪽 단체만 참여하게 해 자신들에게 유리하게 만들겠다는 계산이었지요. 철저하게 미국과 소련 두 나라의 이익에 따라 움직인 겁니다. 결국 미국과 소련은 합의에 이르지 못했고 미·소 공동 위원회는 기한을 정하지 않고 휴회합니다.

이렇게 미국과 소련이 입장 차이를 좁히지 못하고 있는 상황에서 이승만의 정읍 발언이 나옵니다. 사실 이승만은 정치적 감각이 뛰어난 사람입니다. 이승만은 당시 상황을 볼 때 미국과 소련은 결코 합의하지 못할 거라고 판단한 거예요. 게다가 이 무렵에 북한 지역에서는 북조선 임시 인민 위원회가 구성되어 무상 분배·무상 몰수 방식의 토지 개혁과 친일파 처단이라는 사회주의 개혁이 비교적 활발하게 진행되고 있었어요. 소련과 사회주의 세력은 사회주의 국가 건설을 목표로 착착 일을 진행하고 있었지요. 이런 상황이 되자 이승만은 남한만이라도 빨리 정부를 구성하여 소련을 격퇴하자는 내용의 정읍 발언을 한 것입니다.

이승만의 정읍 발언(1946. 6.)

이제 우리는 무기 휴회된 공위(미·소 공동 위원회)가 재개될 기색도 보이지 않으며, 통일 정부를 고대하나 여의케 되지 않으니, 우리는 남방(남한)만이라도 임시 정부 혹은 위원회 같은 것을 조직하여 38도선 이북에서 소련을 철퇴하도록 세계 공론에 호소하여야 할 것이니 여러분도 결심하여야 할 것이다.

지금까지 비록 좌익과 우익이 부딪히기는 했지만, 그것이 남북 분단을 기정사실화하는 방향으로 확대 진행되지는 않았지요. 그런데 이승만의 정읍 발언이 나오자 지식인 사이에서 이대로 가면 한반도가 분단될 수도 있겠다는 위기의식이 생겨납니다. 그리하여 일어난 것이 좌우 합작 운동입니다.

좌우 합작 운동을 추진한 세력은 좌익과 우익의 양 극단에 있는 인물들, 곧 좌익의 박헌영이나 우익의 이승만, 김구가 아니라 중간쯤에 있는 인물들이었어요. 좌익 쪽에서는 여운형이, 우익 쪽에서는 김규식이 좌우 합작 운동을 이끕니다. 좌우 합작 운동 초기에는 미군정도 지지합니다. 미군정은 북한 지역에서 사회주의 국가 수립을 위한 일이 착착 진행되고 있어 불안했거든요. 남한 지역의 혼란을 빨리 수습하고 싶었지요. 그래서 좌우익의 극단에 있는 지도자보다는 여운형이나 김규식 같은 중도 세력을 밀어주는 것이 빠른 안정을 위해서 도움이 되겠다고 판단한 것입니다.

미군정의 지지 속에서 좌우 합작 위원회는 임시 정부 수립, 미·소 공동 위원회 재개, 유상 매입·무상 분배 방식의 토지 개혁 등의 내용을 담은 좌우 합작 7원칙을 발표했어요. 그런데 박헌영이나 김구, 이승만 등의 정치 거물들이 참여하지 않아 제대로 동력을 얻지 못합니다. 게다가 신탁 통치 문제, 토지 개혁 문제, 친일파 처단 문제 등 사안마다 좌우가 입장 차이를 보이며 대립하였죠. 그러던 중 냉전 체제가 격화되면서 미군정도 좌우 합작 운동에 대한 지원을 철회합니다. 결국 1947년에 여운형이 우익의 한 청년에게 암살되자 그 여파로 좌우 합작 운동은 실질적으로 끝이 납니다.

2 대한민국 정부 수립

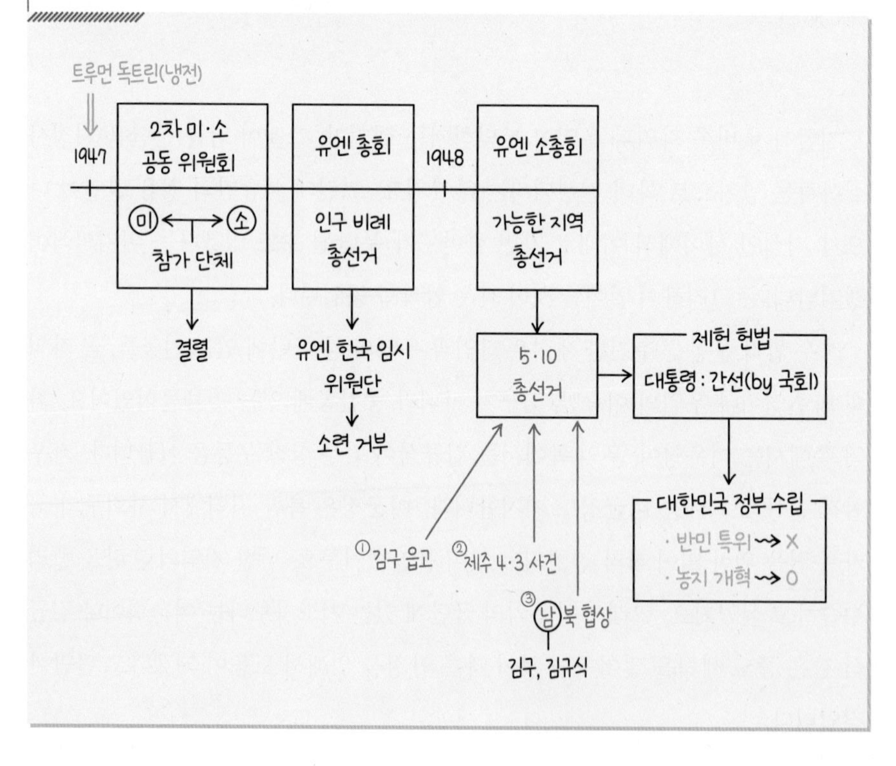

: 단독 총선거를 둘러싼 대립

1947년 3월, 미국에서 트루먼 독트린이 발표됩니다. 이는 공산주의가 전 세계로 퍼져 나가는 것을 막기 위해 자본주의를 따르는 나라에 경제적·군사적 지원을 하겠다는 내용으로 냉전의 시작을 알리는 선언이었지요. 이제 미국과 소련은 완전히 등을 돌리게 됩니다. 이처럼 미국과 소련이 냉전 체제로 들어간 시점인 1947년 5월에 제2차 미·소 공동 위원회가 열립니다. 두 나라는 여전히 협의에 참여할 단체 선정을 놓고 입장 차이를 좁히지 못했어요. 결국 미·소 공동 위원회는 완전히 결렬되고 맙니다.

미·소 공동 위원회에서 합의가 어렵다고 판단한 미국은 단독으로 한반도 문제를 유엔으로 이관했고, 유엔 총회에서 인구 비례에 따른 남북한 총선거를 결의합니다. 총선거 실시를 위해 유엔 한국 임시 위원단이 파견되자 소련은 위원단의 북한 입국을 거부합니다. 총선거를 치러 봐야 인구가 상대적으로 적은 북한 쪽에 불리한 결과가 나올 것이 뻔했으니 받아들일 이유가 없었겠죠. 그래서 이 문제는 다시 유엔 소총회로 넘어가고, 유엔 소총회에서 가능한 지역에서만이라도 총선거를 치르라고 결정합니다. 그래서 실시된 것이 5·10 총선거입니다.

그런데 소련이 유엔의 결정을 거부하고 좌익 세력이 반대하는 상황에서, 가능한 지역에서 총선거를 치르라는 것은 결국 남한에서만 총선거를 하자는 이야기잖아요. 어찌 보면 이승만의 예견이 현실화되는 것이죠. 5·10 총선거를 밀어붙이면 남북한에 각각 다른 정부가 들어서고 결국 분단되는 것은 뻔한 일이었어요. 그래서 좌익 세력뿐만 아니라 일부 우익 세력도 5·10 총선거에 반대합니다. 이러한 사례를 하나씩 살펴볼까요?

첫 번째는 김구의 성명서 발표입니다. 김구는 "나는 통일된 조국을 건설하려다가 38도선을 베고 쓰러질지언정 남한만의 단독 정부 수립에는 절대 참여하지 않겠다."는 내용의 성명서를 발표합니다. 이 성명서를 「삼천만 동포에게 읍고함」이라고 부르지요. 이 연설은 수많은 사람의 심금을 울렸어요. 김구는 단독 정부가 수립되면 남북 분단이 고착될 것임을 알고 있었던 거예요. 김구가 정치가로서 가장 돋보였던 순간이 이때가 아닐까 하는 생각이 듭니다.

두 번째는 제주 4·3 사건입니다. 이 사건은 1947년에 있었던 삼일절 기념행사에서 시작되었어요. 행사 뒤에 미군정에 불만을 표출하는 시가행진이 있었는데, 이 과정에서 벌어진 사소한 일로 경찰이 발포하여 여러 명의 사상자가 발생했어요. 분노한 주민들이 책임자 처벌 등을 요구하며 시위에 나선 가운데 좌익 세력의 주도로 반경찰 활동이 전개되고 대규모 총파업도 일어납니다. 이런 혼란 속에서 5·10 총선거가 결정되었다는 소식까지 들려왔어요. 이에 1948년 4월 3일 좌익 세력을 중심으로 제주 주민들이 총선거에 반대하는 무장봉기를 일으킵니다. 그러자 군과 경찰, 우익 단체들이 공산주의자 색출에 나섭니다. 이 과정에서 수많은 무고한 제주 주민이 희생되었지요. 그래서 제주도에는 집집마다 제삿날이 똑같은 마을이 있습니다. 마을 사람들이 한날한시에 몰살되었다는 거죠. 사람보다 이념을 우선시하여 벌어진 제주 4·3 사건은 이념 대립이 얼마나 비극적인 결과를 가져오는지 일깨우는 아픈 역사입니다.

세 번째는 김구와 김규식이 남북 협상을 위해 평양으로 간 일입니다. 김구와 김규식은 북측의 김일성과 김두봉에게 민족 분열을 막기 위한 남북 정치 단체 대표자 회의를 제안합니다. 그리고 1948년 4월 평양에서 연석 회의를 진행하여 남북 통일 정부 수립을 약속하고 돌아옵니다. 하지만 남북 협상은 실행을 위한 실제적 방안을 마련하지 못한 채 실패하고 이후 김구는 암살을 당하지요.

남북 협상을 위해 38도선을 넘는 김구 일행

: 대한민국 정부가 출발하다

이렇게 남북 분단을 막기 위해 5·10 총선거에 반대하는 움직임이 일어났지만 흐름은 바뀌지 않았지요. 우여곡절 끝에 1948년 5월 10일에 우리나라 최초의 보통선거인 5·10 총선거가 치러집니다. 총선거는 국회 의원을 뽑는 선거를 말해요.

그런데 왜 국회 의원을 먼저 뽑았을까요? 국회 의원은 입법, 곧 법을 만드는 사람이잖아요. 나라를 출발시키려면 우선 헌법이 있어야 하니까 그 법을 만들기 위해 입법 기관인 국회를 먼저 구성한 거지요.

5·10 총선거를 통해 2년 임기의 국회 의원이 선출됩니다. 이 초대 국회를 헌법을 만든 국회라는 뜻으로 제헌 국회라고 하고, 제헌 국회에서 제정한 우리 최초의 헌법이 제헌 헌법이 되는 거예요.

제헌 헌법의 주요 내용

유구한 역사와 전통에 빛나는 우리들 대한국민은 기미 삼일 운동으로 대한민국을 건립하여 세계에 선포한 위대한 독립 정신을 계승하여 이제 민주 독립 국가를 재건함에 있어서 ……

제1조 대한민국은 민주 공화국이다.

제2조 대한민국의 주권은 국민에게 있고 모든 권력은 국민으로부터 나온다.

제31조 입법권은 국회가 행한다.

제53조 대통령과 부통령은 국회에서 무기명 투표로써 각각 선거한다.
전항의 선거는 재적 의원 3분지 2 이상의 출석과 출석 의원 3분지 2 이상의 찬성 투표로써 당선을 결정한다.

제76조 사법권은 법관으로써 조직된 법원이 행한다.

제101조 이 헌법을 제정한 국회는 단기 4278년 8월 15일 이전의 악질적인 반민족 행위를 처벌하는 특별법을 제정할 수 있다.

제102조 이 헌법을 제정한 국회는 이 헌법에 의한 국회로서의 권한을 행하며 그 의원의 임기는 국회 개회일로부터 2년으로 한다.

제헌 헌법은 삼권 분립과 대통령제를 원칙으로 하고, 대통령은 국민이 선출한 국회 의원들이 뽑는 간선제 방식을 채택했어요. 헌법에 따라 초대 대통령으로 이승만이 선출되고, 드디어 1948년 8월 15일에 대한민국 정부 수립이 선포됩니다. 대한민국이라는 국호는 이미 1919년 3·1 운동을 계기로 등장했지요? 3·1 운동을 계기로 대한민국 임시 정부가 출범했잖아요. 그래서 대한민국 헌법 전문에는 3·1 운동으로 건립된 대한민국 임시 정부를 계승한다는 내용이 명시되어 있어요. 1919년의 대한민국은 영토를 빼앗긴 상태였지만, 1948년의 대한민국은 온전한 나라의 모습을 갖추어 출발합니다.

: 청산하지 못한 역사, 청산해야 할 역사

이렇게 출발한 대한민국에는 무엇보다 먼저 해야 할 일이 두 가지 있었습니다. 하나는 이 땅에 정의를 세우는 것이고, 또 하나는 일제 강점기에 너무나도 큰 고통을 받은 국민의 경제 기반을 마련해 주는 것이었습니다.

앞에서도 이야기했듯이 1945년 광복과 함께 가장 먼저 해야 할 일은 이 땅에 정의를 바로 세우는 것이었습니다. 일제에 빌붙어 독립 투사들을 잡아들인 민족 반역자들에게 역사의 죄를 묻는 것이었지요. 그런 나쁜 짓을 하면 역사의 준엄한 단죄가 따른다는 것을 똑똑히 보여 줘야 다시는 그런 일이 반복되지 않을 테니까요. 그래서 제헌 국회는 1948년에 반민족 행위 처벌법(반민법)을 제정하고 반민족 행위 특별 조사 위원회(반민 특위)를 설치합니다.

반민족 행위 처벌법

제1조 일본 정부와 통모하여 한·일 합병에 적극 협력한 자, 한국의 주권을 침해하는 조약 또는 문서에 조인한 자와 모의한 자는 사형 또는 무기 징역에 처하고 그 재산과 유산의 전부 혹은 2분의 1 이상을 몰수한다.

제3조 일본 치하 독립운동자나 그 가족을 악의로 살상·박해한 자 또는 이를 지휘한 자는 사형, 무기 또는 5년 이상의 징역에 처하고 그 재산의 전부 혹은 일부를 몰수한다.

– 「대한민국 관보」, 1948 –

그런데 반민 특위는 이승만 정부의 비협조적인 태도로 그 역할을 제대로 하지 못합니다. 이승만 정부를 뒷받침하고 있는 세력 중에는 친일 인사가 많이 포함되어 있었거든요. 이승만 정부는 북한이 위협하고 있는 상황에서 행정 실무 능력을 갖춘 사람들을 친일파라고 해서 다 잡아들이면 대한민국이 제대로 움직일 수 없다는 논리를 내세웠어요. 그리고 국회에 반민법 개정을 요구해 반민족 행위자에 대한 공소 시효를 축소하는 방식을 써 반민 특위를 와해합니다.

독일의 경우, 나치 활동을 했던 사람들에 대한 공소 시효가 없습니다. 지금도 90세 넘은 할아버지가 나치 활동을 했던 사실이 발각되어 법정에 세워졌다는 뉴스가 나오기도 하잖아요. 그런데 우리는 그러지 못했어요. 반민 특위가 제대로 활동하지 못하면서 친일파 청산을 통한 역사 바로잡기의 기회를 놓쳐 버립니다.

두 번째 과제인 국민의 경제 기반을 마련해 주는 일, 그것은 농지 개혁으로 추진됩니다. 농지 개혁은 반민 특위의 활동에 비하면 나름의 성과를 거둡니다. 이에 대해서는 현대의 경제 파트에서 자세히 살펴볼게요.

그토록 애타게 기다렸던 광복. 하지만 우리는 광복보다 분단이 먼저 시작되고 외세에 의해 우리 운명이 결정되는 것을 봤습니다. 이제 이런 상황이 전쟁이라는 비극으로 치닫는 것을 보게 될 것입니다. 아픈 역사이지만 우리는 이 과정을 잘 기억해 두어야 합니다. 그래야 다시는 이런 실수를 반복하지 않을 테니까요.

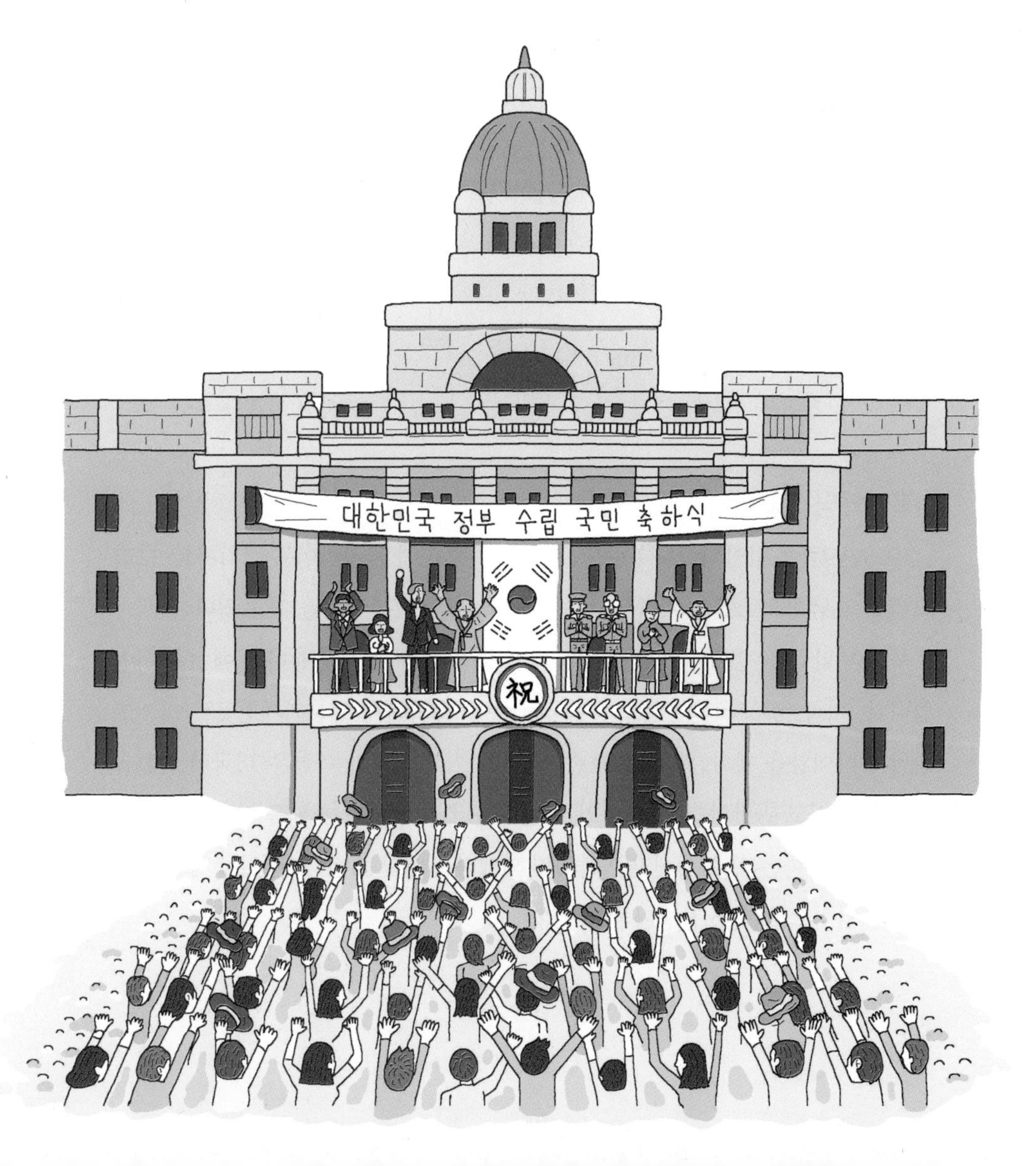

민족상잔의 비극, 6·25 전쟁

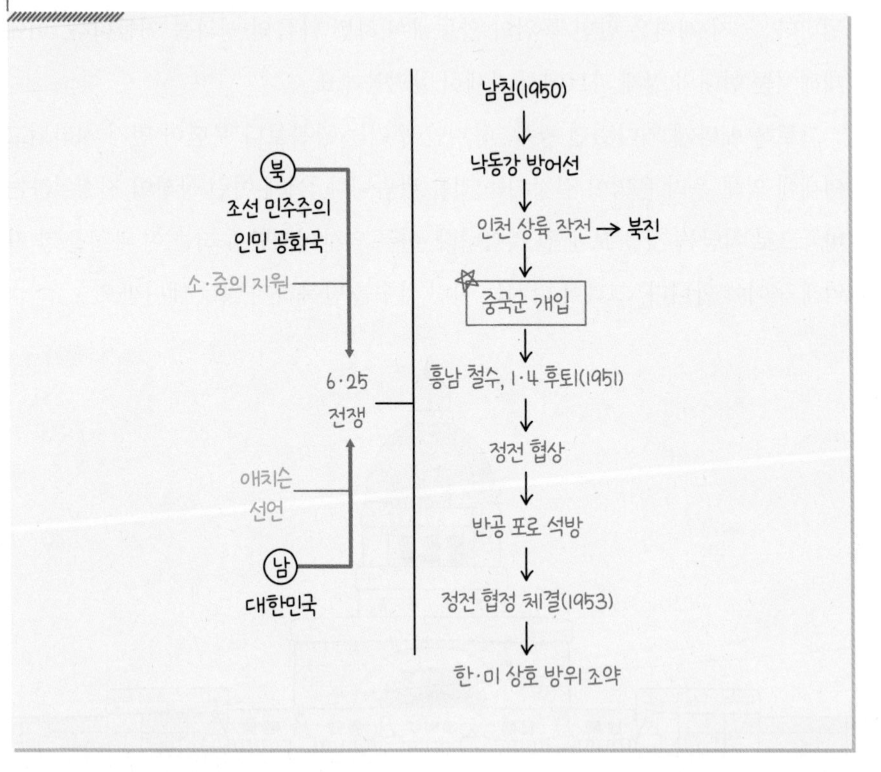

: 북한의 남침과 비극

1948년 9월에 김일성이 이끄는 조선 민주주의 인민 공화국이 수립되지요. 그리고 북한의 남침으로 우리 민족은 동족상잔의 비극, 6·25 전쟁을 겪게 됩니다.

북한이 남침을 결정하게 된 중요한 계기 중 하나가 1950년에 나온 애치슨 선언입니다. 미국 국무장관 애치슨이 미국의 극동 방어선에 일본까지만 포함시키고 한국과 타이완을 제외한다고 발표한 겁니다. 소식을 접한 북한은 '미국이 남한을 버린 것'이라고 판단하지요. 게다가 소련과 중국이 군사적 지원을 약속한 상태였기 때문에 북한은 이 기회에 밀어붙이면 되겠다는 판단을 합니다. 결국 북한의 기습적인 남침으로 6·25 전쟁이 발발합니다.

북한군은 거침없이 밀고 내려왔습니다. 서울을 함락하더니만 낙동강 유역까지 진출하지요. 한편 유엔은 북한을 침략자로 규정하고 참전을 결의하여 유엔군을 파견합니다. 국군과 유엔군은 낙동강 방어선을 구축하고 북한군과 치열한 전투를 벌여 남하를 저지하지요. 이어 인천 상륙 작전에 성공하여 전세를 역전합니다. 서울을 되찾고 1950년 10월 1일에는 38도선을 넘었으며, 그 뒤 평양을 접수하고 단숨에 압록강까지 진격합니다.

그런데 이때 중국군이 개입하지요. 중국군의 개입은 6·25 전쟁 전개 상황의 중요한 전환점입니다. 중국군에게 밀린 국군과 유엔군은 흥남 철수를 단행했고, 다시 서울을 포기하고 남쪽으로 후퇴해야 했지요. 이를 1·4 후퇴라고 합니다. 그 뒤 국군과 유엔군은 총공세를 펴 서울을 되찾고, 38도선을 사이에 두고 공방전을 벌입니다. 이러한 가운데 소련의 제안으로 정전(휴전) 협상이 시작됩니다.

6·25 전쟁의 전개 과정

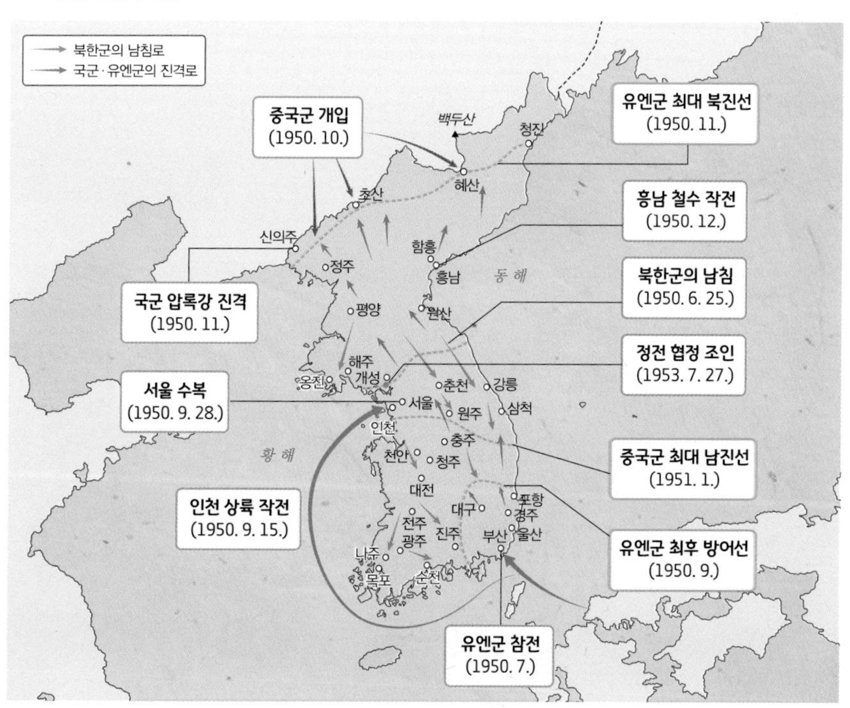

: 과제를 남기고 전쟁을 멈추다

정전 협정은 쉽게 이루어지지 않았습니다. 무려 2년이나 협상이 지속되었지요. 영토 문제나 포로 교환 같은 예민한 문제에 대해 좀처럼 의견 차가 좁혀지지 않았기 때문이에요. 게다가 이승만 정부는 조금만 더 도와주면 이길 수 있는데 왜 정전을 하느냐며 정전 협상을 거부합니다. 그리고 반대의 뜻으로 북한에 돌아가지 않겠다는 반공 포로들을 석방했지요. 반공 포로는 국군이나 유엔군에게 잡힌 포로 중에 공산주의를 반대하는 사람을 말하는데, 이승만이 엄청난 베팅을 한 것이죠. 특히 포로 교환은 정전 협상 과정에서 상당히 예민한 문제였어요. 포로를 해당 국가로 자동 송환할 것이냐, 아니면 개인의 자유의사에 따라 송환할 것이냐를 두고 미국과 소련이 격렬하게 부딪치고 있었거든요.

그런데 이승만이 미국과 협의 없이 독단적으로 반공 포로를 풀어 준 거예요. 이 일로 미국은 이승만 정부를 붕괴시킬 계획까지 세웁니다. 그런데 앞에서도 이야기했듯이 이승만은 정치적 감각이 굉장히 뛰어난 사람으로 돌아가는 판을 잘 읽었어요. 사실 미국은 아직 전쟁이 끝나지 않은 상황에서 남한에서 미군을 지원하며

정전 협정 체결(1953. 7. 27.)

공산주의와 맞설 지도자가 필요했는데 이승만 정부 외에는 대안이 없었거든요. 이승만은 그것을 잘 알고 있었던 겁니다. 결국 미국도 이런 판단 속에서 이승만 정부에게 원하는 것이 무엇인지를 묻습니다. 이승만 정부는 경제 원조와 한반도 안보를 위해 주한 미군의 주둔을 요구했고 미국은 이를 받아들이지요.

결국 1953년 7월에 판문점에서 정전 협정이 체결되어 우리 민족에게 큰 상처를 남긴 전쟁이 이렇게 마무리됩니다. 같은 해 10월에 한국과 미국은 한·미 상호 방위 조약을 체결합니다. 이에 따라 미군은 한국에 계속 주둔하게 되었지요.

6·25 전쟁은 우리 민족끼리 서로에게 총을 겨누고 상처를 입힌 비극입니다. 전쟁은 어떠한 경우에도 어떠한 명분을 대더라도 정당화될 수 없습니다. 6·25 전쟁 당시 서울의 모습을 예로 들어 보겠습니다. 전쟁이 시작된 지 3일 만에 수도 서울이 북한군에게 함락됩니다. 그런데 인천 상륙 작전으로 국군과 유엔군이 수복하지요. 그리고 중국군이 참전하면서 또다시 북한군에게 점령되었다가 결국에는 국군이 다시 탈환합니다.

이처럼 전쟁으로 서울의 주인이 몇 번이나 바뀌는 상황에서 거기에 살고 있는 사람들은 어찌해야 했을까요? 6·25 전쟁 당시의 모습을 찍은 사진 중에 한 할아버지가 태극기와 인공기 두 개를 들고 거리에 서 있는 모습을 담은 것이 있습니다. 살기 위해서 어떤 깃발을 흔들어야 할지를 모르는 상황인 거지요. 어느 것을 흔드느냐에 따라 그 할아버지는 죽을 수도 살아남을 수도 있었기에. 그 한 장의 사진에 담긴 모습, 그것이야말로 6·25 전쟁의 비극적인 모습을 압축적으로 보여 주는 장면이 아닐까 생각합니다. 다시는 이런 일이 반복되어서는 안 되겠습니다.

대한민국 정부 수립부터 6·25 전쟁까지

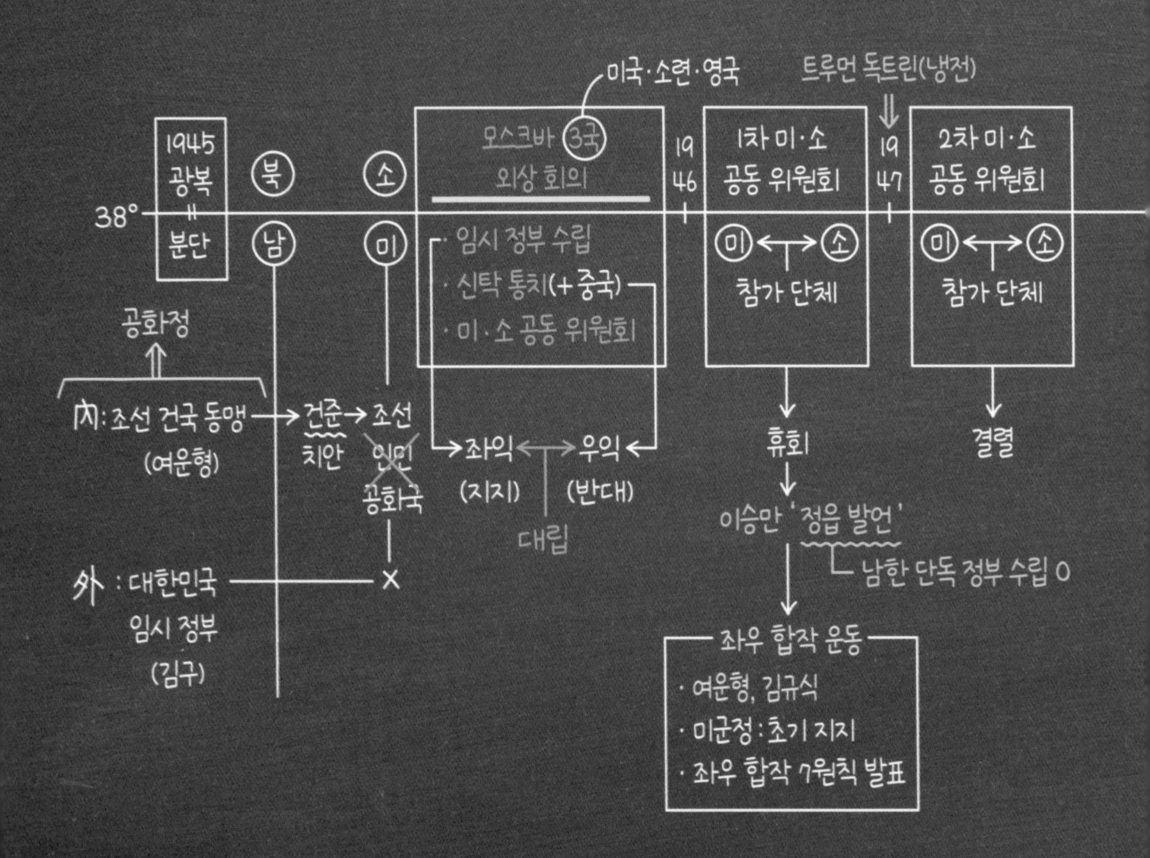

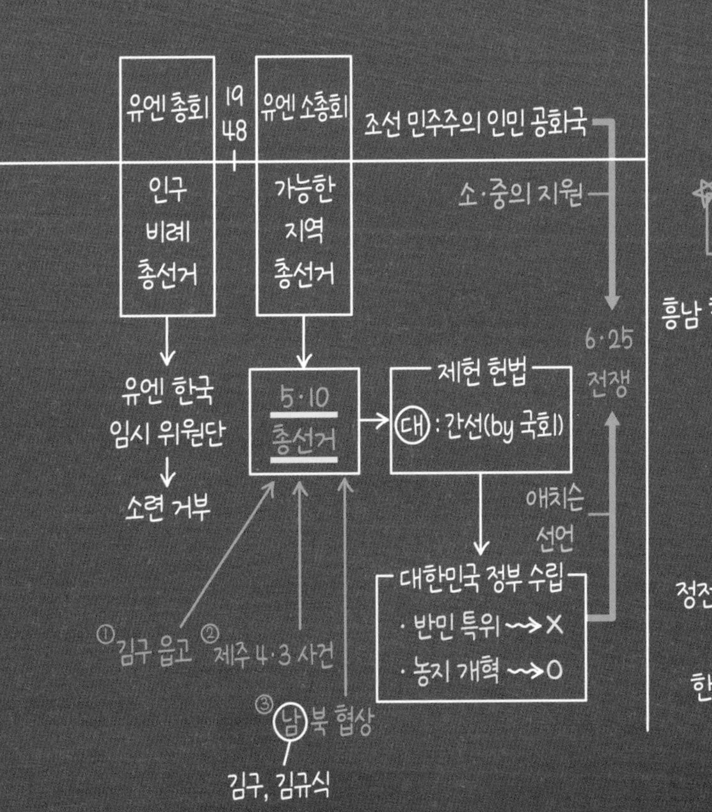

유엔 총회
19
48
유엔 소총회
조선 민주주의 인민 공화국
인구
비례
총선거
가능한
지역
총선거
소·중의 지원
유엔 한국
임시 위원단
소련 거부
5·10
총선거
제헌 헌법
대 : 간선(by 국회)
6·25
전쟁
애치슨
선언
대한민국 정부 수립
· 반민 특위 ~~> X
· 농지 개혁 ~~> O
① 김구 읍고
② 제주 4·3 사건
③ 남북 협상
김구, 김규식

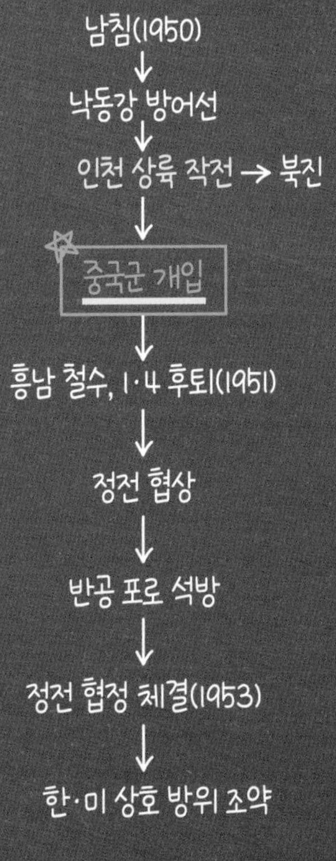

남침(1950)
낙동강 방어선
인천 상륙 작전 → 북진
중국군 개입
흥남 철수, 1·4 후퇴(1951)
정전 협상
반공 포로 석방
정전 협정 체결(1953)
한·미 상호 방위 조약

19 민주주의의 발전

1 이승만의 장기 집권

2 4·19 혁명과 장면 내각

3 박정희와 유신의 나라

4 신군부의 등장과 민주화 운동

우리 현대사에는 두 가지 과제가 있었습니다.

독재로부터의 해방과 가난으로부터의 해방입니다.

독재로부터의 해방은 민주화를,

가난으로부터의 해방은 산업화를 뜻하지요.

광복 이후 갑작스럽게 들어온 민주주의의 정착을 위해

4·19 혁명, 5·18 민주화 운동, 6월 민주 항쟁 속에서

수많은 사람이 피와 땀을 흘렸습니다.

그 결과로 우리는 지금의 대한민국에 살고 있습니다.

여기서는 헌법의 변화를 중심으로

우리나라 민주주의가 어떻게 발전해 왔는지를 살펴보도록 하겠습니다.

1 이승만의 장기 집권

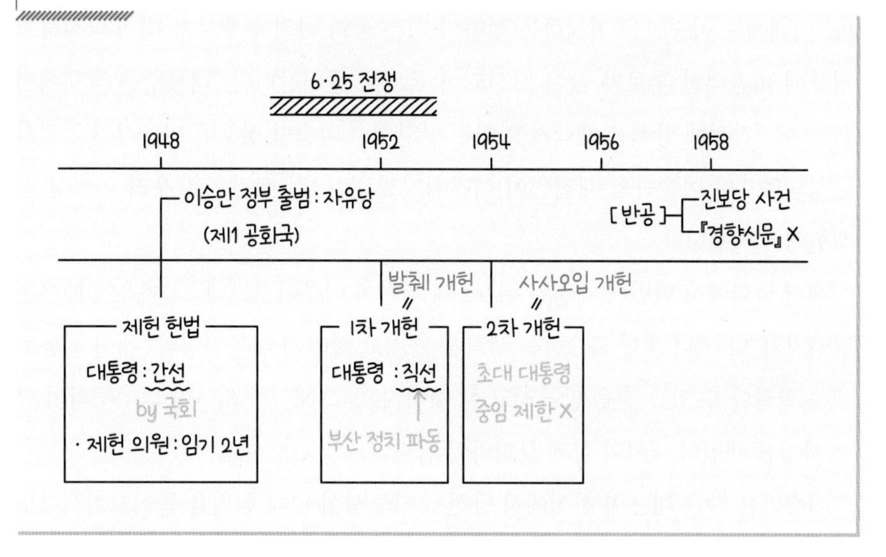

: 제헌 헌법과 발췌 개헌

1948년 7월 17일, 대한민국 국회는 헌법을 공포합니다. 이때 공포한 헌법을 제헌 헌법이라고 하지요. 그래서 7월 17일을 제헌절, 곧 국경일로 지정하여 기념하고 있습니다.

제헌 헌법의 핵심 내용은 대통령을 국회에서 간접 선거로 뽑는다는 것입니다. 대통령의 임기는 4년이고 중임이 가능했지요. 한편 제헌 국회 의원의 임기는 2년이었어요. 제헌 국회 의원, 즉 초대 국회 의원만 그렇고 그 뒤로는 계속 4년이에요. 헌법을 만들기 위해 구성한 국회였기 때문에 우선 2년으로 하고, 정국이 안정되면 4년 임기의 국회 의원을 뽑고자 한 거예요.

초대 국회 의원을 뽑은 선거가 1948년에 치러진 5·10 총선거입니다. 남한만의 단독 선거에 반대한 김구 등 대한민국 임시 정부 주요 인사들이 입후보하지 않아 5·10 총선에서 이승만을 지지하는 세력이 대거 당선됩니다. 이승만을 지지하는 이들이 국회에 많이 들어왔기에 초대 대통령으로 이승만이 선출된 거지요.

물론 당시 이승만은 국민에게 인지도가 굉장히 높은 인물이기도 했어요. 이러한 배경으로 이승만 정부가 출범했고 우리는 이 시기를 제1 공화국이라고 부릅니다.

2년 임기의 제헌 국회가 막을 내리고 1950년에 2대 국회 의원 선거가 치러집니다. 이때에는 이승만을 지지하는 성향의 기존 국회 의원과 후보가 대거 낙선하고 정부에 비판적인 후보가 많이 당선되어 국회에 들어갑니다. 대통령을 국회에서 선출하는 간선제 방식을 채택하고 있는 상황에서 이승만 정부에 비판적인 국회가 구성되었으니 이승만의 재집권이 어려워지겠죠? 이런 배경으로 우리 역사상 첫 개헌이 추진됩니다.

제헌 국회에서 헌법이 제정된 뒤 9차례 개헌이 이루어지는데, 그 이유는 대부분 집권자가 '나 아니면 안 돼.' 하는 생각을 가지고 있었기 때문입니다. 개헌을 통해 계속 집권할 수 있는 길을 만들려고 한 것이지요. 그래서 우리나라 민주주의의 발전 과정은 개헌의 역사와 함께 살펴봐야 합니다.

이승만은 다음 대통령 선거에서 당선될 가능성이 낮자 헌법을 뜯어고쳐서라도 한 번 더 대통령이 되려고 했어요. 그래서 1952년 1차 개헌을 단행합니다. 1차 개헌을 '발췌 개헌'이라고도 해요. 정부안과 국회가 내놓은 안에서 장점을 발췌했다고 하여 붙은 이름이지요. 하지만 핵심은 정부안의 대통령 직선제였지요.

앞에서 말했듯이 이승만 정부에 비판적인 의원이 국회의 다수를 이룬 상황이니 개헌이 쉽지 않겠지요? 그래서 이승만 정부는 무리수를 둡니다. 부산 정치 파동이라는 사건을 일으킨 거예요. 임시 수도 부산에 비상계엄을 선포하고, 국회 의원이 타고 가는 버스를 크레인으로 딱 막아선 다음에 버스를 통째로 끌고 헌병대로 갑니다. 국제 공산당과 관련 있다는 이유로 그중 일부를 구속하지요. 그리고 정치 깡패와 경찰들을 동원하여 국회를 둘러싼 가운데 개헌안에 대한 표결을 진행합니다. 표결 방식도 기립 방식이었어요. 위협과 협박 속에서 공개 투표를 했으니 개헌안이 통과될 수밖에요. 참으로 부끄러운 역사의 한 장면입니다.

그런데 이런 사건이 왜 부산에서 일어났을까요? 1차 개헌의 시기가 1952년도니까 6·25 전쟁 중이잖아요. 6·25 전쟁 중에 정부가 서울을 떠나 부산으로 옮겨 갔기 때문에 부산에서 일어난 거예요. 전쟁 중에는 장수를 바꾸지 않는다는 말이 있습니다.

이승만은 대통령 선거가 직선제로 치러진다면, 전쟁 중이고 위기 상황이라는 점을 내세워 다시 대통령에 당선될 수 있다는 판단을 한 거예요. 그래서 억지로 개헌을 단행했지요. 결국 원하던 대로 이승만은 다시 대통령에 당선됩니다.

: 신통방통 사사오입

이렇게 해서 대통령을 두 번 한 이승만은 이제 중임 제한 원칙에 따라 그만 물러나야 했지요. 우리나라 민주주의의 출발점에서 초대 대통령으로서 나름 역할을 한 것으로 만족하고 끝내야 했어요. 그런데 이승만은 또다시 집권 계획을 세우고 2차 개헌을 추진합니다.

> 제55조 제1항 대통령과 부통령의 임기는 4년으로 한다. 단, 재선에 의하여 1차 중임할 수 있다. 대통령이 궐위된 때에는 부통령이 대통령이 되고 잔임 기간 중 재임한다.
>
> 부칙 이 헌법 공포 당시의 대통령에 대하여는 제55조 제1항 단서의 제한을 적용하지 아니한다.

2차 개헌의 핵심은 개헌 당시의 대통령에 한해서 중임 제한 규정을 적용하지 않는다는 거였어요. 여기서 개헌 당시의 대통령이라 함은 이승만이지요. 그러니까 이승만 자신이 앞으로 계속 대통령 선거에 출마하고 제한 없이 대통령을 할 수 있게 만들겠다는 의도를 반영한 거예요.

2차 개헌은 '사사오입 개헌'이라고도 하는데 개헌 과정이 정말 기막힙니다. 당시 국회의 재적 의원이 203명이었어요. 개헌이 통과되기 위해서는 재적 의원의 3분의 2 이상이 찬성해야 하는데, 203명의 3분의 2는 135.333명이기 때문에 최소 136표의 찬성표가 필요했지요. 그런데 개표를 하니 딱 135표가 나온 거예요. 당연히 이 개헌안은 부결되어야 했습니다. 그런데 이승만 정부 입장에서는 이 개헌안이 통과되어야 재집권이 가능하니까 어떻게 해서든 통과시킬 방법을 시급히 찾아야 했어요.

이때 저명한 수학자가 손을 들고 놀라운 이론을 내놓습니다. 203명의 3분의 2는 135.333명인데 사람은 자연수로만 나타낼 수 있지 0.333이 될 수 없다는 거예요. 사람의 0.333이 팔이 되겠습니까, 다리가 되겠습니까? 그래서 사사오입, 곧 4 이하의 수는 버리고 5 이상의 수는 올린다는 반올림 원칙에 따라 0.333은 버려야 하므로, 203명의 3분의 2에 해당하는 인원은 135명이라고 주장했어요. 당시 여당은 이 논리를 내세워 정족수가 충족되었다고 밀어붙여 개헌안을 통과시킵니다.

그리하여 이승만은 1956년 대통령 선거에 또 출마합니다. 이때 야당인 민주당 후보가 신익희였는데 선거를 10일 남기고 갑자기 사망합니다. 선거 결과 이승만 정부가 다시 출범하게 됩니다. 그런데 이 선거에서 당시 무소속 후보였던 조봉암이 30%나 득표를 하는 상황이 벌어집니다. 사망한 신익희 후보의 표가 상당 부분 조봉암 후보에게 돌아간 것이죠. 무리수를 써서 대통령에 당선되긴 했지만 조봉암 후보가 의외로 많은 득표를 하자 이승만 정부는 긴장합니다.

: 반공 체제의 강화

대선 직후 이승만 정부는 정치적 위기를 느끼고 반공 체제를 강화하고 그 과정에서 진보당 사건을 일으킵니다. 진보당은 1956년의 대통령 선거 후 조봉암이 만든 당인데, 이승만 정부는 이들이 내세운 평화 통일 안이 북한의 통일 방식과 유사하다고 하여 조봉암을 비롯한 진보당 간부를 구속합니다. 그리고 진보당의 정당 등록을 취소하고 조봉암은 간첩죄와 국가 보안법 위반의 혐의를 씌워 사형시키지요.

재판을 받고 있는 조봉암과 진보당원들

그로부터 많은 세월이 흐른 2011년, 대법원은 재심을 통해 조봉암에게 무죄 판결을 내립니다. 이는 이승만 정부가 정치적 라이벌을 제거하기 위해 벌인 일이었으니까요.

또 이승만 정부는 자신들에 대해 비판적 기사를 많이 올린 『경향신문』에 폐간 조치를 내립니다.

2 4·19 혁명과 장면 내각

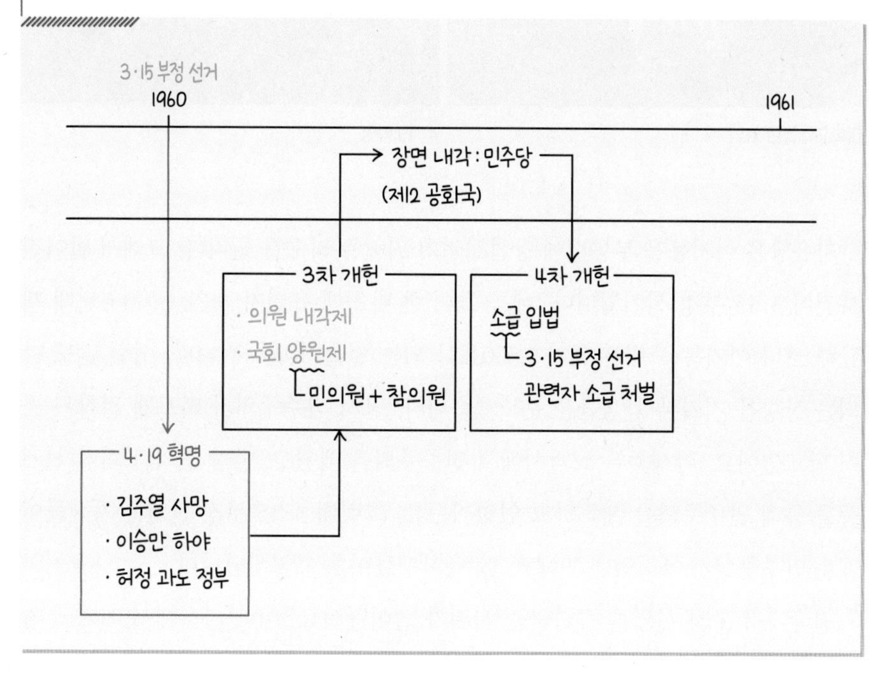

: 4·19 혁명, 독재 정권을 무너뜨리다

1960년, 다시 대통령 선거 시기가 왔습니다. 이때 이승만은 86세로 나이가 너무 많았어요. 사실 이승만이라는 인물이 역사에 등장한 것은 대한 제국 시기입니다. 독립 협회가 개최한 만민 공동회, 기억나지요? 그때 이승만이 연사로 나와 훌륭한 말솜씨로 일약 스타가 되었지요. 1960년 대통령 선거의 초점은 대통령 유고 시 그 자리를 잇는 부통령에 누가 선출되느냐 하는 거였습니다. 자유당의 후보로는 이기붕이, 야당인 민주당의 후보로는 장면이 출마했어요. 장면은 이미 1956년 선거에서 자유당 후보를 제치고 부통령이 된 인물이었어요. 반면 자유당 후보인 이기붕은 당시에 인기 있는 인물은 아니었어요. 그런데 민주당의 대통령 후보가 또 선거 유세 과정에서 사망합니다. 이런 우연이 어디 있을까요? 어쨌든 이승만이 대통령이 되는 것은 별 문제가 없었으나 문제는 부통령이었어요.

대학교수들의 시위

4·19 혁명

자유당은 이기붕을 부통령에 당선시키기 위해 무리수를 둡니다. 그래서 벌어진 사건이 3·15 부정 선거입니다. 예를 들어 한 마을에 유권자 수가 1,000명인데 개표해 보니 이기붕을 찍은 표가 1,500표나 되는 일들이 벌어집니다. 이런 말도 안 되는 상황을 지켜본 학생들은 분노했습니다. 당시 민주주의가 빠르게 정착된 곳이 학교였어요. 학생들은 교과서에서 민주주의를 배웠고, 반장 선거나 회장 선거 등을 통해 민주주의를 체득하고 있었거든요. 그런데 3·15 부정 선거는 자신들이 배운 민주주의가 아니었던 거예요. 이에 학생들이 들고일어납니다.

전국에서 부정 선거를 규탄하는 시위가 일어났어요. 이때 마산에서 시위에 참여한 학생 한 명이 실종되는 일이 벌어집니다. 나중에 그 학생은 마산 앞바다에서 눈에 최루탄이 박힌 채 숨진 상태로 발견됩니다. 바로 김주열입니다. 김주열 학생의 사망 소식이 알려지자 전국은 분노로 들끓었어요. 4·19 혁명이 시작된 거예요. 학생뿐만 아니라 일반 시민도 독재 반대를 외치며 시위에 나섰어요. 그런데 경찰이 시위대를 향해 총을 쏘고, 정부는 계엄령을 선포하고 군대를 동원했지요. 이제 초등학생들까지 거리로 나와 독재 타도를 외치고, 대학교수들도 대통령의 퇴진을 요구하는 시국 선언을 발표합니다. 이렇게 저항의 물결이 거세게 일자 결국 이승만은 국민의 요구를 받아들여 하야합니다.

하와이로 망명하기 위해 비행기에 오르는 이승만

4·19 혁명은 국민의 힘으로 독재 정권을 무너뜨린 민주주의 혁명입니다. 이 위대한 혁명의 시작은 학생들이었습니다. 일제 강점기에 6·10 만세 운동, 광주 학생 항일 운동을 주도하며 목소리를 높인 학생들처럼, 현대사에서도 학생들은 역사의 전면에 나서서 사회를 보다 건강한 방향으로 이끌어 나가는 역할을 합니다.

: 장면 내각이 출범하다

이승만이 물러나고 허정 과도 정부가 들어섭니다. 허정은 당시 외무부 장관이었어요. 대통령이 하야하면 부통령이 권한 대행을 하는 것이 원칙이었으나, 부통령이었던 장면이 그 전에 사퇴하여 외무부 장관이 다음 정부가 구성될 때까지 과도 정부를 이끌었어요.

허정 과도 정부의 주도 아래 3차 개헌이 이루어집니다. 그동안 대통령에게 너무 많은 힘을 주어 독재의 모습이 나타났다고 보고 3차 개헌에서는 대통령제가 아닌 의원 내각제를 도입합니다. 의원 내각제는 내각 책임제라고도 하는데, 다수 의석을 차지한 정당이 행정부를 구성할 권한을 쥐고 정치적 책임을 지는 형태입니다. 대통령은 있어도 실질적 권리는 총리에게 일임하지요. 그리고 양원제 국회를 채택합니다. 양원제 국회는 지금의 미국 국회를 생각하면 됩니다. 미국은 상원과 하원으로 국회가 나뉘어 있잖아요. 3차 개헌으로 우리도 민의원과 참의원으로 이루어진 양원제를 취하지요.

3차 개헌에 따라 치러진 총선에서 민주당이 압승을 거둡니다. 국회에서 윤보선이 대통령에 선출되었고 장면이 국무총리로서 정부를 이끌었어요. 장면 내각, 곧 제2 공화국이 시작된 겁니다. 새로 출범한 장면 내각에서 개헌이 한 번 더 이루어집니다. 바로 4차 개헌이지요. 이때의 개헌은 정권 연장을 위해서가 아니라 3·15 부정 선거 사범들을 처벌하기 위해 추진된 것으로 소급 입법이 가장 큰 특징입니다. 보통 법이 만들어지면 그 법이 공포된 이후부터 적용되는 게 일반적인데, 소급은 과거의 일에까지 영향을 미치는 거예요. 법률의 원칙을 어기면서까지 소급 입법을 했다는 것은 3·15 부정 선거와 같은 말도 안 되는 짓을 저지른 사람들을 확실히 단죄하겠다는 강력한 의지가 있었음을 보여 주지요.

4·19 혁명으로 독재 정권이 무너지니 이제까지 억눌렸던 사회 각계각층의 목소리가 터져 나옵니다. 각 분야에서 민주화 요구가 활발해지면서 사회가 조금 시끄러워집니다. 그런데 민주주의는 본디 시끄러운 것이 정상입니다. 어떤 안건에 대해 서로 의견을 주장하고 그 의견들을 조정하는 과정에서 사회가 질적으로 발전하는 법이니까요.

3 박정희와 유신의 나라

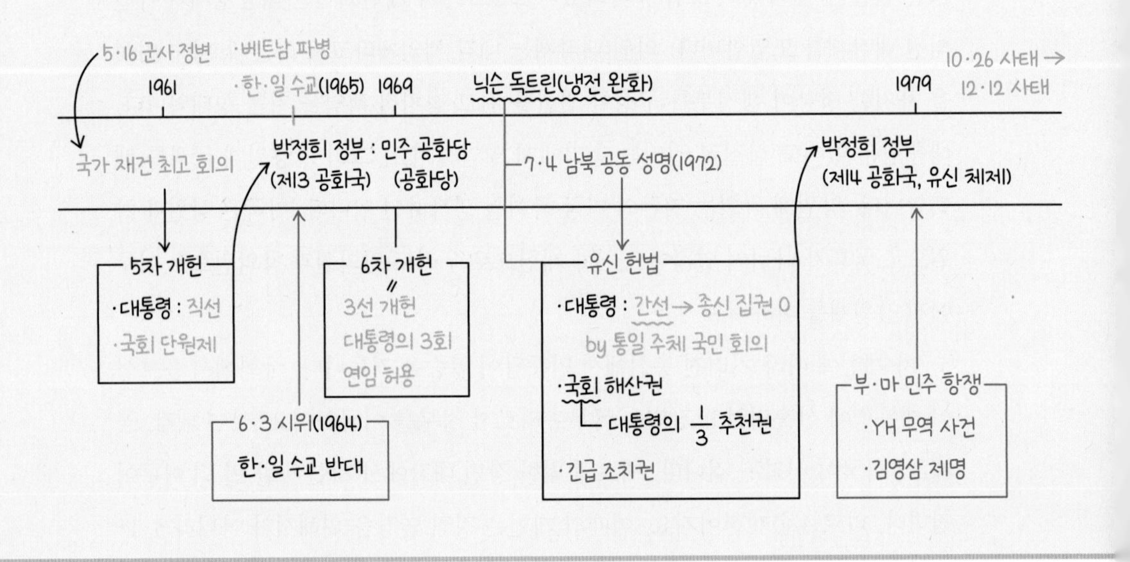

: 군인 정치를 시작하다

사회 각계각층에서 민주화의 요구가 터져 나오는 상황을 위기로 바라보는 세력이 있었습니다. 바로 정치군인입니다. 이들은 북한이 호시탐탐 노리고 있는 상황에서 많은 사람에게 자유를 허용하면, 그 순간 북한이 침투할 것이고 우리나라는 위기에 빠질 수 있다면서 제한된 민주주의가 필요하다고 생각했습니다. 그리고 1961년 5월 16일, 박정희를 중심으로 군사 정변을 일으켜 정권을 장악하지요.

5·16 군사 정변의 주요 인물. 박정희(가운데)와 박종규(좌), 차지철(우)

박정희를 비롯한 군사 정변 세력은 자신들의 뜻대로 정권을 휘두르기 위해 국가 재건 최고 회의라는 기구를 만들고 이 기구가 입법·사법·행정에 관한 모든 사안을 결정하도록 합니다. 그리고 국가 재건 최고 회의의 주도로 5차 개헌이 추진됩니다. 5차 개헌에서는 의원 내각제로 정국을 운영하면 책임감이 없어진다고 하여 대통령 중심제로 되돌리고 대통령을 국민의 직접 선거로 선출하도록 합니다. 양원제 국회도 우리나라 실정에 맞지 않는다고 하여 단원제로 전환합니다. 5차 개헌에 따라 치러진 대통령 선거로 출범한 정부가 제3 공화국인 박정희 정부입니다. 박정희는 민주 공화당(공화당)의 후보로 나와 당선되었지요.

이렇게 들어선 박정희 정부의 큰 숙제는 경제 성장이었습니다. 경제 성장을 위해서 많은 자본이 필요한데 당시 경제 상황이 매우 안 좋았기 때문에 국내에서 자본을 마련하기가 어려웠어요. 이에 박정희 정부는 경제 성장을 위한 자본을 외국에서 끌어옵니다. 독일에서 차관을 끌어오고 광부와 간호사를 독일에 파견합니다. 이들이 국내로 송금한 외화는 경제 성장에 큰 보탬이 되었지요.

한·일 국교 정상화도 추진합니다. 이를 통해 일본으로부터 전쟁 배상금 명목으로 돈을 받고자 한 것이지요. 그런데 전쟁 배상금은 우리 주장이고 일본은 독립 축하금 명목으로 돈을 지불하고자 합니다.

일제 35년 동안 그토록 많은 고통을 받았는데, 일본의 사죄 한마디 없이 돈을 받고 일본과 국교를 정상화한다니 말도 안 되는 일이었죠. 이런 한·일 회담의 내용이 알려지자 굴욕 외교라 여긴 국민들이 분노하지요. 한·일 회담에 반대하여 또다시 학생들이 들고일어납니다. 바로 1964년에 일어난 6·3 시위입니다.

한·일 협정 반대 시위

이러한 국민의 저항에도 불구하고 박정희 정부는 1965년에 한·일 협정(한·일 기본 조약) 체결을 강행합니다. 한·일 국교 정상화를 통해서 어쨌건 경제 성장을 할 수 있는 일부 동력은 확보하지요. 하지만 협상 과정에서 식민 지배에 대한 일본의 사과를 받지 못했다는 점, 특히 개인이 일본에 피해 보상을 청구할 권리마저 봉쇄해 버렸다는 점은 지금도 큰 문제가 되고 있지요. 일본은 한·일 협정의 내용을 근거로 일본군 '위안부'와 강제 징병 및 징용 등에 대한 배상을 여전히 거부하고 있습니다.

한편 박정희 정부는 미국의 요청에 따라 베트남 전쟁에 군대를 보내기로 합니다. 베트남전 파병의 대가로 미국으로부터 국군의 전력 증강과 경제 개발을 위한 차관을 지원받았습니다. 또한 파병된 군인들의 송금과 군수 물자의 수출, 건설 업체의 베트남 진출 등으로 외화를 벌어들여 경제 성장의 기반을 다질 수 있었지요.

이렇게 외국에서 끌어온 자금을 바탕으로 박정희 정부는 경제 성장을 이루어 냅니다. 제1차 경제 개발 5개년 계획으로 인한 높은 성장률은 박정희가 다시 한 번 대통령에 당선되는 바탕이 됩니다.

그런데 박정희 역시 내가 아니면 안 된다는 판단으로 또 개헌을 추진합니다. 바로 1969년의 6차 개헌이지요.

6차 개헌을 '3선 개헌'이라고도 합니다. 박정희는 경제 성장을 위해서 한 번만 더 대통령을 하겠노라며 대통령의 3회 연임을 허용하는 개헌을 추진하지요. 이에 야당 의원들과 학생들을 중심으로 3선 개헌 반대 시위가 이어졌지만, 여당 의원들만 모여 개헌안을 편법으로 통과시키고 대통령을 3번 할 수 있게 길을 열어 놓지요. 그리고 박정희는 1971년 대통령 선거에 출마합니다. 이때 야당 후보로 나온 인물이 김대중입니다. 박정희는 김대중에게 압도적 표차로 이길 것을 예상했지만, 개표해 보니 격차가 크지 않았어요.

: 대통령 자리에 대한 끝없는 미련

박정희가 다음 정권을 잡을 수 있을지 고민하던 상황에서 닉슨 독트린이 발표됩니다. 트루먼 독트린이 냉전의 시작을 알리는 메시지였다면, 닉슨 독트린은 냉전이 완화되고 해빙기를 맞는 시작점이라고 볼 수 있습니다.

이승만 정부 시기부터 '반공'은 중요한 정권 유지 수단이었어요. 박정희 정부도 북한이 보낸 간첩이나 무장 세력 침투 사건, 북한과의 대치 상황 등을 정국 돌파나 정권 연장에 이용하고 있었어요. 그런데 닉슨 독트린이 발표되면서 박정희 정부는 난감한 상황을 맞게 된 거지요. 이제 '반공'은 세계사의 흐름에서 벗어난 구시대적 구호가 되어 정권 유지에 큰 도움이 되지 않을 수 있으니까요.

3선 개헌 반대 시위

이러한 상황에서 박정희 정부는 두 가지를 결정합니다. 첫 번째가 바로 7·4 남북 공동 성명입니다. 그동안 대치하고 있던, 우리의 적이라고 지목한 북한과 협상에 나섰지요. 남한과 북한은 자주·평화·민족 대단결의 원칙 아래 통일을 이룩하자고 합의했어요. 이건 6·25 전쟁 이후 가장 쇼킹한 사건이었어요. 갑작스러운 변화에 사회 분위기는 어수선해졌지요.

박정희 정부는 이러한 사회 분위기 속에서 두 번째 결정을 합니다. 혼란을 극복하기 위해서는 강력하고 안정된 정부를 중심으로 우리 모두 하나로 똘똘 뭉쳐야 한다고 주장하며 10월 유신을 단행하지요. 비상계엄을 선포하고 국회를 해산한 뒤 비상 국무 회의가 마련한 헌법 개정안을 국민 투표를 통해 확정합니다. 유신 헌법이라고 하는 7차 개헌이지요.

닉슨 독트린 발표 이후 세계적인 해빙 분위기 속에서 7·4 남북 공동 성명이 발표되었지만 남북 관계는 이렇다 할 진전을 보이지 않습니다. 오히려 남북한의 지도자들은 이를 정권 강화에 이용하지요. 결국 남한에서는 유신 헌법이 제정되고 북한에서도 사회주의 헌법이 제정됩니다.

: 유신 헌법의 깃발 아래!

유신 헌법은 굉장히 강력한 법이라고 보면 돼요. 대통령 간선제를 택하는데, 간접 선거가 바로 통일 주체 국민 회의에서 이루어져요. 대통령의 임기는 6년으로 정해졌지만 임기는 의미가 없었어요. 중임 제한 규정이 없었고, 대통령을 지지하는 사람을 모아 만든 통일 주체 국민 회의에서 형식적인 투표를 거쳐 대통령을 뽑도록 했으니까요. 죽을 때까지 대통령을 할 수 있는 길을 열어 둔 셈이었어요.

통일 주체 국민 회의에서 당선된 대통령은 국회를 해산할 수 있는 권리와 국회 의원의 3분의 1을 추천할 수 있는 권한까지 있었지요. 추천된 이들은 통일 주체 국민 회의에서 국회 의원으로 승인·선출되었어요. 실제로는 대통령이 임명한 것과 마찬가지였죠. 대한민국은 삼권 분립에 기초한 공화정입니다. 그런데 행정부의 수장인 대통령이 입법부인 국회 의원의 3분의 1을 사실상 임명하고 국회 해산권도 가진다는 것은 삼권 분립의 원칙이 무너졌다는 거예요. 대통령에게 모든 권력이 집중된 것이죠.

당연히 반발이 일어날 수밖에 없었지요. 그런데 유신 헌법은 대통령에게 이런 반발을 막을 수 있는 엄청난 권리까지도 부여했어요. 바로 긴급 조치권인데, 쉽게 말하면 헌법을 무시하는 권한이죠. 헌법은 최상위법이에요. 헌법 위에 법은 없어요. 그 헌법에서 보장하는 국민의 기본권마저 제한할 수 있는 무소불위의 권력을 대통령이 갖게 된 것이죠. 그래서 이 시대를 '겨울 공화국'이라고 표현하기도 합니다.

물론 유신 헌법을 만든 사람들 입장은 그렇지 않았어요. 지금은 비상 상황이니까 비록 후대 사람들이 독재라고 할지라도 어쩔 수 없는 선택이라는 거지요. 하지만 이것은 사실 민주주의를 완전히 무너뜨린 거예요. 국민의 뜻이 전혀 반영되지 않은 제도를 어떻게 민주주의라고 볼 수 있겠어요.

여하튼 유신 헌법에 의해서 박정희 정부가 새로 출범했어요. 이 유신 체제에 기반한 박정희 정부를 우리는 제4 공화국이라고 해요. 헌법에 규정된 국가 체제가 다르기 때문에 제3 공화국과 제4 공화국으로 구분하는 거지요.

: 유신에 저항하는 사람들

박정희는 유신 헌법에 따라 초월적 권력을 행사합니다. 한 사람에게 집중된 권력, 그 권력이 영원할까요? 그건 불가능하죠. 결국 박정희 정부도 종말을 맞게 됩니다.

박정희 정부 종말의 신호탄은 YH 무역 사건이었어요. YH 무역의 일방적인 폐업에서 촉발된 사건이죠. 당시 노동자들은 매우 낮은 임금을 받으며 일을 했어요. 특히 일자리를 구하기 위해 농촌을 떠나 도시로 몰려든 여성들은 주로 가발 공장이나 의류 공장에 자리를 잡았어요. 일자리 경쟁이 치열하다 보니 낮은 임금을 받으면서도 자리를 지켜야 했어요. 시골에 있는 아버지, 어머니 약값도 대고 동생들 학비도 대기 위해 일을 할 수밖에 없었지요. 정말 열심히 일하고 있는데 어느 날 YH 공장이 문을 닫아 버린 거예요. 생계가 딱 끊긴 거죠. 노동자들은 회사만 열어 주면 더 열심히 일할 테니 회사만 열어 달라고 요구했어요. 하지만 그 요구는 받아들여지지 않았고 여성 노동자들은 당시 야당인 신민당 당사로 들어가 계속 호소했어요. 그런데 신민당 당사에 공권력이 들어와 여성 노동자들을 끌어냈어요. 이 과정에서 사망자가 생겼고요.

金泳三총재「除名」强行

新民 全議員 壇上점거

白議長 通路에서 變則발의

法司委 40秒만에 奇襲處理

1分걸린 本會

司會棒없이 손으로

김영삼 의원 제명을 보도한 신문 기사

부·마 민주 항쟁

신민당 총재 김영삼은 외신 기자들을 불러서 박정희 정부의 독재 정치를 보도해 줄 것을 촉구하고, 이 무자비한 정권은 무참하게 쓰러질 것이라고 규탄했어요. 박정희 정부는 김영삼이 외신 기자들을 불러 얘기한 것을 트집 잡아 국가 원수를 모독했다며 김영삼을 국회에서 제명하게 합니다.

YH 무역 사건과 김영삼 제명 사건을 보고 대학생들이 들고일어났어요. 대학생들의 항거는 부산에서부터 시작되었어요. 학생들은 "우리의 누이, 동생들이 탄압을 받고 있다. 우리를 가르치기 위해 힘들게 일하면서 인간 이하의 취급을 받고 있는데 과연 우리가 가만히 도서관에서 공부나 하고 있는 것이 정의로운 것인가."라고 하면서 거리로 뛰쳐나왔지요. 부산과 마산을 중심으로 일어난 이 민주화 운동을 부·마 민주 항쟁이라고 해요.

시위가 거세지면서 박정희 정부 안에서 대응을 두고 갈등이 나타났어요. 당시 중앙정보부장 김재규 등은 상황이 심각하다고 보고 대책이 필요하다고 생각했어요. 반면 대통령의 경호실장 차지철 등은 무력을 앞세워 진압할 것을 주장했지요. 이 혼란스러운 상황에서 박정희는 김재규가 쏜 총탄에 사망합니다. 10·26 사태라고 부르지요. 이로써 암울했던 유신의 시대가 끝납니다.

신군부의 등장과 민주화 운동

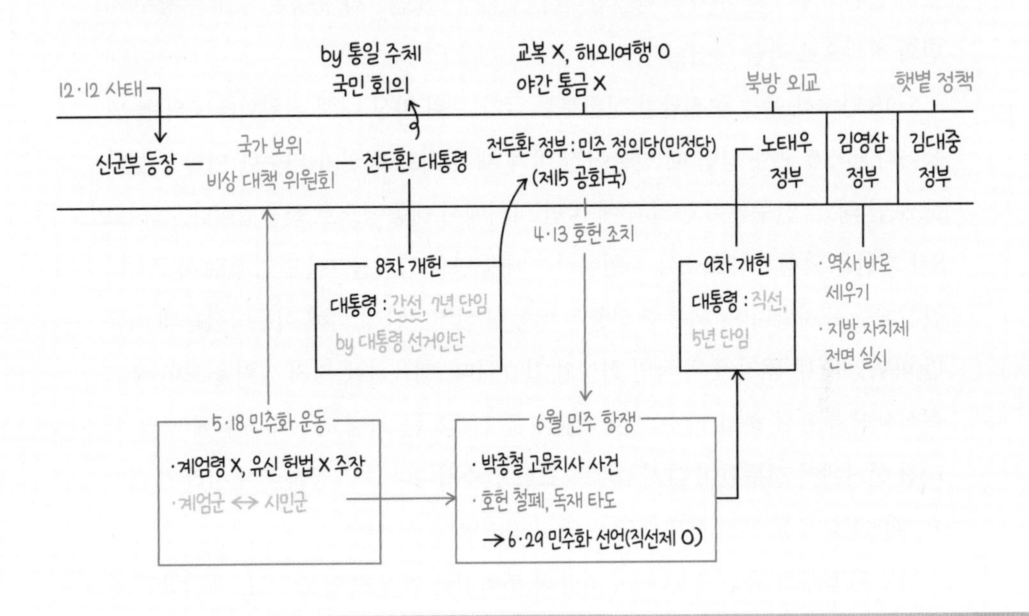

: 12·12 사태와 5·18 민주화 운동

10·26 사태로 대통령이 사망했어요. 나라로서는 위기 상황이지만 이 사건으로 군사 정권이 무너지나 싶었지요. 그런데 국가적 위기를 극복해야 한다는 명분을 들고 전두환, 노태우를 중심으로 한 신군부 세력이 등장합니다. 신군부 세력은 12·12 사태를 일으켜 권력을 장악한 뒤 10·26 사태를 조사하는 과정에서 다시 계엄령을 선포하고 무력으로 국가를 통제하기 시작합니다.

계엄령 폐지와 유신 헌법 철폐를 외치는 시민들의 목소리가 커져 갔지만 신군부는 오히려 계엄령을 전국으로 확대했어요. 대학 캠퍼스에 탱크가 서 있고 무장한 군인들이 거리를 돌아다녔지요. 이에 시위 열기가 잠시 수그러들었어요. 그러나 이 상황에서도 굴하지 않은 지역이 있었으니 바로 전라남도 광주였어요. 신군부의 정권 장악에 대항하여 5·18 민주화 운동이 일어난 겁니다.

신군부는 광주의 시위 열기가 잦아들지 않자 계엄군을 투입합니다. 총과 칼로 무장한 계엄군이 시위대를 무자비하게 진압하자 광주의 시민들은 자체 방어를 위해 시민군을 조직하지요. 하지만 계엄군은 탱크와 헬기까지 동원하여 전남도청에 모여 있던 시민군을 무차별 학살합니다. 결국 5·18 민주화 운동은 수많은 광주 시민의 희생으로 막을 내립니다.

5·18 민주화 운동을 진압한 신군부는 국가 보위 비상 대책 위원회(국보위)를 만듭니다. 5·16 군사 정변 때 만들어진 국가 재건 최고 회의와 비슷한 역할을 했다고 보면 돼요. 전두환이 통일 주체 국민 회의에서 대통령으로 선출됩니다. 그리고 8차 개헌을 단행하지요. 8차 개헌에서는 대통령의 임기를 7년 단임제로 바꾸지만 간선제는 유지합니다. 대통령 선출은 대통령 선거인단에 의해 이루어졌는데 이름만 바뀌었을 뿐 통일 주체 국민 회의와 같습니다. 체육관에 지지 세력을 모아 놓고 형식상의 투표를 하고 박수 쳐서 대통령을 선출하는 거예요. 8차 개헌에 따라 치러진 선거에서 전두환이 다시 대통령으로 선출됩니다. 제5 공화국이 시작된 거지요. 제5 공화국을 이끈 정부 여당은 민주 정의당(민정당)입니다.

전두환 정부는 유신 정권 때의 억압적 분위기를 살짝 풀어 줍니다. 왜냐하면 전두환 정부 때 서울 올림픽의 개최가 결정되거든요. 올림픽이 개최되면 외국인이 많이 올 텐데 국내 분위기가 너무 경직되어 있으면 안 되잖아요. 교복 자율화, 해외여행 자유화가 이때 이루어졌고 야간 통행금지도 없어집니다.

긴장을 완화하고 일부 자유를 허용했다고 해서 본질이 바뀐 것은 아니에요. 본질은 독재였고 참다운 자유는 없었습니다.

5·18 민주화 운동

: 봇물처럼 터진 6월 민주 항쟁

전두환 정부가 민주화 요구를 강경하게 탄압하는 상황에서 대통령을 국민의 손으로 뽑아야 한다는 목소리가 높아졌어요. 이러한 분위기 속에 1987년 1월, 박종철 고문치사라는 엄청난 사건이 터집니다. 대학생 박종철이 경찰 조사를 받다가 사망했어요. 경찰이 고문하다가 사람을 죽였다고 할 수 없으니까 말도 안 되는 내용을 발표합니다. 심문하던 중 책상을 '탁' 치니까 '억' 하고 죽었다고요. 거짓말로 국민을 기만한 것이지요. 이 사건에 대한 국민의 의혹이 커져 가는 가운데 전두환 정부는 4·13 호헌 조치를 발표합니다. 호헌은 헌법을 수호한다는 뜻이에요. 여기서 말하는 헌법은 8차 개헌 때 개정된 헌법으로, 대통령 선거인단이 체육관에서 대통령을 뽑는 간접 선거를 유지하겠다는 말이었지요. 국민의 뜻은 무시하고 후임으로 내정된 노태우를 대통령으로 만들겠다는 의도였어요.

이때 박종철이 경찰의 물고문으로 사망했다는 사실이 밝혀지면서 국민의 분노가 폭발했어요. 이에 민주 헌법 쟁취 국민운동 본부가 조직되어 전국적으로 대통령 직선제 개헌과 전두환 정권 퇴진 운동을 벌입니다. 이를 6월 민주 항쟁이라고 해요. 이때는 "호헌 철폐, 독재 타도"라는 구호가 울려 퍼집니다. 정말 많은 사람이 전두환 정부에 맞서 거리로 쏟아져 나왔어요. 학생은 물론 넥타이 부대라고 불리는 직장인들도 거리로 나와 시위에 참여하고 대통령 직선제 쟁취를 외쳤어요.

6월 민주 항쟁의 이런 에너지는 바로 5·18 민주화 운동에서부터 온 거예요. 5·18 민주화 운동은 실패했지만, 해마다 5월이 되면 각 대학교 교정에서는 당시 계엄군이 시위대를 잔인하게 진압하는 모습이 담긴 비디오 테이프가 돌았어요.

6월 민주 항쟁

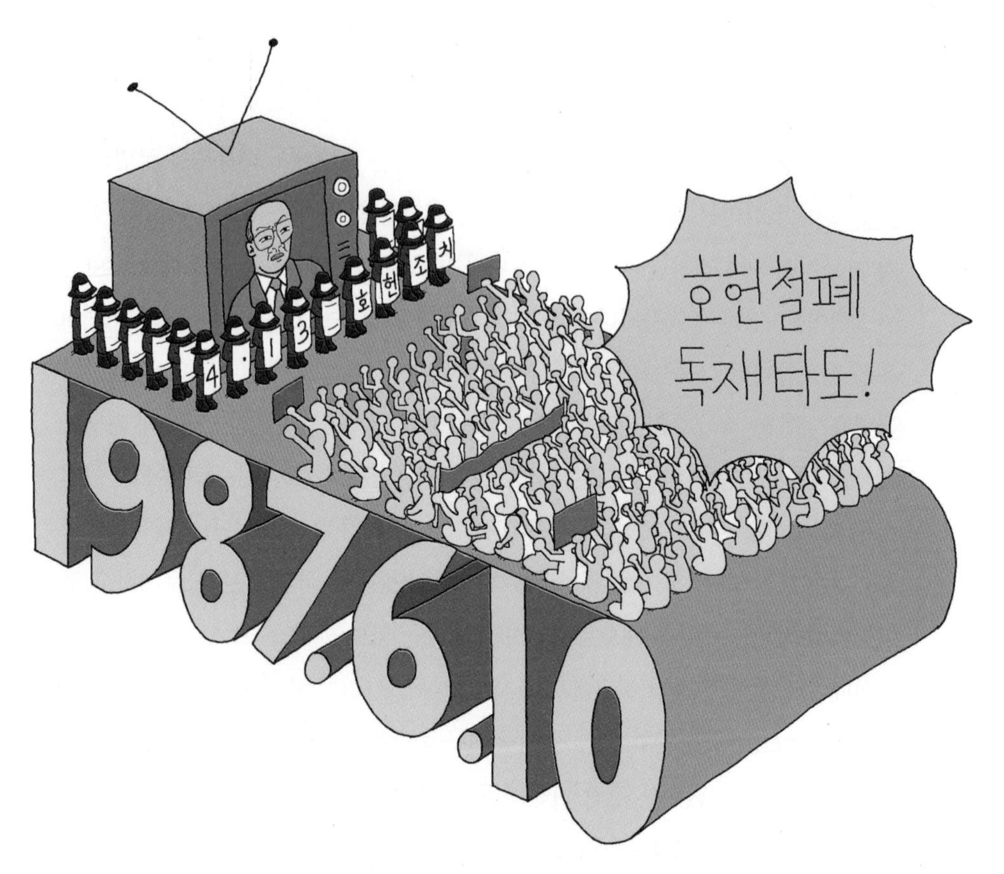

그러면서 전두환 정부의 정통성에 대해 계속 의문을 던졌지요. 이렇게 5·18 민주화 운동의 씨앗들이 자라고 자라서 6월 민주 항쟁이라고 하는 거대한 나무로 성장한 거예요.

6월 민주 항쟁의 결과, 당시 집권 여당인 민정당 총재 노태우가 6·29 민주화 선언을 발표합니다. 대통령 직선제를 수용하겠다고 약속한 거예요. 이에 따라 9차 개헌이 이루어져 대통령을 국민의 손으로 직접 뽑게 되었어요. 대통령의 임기는 5년 단임이고요. 이 9차 개헌의 내용이 지금까지 이어지고 있습니다.

9차 개헌에 따라 치러진 대통령 선거로 노태우 정부가 출범합니다. 그런데 6월 민주 항쟁으로 전두환 정권이 무너졌는데 어떻게 전두환과 같이 12·12 사태를 일으킨 노태우가 당선되었을까요? 당시 야권 후보가 김대중, 김영삼으로 분열되면서 표가 분산되었기 때문이에요. 이렇게 출범한 노태우 정부는 중국, 소련 등 사회주의 국가들과도 수교를 맺는 북방 외교를 실시합니다.

: 문민 시대가 열리다

법정에 선 노태우(좌)와 전두환(우)

노태우 정부에 이어 김영삼 정부가 들어섭니다. 이제 군사 정부가 막을 내리고 문민 정부가 들어선 것이지요. 김영삼 정부에서는 '역사 바로 세우기'를 통해 전두환, 노태우를 비롯한 12·12 사태 관련자와 5·18 민주화 운동 관련자를 법정에 세우고 처벌하지요. 그리고 지방 자치제를 전면적으로 시행합니다.

그다음은 김대중 정부예요. 김대중 정부는 흔히 '햇볕 정책'이라고 부르는 대북 화해 협력 정책을 펼칩니다.

그 뒤로 노무현 정부, 이명박 정부, 박근혜 정부, 문재인 정부가 이어졌습니다.

이렇게 해서 우리나라 민주주의의 역사를 살펴보았습니다. 4·19 혁명, 5·18 민주화 운동, 6월 민주 항쟁 당시 거리에 있었던 사람들에게 묻고 싶습니다. 왜 거리에 나왔냐고요. 그러면 아마 그들은 이렇게 대답할 거예요. 다음 세대에게 '민주주의'라는 네 글자를 선물하겠다는 꿈 때문이라고요. 그 꿈을 이루기 위해 거리에 나왔노라고요. 여러분, 지금 우리가 누리고 있는 민주주의는 처음부터 그냥 존재했던 것이 아닙니다. 우리 아버지, 어머니가 수십 년 전 지금 우리가 다니는 거리에서 피 흘리고 땀 흘리며 만들어 주신 선물이라는 사실, 잊지 않기를 바랍니다.

"한 사람이 잘못한 것을 모든 사람이 물어야 하고, 한 시대의 실패를 다음 시대가 회복할 책임을 지는 것" 그것이 역사라고 합니다. 우리는 지금까지 살펴본 역사를 통해 이 사실을 잘 알게 되었습니다. 그런 의미에서 우리 시대의 문제점은 여러분 스스로 고쳐 나가야 합니다. 다음 세대에게 우리의 실패를 물려주어서는 안 되니까요.

19

민주주의의 발전

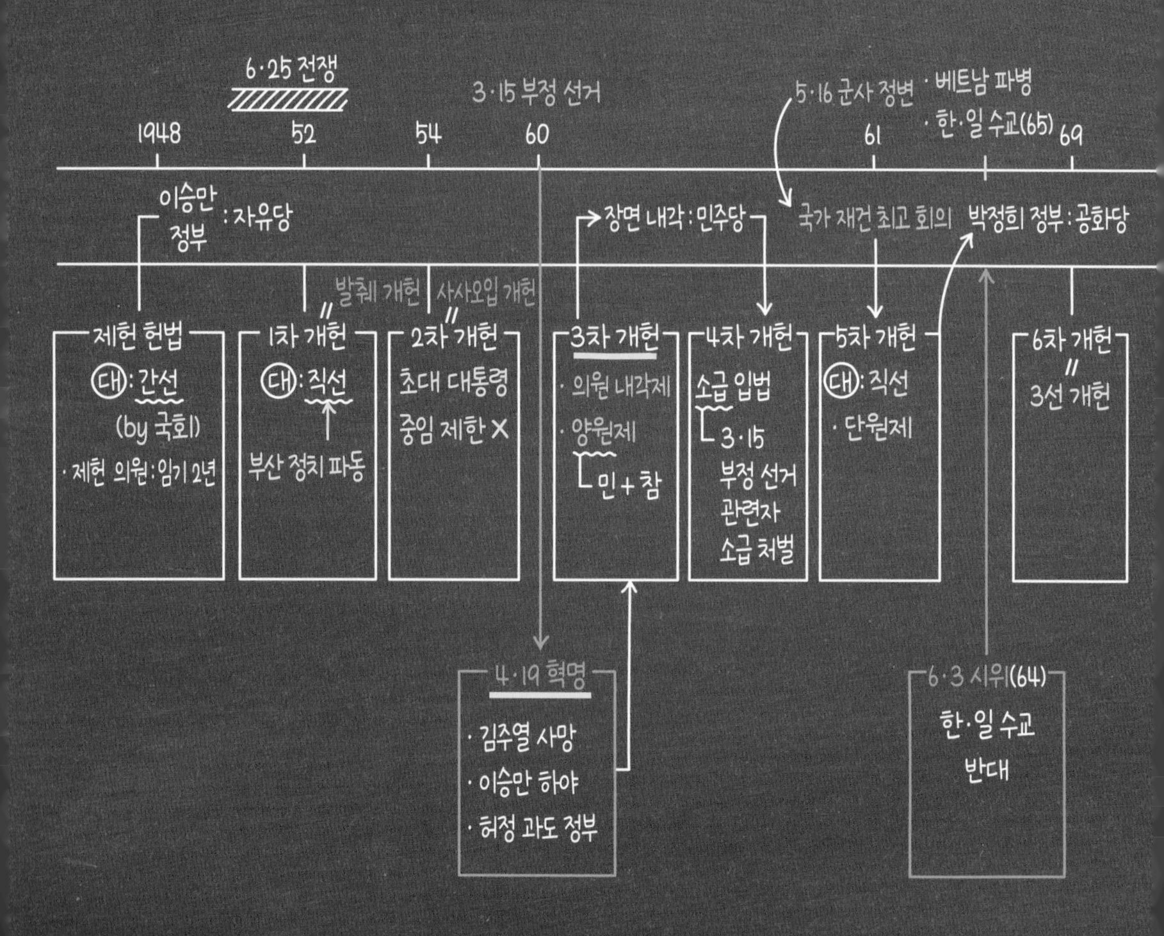
6·25 전쟁
3·15 부정 선거
5·16 군사 정변
· 베트남 파병
· 한·일 수교(65)
1948
52
54
60
61
69
이승만 정부 : 자유당
장면 내각 : 민주당
국가 재건 최고 회의
박정희 정부 : 공화당
발췌 개헌
사사오입 개헌
제헌 헌법
대 : 간선
(by 국회)
· 제헌 의원 : 임기 2년
1차 개헌
대 : 직선
부산 정치 파동
2차 개헌
초대 대통령
중임 제한 X
3차 개헌
· 의원 내각제
· 양원제
민 + 참
4차 개헌
소급 입법
3·15
부정 선거
관련자
소급 처벌
5차 개헌
대 : 직선
· 단원제
6차 개헌
3선 개헌
4·19 혁명
· 김주열 사망
· 이승만 하야
· 허정 과도 정부
6·3 시위(64)
한·일 수교
반대

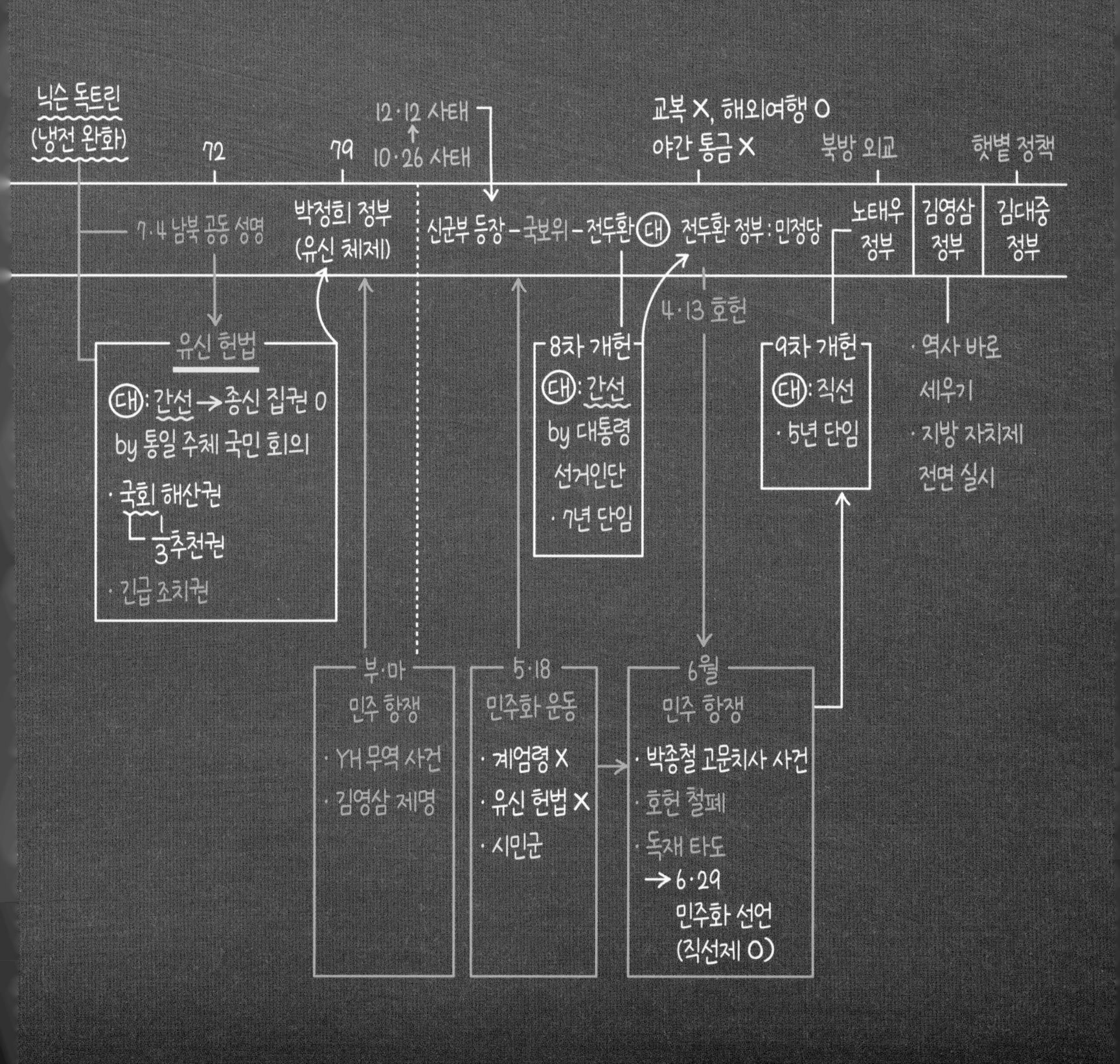

닉슨 독트린
(냉전 완화)
72
79
12·12 사태
10·26 사태
교복 X, 해외여행 O
야간 통금 X
북방 외교
햇볕 정책
7·4 남북 공동 성명
박정희 정부
(유신 체제)
신군부 등장 – 국보위 – 전두환 대
전두환 정부 : 민정당
노태우
정부
김영삼
정부
김대중
정부
4·13 호헌
유신 헌법
대 : 간선 → 종신 집권 O
by 통일 주체 국민 회의
· 국회 해산권
1/3 추천권
· 긴급 조치권
8차 개헌
대 : 간선
by 대통령
선거인단
· 7년 단임
9차 개헌
대 : 직선
· 5년 단임
· 역사 바로
세우기
· 지방 자치제
전면 실시
부·마
민주 항쟁
· YH 무역 사건
· 김영삼 제명
5·18
민주화 운동
· 계엄령 X
· 유신 헌법 X
· 시민군
6월
민주 항쟁
· 박종철 고문치사 사건
· 호헌 철폐
· 독재 타도
→ 6·29
민주화 선언
(직선제 O)

20

경제 발전과 통일

6·25 전쟁 이후 대한민국은 전쟁의 폐허 속에서

어떻게 기적적인 경제 성장을 이루어 냈을까요?

정부의 정책도 중요했겠지만

내 자식들에게 가난을 물려주지 않고자 피땀 흘리며 일한

국민이 있었기에 가능했지요.

그러나 아직도 복지나 빈부 격차, 노동과 고용 면에서

풀어야 할 과제가 많이 남아 있습니다.

그리고 우리는 분단된 조국에서 살고 있습니다.

앞선 세대들의 피와 땀이 우리를 지금의 대한민국에서 살게 해 주었듯이

우리도 다음 세대에게 통일이라는 선물을 안겨 주어야 하지 않을까요?

1 산업화의 길로

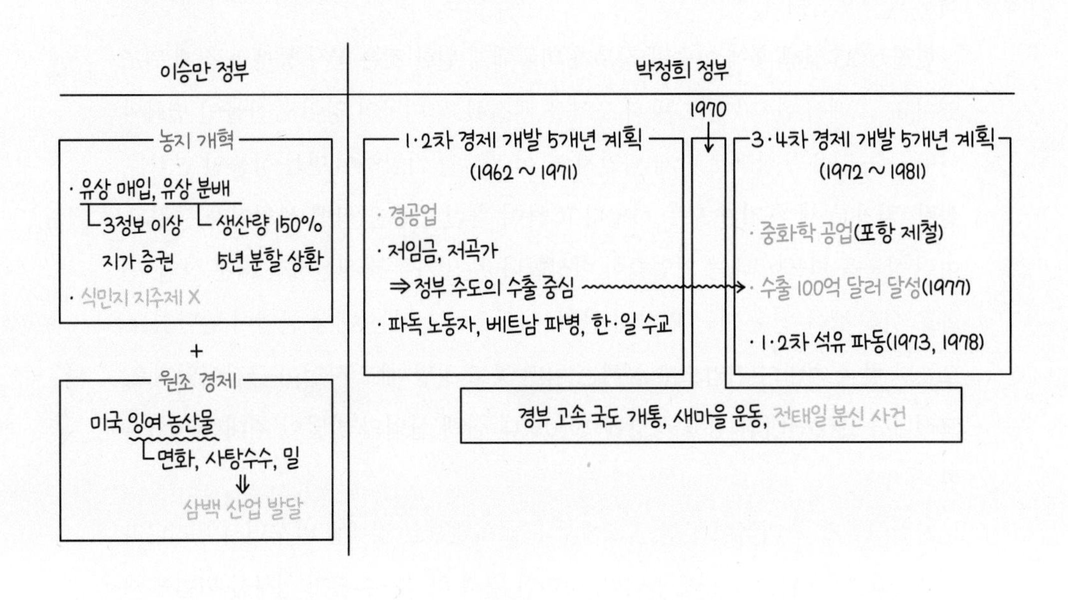

: 이승만 정부의 경제 정책

이승만 정부 시기에 눈여겨봐야 할 경제 정책에는 농지 개혁이 있습니다. 농지 개혁은 유상 매입·유상 분배 방식을 취했어요. 유상 매입은 쉽게 말해 돈을 주고 땅을 산다는 뜻이에요. 그런데 광복된 지 얼마 안 된 정부에게 돈이 있었겠어요? 당장 줄 돈이 없으니 나중에 돈을 주겠다고 약속하고 지가 증권을 주었지요. 그런데 문제가 있었어요. 당시는 인플레이션 현상으로 화폐 가치가 떨어지고 있는 추세였어요. 현금 가치는 계속 떨어지는데 땅값 1만 원에 해당하는 1만 원짜리 지가 증권을 가지고 있어 봐야 손해일 뿐이었지요.

유상 분배는 농지 가격을 받고 분배하는 거잖아요. 그런데 농지 가격을 어떻게 정할까요? 농지 가격은 평년작 주산물 생산량의 150%를 기준으로 값을 매겼어요. 예를 들어 농지가 1,000평이 있고 거기에서 쌀이 10가마 나온다고 가정합시다.

그러면 땅값으로 쌀 생산량 10가마의 150%인 15가마를 5년 동안 나누어 상환하도록 했다는 거지요. 다만 3정보(약 30,000m²) 이상의 농지에 한해서 유상 매입·유상 분배를 적용했지요. 이러한 농지 개혁은 식민지 지주제를 타파했다는 데 역사적 의의가 있습니다.

한편 6·25 전쟁 후에 이승만 정부가 미국에게 원한 것은 군사 동맹과 경제 원조였어요. 그래서 한·미 상호 방위 조약을 체결했고, 미국의 잉여 농산물인 면화와 사탕수수, 밀을 무상으로 받게 되었지요. 이 원료를 가공하여 만든 상품인 면직물, 설탕, 밀가루 세 가지가 모두 하얗다고 하여 관련 업종을 삼백 산업이라 불렀고, 이런 상품을 만들어 내는 기업들이 번성합니다. 밀가루를 생산하는 제분 산업, 면화로 실을 뽑아 천을 짜는 면방직 산업, 설탕을 생산하는 제당 산업이 발달했죠. 오늘날 한국 최대의 기업으로 꼽히는 어떤 곳도 설탕 제조 사업이 근간이었지요. 그러니까 1960년대의 경제 성장에 1950년대 삼백 산업의 발달이 지대한 역할을 한 거지요.

그런데 1958년 미국이 무상 원조에서 유상 차관으로 정책을 바꾸면서 우리나라는 심각한 경제 위기를 맞게 됩니다. 이러한 경제 위기는 이승만 정부를 위험에 빠뜨립니다. 경제적 위기와 독재 그리고 3·15 부정 선거 등에 항거하여 4·19 혁명이 일어나 이승만 정부가 무너지게 됩니다.

: 박정희 정부의 경제 개발 5개년 계획

박정희 정부는 장면 내각이 세운 경제 개발 계획을 바탕으로 경제 개발 5개년 계획을 수립합니다. 이 경제 개발 5개년 계획은 4차에 걸쳐 추진되는데 이를 통해 대한민국은 엄청난 경제 성장을 이루게 됩니다. 경제 성장의 내용을 살펴볼까요? 제1·2차 경제 개발 5개년 계획은 1962년부터 1971년까지, 제3·4차 경제 개발 5개년 계획은 1972년부터 1981년까지 진행됩니다.

제1·2차 경제 개발 5개년 계획 시기에는 아직 원조를 받고 있었고 축적된 자본이 없어 어마어마한 돈을 들여 큰 공장을 지을 수 없었어요. 그래서 당시 산업은 주로 신발, 옷, 가발 등을 생산하는 노동 집약적 경공업에 집중되었고, 낮은 임금을

수출 100억 달러 달성 기념탑

통해 상품의 수출 경쟁력을 확보하면서 수출이 크게 증가하게 됩니다.

또한 박정희 정부는 경제 개발에 필요한 자본을 외국에서 들여오기 위해 베트남전 파병과 한·일 국교 정상화를 추진합니다. 그리고 독일(당시 서독)에서도 돈을 빌리고 광부, 간호사 등 노동자를 독일에 파견하여 극심한 실업 문제도 해결하려고 했지요. 이들이 국내로 송금한 외화는 당시 국제 수지를 개선하고 국민 소득을 높이는 등 경제 성장에 큰 보탬이 되었습니다. 그 시대 아버지, 어머니의 노동의 대가가 경제 성장의 원동력이 된 거예요.

제3·4차 경제 개발 5개년 계획 시기에는 포항 제철(지금의 포스코) 같은 중화학공업에 집중 투자가 시작됩니다. 10년이란 세월 동안 어느 정도 자본이 축적되었기에 가능한 일이었지요. 이에 경제가 크게 성장하여 1977년에는 수출 100억 달러를 달성합니다. 6·25 전쟁이 끝나고 우리의 경제는 구석기 시대의 상태와 같았지요. 남아 있는 것은 돌멩이와 사람뿐이었으니까요. 이런 상황에서 출발하여 20여 년 만에 수출 100억 달러를 달성했다는 것은 정말 대단한 거예요. 경제 개발 5개년 계획이 시작된 1962년부터 1979년까지 1인당 국민 소득은 약 20배, 국내 총생산(GDP)은 약 28배가 성장했어요. 이처럼 1960~1970년대에 '한강의 기적'이라고 불리는 급속한 경제 성장을 이뤄냅니다. 물론 위기에 부딪히기도 합니다. 1973년에 제1차 석유 파동, 1978년에 제2차 석유 파동이 일어났거든요.

제1차 석유 파동 때에는 다행히 위기를 기회로 삼으며 잘 넘어 갑니다. 당시 중동의 산유국이 석유 가격 폭등으로 얻은 이익을 자국의 건설 사업에 투자하여 건설 현장이 활기를 띠자 우리 기업들이 대거 진출하여 많은 노동자를 중동 현장으로 파견합니다. 중동 현지에서 한국인 특유의 근면함으로 밤낮없이 일하여 이른바 오일 달러를 벌어들여 위기를 극복한 것이지요. 하지만 제2차 석유 파동 때에는 우리나라 경제도 심각한 타격을 입었습니다.

한편 1970년에는 원활한 물자 수송을 위한 경부 고속 국도가 개통되고 새마을 운동이 시작됩니다. "새벽 종이 울렸네. 새 아침이 밝았네. 너도나도 일어나 새 마을을 만드세." 날이면 날마다 모든 동네에서 이 노래를 틀어 놓으니 모르는 사람이 없을 정도였지요. 새마을 운동은 근면, 자조, 협동을 강조하며 농촌 환경 개선을 목표로 시작된 운동이었어요.

우리나라는 1960~1970년대까지 고도의 경제 성장을 이루었지만, 노동자들은 간신히 생계를 이을 수 있을 정도의 낮은 임금을 받았어요. 그럼에도 당시 정부는 저임금 정책을 계속 유지했지요. 세계 시장에서 경쟁력을 가지기 위해서는 싸게 물건을 제공할 수밖에 없다는 겁니다. 임금을 올리면 상품 가격도 올라 경쟁력이 떨어진다는 거죠. 그러던 중 1970년에 노동자 전태일이 근로 기준법을 준수하라고 주장하며 스스로 몸에 불을 붙혀 사망한 사건이 일어납니다. 당시 노동자들은 대부분 노동자의 권리가 무엇인지 알지 못한 채 살아남기 위해 일하고 있었어요. 전태일의 분신은 이들에게 노동자의 권리, 근로 기준법을 알리는 계기가 됩니다.

오열하는 전태일의 어머니 이소선 여사

앞에서 1958년 미국이 원조 경제를 거두고 차관 형태로 바꾸면서 경제 위기에 빠진 가운데 4·19 혁명이 일어나 이승만이 하야했다고 했죠? 박정희 정부도 제2차 석유 파동이 가져온 경제 위기 상황에서 YH 무역 사건, 부·마 민주 항쟁과 맞닥뜨려 몰락에 이르게 되지요.

세계화와 외환 위기

전두환 정부	노태우 정부	김영삼 정부	김대중 정부
· 3저 호황(1986~1988) – 저유가 – 저달러 – 저금리		· 금융 실명제 · 경제 협력 개발 기구 (OECD) 가입	
· 우루과이 라운드(개방) →	→	→ 타결	
		· IMF 사태(1997) → └ 외환 위기	→ 금 모으기 운동 → 졸업

: 전두환 정부의 경제 정책

1986년에서 1988년까지는 세계 경제가 아주 좋은 시기였습니다. 이른바 3저 호황이 절정에 이른 시기였죠. 3저는 세 가지가 수치가 낮다는 것인데 저금리·저달러·저유가를 말해요. 금리가 싸니 이자 부담이 덜하고, 원유 가격이 떨어져서 비용이 절감되는 등 경제에 청신호였어요. 당시 전두환 정부는 3저 호황의 호재를 만나 고도의 경제 성장을 이룹니다. 한편 1986년에 세계 각국이 우루과이에 모여 무역 협상(우루과이 라운드)을 시작합니다. 이때 우리나라도 선진국의 개방 압력으로 우루과이 라운드 협상을 시작하지요.

: 김영삼 정부의 경제 정책과 외환 위기

김영삼 정부는 금융 실명제를 전격 단행합니다. 금융 실명제는 금융 거래를 할 때 실제 자기 이름으로 하는 것을 말해요. 이전까지는 '꽃순이' 같은 가짜 이름으로 통장을 만들어 비자금을 쉽게 조성할 수 있었거든요. 금융 실명제 실시로 투명한 은행 거래가 이루어져 우리나라 경제 성장의 변곡점을 마련하게 됩니다.

한편 1993년에 다자간 무역 협상인 우루과이 라운드가 타결되고, 1995년에 세계 무역 기구(WTO)가 출범합니다. 그러면서 전 세계적으로 시장 개방에 대한 압력이 거세지죠. 이에 김영삼 정부는 세계화를 내세우며 자본과 상품 시장을 개방합니다. 이른바 '선진국 클럽'으로 알려진 경제 협력 개발 기구(OECD)에도 가입하지요. 그런데 개방에 대한 준비가 제대로 되지 않았던 탓에 1997년 말에 외환 위기를 맞아 김영삼 정부는 국제 통화 기금(IMF)에 구제 금융을 신청하기에 이르지요. 외환 위기로 기업들의 연쇄 부도가 이어졌습니다. 이전에는 대학을 졸업하면 그리 어렵지 않게 취업할 수 있었는데, 이제 취업도 하늘에 별 따기가 되었지요.

국가 부도 사태의 경제적 위기 상황에서 김대중 정부가 출범하여 강도 높은 구조 조정을 하고 외자 유치에도 힘씁니다. 또 국민들은 외채를 갚기 위해 장롱 속에 보관하고 있던 금을 내놓으며 금 모으기 운동을 벌입니다. 어떤 할아버지는 금니까지 가지고 나왔다고 하지요. 이러한 노력 끝에 우리나라는 경제를 회복하여 국제 통화 기금에서 빌린 돈을 모두 갚고 그들의 관리 체제에서 벗어납니다.

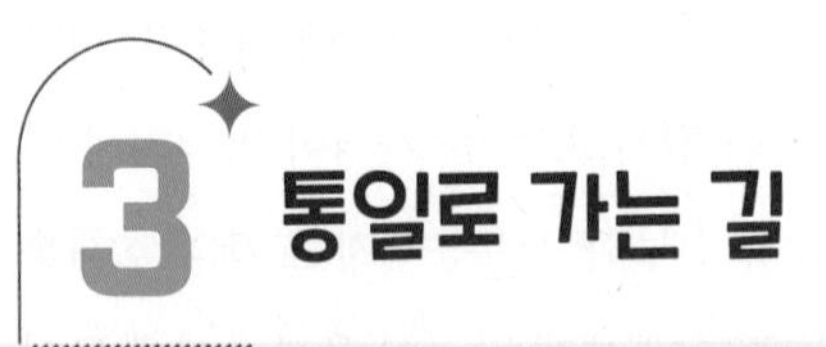

3 통일로 가는 길

박정희 정부	전두환 정부	노태우 정부	김대중 정부
〈7·4 남북 공동 성명〉 · 통일 3대 원칙 : 자주, 평화, 민족 대단결 · 남북 조절 위원회 → (남) 유신 헌법, (북) 사회주의 헌법 ⇒ 체제↑	이산가족 최초 상봉	②〈남북 기본 합의서〉 · 남북 고위급 회담 · 남북 관계 = 잠정적 특수 관계 · 남북 교류 = 민족 내부 교류 ↑ ① 유엔 동시 가입 ↓ ③ 한반도 비핵화 선언	정주영 '소떼 방북' → 금강산 해로 관광 ↓ 〈6·15 남북 공동 선언〉 · 최초 남북 정상 회담 · (남) 연합제 ≒ (북) 낮은 단계 연방제 ↓ 개성 공단, 경의선, 이산가족 상봉, 금강산 육로 관광

: 통일의 3대 원칙을 합의한 7·4 남북 공동 성명

이제 통일 정책에 대해 살펴보겠습니다. 통일 이야기를 가장 마지막에 하는 이유가 있어요. 지금까지 우리는 앞 세대 사람들이 어떻게 살았는지 살펴봤지요. 우리 앞에 살았던 사람들의 피와 땀과 눈물이 지금의 우리에게 자유로운 대한민국이라는 선물을 가져다 주었다고 생각합니다. 그럼 우리는 다음 세대에게 어떤 선물을 줄 수 있을까요? 통일이야말로 이 시대에 살고 있는 우리가 남길 수 있는 가장 큰 선물이 아닐까요? 여러분의 아이들이 살고 있는 지역의 기차역에서 파리행 기차표를 끊는 모습을 상상해 보세요. 정말 가슴이 설렙니다. 꼭 우리 시대에 이러한 세상을 물려줄 수 있으면 좋겠습니다.

그럼 각 정부별로 통일을 위해 어떤 노력을 기울였는지 살펴볼게요. 먼저 박정희 정부 시기부터 보겠습니다. 앞서 닉슨 독트린으로 냉전 체제가 완화되기 시작했다고 이야기했습니다. 이러한 세계사의 흐름에 맞추어 남북한 정부는 7·4 남북 공동 성명을 발표합니다. 그리고 7·4 남북 공동 성명의 합의 사항을 이행하기 위해 남북 조절 위원회를 설치하고요. 7·4 남북 공동 성명에서는 통일의 3대 원칙으로 자주·평화·민족 대단결을 천명하는데, 이 원칙은 남북이 처음으로 통일에 대해 합의한 것이기 때문에 매우 큰 의미가 있습니다.

7·4 남북 공동 성명은 남북이 최초로 통일에 대해 합의했다는 의의가 있지만 남한과 북한의 정권 유지에 이용되기도 했습니다. 당시 남북한의 정권은 통일을 앞둔 중대한 시점에서 상대 진영에 흡수당하면 안 되기 때문에 지도자를 잘 따라야 한다는 논리를 내세웠어요. 그리하여 7·4 남북 공동 성명 발표 이후 남한은 유신 헌법으로 박정희 독재 체제를 구축하고, 북한은 사회주의 헌법을 제정하여 김일성 독재를 강화했지요.

다음은 전두환 정부 시기입니다. 전두환 정부 때 최초로 이산가족 상봉이 이루어지고 예술 공연단의 교환 방문이 성사됩니다. 그런데 이렇게 남북 관계에 물꼬를 트게 된 계기가 재미있습니다. 1984년 남한에 큰 홍수가 났는데 이때 북한에서 구호물자를 보냅니다. 남한이 북한의 구호물자를 받아 남북 간에 우호적인 분위기가 생기면서 우리 정부의 제안으로 이산가족 상봉이 처음으로 이루어지게 됩니다.

6·25 전쟁 이후 남북 분단으로 인해 가족의 생사조차 알 수 없어 피눈물을 흘리던 사람들이 이산가족 상봉을 통해 조금이나마 아픔을 해소할 수 있었습니다.

: 한 민족임을 확인한 남북 기본 합의서

노태우 정부 시기에 남북 관계의 실질적 진전을 이루었습니다. 앞에서 설명했듯이 노태우 정부는 북방 외교를 추진하여 당시 동유럽 사회주의 국가를 비롯한 소련, 중국과 수교를 맺습니다. 이런 가운데 북한과의 관계 개선을 모색하여 남북 대화에 적극 나섭니다.

노태우 정부는 1991년 9월에 북한과 유엔에 동시에 가입합니다. 곧이어 남북 고위급 회담을 열고 남북한이 서로의 체제를 존중하고 상호 교류 협력한다는 내용의 남북 기본 합의서를 채택합니다. 어떤 내용이 담겼는지 좀 더 살펴볼까요?

남북 기본 합의서에서는 남북 간의 관계를 '잠정적 특수 관계'로 규정합니다. 대한민국과 조선 민주주의 인민 공화국은 지금 잠정적으로 분단 관계에 있는 것이며, 앞으로 통일될 하나의 나라라고 규정한 거예요. 또 남북 간의 교류는 국가와 국가 간의 교류가 아닌 민족 내부의 교류로 정의했어요. 이후 김대중 정부 시기에 개성 공단 건설에 합의하고 노무현 정부 시기에 공단 가동이 가능했던 이유가 여기에 있습니다. 만약 남북 기본 합의서가 채택되지 않았다면, 남북 간에 관세 없이 물건을 가지고 오는 것에 문제를 제기할 수도 있어요. 하지만 남북 간의 교류가 국가와 국가 간의 교류가 아닌 민족 내부의 교류라고 규정했기에 이후 개성 공단에서 만든 물건을 관세 없이 가지고 올 수 있었던 것입니다.

이처럼 남북 기본 합의서를 통해 남과 북이 한 민족이며 현재 분단되어 있지만 언젠가는 통일을 이룰 거라는 관점이 정해졌어요. 7·4 남북 공동 성명에서 자주·평화·민족 대단결이라는 통일 원칙이 정해졌다면, 남북 기본 합의서에서는 더욱 구체적인 통일의 방향을 제시했다고 볼 수 있습니다.

이어 한반도 비핵화 선언이 이루어지면서 한반도에는 평화의 바람이 붑니다. 유엔 동시 가입, 남북 기본 합의서 채택, 한반도 비핵화 선언의 순서로 노태우 정부 시기의 통일을 위한 노력을 기억해 두세요.

노태우 정부를 이은 김영삼 정부 시기에는 김일성의 사망으로 북한이 외부와 교류를 거의 하지 않습니다. 이로 인해 눈에 띄는 통일 정책과 성과가 없어요.

: '햇볕 정책'과 6·15 남북 공동 선언

김대중 정부 시기에 일명 '햇볕 정책'이라고도 불리는 대북 화해 협력 정책이 추진됩니다. 햇볕이 비추듯 유화 정책으로 남북의 긴장 관계를 완화하고 북한의 개방을 유도하는 데 목적이 있었어요.

이 시기 화해 분위기에서 남북 관계는 많은 진전을 이룹니다. 그 과정에서 인상적인 모습들도 나왔지요. 1998년에 기업가 정주영이 '소떼 방북'을 합니다. 정주영이 두 차례에 걸쳐 소 1,001마리를 트럭 수십 대에 나눠 싣고 판문점을 넘어 북한으로 올라가는 모습은 사람들에게 깊은 인상을 남겼습니다. 정주영의 '소떼 방북'은 남북 교류의 물꼬를 튼 기념비적 사건이라고 할 수 있어요. 그 뒤 금강산 해로 관광이 시작되어 민간인에게도 북한을 방문할 기회가 생겼지요. 남북 간 교류가 진전되면서 서로에게 가졌던 긴장감이 조금씩 풀어집니다.

그리고 2000년 6월, 평양에서 김대중 대통령과 김정일 국방 위원장이 만나 손을 맞잡았습니다. 분단 이후 최초로 남북 정상 회담이 개최되었고, 두 정상 간 합의 내용을 담은 6·15 남북 공동 선언이 발표됩니다.

6·15 남북 공동 선언

1. 남과 북은 나라의 통일 문제를 그 주인인 우리 민족끼리 서로 힘을 합쳐 자주적으로 해결한다.
2. 남과 북은 남측의 연합제 안과 북측의 낮은 단계의 연방제 안이 서로 공통성이 있다고 인정한다.
3. 남과 북은 2000년 8월 15일에 즈음하여 흩어진 가족, 친척 방문단을 교환하며 비전향 장기수 문제를 해결하는 등 인도적 문제를 조속히 풀어 나가기로 합의한다.
4. 남과 북은 경제 협력을 통하여 민족 경제를 균형적으로 발전시키고 사회·문화·체육·보건·환경 등 제반 분야의 협력과 교류를 활성화하여 서로 신뢰를 도모한다.
5. 남과 북은 이상과 같은 합의 사항을 조속히 실천에 옮기기 위해 빠른 시일 안에 당국 간 대화를 개최하기로 한다.

6·15 남북 공동 선언에는 굉장히 중요한 사안이 담겼어요. 바로 남한이 주장하는 연합제 안과 북한이 주장하는 낮은 단계의 연방제 안이 서로 비슷하다는 점을 인정한 거예요. 연합제는 유럽 연합(EU)을, 연방제는 미국을 떠올리면 됩니다. 남한은 북한과 남한이 각각의 국가로서 하나의 경제 공동체를 구성할 것을 주장하고, 북한은 미국처럼 하나의 국가를 이룬 상태에서 남과 북이 각각의 독립성을 유지해야 한다고 주장해 왔지요. 연합제와 연방제를 두고 남과 북은 각자의 주장을 유지했지만, 6·15 남북 공동 선언을 통해 북한의 연방제를 조금 완화시키면 남한의 연합제와 비슷하다는 것을 서로 인정함으로써 남북 관계가 한 걸음 더 나아갑니다.

6·15 남북 공동 선언에 따라 남북한은 이산가족의 상봉 행사를 재개하고 끊어진 경의선을 연결하는 등 협력과 교류에 적극 나섭니다. 또 개성 공단 건설, 금강산 육로 관광 사업 등에 합의하고 준비하지요. 이러한 남북 관계는 노무현 정부 시기에도 계속됩니다. 이 시기에 개성 공단 건설이 실현되면서 남북 경제 협력이

확대됩니다. 그리고 평양에서 남북 정상 회담이 개최되어 6·15 남북 공동 선언의 내용을 재확인하는 10·4 남북 공동 선언이 채택되었죠. 또 금강산 육로 관광도 본격적으로 시작됩니다.

이후 북한의 무력 도발 등으로 남북 관계가 다시 경색되어 금강산 관광과 개성 공단 사업이 중단되었어요. 하지만 문재인 정부가 출범한 후 남북 관계에 변화가 나타납니다. 2018 평창 동계 올림픽을 계기로 남북한 사이에 화해 협력 분위기가 형성되어 남북 정상 회담이 성사되고 판문점 선언이 발표됩니다.

지금까지 통일을 위해 한 걸음 한 걸음 내딛는 모습을 살펴봤습니다. 지금은 남북 관계가 악화되어 개성 공단도 폐쇄되고 금강산 관광도 할 수 없습니다. 하루빨리 남북 관계가 개선되어 통일을 위한 노력을 이어 가면 좋겠습니다. 특히 통일을 생각할 때 잊지 말아야 할 것이 바로 이산가족 문제입니다. 분단 후 오랜 시간이 지나면서 이산가족들이 점점 고령화되고 있습니다. 이제 그들에게는 시간이 많지 않습니다. 부모와 형제자매가 만날 수 없고 생사조차 알 수 없다는 게 얼마나 비극적인 일인가요. 인도적 차원에서 이산가족 상봉 문제는 어떤 방식으로든 해결되길 바랍니다.

여러분, 현대사를 공부하면서 '우리 시대의 영웅은 과연 누구일까?' 하는 생각을 해보면 좋겠습니다. 각자가 생각하는 영웅이 분명히 다르겠지요? 어떤 인물이 여러분의 영웅인지 모르겠지만 여러분이 떠올린 인물보다 더 의미 있고 중요한 우리 시대의 영웅은 여러분의 할아버지, 할머니, 아버지, 어머니라고 말하고 싶습니다. 자신들이 품었던 꿈을 현실로 만들어서 여러분에게 물려주기 위해 청춘을 바친 역사가 바로 우리 현대사입니다. 우리 할아버지, 할머니, 아버지, 어머니가 쓴 기적의 역사가 바로 현대사라는 것을 잊지 말았으면 좋겠습니다.

이제는 여러분 차례입니다. 다음 세대에게 어떻게 하면 더 나은, 더 건강한 대한민국을 물려줄 수 있을지 고민해 보기 바랍니다. 여러분의 꿈은 다음 세대에게는 현실이 될 테니까요.

20 경제 발전과 통일

이승만 정부

농지 개혁
- 유상 매입, 유상 분배
  - (유상 매입) └ 3정보 이상 지가 증권
  - (유상 분배) └ 생산량 150% 5년 분할 상환
- 식민지 지주제 X

\+

원조 경제

미국 잉여 농산물
└ 면화, 사탕수수, 밀
⇓
삼백 산업 발달

박정희 정부

1·2차 경제 개발 5개년 계획 (62 ~ 71)
- 경공업
- 저임금, 저곡가 ⇒ 정부 주도의 수출 중심
- 파독 노동자, 베트남 파병, 한·일 수교

70 ↓

3·4차 경제 개발 5개년 계획 (72 ~ 81)
- 중화학 공업(포항 제철)
- 수출 100억 달러 달성(77)
- 1·2차 석유 파동(73, 78)

경부 고속 국도 개통, 새마을 운동, 전태일 분신 사건

통일

〈7·4 남북 공동 성명(72)〉
- 통일 3대 원칙: 자주, 평화, 민족 대단결
- 남북 조절 위원회
  → (남) 유신 헌법, (북) 사회주의 헌법
  ⇒ 체제↑

	전두환 정부	노태우 정부	김영삼 정부	김대중 정부
	· 3저 호황(86~88) - 저유가 - 저달러 - 저금리 · 우루과이 라운드 (개방) ~~~>		· 금융 실명제 · OECD 가입 → 타결 · IMF 사태(97) 외환 위기 →	금 모으기 운동 → 졸업 정주영 '소떼 방북' → 금강산 해로 관광 ↓
	이산가족 최초 상봉	② <남북 기본 합의서> · 남북 고위급 회담 · 남북 관계 = 잠정적 특수 관계 · 남북 교류 = 민족 내부 교류 ↑ ① 유엔 동시 가입 ↓ ③ 한반도 비핵화 선언		<6·15 남북 공동 선언> · 최초 남북 정상 회담 · (남) 연합제 ≒ (북) 낮은 단계 연방제 ↓ 개성 공단, 경의선, 이산가족 상봉, 금강산 육로 관광

한국사 연표

약 70만 년 전	구석기 시대 시작
기원전 8000년경	신석기 시대 시작
기원전 2333	고조선 건국(『동국통감』)
기원전 2000년~1500년경	청동기 문화 보급
기원전 400년경	철기 문화 보급
기원전 194	위만, 고조선의 왕이 됨
기원전 108	고조선 멸망
기원전 57	신라 건국(『삼국사기』)
기원전 37	고구려 건국(『삼국사기』)
기원전 18	백제 건국(『삼국사기』)

기원후

3	고구려, 국내성 천도
42	김수로, 금관가야 건국
56	고구려 태조왕, 옥저 정복
194	고구려 고국천왕, 진대법 실시
260	백제 고이왕, 16관등과 공복 제정
313	고구려 미천왕, 낙랑군 축출
371	백제 근초고왕, 고구려의 평양성 공격
372	고구려 소수림왕, 불교 수용, 태학 설치
373	고구려 소수림왕, 율령 반포
384	백제 침류왕, 불교 수용

400

400	고구려 광개토 태왕, 신라에 침입한 왜 격퇴
427	고구려 장수왕, 평양 천도
433	나·제 동맹 성립(~553)
475	백제 문주왕, 웅진 천도
512	신라 지증왕, 이사부를 보내 우산국 정복
520	신라 법흥왕, 율령 반포, 백관의 공복 제정
527	신라 법흥왕, 불교 공인
532	신라 법흥왕, 금관가야 통합
538	백제 성왕, 사비 천도
554	백제 성왕, 신라와의 관산성 전투에서 전사
562	신라 진흥왕, 대가야 정복

600

612	고구려 영양왕, 살수 대첩(을지문덕)
642	고구려, 연개소문이 정변으로 집권
645	고구려 보장왕, 안시성 전투 승리
648	나·당 동맹 결성
660	백제 멸망
668	고구려 멸망
676	신라 문무왕, 삼국 통일 이룩
681	신라 신문왕, 김흠돌의 난
682	신라 신문왕, 국학 설치
685	신라 신문왕, 9주 5소경 완비
698	대조영, 발해 건국
722	신라 성덕왕, 정전 지급
727	혜초, 『왕오천축국전』 저술
751	신라 경덕왕, 불국사와 석굴암 중창 시작
788	신라 원성왕, 독서삼품과 실시

800

828	신라 흥덕왕, 장보고의 청해진 설치
889	신라 진성 여왕, 원종과 애노의 난
900	견훤, 후백제 건국
901	궁예, 후고구려 건국
918	왕건, 고려 건국
926	발해 멸망
935	신라 멸망

경주 불국사

918 왕건, 고려 건국
936 고려, 후삼국 통일
956 광종, 노비안검법 실시
958 광종, 과거제 실시
976 경종, 전시과 처음 실시
983 성종, 전국에 12목 설치
992 성종, 국자감 설치
993 성종, 거란의 1차 침입, 서희의 외교 담판
996 성종, 철전(건원중보) 주조

1000

1009 목종, 강조의 정변
1019 현종, 강감찬의 귀주 대첩
1055 문종, 최충의 문헌공도(9재 학당) 설립
1097 숙종, 주전도감 설치

1100

1104 숙종, 별무반 편성
1107 예종, 윤관이 별무반을 이끌고 여진 정벌
1126 인종, 이자겸의 난
1135 인종, 묘청의 서경 천도 운동
1145 인종, 김부식 등이 『삼국사기』 편찬
1170 무신 정변
1176 망이·망소이의 난
1196 최충헌 집권
1198 만적의 난

1200

1219 몽골과 통교
1225 몽골 사신 저고여 피살 사건
1231 몽골의 1차 침입
1232 강화 천도
1234 금속 활자로 『상정고금예문』 간행
1236 팔만대장경 제작(~1251)
1258 몽골, 쌍성총관부 설치
1270 고려 정부의 개경 환도
삼별초의 대몽 항쟁(~1273)
1271 원 성립
1274 여·몽 연합군의 1차 일본 원정
1280 원, 정동행성 설치

1300

1314 원의 연경에 만권당 설치
1348 충목왕, 개성 경천사지 10층 석탑 건립
1356 공민왕, 정동행성 이문소 폐지
쌍성총관부 탈환
1359 홍건적의 1차 침입
1366 공민왕, 전민변정도감 설치
1376 우왕, 최영의 홍산 대첩(왜구 격퇴)
1377 우왕, 최무선의 건의로 화통도감 설치
금속 활자로 『직지심체요절』 인쇄
1388 우왕, 이성계의 위화도 회군
1389 창왕, 박위의 대마도 정벌
1391 공양왕, 과전법 제정
1392 고려 멸망

팔만대장경판

1392 조선 건국
1394 한양 천도
1398 1차 왕자의 난

1400

1400 2차 왕자의 난
1402 태종, 호패법 시행
1414 태종, 6조 직계제 실시
1419 세종, 이종무의 대마도 정벌
1420 세종, 궁궐 안에 집현전 설치
1426 세종, 3포 개항
1429 세종, 『농사직설』 편찬
1436 세종, 의정부 서사제 실시
1441 세종, 측우기 제작
1443 세종, 계해약조 체결
훈민정음 창제
1444 세종, 공법 제정
1446 세종, 훈민정음 반포
1453 계유정난
1455 세조, 6조 직계제 실시
1456 단종 복위 운동
1466 세조, 직전법 실시
1481 성종, 『동국여지승람』 편찬
1485 성종, 『경국대전』 완성
1498 연산군, 무오사화

1500

1504 연산군, 갑자사화
1506 중종반정으로 연산군 폐위
1510 중종, 3포 왜란
1519 중종, 기묘사화
1543 중종, 주세붕이 백운동 서원 설립
1545 명종, 을사사화
1555 명종, 을묘왜변으로 비변사 상설 기구화
1592 선조, 임진왜란(~1598),
이순신의 한산도 대첩, 김시민의 진주 대첩
1593 선조, 권율의 행주 대첩
1597 선조, 정유재란
1598 선조, 이순신의 노량 해전

1600

1608 광해군, 경기도에 대동법 실시
1610 광해군, 허준이 『동의보감』 완성
1623 인조반정으로 광해군 폐위
1624 인조, 이괄의 난
1627 인조, 정묘호란
1635 인조, 영정법 실시
1653 효종, 하멜이 제주도에 도착
1654 효종, 1차 나선 정벌에 조총 부대 파병
1678 숙종, 상평통보 주조

1700

1708 숙종, 대동법 전국에 확대 실시
1712 숙종, 백두산정계비 건립
1725 영조, 탕평책 실시
1746 영조, 『속대전』 편찬
1750 영조, 균역법 실시
1776 정조, 규장각 설치
1785 정조, 『대전통편』 완성
1796 정조, 수원 화성 완성

1800

1801 순조, 공노비 해방
신유박해, 황사영 백서 사건
1811 순조, 홍경래의 난
1860 철종, 최제우가 동학 창시
1861 철종, 김정호가 대동여지도 제작
1862 철종, 임술 농민 봉기

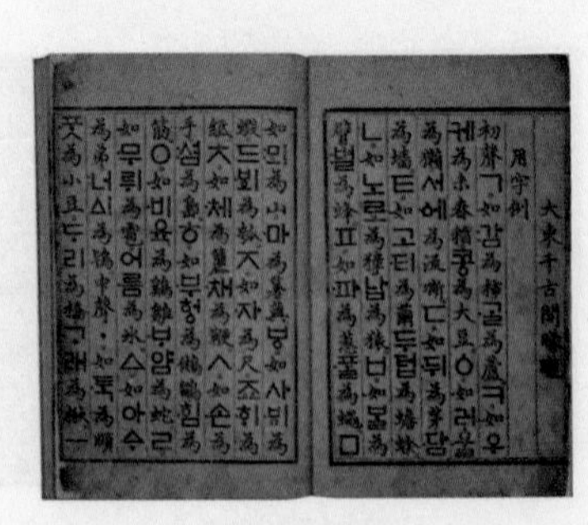

『훈민정음(해례본)』

1863 고종 즉위, 흥선 대원군 집권
1864 동학 교주 최제우 처형
1865 경복궁 중건(~1867)
1866 병인박해, 제너럴 셔먼호 사건
병인양요
1868 오페르트의 남연군 묘 도굴 미수 사건
1871 신미양요, 척화비 건립
1873 고종의 친정 선포(흥선 대원군 실각)
1875 운요호 사건
1876 강화도 조약 체결
1차 수신사(김기수) 파견
1880 2차 수신사(김홍집) 파견
통리기무아문 설치
1881 일본에 조사 시찰단 파견
영남 만인소
별기군 창설
청에 영선사 파견
1882 조·미 수호 통상 조약 체결
임오군란
조·청 상민 수륙 무역 장정 체결
1883 기기창·전환국 설치
미국에 보빙사 파견
『한성순보』 발간
원산 학사 설립
1884 갑신정변
1885 거문도 사건(~1887)
배재 학당 설립
1886 이화 학당 설립
육영 공원 설립
1889 함경도에 방곡령 실시
1894 동학 농민 운동
군국기무처 설치, 갑오개혁
1895 삼국 간섭
을미사변, 을미개혁, 을미의병
1896 아관 파천
『독립신문』 발간, 독립 협회 설립
1897 대한 제국 성립
1898 만민 공동회 개최
1899 전차 개통(서대문~청량리)
대한국 국제 반포
경인선 개통

1900

1903 이범윤, 간도 관리사로 임명됨
1904 한·일 의정서 체결
보안회 조직
『대한매일신보』 창간
제1차 한·일 협약 체결
1905 경부선 개통
화폐 정리 사업 실시
일본, 독도를 불법적으로 자국 영토로 편입
을사늑약 강제 체결
1906 통감부 설치
초대 통감으로 이토 히로부미 임명
1907 국채 보상 운동
신민회 설립
헤이그 특사 파견, 고종 황제 강제 퇴위
한·일 신협약(정미7조약) 체결
1908 의병, 서울 진공 작전
장인환, 전명운 의거(스티븐스 저격)
동양 척식 주식회사 설립
1909 나철, 대종교 창시
청과 일본, 간도 협약 체결
안중근, 이토 히로부미 처단

일본 군함 운요호와 강화도 조약 체결 모습

1910

1910 국권 피탈, 조선 총독부 설치
토지 조사 사업(~1918), 회사령 공포
1911 105인 사건
1912 조선 태형령 시행
임병찬, 독립 의군부 조직
1914 이상설·이동휘, 대한 광복군 정부 수립
1915 박상진, 대한 광복회 조직
1919 2·8 독립 선언, 3·1 운동
대한민국 임시 정부 수립
의열단 조직

1920

1920 봉오동 전투, 청산리 대첩, 간도 참변
산미 증식 계획 시작
1921 조선어 연구회 설립
1923 암태도 소작 쟁의
1924 경성 제국 대학 설립
1925 치안 유지법 제정
1926 6·10 만세 운동
1927 신간회 조직(~1931), 근우회 조직
1929 원산 총파업, 광주 학생 항일 운동

1930

1931 조선어 연구회, 조선어 학회로 개칭
만주 사변
신간회 해소
김구, 한인 애국단 조직
1932 한인 애국단의 이봉창·윤봉길 의거
1933 조선어 학회, 한글 맞춤법 통일안 제정
1934 진단 학회 조직
1937 황국 신민 서사 제정
1938 국가 총동원법 공포
조선 의용대 창설

1940

1940 창씨개명 강요
대한민국 임시 정부, 충칭에 정착
한국광복군 창설
1941 대한민국 임시 정부, 건국 강령 발표
대일 선전 포고 발표
1942 김원봉의 조선 의용대, 한국광복군에 합류
조선어 학회 사건
1943 한국광복군, 인도·미얀마 전선 파견
1944 여운형, 조선 건국 동맹 조직

한국광복군 총사령부 성립 전례식 기념사진

1945

- 1945 8·15 광복
  - 여운형, 조선 건국 준비 위원회 발족
  - 모스크바 3국 외상 회의
- 1946 제1차 미·소 공동 위원회 개최
  - 이승만, 정읍에서 남한 단독 정부 수립 주장
  - 좌우 합작 위원회 설립
- 1947 제2차 미·소 공동 위원회 개최
  - 여운형 암살
  - 유엔 총회에서 인구 비례에 의한 남북한 총선거 의결
- 1948 제주 4·3 사건, 남북 협상 추진
  - 5·10 총선거 실시
  - 제헌 헌법 공포
  - 대한민국 정부 수립(이승만 정부 출범)
  - 북한 정권 수립
  - 반민족 행위 처벌법 제정
- 1949 농지 개혁법 공포, 김구 피살

1950

- 1950 6·25 전쟁
- 1951 1·4 후퇴
- 1952 제1차 헌법 개정(발췌 개헌)
- 1953 반공 포로 석방, 정전 협정 조인
  - 한·미 상호 방위 조약 체결
- 1954 제2차 헌법 개정(사사오입 개헌)
- 1957 한글 학회, 『(우리말) 큰사전』 완간
- 1958 진보당 사건
- 1959 『경향신문』 강제 폐간

대한민국 정부 수립 국민 축하식

1960

- 1960 3·15 부정 선거, 4·19 혁명
  - 이승만 대통령 하야 → 허정 과도 정부 수립
  - 제3차 헌법 개정(양원제 국회, 내각 책임제)
  - 장면 내각 성립
  - 제4차 헌법 개정(소급 입법 개헌)
- 1961 5·16 군사 정변
- 1962 제1차 경제 개발 5개년 계획(~1966)
  - 제5차 헌법 개정
- 1963 대통령 선거에서 박정희 당선 (박정희 정부 출범)
- 1964 6·3 시위
  - 베트남 파병(~1973)
- 1965 한·일 협정 체결
- 1967 제2차 경제 개발 5개년 계획(~1971)
- 1969 제6차 헌법 개정(3선 개헌)

1970

- 1970 새마을 운동 시작
  - 경부 고속 국도 개통
  - 전태일 분신 사건
- 1972 제3차 경제 개발 5개년 계획(~1976)
  - 7·4 남북 공동 성명
  - 10월 유신(제7차 헌법 개정, 유신 헌법)
  - 북한, 사회주의 헌법 채택
  - 남북 조절 위원회 설치
- 1973 포항 제철소 1기 설비 준공
  - 개헌 청원 100만 인 서명 운동
- 1975 대통령 긴급 조치 9호 발표
- 1977 수출 100억 달러 달성
  - 제4차 경제 개발 5개년 계획(~1981)
- 1979 YH 무역 사건
  - 김영삼이 국회 의원직에서 제명됨
  - 부·마 민주 항쟁
  - 10·26 사태
  - 통일 주체 국민 회의에서 최규하 대통령 선출
  - 12·12 사태

1980

1980 5·18 민주화 운동
제8차 헌법 개정
1981 대통령 선거인단에서 전두환 대통령 선출
(전두환 정부 출범)
1982 야간 통행금지 해제
교복 자율화 조치 발표
1983 KBS 특별 생방송 '이산가족을 찾습니다'
방송 시작
1985 남북한 이산가족 고향 방문단·예술 공연단
교환 방문
1986 제10회 서울 아시아 경기 대회 개최
1987 박종철 고문치사 사건
4·13 호헌 조치
6월 민주 항쟁
6·29 민주화 선언
제9차 헌법 개정(현행 헌법)
노태우 정부 출범
1988 제24회 서울 올림픽 대회 개최
1989 헝가리, 폴란드와 수교

1990

1990 3당 합당
소련과 국교 수립
1991 남북한 유엔 공동 가입
남북 기본 합의서 채택
1992 중국과 국교 수립
1993 김영삼 정부 출범
금융 실명제 실시
1994 북한, 김일성 사망
1995 지방 자치제 전면 시행
조선 총독부 건물 철거 시작
1996 경제 협력 개발 기구(OECD) 가입
1997 외환 위기 발생 → 국제 통화 기금(IMF) 구제
금융 공식 요청
1998 김대중 정부 출범
기업인 정주영 '소떼 방북'
금강산 관광 사업 시작

2000

2000 제1차 남북 정상 회담
6·15 남북 공동 선언 발표
2002 한·일 월드컵 대회 개최
2003 노무현 정부 출범
2005 아시아·태평양 경제 협력체(APEC)
정상 회의 개최
2007 제2차 남북 정상 회담
10·4 남북 공동 선언 발표
2008 이명박 정부 출범
2010 G20 서울 정상 회의 개최
2013 박근혜 정부 출범
2017 문재인 정부 출범
2018 평창 동계 올림픽 대회 개최
남북 정상 회담 개최
판문점 선언 발표

IMF구제금융 요청

美·日 협조융자 합치 총600~700억弗

환율·金利 진정~株價 급등

1달러=1,056원~지수 17P 올라 506기록

APEC 회의 참석

국제 통화 기금 구제 금융 요청

한·일 월드컵 대회 거리 응원 모습